34.95

Instants décisifs

George W. Bush

Instants décisifs

Traduit de l'anglais (Etats-Unis)
par Suzy Borello, Raymond Clarinard
et Caroline Lee

PLON
www.plon.fr

Titre original
Decision Points

ISBN édition originale : Crown Publishers, New York, 978-0-307-59061-9.
ISBN Plon : 978-2-259-21381-3.

Aux amours de ma vie :
Laura, Barbara et Jenna

Sommaire

Introduction 11

1. Adieu aux addictions 13
2. En campagne 47
3. Personnel 75
4. Cellules souches 116
5. Jour de flammes 136
6. Sur le pied de guerre 161
7. Afghanistan 191
8. Irak 229
9. Gouverner 278
10. Katrina 314
11. L'effet Lazare 339
12. Renforts militaires 360
13. La campagne pour la liberté 399
14. Crise financière 441

Epilogue 475
Remerciements 481

Introduction

Durant la dernière année de ma présidence, j'ai commencé à envisager sérieusement d'écrire mes mémoires. Sur les recommandations de Karl Rove, j'ai rencontré plus d'une dizaine d'historiens distingués. Tout sans exception m'ont assuré qu'écrire était pour moi une obligation. Ils estimaient qu'il était important que je consigne mon point de vue sur la présidence, avec mes propres mots.

« Avez-vous déjà vu le film *Apollo 13* ? a lancé l'historien Jay Winik. Tout le monde sait que les astronautes vont réussir à rentrer. Mais on se ronge les ongles tout du long en se demandant comment ils vont faire. »

Presque tous m'ont suggéré de lire les *Mémoires* du président Ulysses S. Grant, ce que j'ai fait. On retrouve son ton si particulier dans son ouvrage. Il se sert d'anecdotes pour redonner vie à son expérience de la guerre de Sécession. J'ai compris pourquoi son œuvre avait survécu.

Comme Grant, j'ai décidé de ne pas écrire un récit détaillé de ma vie ou de ma présidence. Au lieu de cela, j'ai raconté l'histoire de mon séjour à la Maison-Blanche en me concentrant sur ce qui est l'essentiel de ce travail : la prise de décisions. Chaque chapitre s'articule autour d'une grande décision, ou d'une série de décisions liées entre elles. Par conséquent, c'est un livre thématique et non une chronologie au jour le jour. Je ne couvre pas tous les dossiers qui sont passés sur mon bureau. Beaucoup de membres dévoués de mon cabinet et de mon personnel sont cités brièvement, voire pas du tout. Leur service a été pour moi d'une grande valeur, et je leur serai toujours reconnaissant de leur contribution.

En écrivant ce livre, j'ai poursuivi un double objectif. Tout d'abord, j'espère brosser le tableau de ce que cela a été d'être président pendant huit années consécutives. Je pense qu'il faudra encore attendre des décennies avant de pouvoir tirer des conclusions définitives quant à ma présidence – ou toute autre présidence récente, d'ailleurs. Le passage du temps permet aux passions de s'apaiser, aux résultats de se clarifier, aux universitaires de comparer différentes approches. J'espère que ce livre servira de référence à quiconque souhaitera étudier cette période de l'histoire américaine.

Ensuite, j'écris pour donner au lecteur un point de vue sur la prise de décision dans un environnement complexe. Beaucoup des décisions qui parviennent au bureau du président sont ardues, chaque camp avançant de solides arguments. Tout au long du livre, je décris les options que j'ai soupesées et les principes que j'ai suivis. J'espère que cela vous donnera une meilleure idée des raisons pour lesquelles j'ai pris ces décisions qui furent les miennes. Peut-être cela pourra-t-il même vous aider à faire vous-même des choix dans votre propre vie.

Instants décisifs repose avant tout sur mes souvenirs. Avec l'aide de chercheurs, j'ai vérifié mon récit avec des documents officiels, des notes de l'époque, des entretiens personnels, des articles de journaux et d'autres sources, dont certaines sont toujours confidentielles. Parfois, je n'ai pu m'appuyer que sur ma mémoire. Si ce livre contient des inexactitudes, c'est à moi qu'elles incombent.

Dans les pages qui suivent, j'ai fait de mon mieux pour écrire sur les décisions que j'ai prises, les bonnes, les mauvaises, et celles pour lesquelles j'agirais différemment si j'en avais l'occasion. Mais dans une présidence, bien sûr, il n'y a pas de deuxième chance. Il faut faire ce que l'on croit juste et accepter les conséquences. Je me suis efforcé de le faire chaque jour de mes huit ans à la Maison-Blanche. Servir en tant que président a été l'honneur de ma vie, et j'apprécie que vous me donniez la possibilité de partager mon histoire.

1

Adieu aux addictions

La question était simple. « Est-ce que tu te souviens du dernier jour où tu n'as pas bu d'alcool ? » m'avait demandé Laura de sa voix calme, apaisante. Elle ne menaçait pas, ni ne me harcelait. Mais elle attendait une réponse. Mon épouse est le genre de personne qui choisit son moment. Comme celui-ci.

« Bien sûr que je peux », avais-je rétorqué, indigné. Puis j'avais réfléchi à la semaine écoulée. J'avais bu quelques bières avec les copains lundi soir. Le mardi, je m'étais préparé mon digestif préféré : un B, Bénédictine et brandy. Mercredi, après avoir mis Barbara et Jenna au lit, j'avais bu un ou deux bourbons et des Sevens. Jeudi et vendredi, c'étaient les soirées bière. Le samedi, Laura et moi étions sortis avec des amis. J'avais pris des martinis avant de dîner, des bières pendant le repas, et des B ensuite. Aïe, la première semaine, c'était raté.

J'ai continué à fouiller ma mémoire en quête d'un seul jour à sec au cours des dernières semaines ; puis du dernier mois ; puis plus loin. Je n'en ai pas trouvé un seul. La boisson était devenue une habitude.

J'ai tendance à avoir des habitudes invétérées. J'ai fumé la cigarette pendant neuf ans, à partir de l'université. J'ai cessé de fumer en me mettant à chiquer, manie dont je me suis débarrassé en consommant du tabac à mâcher. Pour finir, je me suis rabattu sur les cigares.

Pendant un moment, je me suis efforcé de rationaliser mon abus de boisson. Après tout, je n'en étais quand même pas rendu au niveau de certains des ivrognes que je connaissais dans notre ville de Midland, au Texas. Je ne buvais pas pendant la journée, ni au travail. J'étais en bonne santé et je courais presque tous les après-midi, encore une de mes habitudes.

Avec le temps, j'ai compris que je courais non seulement pour entretenir ma forme, mais aussi pour purger mon organisme des poisons. La petite question de Laura m'avait amené à m'en poser d'autres moi-même, et de plus grandes. Préférais-je rester à la maison avec nos filles ou sortir pour boire ? Préférais-je lire au lit avec Laura ou boire du bourbon seul une fois la famille couchée ? Pouvais-je continuer à me rapprocher du Tout-Puissant, ou l'alcool était-il en train de devenir mon dieu ? Je connaissais les réponses, mais il était difficile de trouver la force de changer.

En 1986, Laura et moi avons tous deux fêté nos quarante ans. Tout comme nos amis proches, Don et Susie Evans. Nous avons décidé d'organiser une fête commune à la station de Broadmoor, à Colorado Springs. Nous avons invité nos amis d'enfance Joe et Jan O'Neill, mon frère Neil et Penny Sawyer, une autre amie de Midland.

La soirée d'anniversaire officielle a eu lieu le samedi. Nous avons fait un repas plantureux, arrosé de nombreuses bouteilles de Silver Oak, un vin à 60 dollars la bouteille. Les toasts se sont enchaînés – à notre santé, à nos enfants, aux baby-sitters qui les gardaient chez nous. Nous avons fait de plus en plus de bruit, répétant sans cesse les mêmes histoires. A un moment, Don et moi avons décrété que nous étions si amusants que nous ne pouvions que passer d'une table à l'autre pour faire profiter les autres clients de notre numéro. Nous avons fait la fermeture, payé une addition colossale et sommes allés nous coucher.

Le lendemain, je me suis réveillé avec une vilaine gueule de bois. En sortant pour mon jogging quotidien, je me suis aperçu que je ne me souvenais plus vraiment de la veille. A peu près à mi-chemin de mon parcours, mon cerveau a commencé à se dégager. Les contre-courants qui se croisaient dans ma vie me sont apparus avec une plus grande netteté. Depuis des mois, je priais Dieu pour qu'Il me montre comment mieux être le reflet de Sa volonté. Ma lecture des saintes Ecritures avait clarifié la nature de la tentation et le fait bien réel que l'amour des plaisirs matériels pouvait remplacer celui de Dieu. L'alcool n'était pas mon seul problème : l'égoïsme en était un autre. La bouteille me poussait à oublier les autres, surtout ma famille. J'aimais trop Laura et les filles pour l'accepter. La foi m'a montré le chemin. Je savais que je pouvais compter sur la grâce de Dieu pour m'aider à changer. Ce ne serait pas facile, mais à la fin de mon jogging, j'avais pris ma décision : j'arrêterais de boire.

Quand je suis rentré à l'hôtel, j'ai dit à Laura que je ne boirais plus jamais d'alcool. Elle m'a regardé comme si j'étais perdu dans les brumes de la beuverie. Puis elle m'a dit : « C'est bien, George. »

Je savais ce qu'elle pensait. Il m'était déjà arrivé d'annoncer que j'allais arrêter, et il ne s'était rien passé. Ce qu'elle ne savait pas, c'était que, cette fois, j'avais changé à l'intérieur – et que cela allait me permettre de modifier mon comportement pour toujours.

Il a fallu environ cinq jours pour que ma décision perde de sa fraîcheur. Mes souvenirs de ma gueule de bois se dissipant, la tentation de boire est devenue terrible. Mon organisme avait un besoin maladif d'alcool. J'ai prié pour avoir la force de lutter contre mes désirs. J'ai couru plus vite et plus longtemps afin de me punir. Et j'ai aussi mangé beaucoup de chocolat. Mon corps avait un besoin désespéré de sucre. Le chocolat était un moyen simple de lui en donner. Ce qui m'a fourni une motivation supplémentaire pour aller courir : il fallait éliminer les kilos.

Laura m'a été d'un grand soutien. Elle a senti que j'étais vraiment en train d'arrêter. Chaque fois que j'abordais le sujet, elle m'incitait à tenir. Parfois, je parlais de me remettre à boire uniquement pour entendre ses paroles d'encouragement.

Mes amis aussi m'ont aidé, même si la plupart d'entre eux continuaient à boire en ma présence. Au début, il m'a été difficile de regarder les autres savourer un cocktail ou une bière. Mais étant sobre, j'ai pu comprendre à quel point j'avais dû paraître idiot quand je buvais. Plus le temps passait, plus je me sentais raffermi dans ma détermination. Ne plus boire est devenu une habitude à part entière – une habitude que j'ai été heureux d'entretenir.

Arrêter de boire a été l'une des décisions les plus difficiles de ma vie. Sans elle, aucune de celles qui vont suivre dans ce livre n'aurait été possible. Pourtant, sans les expériences vécues durant mes quarante premières années, il ne m'aurait pas été possible non plus d'arrêter de boire. Tant d'éléments de ma personnalité, tant de mes convictions ont pris forme au cours de ces quatre premières décennies. Mon parcours a été une succession de défis, de combats et d'échecs. Il témoigne de la force de l'amour, du pouvoir de la foi, et est la preuve que les gens peuvent changer. Et en plus, le voyage en valait la peine.

Je suis le fils aîné de George et Barbara Bush. Mon père était sous les drapeaux pendant la Seconde Guerre mondiale, il a épousé l'amour de sa vie dès qu'il est rentré et a vite fondé une nouvelle famille. Une histoire commune à bien des jeunes couples de leur génération. Mais George H.W. Bush a toujours eu quelque chose d'extraordinaire.

Quand Pearl Harbor a été attaqué, Papa était en train de terminer le lycée. Il avait été accepté à Yale. Au lieu de cela, il s'est engagé dans la Marine pour son dix-huitième anniversaire, et est devenu le plus jeune pilote à décrocher ses ailes. Avant d'être embarqué pour le Pacifique, il est tombé amoureux d'une belle jeune fille du nom de Barbara Pierce. Il a aussitôt annoncé à ses amis qu'il avait l'intention de l'épouser. En souvenir, il a fait peindre son nom sur le flanc de son appareil.

Un matin, en septembre 1944, Papa effectuait une mission au-dessus de Chichi-Jima, une île occupée par les Japonais. Son TBM Avenger a été touché par les tirs ennemis, mais il a continué – piquant à 320 kilomètres/heure –, a largué ses bombes et atteint sa cible. Il a hurlé à ses coéquipiers de sauter, puis a fait de même. Seul dans le Pacifique Sud, il a nagé jusqu'au petit canot gonflable qui lui avait servi de coussin sur son siège. Quand il a été récupéré par un sous-marin, on lui a dit qu'il pouvait rentrer au pays. Mais il a préféré retourner dans son escadrille. Son engagement a pris fin juste avant Noël et, le 6 janvier 1945, il a épousé Mère dans la paroisse familiale de cette dernière à Rye, dans l'Etat de New York.

Après la guerre, Mère et Papa se sont installés à New Haven pour qu'il puisse suivre les cours à Yale. C'était un grand sportif – il était première base et capitaine de l'équipe de baseball. Mère venait assister à presque tous les matchs, même durant le printemps 1946, alors qu'elle m'attendait. Heureusement pour elle, le stade disposait d'un large fauteuil situé derrière le marbre, conçu à l'origine pour l'ancien professeur de droit William Howard Taft.

Papa fut un étudiant remarquable, accepté au sein du Phi Beta Kappa[*] au bout de seulement deux ans et demi. J'ai assisté à sa remise de diplôme dans les bras de Mère, somnolant pendant presque toute la cérémonie. Ce ne serait pas la dernière fois que je dormirais pendant une conférence à Yale.

Des années plus tard, des millions d'Américains ont découvert l'histoire de Papa. Mais dès le début, je l'ai sue par cœur. Dans un de mes premiers souvenirs, je me revois assis par terre, tandis que Mère feuilletait des albums de famille. Elle m'avait montré des clichés datant de la formation de pilote de Papa à Corpus Christi, des feuilles de résultats de matchs qu'il avait disputés dans les championnats interuniversitaires, et une photo célèbre de lui en compagnie de Babe Ruth[**] au poste du lanceur sur le terrain de Yale. Je m'étais plongé dans les photos de leur mariage : l'officier de marine et sa jeune épouse souriante. Une des parties que je préfé-

---

[*] Prestigieux club estudiantin, fondé en 1776, qui regroupe les élèves les plus brillants au cours de leur troisième ou quatrième année. (NdT)

[**] George Herman Ruth (1895-1948), star du baseball de 1914 à 1935. (NdT)

rais dans les albums, c'était un bout de caoutchouc venant du canot qui avait sauvé la vie de Papa dans le Pacifique. Je le harcelais pour qu'il me raconte des histoires du temps de la guerre. Il refusait de se vanter. Mais Mère n'hésitait pas, elle. Elle l'adorait, tout comme moi. En grandissant, je me suis aussi tourné vers d'autres modèles. Mais il est vrai que je n'ai jamais eu à chercher bien loin. J'étais le fils de George Bush.

Quand Papa a obtenu son diplôme en 1948, la plupart des gens se sont dit qu'il se destinait sans doute à Wall Street. Après tout, son père était associé d'une société d'investissements en pleine expansion. Mais Papa tenait à réussir par lui-même. Alors, Mère et lui ont chargé leurs bagages dans leur Studebaker rouge et sont partis vers l'Ouest. Je les ai toujours admirés pour avoir pris ce risque, et je leur ai toujours été reconnaissant de l'endroit où ils se sont installés. Une de mes plus grandes richesses, c'est que j'ai grandi dans l'ouest du Texas.

Nous avons passé notre première année dans la ville ouvrière d'Odessa, où il n'y avait que quelques rues pavées et de fréquentes tempêtes de sable. Nous vivions dans un appartement minuscule et partagions les toilettes avec – tout dépend à qui on pose la question – une, voire deux prostituées. Papa occupait un poste tout en bas de l'échelle dans une société de services dans le secteur pétrolier. Parmi ses fonctions, il devait balayer des entrepôts et peindre des pompes à pétrole. Un jour, un collègue lui a demandé s'il avait fait des études. Papa lui a répondu que oui, en fait, il était allé à Yale. Le type a marqué un temps d'arrêt, et a répliqué : « Jamais entendu parler. »

Après un bref séjour en Californie, nous sommes revenus dans l'ouest du Texas en 1950. Nous nous sommes installés à Midland, la ville qui me vient à l'esprit quand je pense à mon enfance. Midland était située à une trentaine de kilomètres à l'est d'Odessa. Une région sans arbres. Le sol était plat, sec, poussiéreux. En dessous se trouvait une mer de pétrole.

Midland était la capitale du Bassin permien qui, dans les années 50, représentait environ 20 % de la production pétrolière de l'Amérique. Il y régnait une atmosphère d'indépendance et d'esprit d'entreprise. La concurrence y était féroce, surtout dans le secteur du pétrole. Mais il existait aussi un sentiment de communauté. Tout le monde pouvait réussir, ou échouer. Les parents de mes amis occupaient toutes sortes d'emplois. L'un d'entre eux était peintre en bâtiment. Un autre chirurgien. Un troisième coulait du béton. A dix pâtés de maisons de chez nous vivait un promoteur, Harold Welch. J'avais un quart de siècle quand je l'ai rencontré et j'ai courtisé sa charmante fille, Laura Lane.

La vie à Midland était simple. Je faisais du vélo avec des copains comme Mike Proctor, Joe O'Neill, et Robert McCleskey. Nous faisions des randonnées avec les louveteaux, et je faisais du porte-à-porte pour des ventes de charité. Mes amis et moi jouions au baseball, et tapions des balles basses et des chandelles jusqu'à ce que Mère appelle par-dessus la clôture de notre jardin pour que je rentre dîner. J'étais surexcité quand Papa venait jouer avec nous. Il était réputé pour sa capacité à rattraper des chandelles dans son dos, un truc qu'il avait appris à l'université. Mes amis et moi tentions de l'imiter, et nous retrouvions avec quantité de bleus sur les épaules.

A l'âge de onze ans, j'ai connu l'un des plus grands moments de fierté de ma jeune vie. Papa et moi échangions des balles dans le jardin. Il m'a lancé une balle que j'ai attrapée avec mon gant. « Fils, ça y est, a-t-il dit en souriant. Je peux te les lancer aussi fort que je veux. »

C'était une époque paisible, sans souci. Idyllique, dirais-je aujourd'hui. Le vendredi soir, nous allions acclamer les Bulldogs du lycée de Midland. Le dimanche matin, nous allions à l'église. Personne ne verrouillait sa porte. Des années plus tard, quand j'ai parlé du Rêve américain, c'est à Midland que je pensais.

En plein bonheur, la tragédie nous a frappés. Au printemps 1953, les médecins ont diagnostiqué une leucémie chez ma sœur de trois ans, Robin. Cette forme de cancer était alors pratiquement incurable. Mes parents l'ont fait admettre à l'hôpital Sloan-Kettering de New York. Ils espéraient un miracle. Ils savaient aussi que les chercheurs en apprendraient plus en étudiant sa maladie.

Mère passa des mois au chevet de Robin. Papa faisait la navette entre le Texas et la Côte Est. Quant à moi, je vivais chez des amis de mes parents. Quand Papa était à la maison, il se levait tôt pour aller au travail. J'ai appris par la suite que tous les matins à 6 h 30, il allait à l'église prier pour Robin.

Mes parents ne savaient pas comment m'annoncer que ma sœur était mourante. Ils m'ont juste dit qu'elle était malade là-bas dans l'Est. Un jour, mon instituteur à l'école élémentaire Sam Houston de Midland m'a demandé, ainsi qu'à un camarade, de porter un électrophone dans un autre bâtiment de l'école. Alors que nous transportions cet engin encombrant, j'ai eu le choc de voir Mère et Papa garer l'Oldsmobile familiale de couleur verte. J'aurais juré avoir aperçu les boucles blondes de Robin par la vitre. J'ai foncé vers la voiture. Mère m'a serré fort contre elle. J'ai regardé sur la banquette arrière. Robin n'était pas là. Mère a murmuré : « Elle est morte. » Sur le court trajet qui nous séparait de la maison, j'ai vu mes parents pleurer pour la première fois de ma vie.

Moi aussi, j'ai été triste de la mort de Robin, comme on peut l'être à sept ans. J'étais triste d'avoir perdu ma sœur et une future compagne de jeux. J'étais triste parce que je voyais que mes parents souffraient tant. Mais il faudrait bien des années avant que je saisisse la différence entre mon chagrin et la douleur abominable que ressentaient mes parents à l'idée d'avoir perdu leur fille.

Après la mort de Robin, Mère et moi avons été beaucoup plus proches. Papa était souvent en déplacement pour son travail, et je passais presque tout mon temps avec elle, la submergeant de mon affection tout en essayant de lui remonter le moral en plaisantant. Un jour, elle a entendu Mike Proctor taper à la porte pour demander si je pouvais venir jouer. « Non, lui ai-je répondu. Il faut que je reste avec Mère. »

Pendant un temps après la mort de Robin, je me suis senti comme un enfant unique. Mon frère Jeb, qui a sept ans de moins que moi, était bébé. Mes deux plus jeunes frères, Neil et Marvin, et Doro, ma petite sœur, sont arrivés plus tard. En grandissant, Mère a continué à jouer un grand rôle dans ma vie. Elle conduisait ma patrouille de louveteaux aux Carlsbad Caverns, où nous nous promenions parmi les stalactites et les stalagmites. Maman de la Little League, elle tenait les scores à chaque match. Elle m'emmenait chez l'orthodontiste le plus proche à Big Spring et essayait de m'apprendre le français dans la voiture. Je nous revois encore roulant dans le désert tandis que je répétais : « *Ferme la bouche... ouvre la fenêtre* [*]. » Si seulement Jacques Chirac m'avait vu à l'époque.

En cours de route, j'ai acquis une grande partie de la personnalité de Mère. Nous avons le même sens de l'humour. Nous aimons asticoter pour manifester notre affection, et parfois pour marquer un point. Nous avons tous les deux des caractères prompts à s'enflammer. Et nous pouvons nous montrer abrupts, ce qui nous vaut des ennuis de temps à autre. Quand je me suis présenté au poste de gouverneur du Texas, j'ai déclaré aux gens que j'avais les yeux de mon papa et la bouche de ma mère. Je l'ai dit pour faire rire, mais c'était vrai.

Etre le fils de George et Barbara Bush revenait à incarner de grands espoirs, mais pas comme ont pu le croire les gens par la suite. Jamais mes parents n'ont projeté leurs rêves sur moi. S'ils espéraient que je deviendrais un grand lanceur, ou une personnalité politique, ou un artiste (aucune chance), ils ne me l'ont jamais dit. A leurs yeux, le rôle des parents était de donner de l'amour et de m'encourager à tracer ma propre route.

En revanche, ils m'avaient effectivement imposé des limites en termes de comportement, et il m'est arrivé de les franchir. Mère se chargeait de les faire appliquer. Elle pouvait facilement s'énerver, et

---

[*] En français dans le texte. (NdT)

comme nous avions le même caractère, je savais comment mettre le feu aux poudres. Je lui répondais avec insolence, et j'y avais aussitôt droit. Si je me montrais grossier, comme elle le disait, elle me savonnait la bouche. Ce qui m'est arrivé plus d'une fois. La plupart du temps, je ne cherchais pas à la provoquer. J'étais un petit garçon fougueux qui cherchait sa voie, comme elle cherchait la sienne en tant que mère. Je ne plaisante qu'à moitié quand je dis que je suis responsable de ses cheveux blancs.

En grandissant, j'ai compris que l'amour de mes parents était inconditionnel. Je le sais, car je l'ai mis à l'épreuve. J'avais déjà eu deux accidents de voiture à quatorze ans, âge légal pour le permis de conduire à l'époque. Mes parents ont continué à m'aimer. J'ai emprunté la voiture de Papa, ai démarré en marche arrière sans réfléchir et arraché la portière. J'ai versé de la vodka dans l'aquarium et tué le poisson rouge de ma petite sœur Doro. Parfois, j'étais désagréable, exigeant et insolent. Malgré cela, mes parents ont continué à m'aimer.

Leur amour et leur patience ont fini par avoir un effet sur moi. Quand on sait que l'on est l'objet d'un amour inconditionnel, il ne sert à rien de se rebeller, et il est inutile de redouter l'échec. J'étais libre de suivre mes instincts, de profiter de la vie, et de rendre tout leur amour à mes parents.

Un jour, peu après avoir appris à conduire et alors que Papa était en déplacement, Mère m'a appelé dans sa chambre. Il y avait de l'inquiétude dans sa voix. Elle m'a dit de l'emmener immédiatement à l'hôpital. Je lui ai demandé ce qui n'allait pas. Elle a répondu qu'elle m'expliquerait dans la voiture.

Alors que je manœuvrais dans l'allée, elle m'a dit de conduire calmement et d'éviter les chocs. Puis elle a ajouté qu'elle venait de faire une fausse-couche. Ce qui m'a déconcerté. Jamais je n'aurais cru aborder ce sujet avec Mère. Pas plus que je ne me serais attendu à voir les restes du fœtus, qu'elle avait conservé dans un bocal pour l'emporter à l'hôpital. Je me souviens d'avoir pensé : *C'était une vie humaine, un petit frère ou une petite sœur.*

Mère s'est présentée aux admissions et elle est partie en salle d'examen. J'allais et venais dans le hall pour me calmer les nerfs. Etant passé à plusieurs reprises près d'une dame plus âgée, elle m'a déclaré : « Ne vous inquiétez pas, chéri, ça va aller pour votre femme. »

Quand on m'a laissé entrer dans la chambre de Mère, le médecin a annoncé qu'elle ne risquait rien, mais qu'elle devait rester pour la nuit en observation. J'ai raconté à Mère ce que la femme m'avait dit dans le hall. Elle a poussé un de ses longs et vigoureux éclats de rire, et je suis rentré à la maison en me sentant bien mieux.

Le lendemain, je suis revenu la chercher à l'hôpital. Elle m'a remercié de m'être montré si attentif et responsable. Elle m'a également demandé de ne parler à personne de l'incident qui, estimait-elle, était une affaire privée ne regardant que la famille. J'ai respecté son souhait, jusqu'à ce qu'elle me donne l'autorisation de raconter cette histoire dans ce livre. Ce que j'ai fait pour elle ce jour-là était modeste, mais pour moi, cela a représenté beaucoup. Et cela a contribué à approfondir le lien particulier qui nous unit.

Tandis que je grandissais au Texas, les autres membres de la famille Bush faisaient partie d'un tout autre monde. Quand j'avais à peu près six ans, nous avons rendu visite aux parents de Papa à Greenwich, dans le Connecticut. J'ai été invité à dîner avec les adultes. Je devais porter un costume et une cravate, ce que je n'avais jamais fait à Midland, sauf au catéchisme. La table était élégamment mise. Je n'avais jamais vu autant de cuillers, de fourchettes et de couteaux, tous soigneusement alignés. Une femme vêtue de noir et portant un tablier blanc m'a servi une soupe rouge à l'air bizarre au milieu de laquelle dansait un petit amas blanc. J'y ai goûté. C'était affreux. Très vite, tous les regards se sont posés sur moi, attendant que je finisse ce mets délicat. Mère m'avait averti que je devrais tout manger sans me plaindre. Mais elle avait oublié de préciser au cuisinier qu'elle m'avait élevé au beurre de cacahuètes et à la confiture, pas au borchtch.

Papa m'avait beaucoup parlé de mes grands-parents paternels. Mon grand-père, Prescott Bush, était un homme imposant – il mesurait plus d'un mètre quatre-vingt-dix, avait un rire tonitruant et une forte personnalité. Il était bien connu à Greenwich en tant qu'homme d'affaires à succès, d'une intégrité à toute épreuve, depuis longtemps animateur des débats à l'assemblée municipale. C'était aussi un golfeur hors pair, président de l'Association américaine de golf qui avait un jour réalisé un score de 66 à l'US Senior Open.

En 1950, Gampy, comme nous l'appelions, s'était présenté au Sénat. Il n'avait perdu que d'un millier de voix et renonça à la politique. Mais deux ans plus tard, les républicains du Connecticut le persuadèrent de tenter de nouveau sa chance. Cette fois, il l'emporta.

A dix ans, je suis allé le voir à Washington. Ma grand-mère et lui m'ont emmené assister à une réunion dans une maison de Georgetown. Alors que je déambulais parmi les adultes, Gampy m'a agrippé par le bras. « Georgie, m'a-t-il dit. Je veux te présenter quelqu'un. » Il m'a entraîné vers un homme gigantesque, le seul dans la pièce à être aussi grand que lui.

« J'ai là un de vos électeurs », a déclaré Gampy à l'inconnu. Une énorme main a englouti la mienne. « Ravi de te rencontrer », a dit le collègue de Papy, le chef de file de la majorité au Sénat Lyndon B. Johnson.

Mon grand-père pouvait être très sévère. Il était de ceux qui pensaient que les « enfants doivent être vus mais pas entendus », ce qui m'était étranger, moi qui étais un bavard et un petit malin. Il administrait la discipline aussi rapidement que sans ménagement, comme j'en ai fait l'expérience quand il m'a poursuivi dans une pièce parce que j'avais tiré la queue de son chien préféré. A l'époque, il me faisait peur. Des années plus tard, j'ai appris que cet homme imposant avait le cœur tendre : Mère m'a raconté comment il l'avait consolée en choisissant un site magnifique pour la tombe de Robin dans un cimetière de Greenwich. Quand mon grand-père est mort en 1972, il a été enterré à ses côtés.

Papa aimait et respectait son père : il adorait sa mère. Dorothy Walker Bush était un véritable ange. Nous l'appelions Ganny, et c'est peut-être la personne la plus gentille que j'aie jamais connue. Je la revois me bordant dans mon lit quand j'étais petit, me chatouillant le dos quand nous disions les prières du soir. Elle était humble et nous a enseigné à ne jamais nous vanter. Elle a vécu pour voir Papa devenir président et est morte à quatre-vingt-dix-neuf ans, quelques semaines après sa défaite en 1992. Papa était avec elle dans ses derniers instants. Elle lui a demandé de lui lire des passages de la Bible à son chevet. Quand il l'a ouverte, une liasse de vieux papiers en a glissé. C'étaient des lettres que Papa lui avait écrites des années auparavant. Elle les avait gardées toute sa vie, et avait voulu les avoir près d'elle à la fin.

Les parents de Mère vivaient à Rye, dans l'Etat de New York. Sa mère, Pauline Robinson Pierce, est morte quand j'avais trois ans. Elle a été tuée dans un accident de voiture quand mon grand-père Marvin, qui conduisait, s'est penché pour empêcher un gobelet de café chaud de se renverser. La voiture a fait une embardée et a percuté un mur de pierre. Ma petite sœur avait été appelée Robin en mémoire de ma grand-mère.

J'aimais beaucoup le père de ma mère, Marvin Pierce, surnommé Monk. Il avait fait partie de l'équipe de l'Université Miami de l'Ohio dans quatre sports différents, ce qui lui conférait une aura mythique à mes jeunes yeux. Il était président de McCall's, et un parent éloigné du président Franklin Pierce. Je me souviens de lui comme d'un homme doux, patient et modeste.

Mes voyages dans l'Est m'avaient appris deux choses importantes : premièrement, j'étais capable de me sentir à l'aise dans presque n'importe quel environnement. Deuxièmement, ce que j'aimais vraiment, c'était vivre au Texas. Bien sûr, il y avait un grand avantage à résider sur la Côte Est : je pouvais suivre le cham-

pionnat de baseball. Je devais avoir dix ans quand mon gentil oncle
Bucky, le plus jeune frère de Papa, m'a emmené voir un match des
Giants de New York aux Polo Grounds. Je n'ai pas oublié le jour où
j'ai vu mon héros Willie Mays jouer en champ extérieur.

Cinquante ans plus tard, j'ai revu Willie. Il était commissaire
honoraire d'un match de T-ball[*] qui se tenait sur la pelouse Sud de
la Maison-Blanche. Il avait soixante-quinze ans, mais pour moi, il
était toujours le Say Hey Kid[**]. Ce jour-là, j'ai déclaré aux jeunes
joueurs présents : « Je voulais être le Willie Mays de ma génération,
mais je n'étais pas capable de donner de l'effet à une balle. Alors, au
lieu de ça, j'ai fini président. »

En 1959, ma famille a quitté Midland et s'est installée à plus de
huit cents kilomètres de là, à Houston. Papa était P-DG d'une société
dans le secteur en pleine expansion des forages off-shore. Notre
nouvelle maison se trouvait dans une région luxuriante et boisée
souvent balayée par des orages. C'était l'exact contraire de Midland,
où les seules intempéries que l'on connaissait étaient des tempêtes
de sable. Le déménagement m'inquiétait, mais Houston était une
ville passionnante. J'ai appris à jouer au golf, je me suis fait de
nouveaux amis, et j'ai démarré dans une école privée du nom de
Kinkaid. A l'époque, les différences entre Midland et Houston
paraissaient énormes. Mais elles n'étaient rien à côté de ce qui
m'attendait.

Un jour, après l'école, Mère me guettait au bout de notre allée.
J'étais en troisième, et les mères ne venaient jamais nous chercher à
la sortie du bus – du moins, pas la mienne. Elle était visiblement
emballée par quelque chose. Dès que je suis descendu du bus, elle
s'est exclamée : « Félicitations, George, tu as été accepté à
Andover ! » Pour elle, c'était une bonne nouvelle. J'étais loin d'en
être aussi sûr.

L'été précédent, Papa m'avait emmené visiter son ancien lycée,
Phillips Academy à Andover, dans le Massachusetts. Il était très
différent de ce à quoi j'étais habitué. La plupart des dortoirs étaient
de vastes édifices de brique encadrant des cours carrées. On aurait
dit une université. J'aimais Kinkaid, mais la décision avait été prise.
Andover était une tradition familiale, et j'y irais donc.

Mon premier défi consista à expliquer ce qu'était Andover à mes
amis au Texas. En ce temps-là, la plupart des Texans qui allaient au
lycée avaient des problèmes de discipline. Quand j'ai dit à un ami
que j'allais partir en pensionnat dans le Massachusetts, il ne m'a
posé qu'une question : « Bush, qu'est-ce que t'as fait de mal ? »

---

[*] T-ball, ou tee-ball, version du baseball destinée à familiariser les jeunes enfants avec
le sport. (NdT)
[**] Say Hey Kid, surnom de Willie Mays, joueur noir de baseball né en 1931. (NdT)

Quand je suis arrivé à Andover à l'automne 1961, je me suis dit qu'il avait peut-être raison. Nous portions des cravates en classe, durant les repas et les offices religieux obligatoires. En hiver, nous aurions aussi bien pu vivre en Sibérie. En tant que Texan, j'identifiais quatre nouvelles saisons : la neige gelée, la neige fraîche, la neige fondante et la neige grise. Il n'y avait pas de femmes, en dehors de celles qui travaillaient à la bibliothèque. Avec le temps, elles ont fini par nous sembler aussi belles que des stars de cinéma.

Le lycée fut pour moi une véritable épreuve scolaire. Entrer à Andover était la chose la plus difficile que j'aie faite, jusqu'à ce que je me présente à la présidentielle près de quarante ans plus tard. J'étais en retard sur tous les autres élèves, et je devais étudier comme un fou. Pendant ma première année, les lumières de notre dortoir étaient coupées à 10 heures du soir, et j'ai passé bien des nuits à lire à la lueur de l'éclairage du couloir qui passait sous la porte.

C'était en anglais que j'avais le plus de mal. Pour un de mes premiers devoirs, j'ai écrit sur la tristesse d'avoir perdu ma sœur Robin. J'avais décidé de trouver un meilleur mot que *larmes*. Après tout, j'étais sur la Côte Est, il fallait que je m'efforce d'être raffiné. J'ai donc sorti le *Roget's Thesaurus* que Mère avait glissé dans mes bagages et j'ai écrit : « Des lacères roulaient le long de mes joues[*]. »

Quand on m'a rendu mon devoir, il était orné d'un énorme zéro en première page. J'étais sous le choc et humilié. J'avais toujours eu de bonnes notes au Texas ; c'était mon premier échec scolaire. J'ai appelé mes parents pour leur dire à quel point j'étais malheureux. Ils m'ont encouragé à rester. J'ai décidé de tenir bon, je n'allais pas jeter l'éponge.

Je me suis adapté plus rapidement au niveau social qu'au niveau scolaire. Un petit groupe de compatriotes texans se trouvaient à Andover, dont un certain Clay Johnson, de Fort Worth. Nous parlions la même langue et sommes devenus bons amis. Je n'ai pas tardé à élargir le cercle de mes connaissances. Pour quelqu'un qui aimait les relations avec les gens, Andover était un endroit idéal.

J'ai découvert que j'étais un organisateur-né. Ma dernière année à Andover, je me suis proclamé commissaire de notre championnat de stickball[**]. Je me suis surnommé Tweeds Bush, jeu de mot sur le nom du célèbre patron politique de New York. J'ai désigné mes adjoints, y compris un arbitre principal et un psychologue pour le championnat. Nous avons élaboré des règles complexes et un système d'éliminatoires. Aucun rattrapage n'était possible. Je suis un puriste.

---

[*] En anglais, larmes se dit *tears*. Mais c'est également la conjugaison, à la troisième personne du singulier, du verbe *to tear*, déchirer, lacérer. (NdT)

[**] Stickball, une autre version du baseball, qui se joue dans la rue ou dans une cour, avec un manche à balai et une balle en caoutchouc ou de tennis. (NdT)

Nous avons également mis au point un projet d'impression de cartes d'identité du championnat qui avaient l'avantage de pouvoir aussi servir de fausses pièces d'identité. Le plan a été éventé par les autorités de l'établissement. On m'a ordonné d'arrêter sur-le-champ, ce que j'ai fait. Ma dernière mesure en tant que commissaire a été de nommer mon successeur, mon cousin Kevin Rafferty.

Durant cette dernière année à Andover, j'avais un professeur d'histoire du nom de Tom Lyons. Il avait coutume de nous rappeler à l'ordre en frappant le tableau à l'aide d'une de ses béquilles. M. Lyons avait été joueur de l'équipe de football de l'Université Brown avant d'être atteint de polio. Il a été un formidable modèle pour moi. Ses cours donnaient vie à des personnages historiques, en particulier le président Franklin Roosevelt. M. Lyons admirait la politique de FDR, et je pense que le triomphe personnel de Roosevelt sur la maladie était une inspiration pour lui.

M. Lyons ne me ménageait pas. Il me lançait des défis, mais savait me guider. Il intimidait, mais n'était pas avare de compliments. Il exigeait beaucoup et, grâce à lui, je me suis découvert une passion jamais démentie pour l'histoire. Des années plus tard, j'ai convié M. Lyons dans le Bureau Ovale. Ce fut un moment particulier pour moi : l'élève qui faisait l'histoire debout aux côtés de l'homme qui la lui avait enseignée tant d'années plus tôt.

Mon séjour à Andover touchait à sa fin, et le temps était venu de m'inscrire à l'université. J'ai immédiatement pensé à Yale. Après tout, j'y étais né. Les formalités prirent du temps, en particulier quand il fallut remplir la fiche bleue où il était nécessaire d'indiquer tous les membres de la famille qui étaient passés par l'institution. Il y avait mon grand-père et mon papa. Et tous ses frères. Et mes cousins. Quant aux cousins issus de germains, ils se sont retrouvés au dos de la fiche.

En dépit de mes liens familiaux, je doutais d'être accepté. Mes notes étaient correctes, mais j'étais devancé par beaucoup d'autres dans ma classe. Le proviseur d'Andover, G. Grenville Benedict, était un réaliste. Il m'a conseillé de « prendre une bonne assurance » au cas où Yale ne voudrait pas de moi. Je me suis porté candidat pour un autre établissement réputé, l'Université du Texas à Austin, et suis allé en visiter le campus avec Papa. J'ai commencé à m'imaginer membre d'un programme d'élite baptisé Plan Deux.

Un jour, dans la boîte aux lettres, j'ai eu la surprise de trouver une enveloppe épaisse contenant un courrier qui m'annonçait que j'étais accepté à Yale. M. Lyons s'était chargé de me recommander, et tout ce que j'ai pu me dire, c'est qu'il avait dû rédiger une sacrée lettre. Clay Johnston a reçu sa propre lettre d'approbation au même moment. Nous avons promis d'être camarades de chambrée, et cela scella définitivement notre décision.

Quand j'ai quitté Andover, ce fut comme si je m'étais débarrassé d'un carcan. A l'université, j'ai adopté la célèbre philosophie : travailler dur et s'amuser tout autant. Je me suis défendu dans la première partie de cette proposition, et j'ai brillé dans la seconde. J'ai rejoint la fraternité Delta Kappa Epsilon, joué au rugby et à des sports en salle, effectué des virées dans les facs des filles, et passé beaucoup de temps à traîner avec mes amis.

De temps à autre, mon esprit turbulent me jouait des tours. Pendant ma dernière année, nous nous trouvions à Princeton pour un match de football. Stimulé par la victoire de Yale – et quelques verres de trop – j'ai entraîné une bande sur le terrain pour abattre les poteaux des buts. Ce qui n'a guère plu aux fidèles de Princeton. J'étais à califourchon sur la barre transversale quand un garde de la sécurité m'a fait descendre. Puis on m'a poussé tout le long du terrain et embarqué dans une voiture de police. Les camarades de Yale ont commencé à faire basculer le véhicule en hurlant : « Libérez Bush ! »

Craignant un désastre, mon ami Roy Austin – un grand gaillard venu de l'île de St. Vincent qui était capitaine de l'équipe de football de Yale – a crié à la foule de se disperser. Puis il m'a rejoint dans la voiture. Quand nous sommes arrivés au commissariat, on nous a dit de quitter le campus et de ne jamais revenir. Roy a continué à peaufiner ses talents de diplomate. Quarante ans plus tard, je l'ai nommé ambassadeur à Trinidad et Tobago.

A Yale, je n'ai pas cherché à entrer en politique. Néanmoins j'étais parfois quand même exposé à la politique locale. Pendant l'automne de ma première année, Papa s'est présenté au Sénat contre un démocrate, Ralph Yarborough. Papa a décroché plus de voix qu'aucun candidat républicain au Texas, mais il était impossible de s'opposer au raz-de-marée qui portait le président Johnson au niveau national. Peu après les élections, je me suis présenté à l'aumônier de Yale, William Sloane Coffin. Il connaissait Papa du temps où ils étaient à Yale ensemble, et je me suis dit qu'il saurait me réconforter. Au lieu de cela, il m'a lancé que mon père avait été « battu par meilleur que lui ».

Ces mots étaient rudes pour un gosse de dix-huit ans. Quand l'histoire a été reprise par les journaux plus de trente ans plus tard, Coffin m'a envoyé une lettre me présentant ses excuses pour sa réflexion, si jamais il l'avait faite. J'ai accepté. Mais son attitude arrogante fut un avant-goût des remarques au vitriol dont me gratifieraient bien des professeurs d'université pendant ma présidence.

Yale était un endroit où je me sentais libre de découvrir et m'adonner à mes passions. J'avais choisi un vaste éventail de cours, dont l'astronomie, l'urbanisme, l'archéologie préhistorique, les chefs-d'œuvre de la littérature espagnole et, une matière qui compte toujours parmi mes préférées aujourd'hui, les haïkus. Je suivais aussi un cours de sciences politiques, sur la communication de masse, qui se concentrait sur « le contenu et l'impact des mass médias ». Je m'en suis tiré avec la note de 70, ce qui pourrait expliquer mes relations difficiles avec les médias au fil des années.

Ma passion, c'était l'histoire, qui est devenue ma matière principale. J'adorais assister aux cours généraux de professeurs comme John Morton Blum, Gaddis Smith et Henry Turner. Un de mes premiers cours portait sur la Révolution française. « Mon métier, c'est le passé », aimait à dire le professeur Stanley Mellon. Il nous brossait des tableaux saisissants du serment du Jeu de paume, de la Terreur de Robespierre et de l'ascension de Napoléon. J'ai été horrifié par la façon dont les idées qui avaient inspiré la Révolution avaient été reléguées à l'arrière-plan quand tous les pouvoirs s'étaient retrouvés concentrés entre les mains de quelques-uns.

Un des cours qui m'ont le plus marqué traitait de l'histoire de l'Union soviétique, dont se chargeait un maître de conférence est-allemand, Wolfgang Leonhard. M. Leonhard avait fui l'Allemagne nazie quand il était enfant et avait grandi en Union soviétique, où sa mère avait été arrêtée pendant les purges staliniennes. Eduqué pour devenir un responsable communiste, il était passé à l'Ouest. Avec son fort accent allemand, il nous décrivait les procès spectacles, les arrestations massives et la pénurie généralisée. Après l'avoir écouté, je n'ai plus jamais envisagé l'Union soviétique ou le mouvement communiste de la même façon. Ce cours avait été une introduction à la lutte entre la tyrannie et la liberté, un combat qui m'a captivé tout au long de mon existence.

En dernière année, j'ai suivi un cours intitulé « L'histoire et la pratique de l'éloquence américaine », enseigné par le professeur Rollin G. Osterweis. Nous lisions des discours américains célèbres, des sermons enflammés du prédicateur colonial Jonathan Edwards sur le « Jour d'infâmie » du président Roosevelt après Pearl Harbor. J'ai été frappé par la capacité des mots à façonner l'histoire. J'ai rédigé une dissertation où j'analysais le discours du journaliste de Géorgie Henry W. Grady sur le Nouveau Sud, et esquissé quatre minutes de discussions où je proposais la nomination de Carl Yastrzemski, la star des Red Sox, au poste de maire de Boston. Le professeur Osterweis nous a appris à structurer un discours : introduction, trois points clés, la péroraison et la conclusion. Un modèle dont je me suis souvenu toute ma vie, laquelle, s'est-il avéré, a contenu bien des discours.

Tout cela ne signifie pas que j'étais un étudiant particulièrement remarquable. Pour être juste, je pense que l'on peut dire que j'en ai davantage profité que mes professeurs. On a un jour demandé à John Morton Blum quel souvenir il gardait de son célèbre étudiant George W. Bush. « Je ne me souviens absolument pas de lui », a-t-il répondu. Moi, en revanche, je n'ai pas oublié le professeur Blum.

J'ai obtenu mon diplôme à une époque troublée. Martin Luther King Jr. avait été assassiné au mois d'avril de ma dernière année. Des émeutes raciales avaient alors éclaté à Chicago et à Washington. Puis, quelques jours avant la remise des diplômes, mes amis et moi rentrions d'un voyage dans le nord de l'Etat de New York quand nous avons entendu à la radio que Bobby Kennedy avait été tué. Dans la voiture, personne n'a dit un mot. On avait le sentiment que tout était en train de se disloquer.

Durant presque toute notre scolarité à Yale, la question des droits civiques avait dominé les débats sur le campus. En dernière année, c'était un autre sujet qui nous préoccupait. Au Vietnam, c'était l'escalade, et le président Johnson avait mis en place un système de tirage au sort. Nous avions deux possibilités : nous engager dans l'armée ou trouver un moyen d'échapper au tirage au sort. Une décision facile pour moi. J'allais servir sous les drapeaux. J'avais été élevé par un papa qui avait fait des sacrifices pour son pays. J'aurais eu honte de me soustraire au service.

Quant à la guerre, je l'acceptais, mais j'étais sceptique. J'étais sceptique face à la stratégie et aux gens qui, au sein du gouvernement Johnson, étaient chargés de la mettre en œuvre. J'acceptais cependant les objectifs affichés de la guerre : endiguer l'expansion du communisme. Un jour, pendant l'automne de ma dernière année, je suis passé devant un bureau de recrutement dont la vitrine était ornée d'une affiche avec un pilote de chasseur. Voler serait une façon passionnante de servir mon pays. Je me suis présenté au recruteur et suis ressorti avec un formulaire d'engagement.

Quand je suis rentré à la maison pour Noël, j'ai fait part à mes parents de mon intérêt pour l'Air Force. Papa m'a adressé à un certain Sid Adger, ancien pilote qui avait de bons contacts dans le milieu de l'aviation. Il m'a suggéré de m'engager dans la Garde nationale aérienne du Texas, où des postes de pilotes étaient disponibles. Contrairement aux membres de la garde normale, les pilotes devaient accomplir une année de formation, six mois d'instruction spécialisée, puis devaient voler régulièrement pour se maintenir à niveau.

Servir dans la Garde en tant que pilote m'attirait. J'allais apprendre de nouvelles compétences. Si j'étais appelé, je mènerais des missions de combat. Sinon, la fonction était flexible, et j'aurais la possibilité de faire d'autres choses. A ce stade-là de ma vie, je ne pensais pas à ma carrière. Pour moi, la première décennie après l'université devait être une période d'exploration. Je ne voulais pas me retrouver pieds et poings liés. Si quelque chose m'intéressait, je voulais pouvoir l'essayer, et sinon, je voulais pouvoir passer à autre chose.

C'était l'approche que j'avais adoptée pour les jobs d'été. En 1963, j'avais travaillé dans un ranch en Arizona. Le contremaître était un type grisonnant nommé Thurman. Il avait un dicton à lui pour les intellectuels qu'il connaissait : « Des génies dans les livres, des crétins sur le trottoir. » Je ne tenais pas à ce que cette définition s'applique à moi. J'ai passé d'autres étés à travailler sur une plate-forme off-shore en Louisiane, derrière le comptoir d'un courtier, et en tant que vendeur d'équipements sportifs dans un Sears de Roebuck. En cours de route, j'ai rencontré des personnages fascinants : des cow-boys et des Cajuns, des voyous et des hommes à tout faire. J'ai toujours eu le sentiment d'avoir reçu deux éducations pendant ces années-là : celle des grandes écoles, et celle de gens robustes.

A l'automne 1968, je me suis présenté à la base aérienne de Moody, en Géorgie, pour y suivre une formation de pilote. Il y avait une centaine de candidats au départ, dont la moitié ont décroché leur brevet. Il y eut très tôt de nombreux abandons. Je me souviens d'un gars de New York qui est descendu de son premier vol à bord d'un Cessna 172 le visage aussi vert que sa combinaison – sauf là où il avait vomi son déjeuner.

Mes premières expériences ont été à peine plus brillantes. Mon instructeur repérait l'insécurité à vue d'œil, et il n'était pas partisan d'une formation en douceur. Au cours d'un de mes premiers vols, il a brutalement agrippé le manche, l'a tiré vers lui aussi violemment que possible, et a fait caler l'appareil. Le nez est monté, et l'avion a tremblé. Puis il a poussé le manche vers le bas, et le nez est redescendu. L'avion est reparti. Mon instructeur m'avait montré ma première manœuvre en cas de problème de moteur. Il m'a regardé et a dit : « Mon gars, si tu veux être pilote, il faut que tu contrôles la machine, et ne pas la laisser te contrôler. »

J'ai pris son avis au sérieux. J'ai maîtrisé les fondements du pilotage, y compris les loopings, les tonneaux et les instruments. Quand Papa est venu m'accrocher mes ailes, j'ai éprouvé un formidable sentiment de réussite. Après l'école de pilotage, je suis parti à Houston, où j'ai appris à voler sur F-102, un chasseur monoplace, sur la base aérienne d'Ellington. Le F-102 était un intercepteur monomoteur. Quand on roulait en bout de piste, qu'on passait en post-combustion et que l'on sentait la poussée brutale du réacteur, peu importait qui on était ou d'où l'on venait, mieux valait être concentré sur l'instant présent.

J'adorais voler, mais en 1972, l'impatience me gagnait. J'engrangeais mes heures de vol le soir et les week-ends, et le jour, je travaillais pour une entreprise agroalimentaire. J'avais entre autres pour mission de mener une étude sur le secteur des champignonnières en Pennsylvanie, et de visiter celles que la société avait acquises. Ce n'était pas vraiment un emploi captivant.

Un jour, j'ai reçu un appel de mon ami Jimmy Allison, un cadre politique de Midland qui avait géré la campagne victorieuse de Papa à la Chambre des Représentants en 1966. Il me dit qu'il y avait un poste dans la campagne sénatoriale de Red Blount en Alabama. L'affaire me parut intéressante, et j'étais prêt à partir.

Mon commandant, le lieutenant-colonel Jerry Killian, approuva mon transfert en Alabama, étant entendu que j'y effectuerais mes heures de vol requises. J'ai informé la hiérarchie de la Garde nationale en Alabama que je serais contraint de manquer plusieurs réunions pendant la campagne. Ils m'ont assuré que je pourrais les rattraper après les élections, ce que j'ai fait. Puis je n'y ai plus vraiment pensé pendant quelques décennies.

Malheureusement, les archives étaient mal tenues, et les documents se rapportant à ma présence n'étaient pas clairs. Quand je suis entré en politique, des adversaires ont profité de ces failles dans le système pour prétendre que je n'avais pas rempli mon devoir. A la fin des années 90, j'ai demandé à Dan Bartlett, un assistant en qui j'avais toute confiance, d'éplucher les archives me concernant. Ces dernières montrent que je n'ai pas failli à mes responsabilités. En 2004, Dan a retrouvé des dossiers dentaires qui prouvent que j'ai été examiné sur la base aérienne de la Garde nationale de Dannelly, à Montgomery, dans l'Alabama, au moment où, selon mes détracteurs, j'étais absent. Si mes dents étaient sur la base, a-t-il lancé avec humour à la presse, il semblait assez probable que le reste de mon corps s'y trouvait aussi.

Je me suis dit que l'affaire était enterrée. Mais alors que je me posais avec Marine One sur la pelouse Sud, un soir de septembre 2004, j'ai aperçu la silhouette de Dan dans la Salle de réception diplomatique. En règle générale, quand un proche conseiller attend à la sortie de l'hélico du président, ce n'est pas pour annoncer de bonnes nouvelles. Dan m'a tendu un bout de papier. C'était un mémo dactylographié sur papier à en-tête de la Garde nationale alléguant que mes prestations avaient été médiocres en 1972. Il était signé de la main de mon ancien commandant, Jerry Killian. Dan m'expliqua que Dan Rather, le présentateur de CBS, se préparait à diffuser un reportage explosif sur le sujet dans l'émission « 60 Minutes. »

Bartlett voulait savoir si je me souvenais de ce mémo. Je lui ai dit que cela ne me rappelait rien et lui ai demandé de procéder à des vérifications. Le lendemain matin, Dan est entré dans le Bureau Ovale, l'air soulagé. Il m'a dit que, selon certains indices, il se serait agi d'un faux. Les caractères provenaient d'une police informatique qui n'existait pas au début des années 70. Quelques jours plus tard, les preuves furent jugées concluantes : le mémo avait été forgé de toutes pièces.

J'étais à la fois éberlué et écœuré. Dan Rather avait diffusé un reportage capable d'influencer une élection présidentielle en se fondant sur un faux document. Il n'a pas tardé à perdre son emploi. Tout comme son producteur. Après des années de fausses rumeurs, les questions sur mon séjour dans la Garde se dissipaient enfin.

Je serai toujours fier de mon service dans la Garde. J'ai beaucoup appris, je m'y suis fait des amis pour la vie, et j'ai été honoré de porter l'uniforme de notre pays. J'admire et je respecte ceux qui ont été déployés au Vietnam. Presque soixante mille d'entre eux ne sont jamais rentrés. Mon service n'était rien comparé au leur.

En 1970, Papa a décidé de se représenter au Sénat. Nous avions confiance et pensions qu'il pourrait l'emporter dans sa revanche contre Ralph Yarborough. Mais ce dernier était désormais si impopulaire qu'il avait perdu la primaire contre Lloyd Bentsen, un démocrate conservateur. Papa a mené une bonne campagne, mais il a été de nouveau battu. On pouvait en tirer la leçon qu'il était toujours très difficile pour un républicain d'être élu au Texas.

Très vite, nous avons appris une autre leçon. Bien que cuisante, la défaite n'est pas forcément la fin. Peu après les élections de 1970, le président Richard Nixon a nommé Papa ambassadeur aux Nations unies. Puis, en 1973, il lui a demandé de prendre la direction de la Commission nationale républicaine. Ce qui a été pour lui riche en enseignements dans le domaine de la gestion de crise, quand Papa a guidé le parti pendant le scandale du Watergate.

Mère et Papa se trouvaient à la Maison-Blanche le jour où le président Nixon a démissionné et où Gerald Ford a prêté serment. Peu après, le président Ford proposait à Papa de choisir entre les ambassades de Londres et de Paris, traditionnellement deux des postes diplomatiques les plus convoités. Papa lui a dit qu'il aurait préféré partir en Chine, et Mère et lui ont passé quatorze mois fascinants à Pékin. Ils sont rentrés quand le président Ford a demandé à Papa de diriger l'Agence Centrale du Renseignement, la CIA. Pas mal, pour un candidat au Sénat vaincu à deux reprises. Et cela ne s'est pas arrêté là, bien sûr.

J'admirais la réussite de mon père. Depuis mon adolescence, j'avais suivi ses traces : Andover, Yale, puis le service militaire en tant que pilote. En vieillissant, je suis parvenu à une conclusion importante : personne ne me demandait de faire comme lui, et je n'avais pas à essayer. Nous étions dans des situations complètement différentes. A trente ans, il avait fait la guerre, s'était marié, avait eu trois enfants, et avait perdu l'un d'entre eux à cause d'un cancer. Quand j'avais quitté la Garde, je n'avais pas encore trente ans, je n'occupais aucune responsabilité sérieuse. J'étais spontané et curieux, en quête d'aventure. Mon but était d'imposer ma propre personnalité et de trouver ma propre voie.

Mes parents, quant à eux, étaient conscients de mon esprit enthousiaste et ne cherchaient pas à le tempérer. Ce qui ne les empêchait pas de me dire quand ils estimaient que je dépassais les bornes. C'est à l'âge de vingt ans que j'ai eu une de mes conversations les plus sévères avec Papa. J'étais de retour de l'université pour l'été et je jouais les hommes à tout faire sur une plate-forme pétrolière de Circle Drilling sur le lac Charles, en Louisiane. Je travaillais une semaine sur deux. Après beaucoup de rudes travaux en pleine chaleur, j'ai décidé de sécher ma dernière semaine pour passer du temps avec ma petite amie à Houston.

Papa m'a fait venir à son bureau. Je lui ai annoncé d'un air dégagé que j'avais décidé de quitter mon travail une semaine plus tôt que prévu. Il m'a répondu que la société m'avait embauché en toute bonne foi et que j'avais accepté de travailler jusqu'à une certaine date. J'avais un contrat, et je ne l'avais pas respecté. Je suis resté là, à me sentir de plus en plus mal. Quand il a conclu par les mots : « Fils, je suis déçu », j'avais honte.

Quelques heures plus tard, le téléphone a sonné à la maison. C'était Papa. Je redoutais d'avoir droit à un nouveau sermon. Au lieu de cela, il a demandé : « Qu'est-ce que tu fais ce soir, George ? » Il m'a dit qu'il avait des billets pour le match des Astros de Houston, et il m'invitait, moi et ma petite amie. J'ai aussitôt accepté. L'expérience a renforcé à mes yeux l'importance qu'il y a à tenir parole. Et elle m'a montré la profondeur de l'amour de mon père.

Papa était sérieux quand il le fallait, mais notre foyer résonnait de rires. Papa adorait nous raconter des blagues. Il inventait des surnoms pour la famille et les amis. A un moment donné, il m'appelait Juney, le diminutif de Junior. Mon frère Neil était connu comme Whitey, qui se transforma en Whitney à cause de ses cheveux blonds. James Baker, le vieil ami de Papa, devint Bake. Et c'est avec Mère qu'il a atteint des sommets, puisqu'il l'a surnommée le Renard Argenté.

Tout au long de sa vie, il a gardé son merveilleux sens de l'humour. Quand il était président, il a créé le Scowcroft Award – du nom de Brent Scowcroft, conseiller à la sécurité nationale –

pour les membres du cabinet qui s'endormaient pendant les réunions. Aujourd'hui, à plus de quatre-vingts ans, il fait circuler ses blagues par courriel, et les note sur une échelle de un à dix. Il y a quelques années, Papa se remettait d'une opération de la hanche à la Clinique Mayo. Quand l'infirmière est passée voir comment il allait, il lui a demandé : « Est-ce que mes testicules sont là ? » « Pardon, monsieur le président ? » a-t-elle fait, interloquée. Il a répété : « Est-ce que mes testicules sont là ? » Alors qu'elle tendait la main vers sa fiche, il a lancé : « J'ai dit, est-ce que mes *tests* sont là ? » Toute l'équipe médicale a éclaté de rire.

Au fil du temps, la relation que j'entretiens avec mon père a suscité bien des spéculations. Je suppose que c'est normal ; puisque c'est la première fois depuis cent soixante-douze ans qu'un fils et un père deviennent présidents. La vérité toute simple, c'est que je l'adore. Toute ma vie, je l'ai respecté, admiré et je lui ai été reconnaissant de son amour. Il y a un incident de notoriété publique. Je rentrais tard à la maison, j'ai renversé avec ma voiture les poubelles du voisin, puis j'ai envoyé mon père promener. Certains, quand ils se représentent la scène, imaginent deux présidents aux prises avec quelque affrontement psychologique épique. En réalité, je buvais trop quand j'étais jeune, et en tant que père, cela l'irritait, ce qui peut se comprendre. Nous n'en avons pas fait grand cas, jusqu'à ce que les journaux s'en emparent vingt ans plus tard.

Des moments comme celui-ci sont là pour me rappeler que je ne suis pas seulement le fils de mon père. J'ai un côté bagarreur et irrévérencieux que je dois à Barbara Bush. Parfois, j'en faisais vraiment trop pour affirmer mon indépendance. Mais je n'ai jamais cessé d'aimer ma famille. Je crois qu'ils le comprenaient, même quand je les exaspérais.

J'ai enfin compris les choses du point de vue de mes parents quand j'ai eu moi-même des enfants. Ma fille Jenna pouvait se montrer culottée et insolente, tout comme moi. Alors que je me présentais au poste de gouverneur en 1994, le premier jour de la saison de la chasse à la palombe, j'ai abattu accidentellement un pluvier kildir, un oiseau protégé. Ma gaffe a fait la une des journaux, avant d'être rapidement oubliée. Quelques semaines avant l'échéance, Laura et moi étions en campagne avec les filles à la Foire d'Etat du Texas à Dallas. Jenna, âgée de douze ans, a gagné un oiseau en peluche dans une des attractions. Alors que les caméras de télévision tournaient, elle a brandi la peluche et a dit en gloussant : « Regarde, Papa. C'est un kildir ! »

A l'automne 1972, je suis allé rendre visite à ma grand-mère en Floride. Mike Brooks, mon ami de l'université, se trouvait dans les environs, et nous avons joué au golf. Il venait de décrocher son diplôme à la Harvard Business School, et m'a suggéré de m'y inscrire. Pour être sûr que j'avais bien compris le message, il m'a envoyé un formulaire d'inscription. Intrigué, je l'ai rempli. Quelques mois plus tard, j'étais accepté.

Je n'étais pas certain d'avoir envie de retourner à l'école, ni sur la Côte Est. J'ai fait part de mes doutes à mon frère Jeb. Je n'avais eu que peu de contacts avec Jeb quand il était enfant – il n'avait que huit ans quand j'étais entré au pensionnat – mais nous nous sommes rapprochés en vieillissant.

Jeb a toujours été plus sérieux que moi. Il était intelligent, décidé, entreprenant sur tous les plans. Il parle couramment espagnol, avait choisi comme matière principale les affaires latino-américaines, et avait intégré Phi Beta Kappa depuis l'Université du Texas. Pendant sa dernière année au lycée, il avait vécu au Mexique dans le cadre d'un programme d'échange. Là, il avait rencontré une femme superbe, Columba Garnica. Ils étaient encore très jeunes, mais il était évident que Jeb était amoureux. Quand nous allions ensemble à l'Astrodome, je regardais le match et lui écrivait des lettres à Colu. Ils se sont mariés deux semaines après son vingt et unième anniversaire.

Un soir, Jeb et moi dînions dans un restaurant avec Papa à Houston. Je faisais partie d'un programme d'encadrement dans le Third Ward, quartier défavorisé de Houston, et Papa et moi parlions de mon avenir quand Jeb a lâché : « George est admis à Harvard. »

Après un temps de réflexion, papa m'a dit : « Fils, tu devrais sérieusement envisager d'y aller. Ce serait un bon moyen d'élargir tes horizons. » Et il n'a rien dit de plus. Mais cela m'a poussé à m'interroger. Élargir mes horizons, c'était exactement ce que j'avais cherché à faire durant ces années. C'était une autre façon de me dire : « Force-toi à comprendre les talents que t'a donnés Dieu. »

Pour la deuxième fois de ma vie, j'ai quitté Houston pour le Massachusetts. Le chauffeur de taxi s'est arrêté devant le campus de Harvard et m'a souhaité la bienvenue « au West Point du capitalisme ». J'étais allé à Andover avec espoir, à Yale par tradition. J'entrais à Harvard par choix. J'y ai appris les mécanismes de la finance, de la comptabilité et de l'économie. J'en suis sorti avec une meilleure compréhension de la gestion, en particulier de l'importance qu'il y a à fixer des objectifs clairs à une organisation, à déléguer les missions et rendre les gens responsables. J'avais également acquis la confiance suffisante pour poursuivre mes propres rêves commerciaux.

Les leçons de la Harvard Business School se sont trouvées renforcées de façon inattendue : à l'occasion d'un voyage en Chine pour rejoindre Mère et Papa après mon diplôme. Le contraste était frappant. J'étais passé du West Point du capitalisme à l'avant-poste oriental du communisme, d'une république où régnait le choix individuel à un pays où les gens portaient tous les mêmes vêtements gris. Parcourant à vélo les rues de Pékin, j'ai parfois vu passer des limousines noires aux vitres teintées, appartenant à tel ou tel grand ponte du parti. Sinon, il n'y avait que peu de voitures, et aucun signe d'une économie de marché. Je fus surpris de voir qu'un pays au passé si riche pouvait être aussi morne.

En 1975, la Chine sortait de la Révolution Culturelle, l'effort entrepris par son gouvernement pour assainir et revitaliser la société. Les responsables communistes avaient mis en œuvre des programmes d'endoctrinement, ils diffusaient de la propagande par le biais de haut-parleurs omniprésents, et tentaient d'effacer tout vestige de l'histoire ancienne de la Chine. Des hordes de jeunes s'en étaient pris à leurs aînés et avaient attaqué l'élite intellectuelle. La société était entrée en guerre contre elle-même et avait basculé dans l'anarchie.

L'expérience chinoise m'avait rappelé les révolutions française et russe. Le schéma était le même : des gens avaient pris le contrôle en promettant de défendre certains idéaux. Une fois qu'ils avaient consolidé leur pouvoir, ils en avaient abusé, tirant un trait sur leurs convictions et brutalisant leurs concitoyens. C'était comme si l'humanité souffrait d'une maladie qu'elle ne cessait de s'infliger. Cette réflexion a renforcé ma conviction que la liberté – économique, politique et religieuse – est la seule façon équitable et productive de gouverner une société.

Tout au long de ma présence à Harvard, je n'avais aucune idée de ce que j'allais faire de mon diplôme de commerce. Je savais ce que je ne voulais pas faire. Je n'avais aucune envie d'aller à Wall Street. Si je connaissais des gens honnêtes et admirables qui avaient travaillé là-bas, dont mon grand-père Prescott Bush, je me méfiais du monde de la finance. J'avais coutume de dire à mes amis que Wall Street était le genre d'endroit où l'on finit toujours par vous acheter ou par vous vendre, sans aucunement se soucier de qui vous êtes tant qu'ils peuvent faire de l'argent sur votre dos.

J'étais en quête de solutions quand Del Marting, étudiant à Harvard comme moi, m'a invité à passer les vacances de Pâques 1975 dans son ranch familial à Tucson, en Arizona. En route pour l'Ouest, j'ai décidé de faire une halte à Midland. Mon ami Jimmy Allison, devenu directeur de la publication du *Midland Reporter-Telegram,* m'avait dit que la ville était en pleine expansion. Il avait raison. Le secteur de l'énergie connaissait une embellie après l'embargo de

1973 sur le pétrole arabe. Les taxes sur la création d'entreprise dans le domaine étaient peu élevées. J'adorais l'idée de créer ma propre société. J'ai pris ma décision : je rentrais au Texas.

A l'automne 1975, je suis arrivé à Midland avec toutes mes affaires entassées dans mon Oldsmobile Cutlass de 1970. J'avais beaucoup à apprendre, aussi me suis-je cherché des mentors. Une des premières personnes à qui j'ai rendu visite était un avocat local du nom de Boyd Laughlin, plus connu sous le sobriquet affectueux de Loophole*. Il m'a arrangé une rencontre avec Buzz Mills, un colosse aux cheveux coupés en brosse, qui avait des années d'expérience dans le secteur pétrolier. J'ai trouvé Buzz et son associé Ralph Way, qui mâchonnait un cigare, occupés à jouer au gin rummy. Je ne savais pas combien d'argent ils étaient en train de parier, mais c'était franchement beaucoup plus que ce que j'avais.

Leur attitude sympathique de gens de la campagne dissimulait une parfaite compréhension des rouages du milieu. J'ai déclaré à Buzz et à Ralph que je voulais apprendre le métier de *land man*. Ce dernier a pour mission de se rendre dans les tribunaux locaux et de savoir qui détient les droits sur des sites de forage potentiels. Pour réussir dans ce métier, il faut être prêt à lire des tas de paperasse, être attentif aux détails et disposer d'une bonne voiture. J'ai commencé par suivre des *land men* accomplis, qui m'ont montré comment déchiffrer le cadastre. Puis j'ai voyagé seul, m'arrêtant dans les tribunaux pour éplucher les registres. J'ai fini par acheter quelques royalties et une modeste part des puits de Buzz et Ralph. Par rapport aux géants du secteur, je ne ramassais que les miettes. Mais je gagnais correctement ma vie et j'apprenais beaucoup.

Je limitais mes frais en adoptant un mode de vie spartiate. Je louais une maisonnette de 45 m² que des amis ont décrite comme une « décharge de déchets toxiques ». Un coin de mon lit était maintenu en place grâce à une cravate. Je n'avais pas de machine à laver, et je portais mon linge sale chez Don et Susie Evans. Je connaissais Susie depuis l'école primaire. Elle avait épousé Don, natif de Houston, titulaire de deux diplômes de l'Université du Texas, et ils s'étaient installés à Midland pour réussir dans le pétrole. Don était un type modeste, les pieds sur terre, avec un grand sens de l'humour. Nous courions ensemble, jouions au golf, et avons forgé une amitié pour toute la vie.

Au printemps 1976, Don et un autre ami proche, chirurgien orthopédiste de Midland du nom de Charlie Younger, m'ont proposé de venir avec eux assister à un concert de Willie Nelson à Odessa. Il nous a évidemment fallu quelques libations pour nous préparer à l'événement. Nous avons acheté de bonnes bouteilles de bourbon et

---

* Que l'on peut traduire entre autres par « vide juridique ». (NdT)

en avons avalé quelques gorgées sur le trajet. Quand nous sommes arrivés au Ector County Coliseum, ce fut pour nous apercevoir que les boissons y étaient interdites. Nous avons descendu quelques gorgées de plus, avons jeté les bouteilles et rejoint nos places.

Charlie a décrété que nous avions besoin de plus d'alcool pour savourer pleinement l'expérience. A notre grand étonnement, il a réussi à convaincre un machiniste que Willie Nelson réclamait des bières. Obéissant, le gars est parti acheter de la bière avec l'argent de Charlie. Charlie a laissé un carton pour Willie et nous en a rapporté un. Nous nous sommes installés sur nos sièges et avons bu comme des vagabonds assoiffés. Ayant chacun vidé plusieurs bouteilles, Charlie a proposé que nous nous rapprochions de la scène pour remercier son nouvel ami. Sagement, Don a préféré ne pas venir. Pas moi.

Par-dessus le tintamarre du groupe, j'ai entendu des gens hurler mon nom. Un groupe de gens de Midland, au premier rang, nous avaient reconnus, Charlie et moi. Ils nous réclamaient de la bière. Nous avons répondu à leur demande. Quand le concert a pris fin, Charlie a fourré plusieurs bouteilles sous son tee-shirt. Quand nous sommes sortis tous les trois, les bouteilles ont glissé et sont parties se fracasser sur le sol, l'une après l'autre. C'était comme si nous avions déclenché une alarme pour les autorités. Notre pas régulier s'est transformé en galopade en direction des sorties, trois crétins fuyant pour préserver leur réputation.

Le lendemain, des dizaines d'habitants de Midland m'ont dit qu'ils m'avaient vu sur scène avec Willie. Il n'y eut pas de retombée dans la presse, jusqu'à ce que quelqu'un déclare que j'avais eu l'air d'un imbécile, là-haut. Et il avait raison.

J'ai passé le week-end du Labor Day[*] 1976 dans la maison familiale de Kennebunkport, dans le Maine. Ce samedi soir, j'étais dans un bar avec ma sœur Doro, Pete Roussel, conseiller politique de longue date de mon père, et deux amis de la famille, John Newcombe, la star de tennis australienne, et son épouse Angie. John m'a fait découvrir la tradition australienne qui consiste à boire de la bière sans les mains. On serre les dents sur le bord de la chope, et on renverse la tête. La bière vous descend droit dans la gorge. Nous avons passé un très bon moment, jusqu'à ce qu'il faille rentrer.

Un policier du coin, Calvin Bridges, a trouvé curieux que je roule à quinze kilomètres à l'heure avec deux roues sur le bas-côté. Quand je n'ai pas été capable de marcher droit, il m'a emmené au commissariat. J'étais coupable, et je l'ai dit aux autorités.

J'étais aussi très gêné. J'avais commis une grave erreur. J'avais eu la chance de ne blesser personne, ni mes passagers, ni d'autres

---

[*] Fête du travail aux Etats-Unis, le premier lundi de septembre. (NdT)

conducteurs, ni moi-même. J'ai payé une amende de 150 dollars et je me suis abstenu de conduire dans le Maine pendant la période prévue par la loi. L'affaire était close. Du moins, je le croyais.

L'automne suivant, j'ai commencé à sérieusement envisager de me calmer. Le délit de conduite en état d'ivresse y était en partie pour quelque chose, mais l'idée me hantait depuis plusieurs mois déjà. Mon comportement de fêtard perdait de son charme. Et je ne rajeunissais pas. J'avais franchi la barre fatidique des trente ans pendant l'été. J'avais juré que je passerais mes dix premières années après l'université à faire de nombreuses expériences et à ne pas me fixer. Cette promesse-là, je l'avais tenue. Mais les dix ans étaient presque écoulés.

De retour chez moi à Midland en juillet 1977, mon vieil ami Joe O'Neill m'a invité à manger un hamburger. Il était rare que je refuse des repas maison. Ils étaient toujours bien meilleurs que les fast-foods qui composaient mon ordinaire. Joe et son épouse, Jan, voulaient me présenter quelqu'un : une des meilleures amies de Jan, Laura Welch. Je suis arrivé un peu en retard. Là, dans le jardin, se trouvaient Jan et Laura, qui portait une robe d'été bleue.

Elle était magnifique. Elle avait de superbes yeux bleus et était si gracieuse. Elle était intelligente et digne, avec un rire facile et communicatif. On peut sans conteste parler de coup de foudre.

Laura et moi avons découvert que nous avions grandi à peu de distance l'un de l'autre à Midland et avions tous deux été en cinquième au collège San Jacinto. Nous avions même habité dans le même immeuble à Houston. Elle vivait du côté tranquille, où les gens lisaient des livres au bord de la piscine. Je vivais du côté où les gens jouaient au volley dans l'eau jusque tard dans la nuit. Rien d'étonnant à ce que nos chemins ne se soient jamais croisés.

J'ai appelé Laura le lendemain, et nous nous sommes entendus pour nous revoir le soir même. Je lui ai demandé si elle voulait jouer au golf miniature. J'ai compris qu'elle était faite pour moi quand elle a accepté. Elle hésitait un peu sur les balles courtes, mais elle était vraiment de compagnie agréable. Ce qui renforça l'impression favorable qu'elle m'avait laissée la veille. Il n'y avait qu'un point négatif. Laura devait repartir à Austin, où elle travaillait comme bibliothécaire à l'école élémentaire Dawson. Elle m'a aussitôt manqué, et j'ai commencé à lui rendre visite là-bas aussi souvent que possible.

Nous allions parfaitement ensemble. Je suis bavard ; Laura écoute. Je suis agité ; elle est calme. Je me laisse parfois emporter ; elle a du sens pratique et les pieds sur terre. Mais surtout, elle est authentique et naturelle. Il n'y a rien de faux en elle. La séduction qu'elle a exercée sur moi a été instantanée et constante. Au mois d'août, je suis allé dans ma famille à Kennebunkport, où je prévoyais de passer une semaine. Au bout d'une nuit, j'ai pris l'avion et je suis rentré au Texas pour la retrouver.

Quelques semaines après notre rencontre, elle m'a présenté ses parents, Harold et Jenna Welch. Sa maman, une femme patiente, gentille et douce, m'a toujours donné le sentiment d'être le bienvenu. Son papa adorait le sport et ne répugnait pas à parier un peu sur le football. Il avait l'habitude de traîner au Johnny's Barbecue. Les locaux avaient surnommé l'établissement le Cochon Malade à cause de l'affreux cochon en bois qui surmontait le restaurant. Un jour, le papa de Laura m'a présenté à ses amis au Cochon Malade, dont Johnny en personne. J'ai dû faire bonne impression, car on m'a proposé une vodka-orange. J'ai refusé. Il était 9 heures du matin.

J'ai fait à Laura une cour assidue. Un week-end, nous nous sommes rendus au ranch d'Anne et Tobin Armstrong, dans le sud du Texas. Anne avait été ambassadrice des Etats-Unis en Grande-Bretagne, et Tobin et elle avaient invité le prince Charles à venir jouer au polo. Un autre week-end, nous sommes allés voir John et Angie Newcombe dans son école de tennis à New Braunfels, dans le magnifique « pays des collines », au centre du Texas. Cette fois, j'ai gardé mes mains sur ma chope de bière et loin du volant. J'étais éperdument amoureux de Laura. Je n'aimais guère les chats, mais j'ai compris que notre relation était solide quand je me suis lié d'amitié avec son shorthair noir et blanc, Dewey, du nom du système de classification décimale utilisé dans les bibliothèques.

Je n'ai jamais eu peur de prendre une décision, et à la fin de septembre, j'en ai pris une grande. Un soir, dans la petite maison de location où vivait Laura à Austin, j'ai dit : « Marions-nous. » Elle a aussitôt dit oui. Notre romance avait été fulgurante, mais nous étions prêts à nous engager.

Peu après, Laura et moi sommes partis à Houston, où Jeb et Columba fêtaient le baptême de leur fille Noelle. J'ai présenté Laura à la famille, qui a été aussi séduite que je l'avais été. Laura savait qu'elle entrait dans une grande famille de compétiteurs, et cela lui allait fort bien. Fille unique, elle a adoré le turbulent clan des Bush.

Nos parents ont vérifié leurs agendas, et nous avons choisi le premier samedi disponible, le 5 novembre 1977. Nous avons organisé un mariage en petit comité, avec la famille et les amis proches à Midland. Les invitations avaient été rédigées à la main par la mère de Laura. Nous n'avons eu ni huissiers, ni demoiselles d'honneur, ni témoins. Seulement moi, Laura et son père pour l'accompagner jusqu'à l'autel.

Si je n'en étais pas conscient à l'époque, je crois qu'il y a une raison pour laquelle Laura et moi ne nous étions jamais rencontrés bien des années plus tôt. Dieu l'a fait entrer dans ma vie au bon moment, alors que j'étais prêt à m'établir et à accepter une compagne à mes côtés. Fort heureusement, j'ai eu le bon sens de m'en apercevoir. Ce fut la meilleure décision de ma vie.

Nous venions à peine de nous marier que nous avons décidé d'avoir des enfants. Au bout d'un ou deux ans, les choses ne se passaient pas aussi facilement que nous l'aurions espéré. Nous avons discuté, réfléchi, prié, et pris la décision d'adopter. Au début, l'idée d'être le père de l'enfant de quelqu'un d'autre me mettait mal à l'aise. Mais plus je me suis penché sur le principe de l'adoption, plus l'idée m'a plu. Certains de nos amis avaient adopté et adoraient leurs enfants, qui étaient pour eux comme une bénédiction. Et nous avions la chance de connaître une merveilleuse agence, Edna Gladney Home à Fort Worth.

Fondée par un missionnaire méthodiste en 1887, Gladney était une des meilleures agences d'adoption du monde. Laura et moi avons fait la connaissance au téléphone de la directrice, depuis longtemps en poste, Ruby Lee Piester. Elle nous a invités à visiter l'hôpital, où nous avons rencontré certaines des femmes qui étaient sur le point d'accoucher. J'ai été ému par leur décision altruiste de donner naissance à leurs enfants puis de les confier à des couples comme nous.

La procédure d'inscription a pris plusieurs mois. D'abord, il y eut le premier entretien, qui passait par un questionnaire fastidieux. Heureusement, nous avons franchi cette étape. Ensuite, Gladney prévoyait d'envoyer quelqu'un visiter notre domicile. Laura et moi nous préparions méticuleusement. Puis, au début de 1981, elle m'a coupé le souffle en m'annonçant qu'elle pensait être enceinte.

Quelques semaines plus tard, nous sommes allés chez un spécialiste de l'échographie à Houston, une jolie Américaine d'origine indienne, Srini Malini. Nerveux, je la surveillais tandis qu'elle promenait son appareil sur le corps de Laura. Elle a considéré l'écran et a dit : « Ici, c'est la tête, et là, le corps. C'est une fille ! » Elle a trouvé un meilleur angle de vue. Soudain, elle s'est écriée : « Je vois deux bébés, deux beaux bébés ! l'autre aussi est une fille. Vous allez avoir des jumelles. » Mes yeux se sont embués de larmes. C'était une double bénédiction. Pour moi, cette image de l'échographie était notre première photo de famille.

Quand nous avons appelé la directrice de Gladney pour lui expliquer, nous nous sentions étrangement coupables, comme si nous l'avions menée en bateau. Elle a dit à Laura quelque chose d'une incroyable gentillesse : « Chérie, cela arrive parfois. Gladney peut aider un couple à avoir des enfants, d'une façon ou d'une autre. »

Ruby Lee avait vu juste, plus encore qu'elle ne le croyait. Sur le questionnaire de départ, Laura avait coché la case disant que nous aurions préféré adopter des jumeaux.

Les médecins nous avaient mis en garde : une grossesse avec des jumeaux n'était pas sans risque. Par superstition, Laura a refusé de décorer la chambre des petites. Enceinte de sept mois, on lui a diagnostiqué une éclampsie, une grave complication susceptible d'endommager ses reins et de compromettre la santé des filles. Le lendemain, Laura a été admise à l'hôpital Baylor de Dallas, où son oncle était chirurgien. Les médecins ont déclaré à mon épouse qu'elle devait garder le lit.

Je savais que Laura bénéficiait des meilleurs soins, mais je me faisais du souci. J'avais encore en mémoire la fausse-couche de Mère. J'avais vu mes parents après la mort de Robin. Je savais à quel point il est douloureux de perdre un enfant. J'ai fait part de mon angoisse à Laura. Je n'oublierai jamais sa réaction. Elle m'a regardé avec ses yeux bleus et m'a dit : « George, je vais donner le jour à ces filles. Elles naîtront en bonne santé. » J'ai été émerveillé par la force de mon épouse. Cette femme tranquille et discrète avec une âme bien trempée.

Deux semaines plus tard, j'étais dans mon bureau de Midland – je faisais la navette avec Dallas – quand j'ai reçu un appel du Dr James Boyd. C'était lui qui s'occupait de Laura, et il n'était pas du genre à tourner autour du pot. « George, a-t-il déclaré, vos enfants seront là demain. Je les ferai naître à 6 heures du matin. » Je me suis enquis de la santé de Laura. Il a répondu qu'elle irait bien. « Et les filles ? – Elles seront prématurées de cinq semaines. Ça ira très bien. Mais il faut agir maintenant », a-t-il répliqué. J'ai appelé Laura pour lui dire à quel point j'étais heureux. Puis j'ai contacté ses parents à Midland, mes parents à Washington, quelques amis – et, bien sûr, les compagnies aériennes.

Il m'a été donné d'assister à quelques événements impressionnants dans ma vie – des inaugurations présidentielles, des discours devant des foules immenses, le lancer de la première balle au stade des Yankees –, mais rien n'égale l'instant où mes filles sont nées. Laura était couchée, sous sédatifs. Je lui caressais la tête. Très vite, le docteur nous a présenté un petit corps rouge. Le bébé a hurlé, et le médecin l'a déclaré en bonne santé. Une infirmière l'a lavée et me l'a tendue. La petite Barbara. Puis ce fut la même chose pour Jenna. Nous tenions à ce que nos filles portent les noms de deux femmes remarquables, nos mères.

Je pensais à ces enfants depuis si longtemps que je n'arrivais pas à croire que je les tenais dans mes bras. C'était la veille de Thanksgiving 1981. Et la reconnaissance est très exactement ce que je ressentais. Je rendais grâce à Dieu pour leurs vies, pour le talent des médecins et leurs soins impeccables, et je rendais grâce à Laura pour sa détermination à porter nos filles assez longtemps pour qu'elles naissent en bonne santé.

Le fait de tenir Barbara et Jenna pour la première fois a été un instant d'une incroyable clarté. J'avais reçu une bénédiction, et je me voyais confier une responsabilité. J'ai juré d'être le meilleur père qui puisse être.

Ces premiers mois m'ont réveillé. Les filles se mettaient à pleurer en pleine nuit. Je les prenais, une dans chaque bras, et je me promenais dans la maison. Je voulais leur chanter une berceuse, mais je n'en connaissais pas vraiment. Au lieu de cela, je leur chantais généralement le chant de guerre de Yale : « Bulldog Bulldog, Ouah Ouah Ouah. » Ce qui avait pour effet de les calmer, peut-être simplement parce qu'elles préféraient ne plus m'entendre chanter. Quoi qu'il en soit, ça fonctionnait. Je les recouchais dans leurs berceaux et, père comblé, je rejoignais Laura.

Tandis que Laura et moi nous adaptions à la vie avec notre nouvelle famille, je dirigeais une nouvelle entreprise. En 1979, j'avais lancé une petite société d'exploration pétrolière à Midland. Je récoltais des fonds, essentiellement de la Côte Est, pour financer des forages sur des puits de pétrole et de gaz où le risque était peu élevé et le rendement faible. J'ai fait quelques découvertes respectables, dont certains sites qui produisent encore aujourd'hui. Mais j'ai aussi eu ma part de puits à sec. La gestion d'une petite entreprise m'a beaucoup enseigné, surtout que les conditions du marché peuvent changer rapidement, et qu'il vaut mieux se préparer à l'imprévu.

Quand les prix du pétrole sont retombés en 1983, j'ai décidé de fusionner avec deux entrepreneurs de Cincinatti, Bill DeWitt et Mercer Reynolds. Je serais leurs yeux et leurs oreilles sur le terrain au Texas, et eux se chargeraient de rassembler des fonds à l'Est. L'affaire a bien tourné pendant quelques années, et nous sommes devenus bons amis. Mais au début de 1986, le prix du pétrole a chuté de 26 dollars à 10 dollars le baril. Beaucoup de gens que je connaissais avaient copieusement emprunté et se trouvaient désormais dans une situation financière catastrophique. Heureusement, nous avions maintenu notre dette au plus bas, et nous avons pu transformer notre société en une compagnie plus importante et cotée en bourse, Harken Energy.

Le milieu des années 80 fut une période sombre à Midland. L'inquiétude régnait, et beaucoup étaient en quête de sens. La religion avait toujours fait partie de ma vie, mais je n'avais pas vraiment la foi. J'avais été baptisé à la Dwight Hall Chapel œcuménique de Yale. Quand j'étais jeune, mes parents m'emmenaient à la Première église presbytérienne de Midland, aux églises épiscopaliennes St. Martin de Jouston et St. Anne à Kennebunkport.

A Andover, j'assistais à l'office car c'était obligatoire. A Yale, je ne fréquentais pas l'église. J'y allais quand je rendais visite à mes parents, mais c'était avant tout pour éviter de contrarier Mère. Laura et moi nous sommes mariés à la Première église méthodiste unie de Midland. Nous avons commencé à nous y rendre régulièrement après la naissance des filles, parce que nous estimions avoir le devoir de leur faire connaître la foi. J'aimais passer du temps avec mes amis de la paroisse. J'appréciais la possibilité que cela m'offrait de réfléchir. De temps à autre, j'écoutais un sermon que je trouvais enthousiasmant. Il m'arrivait de lire la Bible, que je considérais comme un moyen de m'améliorer personnellement, ce dont j'avais besoin, je le savais. Néanmoins pour l'essentiel, la religion était plus une tradition qu'une expérience spirituelle. J'écoutais, mais je n'entendais pas.

Durant l'été 1985, nous avons effectué notre voyage annuel dans le Maine. Mère et Papa avaient invité le grand prédicateur évangélique Billy Graham. Papa lui avait demandé de répondre aux questions de la famille après le dîner. C'était typique de mon père, toujours prêt à partager. Il aurait pu faire la démonstration de son importance en s'isolant avec Billy, mais George H.W. Bush n'est pas comme ça. C'est un homme généreux, qui n'est pas affligé d'un ego démesuré. Nous nous sommes donc retrouvés, une trentaine d'entre nous – Laura, ma grand-mère, mes frères et ma sœur, mes cousins – dans la grande salle au bout de la maison de Walker's Point.

Papa a posé la première question. Il a dit : « Billy, certains disent qu'il faut connaître une expérience de renaissance chrétienne pour aller au paradis. Mère [ma grand-mère] est la personne la plus religieuse et la plus gentille que je connaisse, pourtant, elle n'a pas vécu une telle expérience. Ira-t-elle au paradis ? » Oh là, une question sacrément profonde de la part de mon vieux. Nous avons tous regardé Billy. De sa voix forte et tranquille, il a répondu : « George, certains d'entre nous ont besoin d'une expérience de renaissance chrétienne pour comprendre Dieu, et certains sont des chrétiens-nés. On dirait que votre maman est simplement née chrétienne. »

J'étais captivé par Billy. Il avait une présence formidable, pleine de bonté et de grâce, et un esprit vif. Le lendemain, il m'a demandé de l'accompagner pour une promenade sur le domaine. Il m'a interrogé sur ma vie au Texas. Je lui ai parlé des filles et lui ai fait part de mon idée que la lecture de la Bible pouvait contribuer à m'améliorer. A sa façon gentille et aimante, Billy a commencé à approfondir ma compréhension superficielle de la foi. Il n'y a rien de mal à se servir de la Bible comme d'un guide pour se perfectionner, m'a-t-il dit. La vie de Jésus est un puissant exemple pour nos propres existences. Mais s'améliorer personnellement n'est pas ce qui se trouve au cœur de la Bible. Le centre du christianisme n'est pas la personne, c'est le Christ.

Billy a expliqué que nous étions tous pécheurs, et que nous ne pouvions nous attirer l'amour de Dieu par de bonnes actions. Il m'a fait comprendre sans détours que la voie qui mène au salut passe par la grâce de Dieu. Et la façon de trouver cette grâce est d'accepter le Christ que le Seigneur a envoyé parmi nous – le fils d'un Dieu si puissant et aimant qu'Il a donné Son fils unique pour vaincre la mort et le péché.

C'étaient des concepts profonds, et je ne les ai pas pleinement compris ce jour-là. Mais Billy avait semé une graine. Son explication réfléchie avait attendri le sol et éclairci les broussailles.

Peu après notre retour au Texas, un colis de Billy est arrivé. C'était un exemplaire de la *Bible vivante* [*]. Il y avait écrit : « A mon ami George W. Bush, que Dieu vous bénisse toujours vous et Laura. » Il avait ajouté une référence à l'Epître de saint Paul aux Philippiens : « Et je suis persuadé que celui qui a commencé en vous cette bonne œuvre la rendra parfaite pour le jour de Jésus-Christ. »

Au début de l'automne, j'ai parlé de ma conversation avec Billy à Don Evans. Il m'a raconté qu'avec un autre ami de Midland, Don Jones, ils participaient à des séances d'étude de la Bible. Le groupe se réunissait le mercredi soir à la Première église presbytérienne. J'ai décidé de venir jeter un coup d'œil.

Chaque semaine, nous étudiions un chapitre du Nouveau Testament. Au début, j'étais un peu sceptique. J'avais du mal à m'abstenir de lancer des plaisanteries. Un soir, le chef du groupe a demandé : « Qu'est-ce qu'un prophète ? » J'ai répondu : « C'est quand le revenu est supérieur aux dépenses [**]. On n'a rien connu de tel dans les environs depuis Elie. »

Mais très vite, j'ai commencé à prendre les réunions plus au sérieux. A la lecture de la Bible, j'ai été touché par les histoires parlant de la gentillesse de Jésus vis-à-vis des étrangers dans le malheur, comment Il soignait les aveugles et les infirmes, et Son acte ultime d'amour sacrificiel quand Il fut cloué sur la croix. Pour le Noël de cette année-là, Don Evans m'offrit une Bible Quotidienne, une version décomposée en 365 lectures individuelles. Chaque matin, je lisais un chapitre et priais pour le comprendre plus clairement. Avec le temps, ma foi a commencé à grandir.

---

[*] Version modernisée et plus accessible, publiée en anglais en 1971. (NdT)

[**] En anglais, la prononciation de prophète, *prophet*, ressemble à celle de « profit ». (NdT)

Au début, mes doutes me troublaient. L'idée d'un Dieu vivant était un sacré changement, surtout pour quelqu'un doué d'un esprit logique comme le mien. S'abandonner au Tout-Puissant, c'est un défi pour l'ego. Mais j'ai fini par comprendre que les combats et les doutes sont des éléments naturels de la foi. Qui n'a pas connu le doute n'a probablement pas réfléchi longtemps à ce qu'il croit.

Au bout du compte, la foi est un voyage – un voyage vers une plus grande compréhension. Il n'est pas possible de prouver l'existence de Dieu, mais cela ne peut servir de motivation à la foi. Après tout, il est tout autant impossible de prouver qu'Il n'existe pas. Finalement, que l'on croit ou non, notre avis repose sur la foi.

Cette prise de conscience m'a libéré et permis de reconnaître les signes de la présence de Dieu. Je le voyais dans la beauté de la nature, l'émerveillement de mes petites filles, l'amour inébranlable de Laura et de mes parents, et la liberté qui est indissociable du pardon – tout ce que l'évangéliste Timothy Keller appelle les « clés de Dieu ». J'ai progressé avec plus de confiance dans mon voyage. La prière était ce qui me nourrissait. En approfondissant ma connaissance de Christ, je me suis rapproché de mon objectif de départ, être quelqu'un de mieux – non parce que je gagnais des points dans la colonne des profits célestes, mais parce que j'étais touché par l'amour de Dieu.

J'ai compris autre chose. Quand Billy avait commencé à répondre aux questions ce soir-là dans le Maine, j'en étais à mon troisième verre de vin, après deux bières avant le dîner. Le message de Billy avait été plus fort que l'alcool. Mais cela n'avait pas toujours été le cas. J'avais longtemps pratiqué un alcoolisme mondain. J'aimais boire avec des amis, durant les repas, lors d'événements sportifs, et pendant les fêtes. Vers mes trente-cinq ans, je buvais constamment, prenant une cuite de temps à autre.

Dans l'ouest du Texas, nous avions un dicton : « Hier soir, il s'est pris pour un as, alors qu'en fait, il était un zéro. » Ce qui fut mon cas plus d'une fois. J'aime plaisanter, mais l'alcool a tendance à transformer une blague ou une moquerie en méchanceté ou en insulte. Ce qui peut paraître amusant sous l'effet de la boisson semble parfois si stupide le lendemain. Un soir d'été, nous dînions dans le Maine, après une belle journée passée à pêcher et à jouer au golf. J'avais grand soif, et avais entrepris de l'étancher à coups de multiples bourbons et Sevens. Pendant le repas, je me suis tourné vers une superbe amie de mes parents et lui ai posé une question d'ivrogne : « Alors, c'est comment le sexe après cinquante ans ? »

A table, tout le monde a piqué du nez dans son assiette – sauf mes parents et Laura, qui m'ont fusillé du regard, incrédules. La femme magnifique a eu un rire nerveux, et la conversation a repris. Le matin suivant, quand je me suis réveillé, je me suis souvenu de ce que j'avais dit. J'ai immédiatement ressenti le remords du lendemain. Après avoir appelé la femme pour lui présenter mes excuses, j'ai commencé à me demander si c'était vraiment comme cela que j'entendais vivre ma vie. Des années plus tard, quand j'ai eu cinquante ans, cette femme à la nature charmante m'envoya un mot au domicile du gouverneur du Texas : « Eh bien, George, comment est-ce ? »

Laura aussi vit une tendance se dessiner dans mon comportement. Ce qui nous semblait désopilant ou malin, à mes amis et moi, lui paraissait répétitif et puéril. Elle n'avait pas peur de me dire ce qu'elle pensait, mais elle ne pouvait pas arrêter à ma place. Ça, je devais le faire par moi-même. A quarante ans, j'avais enfin trouvé la force de le réaliser – une force née de l'amour que j'avais éprouvé depuis ma plus tendre enfance, et de la foi que, des années durant, je n'avais su pleinement découvrir.

Je n'ai plus bu une goutte d'alcool depuis cette soirée au Broadmoor en 1986. Il n'y a aucun moyen de savoir ce que serait devenue ma vie si je n'avais pas pris la décision de cesser de boire. Mais je suis sûr que je ne coucherais pas ces réflexions par écrit en tant qu'ancien gouverneur du Texas et président des Etats-Unis.

On m'a demandé si je me considérais comme un alcoolique. Je ne peux le dire avec certitude. Je sais que ma personnalité me pousse à des manies. Je buvais trop, et cela commençait à poser problème. Ma capacité à arrêter du jour au lendemain me porte à croire que je ne souffrais pas d'une addiction chimique. Certains buveurs n'ont pas cette chance. J'admire ceux qui utilisent d'autres méthodes pour arrêter, comme le processus en douze étapes des Alcooliques Anonymes.

Je n'aurais pas pu cesser de boire sans la foi. Je ne pense pas non plus que ma foi serait aussi forte si je n'avais pas arrêté de boire. Je crois que Dieu m'a aidé à ouvrir les yeux, qui se fermaient à cause de l'alcool. Pour cette raison, j'ai toujours ressenti un lien particulier avec les paroles d'*Amazing Grace,* mon chant religieux préféré : « J'étais perdu, j'ai trouvé mon chemin, j'étais aveugle, aujourd'hui je vois. »

2

En campagne

Le 12 juin 1999, la matinée était magnifique au Texas. Les Rangers étaient en tête du championnat américain de la zone Ouest. Le Dow Jones se situait à 10 490. Papa venait de fêter son soixante-quinzième anniversaire en sautant en parachute – avec succès. Et j'étais moi aussi sur le point de faire le grand saut.

Après des mois de réflexion, des heures passées à peser le pour et le contre, j'étais en route pour l'Iowa, site du premier meeting de l'élection présidentielle de 2000. J'étais débarrassé de l'angoisse liée à la prise de décision, et impatient de partir. Laura et moi avons embrassé les filles, nous nous sommes dirigés vers l'aéroport et avons embarqué à bord d'un charter à destination de Cedar Rapids.

Le vol était bondé, de journalistes essentiellement. Ils avaient enregistré des heures d'émissions, noirci des rouleaux de papier à débattre et analysé la question de savoir si j'allais me présenter. Ils étaient sur le point d'avoir la réponse. J'ai décidé de m'amuser un peu avec eux. J'avais surnommé notre avion *Grandes Espérances*. Peu après le décollage, je me suis emparé du micro et j'ai annoncé : « Je suis votre candidat. Veuillez rangez soigneusement vos espérances dans les compartiments au-dessus de vos têtes, car elles risquent de bouger pendant le voyage, de tomber et de blesser quelqu'un – surtout moi. »

J'ai souvent recours à l'humour pour désamorcer les tensions, mais je savais que je me lançais dans une entreprise sérieuse. Plus que presque tous les autres candidats dans l'histoire, je comprenais ce que signifiait se présenter à la présidentielle. J'avais vu Papa traverser des mois terribles pendant les campagnes, sous la surveillance constante d'une presse sceptique. J'avais vu comment ses accomplissements avaient été déformés, comment il avait subi des attaques personnelles, comment on s'était moqué de son apparence. J'avais vu des amis se retourner contre lui, des conseillers l'abandonner. Je savais à quel point il était difficile de gagner. Et je savais à quel point il était douloureux de perdre.

Je m'inquiétais en particulier pour nos filles de dix-sept ans, Barbara et Jenna. D'expérience, je savais qu'il était plus dur d'être l'enfant d'un politicien que politicien soi-même. Je comprenais la souffrance et la colère que l'on ressent quand on entend son papa se faire insulter. Je connaissais ce sentiment d'inquiétude que l'on éprouve chaque fois que l'on allume la télévision. Et je savais ce que c'était que de vivre en se disant que le moindre faux-pas innocent pouvait porter tort au président des Etats-Unis. J'avais vécu tout cela à la quarantaine. Si je devenais président, mes filles seraient à l'université quand j'entrerais en fonctions. Je ne pouvais qu'imaginer à quel point ce serait encore plus difficile pour elles.

Je m'étais posé quelques grandes questions. Etais-je prêt à renoncer à tout jamais à mon anonymat ? Etait-il juste d'exposer ma famille au caractère public d'une campagne nationale ? Pourrais-je faire face à la honte de la défaite sous le regard de tout le pays ? Etais-je vraiment à la hauteur de la tâche ?

Je pensais connaître les réponses, mais je n'avais aucun moyen d'en être sûr.

Je savais en revanche que je me sentais appelé. L'avenir du pays m'inquiétait, et je voyais clairement sur quelle voie l'engager. Je voulais baisser les impôts, augmenter le niveau dans les écoles publiques, réformer la sécurité sociale et l'assurance maladie, mobiliser les associations caritatives religieuses, et redonner cœur au peuple américain en encourageant une nouvelle ère de responsabilité personnelle. Comme je le disais dans mes discours : « Quand je poserai ma main sur la Bible, je jurerai non seulement de faire respecter les lois de notre pays, je jurerai de défendre l'honneur et la dignité de la charge à laquelle j'aurai été élu, avec l'aide de Dieu. »

Ce que je savais de la présidence m'avait montré le potentiel du poste. Les deux présidents que je connaissais le mieux, Papa et Ronald Reagan, avaient profité de leurs mandats pour réaliser des objectifs historiques. Le président Reagan avait défié l'Union soviétique et contribué à gagner la guerre froide. Papa avait libéré le Koweït et guidé l'Europe vers l'unité et la paix.

J'avais également vu le côté personnel de la présidence. En dépit de toute l'attention publique et du stress, Papa avait adoré son travail. Il avait quitté ses fonctions avec son honneur et ses valeurs intacts. Malgré les pressions de toutes parts, l'intensité de l'expérience avait rapproché notre famille.

Le processus de décision était accaparant. J'y avais pensé, en avais parlé, l'avais analysé, et avais prié à son sujet. Je voulais mettre en avant ma philosophie, et j'étais convaincu que je parviendrais à mettre en place une équipe digne de la présidence. J'avais les moyens financiers de subvenir aux besoins de ma famille, que je gagne ou non. En fin de compte, les facteurs décisifs étaient moins tangibles. Je me sentais poussé à faire plus dans ma vie, à exploiter mon potentiel et mettre mes talents à l'épreuve au plus haut niveau. Les exemples de mon père et de mon grand-père me servaient d'inspiration. J'avais vu Papa entrer sur la plus grande scène et réussir. Je voulais savoir si j'avais ce qu'il fallait pour le rejoindre.

Même si je perdais, ma vie serait quand même merveilleuse. Ma famille m'aimait. Je serais gouverneur d'un grand Etat. Et je n'aurais jamais à me demander ce qui aurait pu se passer. « Quand mon heure sera venue, disais-je à mes amis, mon carnet de bal sera plein. »

J'ai rendu publique ma candidature à l'occasion d'un barbecue dans la petite ville d'Amana, dans l'Iowa. J'ai fait mon discours dans une grange, sur une estrade couverte de paille devant un gigantesque champ de maïs. Jim Nussle, du Congrès, qui dirigerait plus tard mon Bureau de la gestion et du budget, me présenta en entonnant « Iowa Stubborn », de *The Music Man*. Avec Laura à mes côtés, j'ai dit : « Je suis candidat à la présidence des Etats-Unis. Il n'est pas question de faire marche arrière, et j'ai l'intention d'être le prochain président. »

Le parcours qui m'avait mené jusqu'à cette journée n'avait rien de conventionnel. Je n'avais pas passé ma vie à me préparer à devenir candidat. Sinon, il est probable que j'aurais fait certaines choses différemment pendant ma jeunesse. Mais au fil de mon périple, j'avais acquis les talents et le désir de mener et remporter une campagne présidentielle. Le ferment de cette décision, comme tant d'autres dans ma vie, a été planté dans le sol poussiéreux sous le ciel sans limite de Midland, au Texas.

Midland était une ville conservatrice. L'ouest du Texas est d'esprit indépendant, et se méfie de toute forme de gouvernement central. Comme une grande partie du Texas, Midland avait été dominé par le parti démocrate pendant des générations. La circonscription de Midland, en pleine expansion, comptait dix-sept cantons, et avait été représentée par un démocrate du nom de George Mahon pendant quarante-trois ans. Aucun autre parlementaire n'avait servi aussi longtemps en Amérique. Le 6 juillet 1977 – pour mon trente et unième anniversaire –, il avait annoncé qu'il se retirerait à la fin de son mandat.

A l'époque, j'étais de retour à Midland depuis deux ans après Harvard. Je me familiarisais avec le monde du pétrole, rétablissais des liens avec des amis, et, de manière générale, profitais de la vie. Je commençais aussi à m'intéresser à la scène politique.

Si je n'avais jamais envisagé d'en faire mon métier, j'avais participé à toutes les campagnes de Papa : la sénatoriale de 1964, celle à la Chambre des Représentants de 1966 et sa deuxième tentative pour entrer au Sénat en 1970. Avant de suivre ma formation de pilote en 1968, j'avais passé plusieurs mois en tant qu'assistant d'Edward Gurney, candidat au Sénat en Floride. Le moment fort de cette expérience avait été un rassemblement gigantesque à Jacksonville, où Gurney avait reçu le soutien du grand gouverneur bronzé de Californie, Ronald Reagan. En 1972, j'étais directeur politique de la campagne sénatoriale de Red Blount en Alabama. En 1976, j'étais volontaire pour la campagne du président Ford dans l'ouest du Texas lors des primaires républicaines. Je l'ai aidé à remporter un total de zéro délégué.

La vie en campagne était idéale pour moi quand j'avais la vingtaine. J'adorais bouger et rencontrer de nouveaux visages. L'intensité et la compétition des élections me convenaient tout à fait. J'aimais le caractère décisif du jour du vote, quand les électeurs choisissaient un vainqueur, avant que nous passions tous à autre chose. Sans l'avoir vraiment choisi, quand Mahon se retira, j'avais déjà une expérience relative en politique.

J'ai commencé à me dire que je pourrais me présenter pour prendre sa suite. J'avais l'expérience nécessaire pour gérer le volet politique de l'élection. Je me sentais également appelé par quelque chose de plus fort. Mes expériences à Harvard, en Chine et dans le secteur pétrolier convergeaient en un faisceau de convictions : l'économie de marché était la façon la plus juste de répartir les ressources. Une fiscalité moins lourde récompensait le travail tout en encourageant la prise de risque, ce qui stimulait la création d'emplois. La suppression des barrières douanières créait de nouveaux marchés à l'exportation pour les producteurs américains et offrait davantage de choix à nos consommateurs. L'Etat devait respecter les limites que lui imposait la Constitution et laisser aux gens la liberté de vivre leur vie.

Quand je considérais Washington sous le président Jimmy Carter et un Congrès dominé par les démocrates, c'était le contraire que je voyais. Ils envisageaient d'augmenter les impôts, de resserrer le contrôle de l'Etat sur le secteur de l'énergie, et de substituer les dépenses fédérales à la création d'emploi du secteur privé. Je m'inquiétais du virage à gauche qu'empruntait l'Amérique, vers une version de l'Etat-providence à l'européenne où la planification centralisée étouffait la libre entreprise. Je voulais faire quelque chose. Pour la première fois, j'avais contracté le virus politique, et j'étais sérieusement atteint.

Quand j'ai fait part de mon idée à Mère et Papa, ils ont été surpris. Ma décision dut leur sembler surgie de nulle part, mais ils ne voulaient pas tempérer mon enthousiasme. Papa a demandé si je serais disposé à écouter les conseils d'un de ses amis, l'ancien gouverneur du Texas Allan Shivers. « Absolument », ai-je répondu. Shivers était une légende. Il avait été le gouverneur le plus longtemps en poste de l'histoire du Texas. C'était un démocrate conservateur, et son avis serait précieux dans une campagne contre Kent Hance, sénateur de l'Etat à droite du centre et probable candidat démocrate.

Quand je me suis rendu chez le vieux gouverneur, il m'a demandé à brûle-pourpoint si je me présentais pour le siège de M. Mahon. J'ai dit que je considérais sérieusement cette éventualité. Il m'a regardé droit dans les yeux et m'a dit : « Fils, tu ne peux pas gagner. » Il n'y eut aucun encouragement, rien. Il m'a expliqué que la circonscription était idéalement découpée pour élire Kent Hance. J'ai marmonné quelque chose du genre : « J'espère que vous aurez tort si je décide de me présenter », et je l'ai remercié de m'avoir consacré du temps.

Je me souviens de m'être demandé pourquoi Papa m'avait présenté le gouverneur. Avec du recul, c'était peut-être sa façon de me dire, sans torpiller mes ambitions, que je devais être préparé à perdre.

La première phase de la campagne passait par des primaires républicaines. Je me suis retrouvé aux prises avec Jim Reese, ancien commentateur sportif éloquent et maire d'Odessa. Il s'était présenté contre George Mahon en 1976 et estimait avoir droit à la candidature de 1978. Il n'appréciait guère le fait que je l'avais devancé dans les sondages durant le premier tour des primaires.

Reese était implacable, tout comme certains de ses partisans. Leur stratégie consista à me dépeindre comme un descendant de profiteurs nordistes libéral et déconnecté des réalités. Ils évoquèrent toutes sortes de théories du complot. Papa faisait partie d'une campagne entreprise par une commission trilatérale pour établir un gouvernement mondial. J'avais été envoyé par la famille Rockefeller pour racheter des terres. Quatre jours avant l'échéance, Reese avait brandi une copie de mon acte de naissance pour *prouver* que j'étais né dans l'Est. Comment étais-je censé lutter contre ça ? Je ripostai en déclarant, comme mon père l'avait fait avant moi : « Non, je ne suis pas né au Texas, parce que, ce jour-là, je voulais être auprès de ma mère. »

Reese reçut le soutien et des fonds de Ronald Reagan, qui, lui, voulait prendre l'avantage sur mon père dans les primaires avant la présidentielle de 1980. En dépit de toutes les insinuations, j'étais optimiste. J'avais pour stratégie de me constituer un fief dans ma circonscription de Midland. Laura et moi assistions à des réunions dans toute la ville, organisant la circonscription quartier par quartier, persuadant des amis qui n'avaient jamais fait de politique de nous aider[1]. Le soir des primaires, nos efforts sur le terrain à Midland eurent pour résultat une participation massive. Je perdis dans tous les autres cantons, mais l'emportai à Midland avec une telle avance que je décrochai la nomination.

Papa avait prédit que Reagan m'appellerait pour me féliciter si je gagnais la primaire. Ce qu'il fit le lendemain. Il se montra charmant et me proposa son aide pour remporter les élections. J'étais ravi de son appel, et je ne lui en voulais pas. Mais j'étais décidé à me battre seul. Je n'ai fait campagne ni avec Reagan, ni avec Papa.

La bagarre contre Reese m'avait endurci. J'avais appris que je pouvais supporter les coups durs, continuer à me battre, et gagner. Mon adversaire était désormais Kent Hance, le sénateur de l'Etat contre lequel le gouverneur Shivers m'avait mis en garde. La stratégie de Hance était la même que celle de Reese – il fallait me présenter comme un étranger venu de l'Est –, mais il l'appliqua avec plus de subtilité et de charme.

Dans un de mes premiers spots télévisés de campagne, on me voyait en train de courir, ce qui, selon moi, permettait de mettre l'accent sur mon énergie et ma jeunesse. Hance le retourna contre moi en une phrase : « Ici, les gens ne courent que quand ils ont le feu aux fesses. »

Il diffusa aussi un spot radio : « En 1961, quand Kent Hance est sorti du lycée de Dimmitt, dans la dix-neuvième circonscription, son adversaire, George W. Bush, se trouvait à Andover, dans le Massachusetts. En 1965, quand Kent Hance a obtenu son diplôme à Texas Tech, son adversaire était à Yale. Et quand Kent Hance est sorti de la faculté de droit de l'Université du Texas, son adversaire, lui... écoutez bien, mesdames et messieurs... était à Harvard. On n'a pas besoin que quelqu'un du Nord-Est vienne nous dire quels sont nos problèmes. »

Hance était un merveilleux conteur, et il se servit de son talent pour en rajouter sur le thème de l'étranger. Son histoire favorite était celle d'un homme dans une limousine qui s'était garé près d'une

---

1. Don Evans fut le directeur de la campagne, Joe O'Neill en fut le trésorier et Robert McCleskey se chargea de la comptabilité. (NdA)

ferme où travaillait Hance. Quand le conducteur lui avait demandé son chemin, Hance avait répondu : « Tournez à droite juste après le passage canadien, et ensuite, suivez la route. » La blague se terminait par la question du conducteur, qui s'enquérait : « Excusez-moi, mais il y a des Canadiens par ici ? » Les gens dans l'ouest du Texas adoraient ça. Hance retournait le couteau dans la plaie en ajoutant : « Je ne me souviens plus si la limousine était immatriculée dans le Massachusetts ou dans le Connecticut. »

Laura et moi nous installâmes temporairement à Lubbock, la plus grande ville du district, à environ 180 kilomètres au nord de Midland. Important marché du coton, Lubbock abritait l'Université de Technologie du Texas, Texas Tech. Nous nous en sommes servis comme d'une base pour faire campagne dans les cantons ruraux. Laura et moi passions des heures ensemble en voiture, faisant halte dans des villes comme Levelland, Plainview et Brownfield. Pour quelqu'un qui ne s'intéressait pas particulièrement à la politique, Laura donnait l'impression d'avoir la campagne électorale dans le sang. Avec sa nature authentique, les électeurs n'avaient aucun mal à se sentir proches d'elle. Après notre mariage, nous avions fait un court séjour à Cozumel, au Mexique, mais nous plaisantions en disant que cette campagne était comme notre lune de miel.

Le 4 juillet, nous étions en campagne à Muleshoe, tout au nord du district. Pendant les primaires de mai, j'avais obtenu 6 des 230 votes du canton de Bailey. Je me disais que je ne pouvais que faire mieux. Laura et moi souriions et faisions des gestes aux spectateurs depuis l'arrière de notre pick-up blanc. Personne ne nous a acclamés, ni même salués. Les gens nous regardaient comme si nous étions des extraterrestres. Pour finir, je me suis dit que la seule personne qui me soutenait à Muleshoe, c'était celle qui se tenait à mes côtés.

Puis ce fut le soir des élections, et il s'avéra que le gouverneur Shivers avait eu raison. Je l'emportai haut la main à Midland et dans le sud du district, mais ce n'était pas assez pour empiéter sur l'avance de Hance à Lubbock et ailleurs. Le résultat final fut de 53 % contre 47.

J'ai détesté perdre, toutefois j'étais heureux de m'être présenté. J'avais apprécié le dur labeur de la politique, j'avais aimé rencontrer les gens et défendre mes idées. J'avais appris qu'il ne faut pas laisser son adversaire vous définir, que c'est une des plus grandes erreurs que l'on peut commettre pendant une campagne. Et j'avais découvert que je pouvais accepter ma défaite et continuer. Ce n'était pas facile pour quelqu'un d'aussi compétitif que moi. Mais c'était une étape importante de ma maturation.

Quant à Kent Hance, il méritait de l'emporter, et nous sommes devenus bons amis. Deux victoires au poste de gouverneur et à la présidence plus tard, il reste le seul politicien qui m'ait jamais battu. Il a ensuite occupé trois mandats à la Chambre avant d'échouer au Sénat. Puis il est devenu républicain et a contribué à mes campagnes. Kent est aujourd'hui doyen de Texas Tech. Il dit que, sans lui, je ne serais jamais devenu président. Il a sans doute raison.

Six mois après la fin de ma campagne, un autre combat m'attendait. Papa venait d'annoncer sa candidature à la présidentielle de 1980. Il était loin derrière Ronald Reagan, mais il avait fait une excellente campagne dans l'Iowa et y remporta une victoire surprise. Malheureusement, ses succès succombèrent à l'hiver glacial du New Hampshire. Il y fut vaincu par Reagan, qui fut ensuite désigné en tant que candidat républicain.

Les spéculations allaient bon train sur l'identité du vice-président que choisirait Reagan. A la convention de Detroit, il débattit avec Gerald Ford d'une sorte de coprésidence. Ils comprirent que cela ne pourrait pas fonctionner – ce qui était une bonne décision. Puis Reagan appela Papa et lui demanda d'être son colistier – ce qui était une décision encore plus sage.

Le soir de l'élection, le tandem Reagan-Bush écrasa Jimmy Carter et Walter Mondale 489 à 49 au Collège électoral. Laura et moi prîmes l'avion pour Washington pour assister à l'inauguration le 20 janvier 1981, la première fois que la cérémonie se tenait sur la majestueuse façade ouest du Capitole. Nous rayonnions de joie quand le juge Potter Stewart fit prêter serment à Papa. Puis Ronald Reagan répéta le serment prononcé par le juge suprême Warren Burger.

En tant que diplômé en histoire, j'étais ravi de me retrouver au premier rang. En tant que fils, j'étais plein de fierté. Jamais je ne me suis dit qu'un jour, ce serait moi qui me tiendrais sur cette estrade, la main droite levée, pour deux inaugurations présidentielles.

Le début des années 80 fut rude, théâtre d'une récession douloureuse tandis qu'un attentat détruisait le cantonnement de nos Marines au Liban, mais le gouvernement Reagan-Bush tint ses promesses. Il réduisit les impôts, reprit le dessus dans la guerre froide, et redonna le moral à l'Amérique. Quand le président Reagan et Papa présentèrent leurs accomplissements aux électeurs en 1984, ils gagnèrent dans 49 des 50 Etats.

Papa était le favori logique de la nomination à la présidentielle de 1988, mais l'affaire serait chaude. Il s'était montré d'une telle loyauté envers le président Reagan qu'il n'avait presque rien fait pour se mettre en avant. Il devait également lutter contre le célèbre facteur Van Buren. Depuis que Martin Van Buren avait succédé à Andrew Jackson à la Maison-Blanche en 1836, jamais un vice-président n'avait été élu après le président qu'il avait servi.

Au début de son deuxième mandat, le président Reagan avait généreusement permis à Papa d'utiliser la résidence présidentielle de Camp David pour une réunion avec son équipe de campagne. Papa eut une attention charmante et invita tous ses parents et enfants. J'étais ravi de rencontrer son équipe, même si j'avais quelques réserves. Le principal stratège de Papa était un jeune type, Lee Atwater. Originaire de Caroline du Sud, il parlait vite et jouait de la guitare, et était considéré comme un des plus brillants consultants en politique du pays. Intelligent, il l'était. Expérimenté aussi. Mais je voulais être sûr de sa loyauté.

Quand Papa a demandé si quelqu'un de la famille avait des questions à poser, j'ai levé la main. « Lee, comment pouvons-nous être sûrs que nous pouvons vous faire confiance, puisque vos associés travaillent pour d'autres candidats ? » ai-je demandé. Jeb s'est joint à moi : « Si quelqu'un lance une grenade sur notre papa, on attend de vous que vous vous sacrifiiez. » Notre ton était dur, mais il était la preuve de notre amour pour Papa et de ce que nous attendions de son équipe – autrement dit, les membres de cette dernière devaient faire passer le candidat avant leurs ambitions personnelles.

Lee a répondu qu'il avait rencontré Papa à la Commission nationale républicaine, qu'il l'admirait beaucoup et qu'il voulait qu'il gagne. Il a ajouté qu'il envisageait de rompre la relation conflictuelle qui le liait à ses associés. Mais il était évident que nos doutes l'avaient ébranlé. Plus tard dans la journée, il est venu nous retrouver, Jeb et moi. Si nous nous inquiétions tant, a-t-il dit, pourquoi l'un d'entre nous ne viendrait-il pas à Washington pour participer à la campagne, et garder ainsi un œil sur l'équipe et lui ?

L'invitation m'intrigua. C'était le bon moment. Après le fléchissement du marché pétrolier, mes associés et moi avions revendu notre société de prospection et trouvé des emplois à tous les salariés. L'idée plut à Papa, et Laura était prête à tenter le coup.

Au bureau de campagne dans le centre de Washington, je n'avais aucun titre. Comme le disait Papa, j'en avais déjà un, et un beau : fils. Je me suis concentré sur la collecte de fonds, parcourant le pays pour y faire des discours et remonter le moral des volontaires en les remerciant au nom de Papa. De temps à autre, je rappelais aussi à quelques membres importants de l'équipe qu'ils étaient là pour favoriser l'élection de George Bush et non leurs carrières personnelles. J'appris une précieuse leçon sur Washington : qui est proche du pouvoir a le pouvoir. Le fait d'être écouté par Papa m'a rendu efficace.

J'avais entre autres pour mission de filtrer les requêtes des journalistes qui réclamaient des entretiens. Quand Margaret Warner, de *Newsweek*, nous a dit qu'elle voulait réaliser une interview, j'ai recommandé que nous coopérions. Margaret était douée et semblait disposée à écrire un article équitable. Papa accepta.

Mère m'appela le matin de la sortie du magazine dans les kiosques. « Tu as vu *Newsweek* ? – Pas encore, lui dis-je. – Ils traitent ton père de lâche ! » grogna-t-elle.

Je me suis rapidement procuré un exemplaire, et fus agressé par le titre, qui hurlait : « Comment se débarrasser du facteur lâcheté ». Je n'y croyais pas. Le magazine insinuait que mon père, pilote de bombardier pendant la Seconde Guerre mondiale, était un lâche. Je vis rouge. J'appelai Margaret. Elle me demanda poliment ce que je pensais de l'article. Je lui répliquai impoliment que j'estimais qu'elle avait pris part à une embuscade politique. Elle grommela quelque chose à propos de sa rédaction en chef, qui aurait été responsable de la Une. Moi, je n'ai pas grommelé. Je me suis emporté contre les rédacteurs en chef et j'ai raccroché. Dès lors, je me suis méfié des journalistes politiques et de leurs rédacteurs en chef invisibles.

Ayant fini troisième dans l'Iowa, Papa se reprit avec une victoire dans le New Hampshire, puis décrocha la nomination. Il avait pour adversaire dans la présidentielle un homme de gauche, le gouverneur du Massachusetts, Michael Dukakis. Papa entama la campagne par un discours magnifique à la convention de La Nouvelle-Orléans. Je fus fasciné par la puissance de ses mots, l'élégance de ses phrases et sa puissance oratoire. Il parla d'un pays « plus gentil, plus doux », bâti avec la compassion et la générosité du peuple américain – ce qu'il appelait « un millier de points lumineux ». Il présenta un programme politique fort, avec cette promesse audacieuse : « Lisez sur mes lèvres, pas de nouveaux impôts. »

J'étais impressionné par la façon qu'avait eue Papa de bien choisir son moment. Il avait réussi à gérer parfaitement la transformation de vice-président loyal en candidat. Il quitta la convention en tête dans les sondages et galopa ainsi jusqu'à l'échéance finale. Le 8 novembre 1988, la famille suivait les résultats chez notre ami le Dr Charles Neblett, à Houston. J'ai su que Papa avait gagné quand l'Ohio et le New Jersey, deux Etats essentiels, penchèrent en sa faveur. A la fin de la soirée, il avait conquis 40 Etats et 426 voix au Collège. George H.W. Bush, l'homme que j'admirais et adorais, fut élu quarante et unième président des Etats-Unis.

Laura et moi avions apprécié l'année et demie que nous avions passée à Washington. Mais quand des gens nous suggérèrent de rester à Washington et que j'y profite de mes contacts, je n'y pensai même pas. Je n'étais absolument pas intéressé par l'idée de devenir un lobbyiste ou de traîner dans les couloirs de l'administration de Papa. Peu après l'élection, nous avons fait nos bagages et sommes rentrés au Texas.

J'avais une autre raison de rentrer. Vers la fin de la campagne de Papa, j'avais reçu un curieux coup de téléphone de mon ancien associé Bill DeWitt. Le père de Bill était le propriétaire des Reds de Cincinnati et avait de bonnes connexions dans le monde du baseball. Il avait entendu dire qu'Eddie Chiles, le principal actionnaire des Texas Rangers, cherchait à vendre l'équipe. L'opération m'intéressait-elle ? J'en avais presque bondi de mon fauteuil. Etre le propriétaire d'une équipe de baseball, ce serait la concrétisation d'un rêve. Je voulais qu'il se réalise.

Ma stratégie consista à me présenter comme l'acheteur préférentiel. Laura et moi nous sommes installés à Dallas, et j'ai rendu régulièrement visite à Eddie et son épouse. J'ai promis de veiller avec soin sur cette équipe qu'il aimait. Il m'a répondu : « Tu as un nom et beaucoup de potentiel. J'adorerais conclure la vente avec toi, fils, mais tu n'as pas d'argent. »

Je me suis mis en quête d'investisseurs potentiels, pour la plupart des amis dans tout le pays. Quand le commissaire Peter Ueberroth souligna qu'il nous fallait davantage de propriétaires locaux, je me suis rendu auprès de Richard Rainwater, investisseur à succès de Fort Worth. Je l'avais déjà approché auparavant, mais il avait refusé. Cette fois, il se montra réceptif. Il accepta de fournir la moitié de la somme nécessaire, du moment que je trouvais l'autre moitié et que j'acceptais de prendre son ami Rusty Rose comme comanager.

J'ai rencontré Rusty au club de golf Brook Hollow de Dallas. Il avait l'air timide. Il ne s'était jamais intéressé au baseball, mais il était doué pour les finances. Nous avons envisagé qu'il s'occupe des chiffres, tandis que je me chargerais des relations publiques.

Peu après, Laura et moi assistions à un événement caritatif. Nos projets avaient fini par filtrer, et une connaissance m'a pris à part et m'a chuchoté : « Vous savez que Rusty Rose est fou ? Vous feriez mieux de faire attention. » Au début, je n'y ai vu que du baratin sans importance. Puis j'ai commencé à m'inquiéter. Comment ça, « fou » ?

J'ai appelé Richard pour lui faire part de ce que j'avais entendu. Il m'a suggéré de poser directement la question à Rusty. Ce qui serait un peu gênant. Je le connaissais à peine, et il aurait fallu que je l'interroge sur sa santé mentale ? Cet après-midi-là, je croisai Rusty lors d'une réunion. Dès que je suis entré dans la salle de conférences, il est venu vers moi et m'a dit : « J'ai cru comprendre que vous aviez un problème avec mon état mental. Je vois un psy. J'ai été malade. Qu'est-ce que ça peut faire ? »

Rusty, en fait, n'était pas fou. C'était sa façon étrange de dire la vérité : il souffrait d'un déséquilibre chimique qui, s'il n'était pas correctement soigné, pouvait pousser son esprit brillant à connaître des crises d'anxiété. Je me suis senti lamentable et lui ai présenté mes excuses.

Rusty et moi sommes devenus bons amis. Il m'a aidé à comprendre comment la dépression, maladie dont j'ai su par la suite qu'elle avait également un temps affecté ma mère, pouvait être gérée avec les soins adéquats. Vingt ans plus tard, dans le Bureau Ovale, je me tenais avec les sénateurs Pete Domenici et Ted Kennedy quand j'ai signé une loi exigeant que les assurances couvrent le traitement de patients atteints de maladie mentale. Ce jour-là, j'ai pensé à mon ami Rusty Rose.

Rusty et Richard faisant partie de notre groupe d'investisseurs, nous avons obtenu l'autorisation d'acheter l'équipe [1]. Eddie Chiles proposa de nous présenter comme les nouveaux propriétaires le jour de l'ouverture du championnat 1989. Nous sommes sortis du vestiaire, avons traversé la pelouse d'un vert éclatant et nous sommes rendus au poste du lanceur, où nous avons été rejoints par Eddie et Tom Landry, entraîneur légendaire des Cowboys de Dallas, qui lança la première balle. Je me suis tourné vers Rusty et j'ai dit : « On ne peut pas rêver mieux. »

Au fil des cinq saisons qui suivirent, Laura et moi avons assisté à une cinquantaine ou une soixantaine de matchs par an. Nous avons vu bien des victoires, avons eu notre part de défaites, et profité de ces heures innombrables passées ensemble. Nous emmenions les filles voir les entraînements du printemps, et au stade aussi souvent que possible. Je suivais les Rangers sur le marché, faisais des discours pour renforcer les ventes de billets, et discutais sport avec les médias locaux. Avec le temps, je me suis senti plus à l'aise à la tribune. J'ai appris à entrer en contact avec la foule et à faire passer un message clair. J'ai également acquis une précieuse expérience pour ce qui était de répondre aux questions impitoyables des journalistes. En l'occurrence, elles portaient essentiellement sur nos difficultés à trouver un bon lanceur.

La gestion des Rangers a affiné mes compétences de manager. Rusty et moi consacrions notre temps aux grands problèmes financiers et stratégiques, laissant les décisions sportives aux sportifs. Quand les gens n'étaient pas à la hauteur, nous procédions à des changements. Ce ne fut pas facile de demander à quelqu'un de bien comme Bobby Valentine, manager dynamique qui était devenu un ami, de partir. Mais je me suis efforcé de lui annoncer de façon réfléchie, et Bobby l'a pris comme un professionnel. Des années plus tard, je lui ai été reconnaissant quand je l'ai entendu dire : « J'ai voté pour George W. Bush, même s'il m'a viré. »

---

1. Je tiens en particulier à remercier le commissaire Peter Ueberroth, le président de la Ligue américaine Bobby Brown et Jerry Reinsdorf des Chicago White Sox pour leur aide dans la gestion de l'achat. (NdA)

Quand Rusty et moi avons repris le club, les Rangers avaient perdu au cours de sept des neuf dernières saisons. Ils renouèrent avec la victoire pendant quatre des cinq années suivantes. L'amélioration sur le terrain attirait plus de monde dans les gradins. Mais l'économie du baseball était sans pitié pour une petite équipe. Si nous n'avons jamais demandé une rallonge de capitaux à nos actionnaires, nous ne jetions pas non plus l'argent par les fenêtres.

Rusty et moi avions compris que la meilleure façon d'accroître la valeur à long terme de l'équipe, c'était de moderniser notre stade. Les Rangers étaient une équipe de première ligue qui jouait sur un terrain de deuxième ligue. Nous avons mis au point un système de financement public-privé pour payer la construction d'un nouveau stade. Je n'étais pas opposé à une hausse de la taxe sur les ventes pour financer le stade, du moment que les citoyens avaient la possibilité de s'exprimer à ce sujet. Ils ont accepté à presque deux contre un.

Grâce à la direction de Tom Schieffer – ancien représentant démocrate de l'Etat qui s'est si bien tiré de la supervision du projet de stade que je lui ai demandé plus tard de servir d'ambassadeur en Australie et au Japon –, le superbe nouveau stade était prêt pour le lancement de la saison 1994. Depuis, des millions de Texans sont venus voir des matchs dans le nouveau stade. C'était un formidable sentiment de réussite que de savoir que j'avais fait partie de l'équipe de direction qui avait rendu cela possible. Mais entre-temps, le championnat n'était plus la seule compétition que j'avais en tête.

Peu après avoir racheté les Rangers en 1989, la campagne des élections pour le poste de gouverneur du Texas en 1990 commença. Plusieurs de mes amis en politique me suggérèrent de me présenter. J'étais flatté, sans vraiment y penser sérieusement.

L'essentiel de mon engagement politique était en rapport avec Papa. Quelques mois après avoir accédé à la plus haute fonction de l'Etat, il a été confronté à des bouleversements cataclysmiques dans le monde. Presque sans avertissement, le Mur de Berlin s'effondra en novembre 1989. J'admire la façon dont Papa a géré la situation. Il savait que tout discours pouvait provoquer sans raison les Soviétiques, qui avaient besoin de temps et d'espace pour se débarrasser pacifiquement du communisme.

Grâce à la diplomatie constante de Papa à la fin de la guerre froide – et ses réactions vigoureuses à des agressions au Panama et en Irak –, le pays avait une immense confiance dans le jugement de George Bush dans le domaine de la politique étrangère. Mais je m'inquiétais de l'économie, qui avait commencé à ralentir en 1989. En 1990, je redoutais que nous ne soyons à l'aube d'une récession.

Je liquidai mes maigres avoirs et remboursai le prêt que j'avais contracté pour acheter ma part des Rangers. J'espérais que toute crise serait de courte durée, pour le pays comme pour Papa.

Dans l'intervalle, il devait décider ou non de se représenter.

« Fils, je ne suis pas sûr que je devrais, me dit-il alors que nous pêchions ensemble dans le Maine durant l'été 1991.

– Ah bon ? ai-je demandé. Pourquoi ? »

– Je me sens responsable de ce qui est arrivé à Neil », m'a-t-il répondu.

Mon frère Neil avait été membre du conseil d'administration de Silverado, une société de prêt et d'épargne qui avait fait faillite dans le Colorado. Papa pensait que Neil avait fait l'objet de virulentes attaques dans la presse parce qu'il était le fils du président. J'étais horrifié pour Neil, et je pouvais comprendre les angoisses de Papa. Mais le pays avait besoin d'être dirigé par George Bush. Je fus soulagé quand il annonça à la famille qu'il se sentait encore prêt à mener une ultime campagne.

Elle commença mal. La première leçon, en politique électorale, est de consolider sa base. Or en 1992, la base de Papa s'érodait. Surtout parce qu'il était revenu sur sa promesse de ne pas augmenter les impôts – le tristement célèbre « Lisez sur mes lèvres » de son discours à la convention de 1988. Papa avait accepté une hausse fiscale avancée par le Congrès à majorité démocrate en échange d'un contrôle des dépenses. Si sa décision avait été profitable au budget, il avait commis une erreur politique.

Pat Buchanan, le commentateur de l'extrême droite, s'opposa à Papa dans les primaires du New Hampshire et récolta 37 % – un inquiétant vote de protestation. Pis encore, le milliardaire texan Ross Perot décida de lancer une campagne en tant que troisième parti. Il séduisit les conservateurs déçus avec sa rhétorique anti-déficit et anticommerce. Un des centres de la campagne de Perot se trouvait de l'autre côté de la rue, en face de mon bureau de Dallas. Quand je regardais par la fenêtre, c'était comme si j'assistais à un sondage quotidien en direct. Des Cadillac et des 4×4 faisaient la queue pour récupérer des autocollants et des affiches de Perot. J'ai compris que Papa allait devoir se battre sur deux fronts pour être réélu, avec Perot sur un flanc et le candidat démocrate sur l'autre.

Au printemps 1992, l'identité de ce dernier était devenue évidente. Il s'agissait du gouverneur de l'Arkansas, Bill Clinton. Il avait vingt-deux ans de moins que Papa et six semaines de moins que moi. La campagne fut le signe du début d'un basculement générationnel dans la politique américaine. Jusqu'alors, tous les présidents depuis Franklin Roosevelt avaient servi pendant la Seconde Guerre mondiale, que ce soit dans l'armée ou en tant que commandant en chef. En 1992, les *baby boomers* et les générations plus jeunes représentaient une partie importante de l'électorat. Ils avaient naturellement tendance à soutenir quelqu'un de leur âge. Clinton a été assez habile pour éviter le secteur qui faisait la force de Papa, la politique étrangère. Il comprenait les angoisses du pays face à l'économie et mena campagne avec un message bien cadré : « C'est l'économie, imbécile. »

Je suis resté étroitement en contact avec Papa tout au long de l'année de l'élection. Au début de l'été 1992, la campagne n'avait toujours pas trouvé son élan. J'ai dit à Papa qu'il devrait envisager de prendre des mesures audacieuses pour inverser la dynamique électorale. Une possibilité était de remplacer le vice-président Dan Quayle, que j'aimais et respectais, par un nouveau colistier. J'ai suggéré à Papa d'envisager la candidature du secrétaire à la Défense Dick Cheney. Dick était brillant, sérieux, expérimenté et coriace. Il s'était magnifiquement tiré de la supervision de l'armée pendant la libération de Panama et la guerre du Golfe. Papa dit non. Il craignait que ce geste n'ait l'air désespéré et qu'il ne porte tort à Dan. Rétrospectivement, je ne pense pas que Papa s'en serait mieux tiré avec un autre colistier. Mais je n'abandonnai pas mon idée d'un tandem Bush-Cheney.

En revanche, Papa nomma James Baker, son secrétaire d'Etat, chef du cabinet à la Maison-Blanche. Avec Baker à la barre, la campagne se déroula de façon plus fluide. Les électeurs commencèrent à se concentrer sur l'affrontement entre Bush et Clinton. Dans les sondages, les chiffres s'équilibrèrent. Puis, quatre jours avant l'élection, Lawrence Walsh, le procureur qui enquêtait sur le scandale de l'Irangate et des Contras, du temps de l'administration Reagan, inculpa l'ancien secrétaire à la Défense Caspar Weinberger. L'affaire fit les gros titres et coupa la campagne dans son élan. L'avocat démocrate Robert Bennett, qui représentait Weinberger, dit de l'inculpation qu'elle avait été « un des pires abus de pouvoir du ministère public que j'aie jamais vu ». Et c'est ce que l'on appelle l'indépendance de l'accusation.

Dans les derniers jours avant l'élection, mon frère Marvin m'a suggéré de faire campagne aux côtés de Papa pour qu'il garde le moral. J'ai accepté, bien que n'étant pas moi-même d'excellente humeur. J'étais particulièrement exaspéré par la presse qui, selon moi, avait pris fait et cause pour Bill Clinton. A l'occasion d'une de nos ultimes étapes, deux journalistes m'ont approché près de la passerelle d'Air Force One. Ils m'ont interrogé sur l'atmosphère qui régnait dans l'appareil. Sur le plan politique, il aurait été avisé de répondre une banalité, du genre : « Il a le sentiment qu'il va pouvoir surmonter cette épreuve. » Au lieu de cela, je me suis laissé aller.

J'ai déclaré aux reporters que je trouvais leurs articles tendancieux. Mon ton était rude, et je me suis montré grossier. Ce n'était ma première saillie de la campagne. Dans la presse, j'avais acquis la réputation d'avoir la tête près du bonnet, et c'était mérité. Ce que la presse ne comprenait pas, c'est que mes sorties avaient pour motivation l'amour, et non la politique.

Vint le soir de l'élection, et Papa fut battu. Bill Clinton remporta 43 % des voix. Papa en récolta 37,4 %. Ross Perot en avait récupéré 18,9 %, dont des millions de voix qui, sinon, seraient allées à George Bush. Papa réagit à la défaite avec une dignité caractéristique. Tôt le lendemain, il téléphona à Bill pour le féliciter, ce qui allait être le début de l'une des amitiés les plus improbables de l'histoire politique américaine.

Papa avait appris à être beau joueur. Il ne fit de reproche à personne, et ne montra pas d'amertume. Mais je savais qu'il souffrait. Toute l'affaire avait été une pénible expérience. Assister à la défaite de cet homme a fait de 1992 l'une des pires années de ma vie.

Le lendemain matin, Mère déclara : « Eh bien, c'est fini. Il est temps de passer à autre chose. » Heureusement pour moi, la saison de baseball n'était jamais bien loin. En attendant, je me suis entraîné pour le marathon de Houston, auquel j'ai participé le 24 janvier 1993, quatre jours après que Papa avait quitté ses fonctions. Quand je suis passé devant l'église de Mère et Papa, vers le kilomètre 30, je tenais une moyenne de 13 kilomètres/heure. La messe de 9 h 30 venait de prendre fin, et ma famille était rassemblée au virage. Il me restait un peu de jus dans les jambes pour épater la galerie. Papa m'encouragea avec son style bien à lui : « Ça c'est mon garçon ! » hurla-t-il. Mère adopta une approche différente. Elle cria : « Continue, George ! Il y a des gros devant toi ! » J'ai fini en trois heures et quarante-quatre minutes. Sur la ligne d'arrivée, j'avais l'impression d'avoir dix ans de moins. Le lendemain, c'était comme si j'en avais dix de trop.

Tout comme j'avais couru autrefois pour débarrasser mon organisme de l'alcool, le marathon m'avait aidé à me purger de la déception que je ressentais à propos de 1992. Quand la douleur s'effaça peu à peu, elle fut remplacée par un nouveau sentiment : le désir de me présenter de nouveau à des élections.

Cela se fit progressivement. Quand Laura et moi étions rentrés au Texas en 1988, j'avais davantage pris conscience des défis auxquels était confronté l'Etat. Notre système d'éducation avait des difficultés. Les enfants qui ne savaient pas lire ou compter étaient trimballés par le système sans que quiconque se soucie de demander ce qu'ils avaient appris, si même ils avaient appris quelque chose.

La situation de la loi dans notre Etat était un sujet de plaisanterie national. Les avocats spécialisés dans les accidents du travail obtenaient de monstrueuses compensations et faisaient fuir les employeurs. La délinquance juvénile augmentait. Et je réprouvais une culture qui disait « si c'est agréable, il faut le faire » et « quand tu as un problème, rejette la faute sur quelqu'un d'autre ».

Les dividendes d'une telle approche étaient inquiétants. De plus en plus de bébés naissaient hors mariage. De plus en plus de pères se soustrayaient à leurs responsabilités. La dépendance vis-à-vis du système social se substituait à l'incitation à travailler.

Mes expériences lors des campagnes de Papa et aux commandes des Rangers avaient affûté mes talents politiques, de gestion et de communication. Le mariage et la famille avaient élargi mes perspectives. Et Papa n'était désormais plus sur la scène politique. Je pouvais avancer ma politique sans avoir à défendre la sienne. Je n'aurais pas à craindre que mes décisions ne perturbent sa présidence. J'étais libre de me présenter par moi-même.

Dans la famille, je n'étais pas le seul à être parvenu à cette conclusion. Au printemps 1993, Jeb me dit qu'il envisageait sérieusement de se présenter au poste de gouverneur de Floride. Paradoxalement, la défaite de Papa nous donnait nos chances à tous deux. Ce que l'on avait d'abord pris pour la triste fin d'une belle histoire semblait maintenant être l'incroyable début de deux nouvelles carrières. Si Papa l'avait emporté en 1992, je ne crois pas que je me serais présenté en 1994, et je ne serais presque certainement jamais devenu président.

La grande question était de savoir comment se lancer. J'ai demandé à un ami proche, le stratège politique Karl Rove. Je l'avais rencontré pour la première fois en 1973, quand Papa était président de la Commission nationale républicaine et que Karl était président des étudiants républicains. Je m'étais attendu qu'il soit un de ces politiciens de campus, du genre de ceux qui ne m'avaient guère plu à Yale. Je ne tardai pas à comprendre qu'il était différent. Il n'était ni prétentieux, ni arrogant, et il n'avait assurément rien à voir avec le responsable de campagne classique, tout en onctuosité. Karl était comme un savant fou en politique – intellectuel, amusant et débordant d'énergie et d'idées.

Personne, parmi les gens que je connais, n'a lu ou absorbé plus d'histoire que Karl. Je suis sûr de ce que je dis parce que j'ai essayé de me maintenir à son niveau. Il y a quelques années, Karl et moi nous sommes affrontés dans un concours de lecture. J'ai très vite pris l'avantage. Puis Karl m'a accusé de profiter d'un avantage injuste en ne choisissant que des œuvres courtes. Dès lors, nous avons compté non seulement les ouvrages lus, mais aussi leur nombre de pages et leur superficie. A la fin de l'année, mon ami m'avait écrasé dans chacune des catégories[1].

Karl ne se contentait pas d'accumuler des connaissances, il s'en servait. Il avait étudié la stratégie électorale de William McKinley en 1986. En 1999, il me recommanda d'organiser une campagne de porte-à-porte comme lui. Approche qui se révéla aussi sage qu'efficace. J'avais regretté de ne pas avoir travaillé avec Karl durant ma tentative de 1978. Je n'ai plus jamais commis cette erreur.

En 1993, Karl et moi avons estimé que nous avions une ouverture politique. Tout le monde s'entendait à dire que la gouverneur du Texas Ann Richards était certaine d'être réélue en novembre suivant. Première femme à occuper ce poste depuis les années 30, Ann Richards était une pionnière de la politique. Elle comptait sur le large soutien des démocrates au niveau national et, beaucoup le pensaient, était présidentiable, ou à tout le moins vice-présidentiable.

Tout le monde disait que la gouverneur était populaire, mais Karl et moi pensions qu'elle n'avait en réalité pas accompli grand-chose. Karl me dit que, d'après son analyse, de nombreux Texans – même des démocrates – seraient ouverts à un candidat disposant d'un programme sérieux pour améliorer l'Etat. C'était exactement ce que j'avais en tête.

A l'occasion d'élections anticipées au printemps 1993, la gouverneur Richards avait inclus au bulletin une mesure de financement des établissements scolaires. Tourné en dérision et surnommé « Robin des Bois », son plan prévoyait de redistribuer l'argent des circonscriptions riches vers les pauvres. Les électeurs le rejetèrent nettement. Regardant les résultats ce soir-là, Laura et moi avons écouté une interview d'Ann Richards. Elle était furieuse de la défaite de son programme scolaire et déclara, sarcastique : « Ah ça, nous attendons tous fébrilement des suggestions et des idées réalistes. »

Je me suis tourné vers Laura et j'ai dit : « Moi, j'ai une suggestion. Je pourrais me présenter au poste de gouverneur. » Elle m'a regardé comme si j'étais fou. « Tu plaisantes ? » a-t-elle demandé. Je lui ai dit que j'étais sérieux. « Mais notre vie est si merveilleuse, a-t-elle dit. – Tu as raison », ai-je répondu. Nous étions très bien à Dallas. J'adorais mon boulot avec les Rangers. Nos filles étaient en pleine forme. Toutefois la fièvre politique m'avait repris, nous le savions tous les deux.

Quand j'évoquais ma candidature, on me disait toujours la même chose : « Ann Richards est sacrément populaire. » J'ai demandé conseil à certains des anciens stratèges politiques de Papa. Ils m'ont

---

1. Le résultat final était de 110 livres à 95, 40 347 pages à 37 343, 14 679 306 centimètres carrés à 13 110 186. (NdA)

poliment suggéré d'attendre quelques années. Quand j'ai pris la décision de me présenter malgré tout, Mère a réagi avec son tact habituel : « George, a-t-elle lâché. Tu ne peux pas gagner. »

La bonne nouvelle, c'est que du côté des républicains, le terrain était totalement libre. Personne ne voulait se battre contre Richards, si bien que j'ai pu immédiatement me concentrer sur les élections. J'ai adopté une approche méthodique et mis au point un projet précis et optimiste pour l'Etat. Je me suis concentré sur quatre points clés : l'éducation, la justice des mineurs, la réforme du système social et la réforme du jugement des délits au civil.

Nous avons regroupé une équipe de campagne talentueuse et capable [1]. J'ai procédé à deux embauches importantes. La première était celle de Joe Allbaugh, grand bonhomme de près de un mètre quatre-vingt-dix, qui en imposait avec sa coupe en brosse et ses manières de sergent instructeur, qui avait travaillé comme chef de cabinet du gouverneur de l'Oklahoma Henry Bellmon. J'ai fait appel à lui pour gérer la campagne, et il a su magnifiquement en prendre l'organisation en main.

Nous avons également engagé une nouvelle directrice des communications, Karen Hughes. J'avais rencontré Karen pour la première fois à la convention républicaine du Texas en 1990. « Je vais vous expliquer vos tâches », m'avait-elle dit sèchement. Puis elle m'avait asséné mon ordre de mission. Il ne faisait aucun doute que c'était elle qui commandait. Quand elle me raconta que son père était général de division, cela m'a paru d'une logique imparable.

J'étais resté en contact avec Karen après la convention. Elle avait une personnalité chaleureuse, ouverte, et un rire merveilleux. Ancienne correspondante de la télévision, elle connaissait les médias et savait trousser une phrase. J'avais considéré comme un bon signe le fait qu'elle était venue écouter mon discours de candidature à l'automne 1993. Elle était facile à repérer, avec son fils Robert sur les épaules. Karen était une personne comme je les aime – elle faisait passer sa famille avant tout. Le jour où elle a accepté de faire partie de ma campagne fut un des meilleurs de ma carrière politique.

Ma campagne commençant à susciter de l'intérêt, les médias nationaux s'y sont intéressés. Les journalistes connaissaient ma réputation de soupe au lait, et d'aucuns se demandaient quand je

---

1. Cette équipe avait pour directeur Jim Francis ; Don Evans comme directeur financier ; Karl Rove comme principal stratège ; Vance McMahon, juriste formé à Stanford, en tant que directeur de la politique ; Margaret LaMontagne, ancien membre de l'Association texane des conseils d'administration des établissements scolaires, comme directrice politique ; Dan Bartlett, fraîchement diplômé de l'Université du Texas, dans l'équipe de communication ; et Israel Hernandez, courageux diplômé de la même université, en tant que consultant pendant nos déplacements, qui se chargeait de nous épargner trop de pression à Laura et moi. (NdA)

finirais par exploser. Ann Richards fit de son mieux pour mettre le feu aux poudres. Elle me traita de « crétin » et de « bosquet [*] », mais je refusai de m'enflammer. La plupart des gens n'arrivaient pas à comprendre qu'il y avait une grande différence entre les campagnes de Papa et la mienne. En tant que fils du candidat, je laissais libre cours à mes émotions et je défendais George Bush à tout prix. En tant que candidat moi-même, je comprenais que je devais faire preuve de modération et de maîtrise. Les électeurs ne veulent pas d'un dirigeant qui cède à la colère et jette une ombre grossière sur le débat. La meilleure façon pour moi de riposter à ces piques, c'était de gagner les élections.

A la mi-octobre, Ann Richards et moi nous sommes fait face lors de notre unique débat télévisé. J'avais étudié les manuels de préparation et je m'étais entraîné dans le cadre de faux débats. Une semaine avant le grand soir, j'imposai un black-out sur les conseils. J'avais assisté à certaines des préparations de Papa pour des débats. Je savais que le candidat pouvait facilement être submergé de suggestions de dernière minute. Mon marronnier préféré, c'était « Contente-toi d'être toi-même ». Sans blague. J'ordonnai que tous les conseils passent désormais par Karen. Si elle les jugeait importants, elle me les transmettrait. Sinon, je préférais garder l'esprit clair et concentré.

Le soir du débat, Karen et moi nous trouvions dans l'ascenseur quand Ann Richards entra. Je lui serrai la main et déclarai : « Bonne chance, madame la gouverneur. » De son grognement le moins amène, elle répondit : « Ça va être dur pour vous, ce soir, mon garçon. »

C'était un classique de l'intimidation. Mais cela eut sur moi l'effet inverse de ce qu'elle espérait. Si la gouverneur cherchait à me faire peur, je me suis dit que c'était parce qu'elle se sentait en danger. Je lui ai adressé un large sourire, et le débat se déroula sans anicroche. J'étais dans la politique depuis assez longtemps pour savoir que l'on ne peut pas vraiment gagner un débat. On ne peut que perdre en disant une idiotie ou en ayant l'air fatigué ou nerveux. Dans ce cas, je n'étais ni l'un, ni l'autre. J'ai défendu ma cause en confiance et j'ai évité toute gaffe d'importance.

Comme toujours, les dernières semaines apportèrent leur lot de surprises. Ross Perot intervint dans la campagne en soutenant Ann Richards. Ce qui ne m'inquiéta guère. J'ai toujours pensé que les soutiens en politique sont surfaits. Ils aident rarement, et parfois, ils peuvent même être dommageables. Je dis à un journaliste : « Elle peut garder Ross Perot. Moi, je prends Nolan Ryan et Barbara Bush. » Je me suis abstenu d'ajouter que Mère ne croyait toujours pas en ma victoire.

---

[*] Jeu de mot sur *Bush*, « buisson » en anglais. (NdT)

Quand les résultats sont tombés le soir des élections, j'étais aux anges. Nous avions accompli ce qui, selon le *Dallas Morning News,* avait paru « impensable pendant un temps ». Le *New York Times* parla d'une « surprise ahurissante ». Papa m'appela au Marriott d'Austin, où mes partisans s'étaient regroupés. « Félicitations, George, pour ta belle victoire, dit-il, mais on dirait que Jeb va perdre. »

J'étais désolé pour mon frère, qui avait travaillé si dur et méritait de gagner. Mais rien ne pouvait assombrir la joie que je ressentais quand j'ai quitté la salle du Marriott pour aller effectuer mon discours de victoire.

L'inauguration devait avoir lieu le 17 janvier 1995. Alors que je me préparais dans ma chambre d'hôtel avant la cérémonie, Mère me tendit une enveloppe. Elle contenait une paire de boutons de manchette et une lettre de Papa :

> *Cher George,*
> *Ces boutons de manchette sont mon bien le plus cher. Ils m'ont été donnés par Maman et Papa le 9 juin, ce jour de 1943 où j'ai obtenu mes ailes dans la Marine à Corpus Christi. Je veux te les confier aujourd'hui car, en un sens, même si tu as obtenu tes ailes dans l'Air Force en pilotant ces avions à réaction, tu les obtiens de nouveau en prêtant serment en tant que gouverneur.*

Il me disait à quel point il était fier de moi, et comment je pourrais toujours compter sur son amour et celui de Mère. Et il concluait :

> *Tu nous as donné plus que nous ne méritions. Tu as fait des sacrifices pour nous. Tu nous as offert ta loyauté et ta dévotion sans faille. Maintenant, c'est à notre tour.*

Papa n'était pas homme à dire ce genre de choses, il préférait les écrire, et ses mots signifiaient beaucoup pour moi. Ce matin-là, je me suis senti puissamment lié à la tradition familiale de servir l'Etat, tradition que je perpétuais à ma façon.

En tant que gouverneur, je n'avais pas besoin de temps pour établir mes priorités. J'avais passé l'année écoulée à dire justement à tout le monde ce que je comptais accomplir. J'ai toujours pensé qu'un programme de campagne ne doit pas seulement servir à remporter les élections. C'est le schéma de ce que l'on doit faire une fois en poste.

Pour y parvenir, il fallait que j'entretienne de bonnes relations avec la législature. Ce qui commençait par le lieutenant gouverneur, qui joue le rôle de président du sénat, crée les commissions et décide des lois qui seront proposées. Son élection est distincte de celle du gouverneur, et il est donc possible que les deux principaux responsables ne soient pas du même parti – ce qui était le cas pour le lieutenant gouverneur Bob Bullock et moi.

Bullock était une légende dans la politique texane. Il avait occupé le poste crucial de contrôleur de l'Etat pendant seize ans avant d'être élu lieutenant gouverneur en 1990. Il tenait le sénat d'une main ferme. Et il disposait d'anciens employés et d'amis implantés dans toutes les administrations, ce qui lui permettait de se tenir informé. Bullock avait tous les moyens de faire de ma vie un enfer. Mais si je parvenais à le persuader de travailler avec moi, il représenterait un allié inestimable.

Quelques semaines avant les élections, Joe Allbaugh avait suggéré que je rencontre secrètement Bullock. Par un après-midi tranquille, je m'étais éclipsé et rendu à Austin en avion. Jan, l'épouse de Bullock, m'avait ouvert la porte. C'était une jolie femme au sourire chaleureux. Puis Bullock était apparu. C'était un homme sec et buriné. Il s'était marié cinq fois, avec quatre femmes différentes. Jan était sa dernière épouse et l'amour de sa vie. Il ne l'avait épousée qu'une seule fois. Autrefois, il avait été gros buveur. Il était connu pour s'être soûlé et avoir tiré avec ses pistolets dans des toilettes publiques. Il fumait sans cesse, bien qu'ayant perdu une partie d'un poumon. C'était un homme qui avait attaqué la vie par la pente abrupte. Il me tendit la main et me dit : « Je suis Bullock. Entrez. »

Il m'emmena dans son étude. On aurait dit la bibliothèque d'un chercheur. Il y avait des piles de dossiers, de rapports et de documents. Bullock jeta un lourd dossier sur le bureau devant moi et me dit : « Voici le rapport sur la délinquance juvénile. » Il savait que ma campagne reposait entre autres sur une réforme de la justice des mineurs et me suggéra de réfléchir à certaines de ses idées. Puis il me jeta d'autres rapports du même genre sur l'éducation et la réforme du système social. Nous parlâmes pendant trois ou quatre heures. Il soutenait Ann Richards, mais il me dit clairement qu'il travaillerait avec moi si je l'emportais.

L'autre acteur clé, sur le plan législatif, était le président de la chambre, Pete Laney. Comme moi, il venait de l'ouest du Texas. C'était un cultivateur de coton de Hale Center, ville rurale située entre Lubbock et Amarillo que j'avais visitée durant ma campagne de 1978. Pete était un type discret. Si Bullock avait tendance à abattre son jeu – et parfois à vous flanquer dehors par la même occasion –, Laney ne révélait rien. C'était un démocrate qui comptait des alliés dans les deux camps.

Peu après ma prise de fonctions, Pete, Bob et moi avons décidé de nous réunir chaque semaine autour d'un petit déjeuner. Au début, ces rencontres nous offraient la possibilité d'échanger des anecdotes et de m'aider à en savoir plus sur la législature. Quand les lois commencèrent à se frayer un chemin dans le système, nos petits déjeuners devinrent d'importantes réunions stratégiques. Quelques mois après le début de la session, Bullock avait fait passer plusieurs lois importantes au sénat. Mais la plupart traînaient encore à la chambre.

Bullock voulait que ça bouge, et il le fit savoir à Laney. Tandis que je savourais mes crêpes, mon bacon et mon café, Pete déclara calmement au lieutenant général que les projets de lois seraient votés. Bullock bouillait sur place. Il ne tarda pas à exploser. Il me regarda droit dans les yeux et hurla : « Monsieur le gouverneur, je vais vous b... Je vais vous faire passer pour un imbécile. »

J'ai réfléchi un moment, je me suis levé, j'ai marché vers lui et j'ai dit : « Si vous voulez me b..., il va falloir m'embrasser d'abord. » Pour plaisanter, je l'ai pris dans mes bras, mais il s'est arraché à mon étreinte et est parti en claquant la porte. Laney et moi avons éclaté de rire. Nous savions tous deux que la tirade de Bullock ne me visait pas. C'était sa façon de dire à Laney qu'il était temps que la chambre vote les lois.

Je ne saurai jamais si le message de Bullock a eu un impact sur Laney. Mais grâce à nos efforts conjugués, la législation sur l'éducation, la justice des mineurs et la réforme du système social a commencé à être votée rapidement. L'élément le plus épineux était la réforme des délits civils. Il était vital de mettre un frein aux actions en justice bidon si l'on voulait empêcher que les emplois ne quittent l'Etat. Mais le Barreau local, influent et disposant de moyens confortables, y était fortement opposé. J'avais un allié en la personne de David Sibley, membre républicain du sénat venu de Waco et président de la commission chargée du dossier.

Un soir, au début de la session, j'ai invité David à dîner. Nous venions de commencer à manger quand il a reçu un appel de Bullock. J'écoutai cette conversation à sens unique. David hochait la tête, ou gardait les yeux rivés devant lui, le visage de marbre, pendant que le lieutenant gouverneur déballait son sac. Puis il a dit : « Il est assis en face de moi. Vous voulez lui parler ? » Bullock tenait à me dire un mot. J'ai pris le téléphone.

« Pourquoi est-ce que vous bloquez la réforme des délits civils ? Je croyais que vous seriez OK. Mais non, vous êtes un gouverneur de m... » Il a ajouté quelques mots du même tonneau et a raccroché. David comprenait ce qui s'était passé. Il avait déjà vécu ça et ne savait pas comment je réagirais. J'ai ri à gorge déployée. Bullock était un dur, qui ne mâchait pas ses mots, mais j'avais le sentiment que cet orage-là allait passer.

Quand David eut compris que j'avais surmonté l'épreuve, nous nous sommes concentrés sur la réforme. Notre principal point de divergence tenait au montant maximum que nous souhaitions imposer aux compensations. Je tenais à la somme de 500 000 dollars, Bullock réclamait 1 000 000. David me dit que s'il parvenait à obtenir un accord sur cet élément de la législation, les cinq autres projets qui faisaient partie du train de réformes passeraient facilement. Il me suggéra un compromis : pourquoi pas un projet avec un plafond de 750 000 dollars ? Il était évident que cela améliorerait le système. J'ai accepté.

David a rappelé Bullock et lui a parlé de notre arrangement. Cet appel-là fut plus court, même si Sibley me repassa le téléphone. « Gouverneur Bush, attaqua Bullock d'un ton officiel, vous allez être un sacré gouverneur. Bonsoir. »

En 1996, Laura me surprit en organisant une fête pour mes cinquante ans à la résidence du gouverneur. Elle invita la famille et des amis de Midland, Houston et Dallas ; des camarades de classe d'Andover, Yale et Harvard ; et des politiciens d'Austin, dont Bullock et Laney. Alors que le soleil déclinait, Laura ne fut pas la seule à me surprendre. Bullock se dirigea vers le micro. « Joyeux anniversaire, dit-il dans un sourire. Vous êtes un sacré gouverneur. » Il poursuivit : « Et gouverneur Bush, vous serez le prochain président des Etats-Unis. »

Sa prédiction me laissa sans voix. Je n'étais gouverneur que depuis dix-huit mois. Le président Clinton en était encore à son premier mandat. C'est tout juste si j'avais pensé à ma réélection en 1998. Et là, Bullock parlait de 2000. Je ne le pris pas trop au sérieux, il cherchait toujours à provoquer. Mais son commentaire éveilla en moi une réflexion intéressante. Dix ans plus tôt, j'avais fêté mon quarantième anniversaire, ivre au Broadmoor. Aujourd'hui, on saluait en moi le prochain président, depuis la pelouse de la résidence du gouverneur du Texas. Quelle décennie.

En attendant, une véritable campagne présidentielle était en cours. Le parti républicain avait choisi comme candidat le sénateur Bob Dole, héros de la Seconde Guerre mondiale dont les accomplissements législatifs étaient réputés. J'admirais le sénateur Dole. Je pensais qu'il ferait un bon président, et je fis vigoureusement campagne en sa faveur au Texas. Mais je craignais que notre parti n'ait pas retenu la leçon de la politique générationnelle de 1992 : les électeurs avaient voté pour un président de la génération des *baby boomers*, il était peu probable qu'ils fassent marche arrière. Certes, le sénateur Dole l'emporta au Texas, mais le président Clinton fut réélu.

En 1998, je me représentai avec confiance. J'avais tenu parole sur chacune des quatre priorités que j'avais annoncées lors de ma première campagne. Nous avions également fait voter la plus grande réduction d'impôts de l'histoire du Texas et facilité la procédure d'adoption d'orphelins par des familles aimantes. Nombre de ces lois avaient été proposées et défendues par des démocrates. Je me suis senti honoré quand Bob Bullock, qui avait soutenu les candidats démocrates pendant près d'un demi-siècle, a appuyé publiquement ma réélection. J'étais aussi un peu surpris. Bullock était le parrain d'un des enfants de mon adversaire.

J'étais décidé à ne rien considérer comme acquis. Le soir des résultats, j'ai récolté plus de 68 % des voix, y compris 47 % des Hispaniques, 27 % des Afro-Américains et 70 % des indépendants. J'étais le premier gouverneur élu pour un deuxième mandat de quatre ans.

Mais ce soir-là, j'avais également un œil sur d'autres élections. Jeb devint gouverneur de Floride avec une avance confortable. Je suis allé à son inauguration en janvier 1999, ce qui faisait de nous les premiers frères à être gouverneurs simultanément depuis Nelson et Win Rockefeller, plus de vingt-cinq ans plus tôt. Ce fut un moment merveilleux pour notre famille. Il était aussi temps d'envisager l'avenir. Et une grande question me taraudait.

La décision de me présenter à la présidentielle a évolué avec le temps. Beaucoup me pressaient d'être candidat – certains pour le pays, d'autres parce qu'ils espéraient profiter de la chevauchée vers la gloire. J'entendais souvent le même commentaire : « Vous pouvez gagner. Vous pouvez être président. » Cette confiance me flattait. Mais ma décision ne dépendrait pas du fait que d'autres croient ou non que je pouvais l'emporter. Après tout, tout le monde m'avait dit que jamais je ne pourrais battre Ann Richards. La question essentielle était de savoir si je me sentais, moi, appelé à me présenter.

Réfléchissant à cette décision, je me heurtais à un dilemme. Etant donné l'importance et la complexité d'une campagne présidentielle, il faut commencer à la préparer longtemps à l'avance, même si l'on n'est pas certain de vouloir se présenter. J'autorisai Karl Rove à commencer à regrouper la paperasse et à recruter un réseau de gens qui collecteraient des fonds et se chargeraient de l'opération auprès de la base. Une fois le processus lancé, il engendra un sentiment d'inévitabilité. En octobre 1998, je déclarai à David Broder, éditorialiste du *Washington Post,* que je me sentais comme « un bouchon sur des rapides ». Après ma réélection le mois suivant, les rapides se sont emballés.

J'étais décidé à ne pas me laisser emporter. Si je devais me présenter, je voulais que ce soit pour les bonnes raisons. Je ne me souviens pas exactement du moment où j'ai pris ma décision, mais j'avais eu des instants de clarté en cours de route. Comme lors de ma seconde inauguration en tant que gouverneur. Le matin de la cérémonie, nous assistâmes à un service religieux à la Première église méthodiste unie dans le centre d'Austin. Laura et moi avions invité le révérend Mark Craig, notre ami et pasteur de Dallas, à se charger du sermon.

J'essayais de me concentrer le plus possible sur l'inauguration, mais j'en étais incapable. En entrant dans l'église, je dis à Mère que je me débattais avec la décision de me présenter ou non à la présidence.

« George, répondit-elle. Oublie ça. Décide-toi, et passe à autre chose. » Un conseil utile, mais qui ne m'aida guère sur le moment.

Puis Mark Craig frappa. Dans son sermon, il parla de l'Exode, quand Dieu appelle Moïse à agir. La première réaction de Moïse est l'incrédulité : « Qui suis-je, pour aller vers Pharaon, et pour faire sortir d'Egypte les enfants d'Israël ? » Il avait toutes les excuses possibles. Il n'avait pas mené une existence parfaite ; il n'était pas sûr que les gens le suivraient ; il n'était même pas vraiment capable de s'exprimer clairement. Tout cela me rappelait quelque chose.

Mark décrivit comment Dieu avait assuré à Moïse qu'il avait le pouvoir de se charger de la tâche pour laquelle il avait été appelé. Puis Mark avait appelé l'assistance à agir. Il déclara que le pays avait désespérément besoin de direction morale et éthique. Comme Moïse, conclut-il, « nous avons la possibilité, chacun d'entre nous, de faire ce qu'il faut, pour la bonne raison ».

Je me demandais si c'était là la réponse à ma question. Il n'y eut pas de voix mystérieuse me murmurant à l'oreille, seulement la voix aiguë et l'accent texan de Mark résonnant depuis la chaire. Alors Mère s'est penchée depuis sa place à l'autre bout du banc. Elle a attiré mon regard et articulé en silence : « C'est à toi qu'il parle. »

Après la messe, je me suis senti différent. La pression avait disparu. J'éprouvais une sensation de calme.

Depuis dix-huit mois déjà, Laura et moi discutions de la course à la présidentielle. Elle fut mon auditoire tandis que j'analysais le pour et le contre. Elle ne chercha pas à me dissuader, ni à me pousser. Elle m'écouta patiemment et me fit part de ses opinions. Je crois qu'elle s'est toujours doutée que je me présenterais. Selon elle, la politique, c'était le secteur d'activité de la famille. Ce qu'elle voulait, c'était être sûre que je prenais ma décision pour les bonnes raisons, non parce que d'autres m'y poussaient.

Si elle avait eu des objections, elle m'en aurait fait part, et je ne me serais pas présenté. Si elle redoutait la pression dont je ferais l'objet en tant que président, elle partageait mes espoirs pour le pays et avait confiance dans ma capacité à gouverner. Un soir, elle m'a simplement souri et m'a dit : « J'en suis. »

Il nous a été plus difficile de l'annoncer à nos filles. Barbara et Jenna avaient dix-sept ans, avec des tendances à l'indépendance qui me rappelaient beaucoup leur père. Dès le début, elles m'avaient demandé de ne pas me présenter – parfois en plaisantant, parfois sérieusement, souvent à tue-tête. Une de leurs répliques favorites était : « Papa, tu vas perdre. Tu n'es pas aussi cool que tu le crois. » D'autres fois, elles demandaient : « Pourquoi est-ce que tu veux ficher nos vies en l'air ? »

Des mots difficiles à entendre quand on est un père. Je ne sais pas si nos filles pensaient vraiment que j'allais perdre, mais je sais qu'elles ne voulaient pas renoncer à leurs vies semi-privées. Un soir, j'ai demandé à Jenna de me rejoindre sur le porche à l'arrière de la résidence du gouverneur. C'était une magnifique soirée texane, et nous sommes restés là tous deux à bavarder un moment. Je lui ai dit : « Je sais que tu penses que je suis en train de ruiner ta vie en me présentant à la présidence. Mais en fait, pour votre maman et moi, c'est ça *vivre* nos vies – exactement comme nous vous avons appris à le faire, toi et Barbara. »

Elle me répondit qu'elle n'y avait jamais pensé sous cet angle. L'idée de vivre pleinement sa vie la séduisait, comme cela avait toujours été le cas pour moi. Elle n'était pas enthousiasmée. Mais dès lors, je crois que Barbara et elle ont compris.

En y repensant dix ans plus tard, nos filles ont apprécié les possibilités qu'offrait la présidence. Elles ont voyagé avec nous à l'étranger, ont rencontré des gens fascinants, sources d'inspiration comme Václav Havel et Ellen Johnson-Sirleaf, elles se sont familiarisées avec la fonction de l'Etat. En fait, Laura et moi avons peut-être vu Barbara et Jenna plus souvent durant la présidence que si nous étions restés au Texas.

Camp David était un de nos endroits préférés pour passer du temps avec les filles. Un week-end de l'été 2007, Laura et moi avons invité Jenna et son petit ami, Henry Hager, un charmant jeune homme de Virginie qu'elle avait rencontré pendant la campagne de 2004. Pendant le dîner du vendredi soir, Henry m'avait dit qu'il souhaitait me parler le lendemain. « Je serai disponible à 15 heures dans le chalet présidentiel », lui avais-je répondu.

Henry est arrivé à l'heure dite, manifestement bien préparé. « Monsieur le président, j'aime votre fille », dit-il avant d'entamer un discours émouvant. Au bout de quelques minutes, je l'interrompis. « Henry, la réponse est oui, vous avez ma permission. Maintenant, allons voir Laura. » A son expression, on aurait dit qu'il pensait : « Attendez, je n'en ai pas fini avec mes arguments ! »

Laura fut aussi heureuse que moi. Henry demanda également la permission de Barbara. Quelques semaines plus tard, dans le Parc National d'Acadia, dans le Maine, il demanda Jenna en mariage. Ils se sont mariés en mai 2008 dans notre ranch de Crawford. Nous disposions d'un autel sculpté en calcaire du Texas, situé sur une péninsule qui donne sur notre lac, et Kirbyjon Caldwell, ami de la famille et merveilleux pasteur de Houston, célébra la cérémonie au soleil couchant. La mariée était magnifique. Laura et Barbara étaient radieuses. Mener ma fille à l'autel a été une des joies de ma vie. Après huit ans passés à la présidence, notre famille en ressortait non seulement renforcée, mais aussi agrandie.

Après avoir annoncé ma candidature dans l'Iowa en juin 1999, Laura et moi sommes partis rendre visite à Mère et Papa. Je les ai tenus au courant de la campagne. Puis, tous les quatre, nous nous sommes promenés sur la pelouse. Derrière nous s'étendait l'océan Atlantique, superbe. Devant nous se tenait une horde de photographes. Mère a sorti une de ses célèbres réflexions laconiques. Elle a regardé les journalistes et a demandé : « Où étiez-vous en 92 ? »

J'ai ri. J'étais époustouflé par cette femme fantastique. Elle était responsable de tant de bonheur dans ma vie. Je me suis tourné vers Papa. J'ai repensé à ce temps où je contemplais ses photos dans les albums. Comme ces vieilles photos, son visage était usé. Mais son esprit était toujours fort. J'ai déclaré à la presse ce que j'avais su toute ma vie : c'était un formidable avantage d'être le fils de George et Barbara Bush. Quelle aventure que la nôtre. Sept ans plus tôt, la dernière campagne de Papa s'était conclue sur une défaite. Maintenant, je me tenais fièrement à ses côtés, avec la chance de devenir le quarante-troisième président des Etats-Unis.

Quand je suis rentré au Texas, ma première halte a été chez Bob et Jan Bullock. Bob payait ses années d'excès, et son organisme était en train de lâcher. Son épiderme perdait de sa couleur, il était cloué au lit, et il portait un masque à oxygène. Je l'ai pris doucement dans mes bras. Il a soulevé son masque et saisi un exemplaire de *Newsweek* qui se trouvait sur sa table de chevet. Il y avait ma photo en couverture.

« Comment se fait-il que vous ne souriiez pas ? » dit-il. J'ai ri. C'était du Bullock tout craché.

Puis il m'a pris par surprise. « Monsieur le gouverneur, demanda-t-il, accepteriez-vous de faire mon panégyrique pour mes obsèques ? »

Il a remis son masque à oxygène et a fermé les yeux. Je lui ai parlé de ma visite en Iowa et de mon discours de candidature au barbecue. Je ne suis pas sûr qu'il en ait entendu un mot. Après notre extraordinaire parcours en commun, mon ami improbable et moi allions suivre des chemins différents.

3

Personnel

L'expression de Dick était indéchiffrable. Il ne trahissait aucune émotion. Il contemplait les vaches qui broutaient sous le soleil écrasant dans notre ranch de Crawford, au Texas. Nous étions le 3 juillet 2000. Dix semaines plus tôt, ayant été désigné comme le candidat officiel des républicains, j'avais envoyé mon directeur de campagne Joe Allbaugh rendre visite à Dick Cheney à Dallas. Je lui avais demandé de me rapporter les réponses à deux questions. Première-ment, Dick souhaitait-il être candidat à la vice-présidence ? Sinon, était-il disposé à m'aider à trouver un colistier ?

Dick avait répondu à Joe qu'il était satisfait de sa vie et qu'il en avait fini avec la politique. Mais qu'il serait prêt à prendre la direc-tion de la commission chargée de me dénicher un vice-président.

Comme je m'y attendais, Dick avait effectué un travail méticu-leux, exhaustif. Lors de notre première réunion, j'avais établi la liste des critères pour choisir mon colistier. Je voulais quelqu'un avec qui je me sente à l'aise, prêt à faire partie d'une équipe, qui avait l'expé-rience de Washington qui me manquait et, surtout, qui était prêt à servir le président à tout moment. Dick avait recruté une petite équipe de juristes et avait discrètement rassemblé des rames de paperasse sur les candidats potentiels. Le temps qu'il vienne me voir au ranch en juillet, nous avions réduit la liste à neuf personnes. Mais dans mon esprit, il y en avait toujours eu une dixième.

Après un déjeuner détendu avec Laura, Dick et moi avions marché dans le jardin qui s'étend derrière notre vieille maison de bois.

J'écoutai patiemment Dick quand il me détailla le rapport final de la commission. Puis je le regardai dans les yeux et lui déclarai : « Dick, j'ai pris ma décision. »

En tant que chef d'une petite entreprise, dirigeant du baseball, gouverneur et observateur, au premier rang, de la Maison-Blanche de Papa, j'avais appris à quel point il est important de soigneusement structurer une organisation et d'en sélectionner le personnel. Les gens dont on décide de s'entourer déterminent la qualité des conseils que l'on reçoit et la façon dont les objectifs que l'on s'est fixés sont réalisés. Au fil des huit ans de ma présidence, mes décisions dans le domaine du personnel ont soulevé certaines des questions les plus complexes et les plus sensibles à parvenir au Bureau Ovale : comment regrouper une équipe soudée, quand remanier une organisation, comment gérer les litiges, comment distinguer entre les candidats qualifiés, et comment annoncer de mauvaises nouvelles à des gens bien.

Avant de choisir mes collaborateurs, je commençais chaque fois par définir le poste et les critères du candidat idéal. J'élargissais le plus possible le champ des recherches et considérais un éventail étendu de possibilités. Pour les postes clés, je m'entretenais personnellement avec les candidats. Je profitais de mon temps pour jauger les personnalités. Je recherchais l'intégrité, l'altruisme et la capacité à gérer la pression. J'ai toujours aimé les gens qui ont le sens de l'humour ; un signe de modestie et de conscience de soi.

Mon but était de regrouper une équipe de gens doués dont l'expérience et les talents étaient complémentaires et auxquels je n'hésiterais pas à déléguer des responsabilités. Je voulais des gens qui approuvaient la direction prise par le gouvernement, mais qui se sentiraient libres d'exprimer des divergences sur n'importe quel sujet. Une partie importante de mon travail consistait à créer une culture favorable au travail d'équipe tout en suscitant la loyauté – non envers moi, mais envers le pays et nos idéaux.

Je suis fier de bien des gens honorables, talentueux et travailleurs qui ont servi dans mon gouvernement. Nous avons connu peu de remplacements, peu de conflits internes, et une coopération étroite au cours de certains des instants les plus terribles de l'histoire de notre nation. Je leur serai toujours reconnaissant de leur dévouement.

Toutes les décisions que j'ai prises dans le domaine du personnel n'ont pas été bonnes. Comme le disait le Premier ministre Margaret Thatcher : « En général, je me forge une opinion à propos d'un homme en dix secondes, et je ne reviens que rarement dessus. » Je n'ai jamais été aussi rapide, mais j'ai toujours été capable de comprendre les gens. Ce qui, essentiellement, fut un avantage. Mais il y eut des moments où je me suis montré trop loyal, ou pas assez prompt au changement. J'ai mésestimé la manière dont certains de mes choix seraient perçus. Parfois, j'ai carrément choisi la mauvaise personne. Les décisions dans le domaine du personnel ont compté parmi mes premières en tant que président – et parmi les plus importantes.

C'est avant d'entrer en fonctions qu'un président prend ses premières grandes décisions dans le choix de son équipe. La désignation du vice-président permet aux électeurs d'entrevoir le style de prise de décision d'un candidat. Elle montre à quel point il se montrera prudent et méticuleux. Et elle traduit les priorités du président potentiel pour le pays.

Quand j'ai décroché la nomination républicaine en mars 2000, j'en savais déjà un rayon sur les vice-présidents. J'avais suivi de près le processus de sélection quand Papa avait été envisagé comme colistier pour Richard Nixon en 1968 et Gerald Ford en 1976. Je l'avais vu servir huit ans aux côtés du président Reagan. J'avais observé sa relation avec Dan Quayle. Et je me souvenais de cette histoire à faire peur, entendue dans ma jeunesse, sur le candidat démocrate George McGovern et comment il avait choisi Tom Eagleton comme colistier, tout cela pour découvrir par la suite qu'Eagleton avait souffert de dépressions nerveuses à répétition et avait été soumis à des électrochocs.

Une erreur que j'étais déterminé à ne pas reproduire, et c'est entre autres pour cette raison que j'avais choisi quelqu'un de prudent et de réfléchi comme Dick Cheney pour présider au processus de sélection. Au début de l'été, nous étions concentrés sur les finalistes. Quatre étaient des gouverneurs en activité ou à la retraite : Lamar Alexander du Tennessee, Tom Ridge de Pennsylvanie, Frank Keating de l'Oklahoma et John Engler du Michigan. Les cinq autres étaient des sénateurs en exercice ou retirés : Jack Danforth du Missouri, Jon Kyl d'Arizona, Chuck Hagel du Nebraska, et Bill Frist et Fred Thompson du Tennessee.

Je discutais de ces choix avec Dick, Laura, Karl, Karen et quelques autres conseillers de confiance. Karen recommandait Tom Ridge, vétéran du Vietnam venu d'un Etat décisif pour le vote. Lui aussi patron d'une entreprise, Tom serait tout à fait capable de gouverner le pays s'il m'arrivait quelque chose. Il était en outre favorable à l'avortement, ce qui séduirait les modérés des deux partis, tout en risquant de déplaire à une partie de la base républicaine. D'autres défendaient Chuck Hagel, membre de la Commission des Affaires étrangères au Sénat, qui apporterait son expérience en politique extérieure. J'étais proche de Frank Keating et John Engler, et je savais que je travaillerais bien avec l'un ou l'autre. Jon Kyl était un robuste conservateur qui aiderait à rassembler la base. Lamar Alexander, Bill Frist et Fred Thompson étaient des hommes remarquables et ils pourraient m'aider à créer la surprise dans le Tennessee, terre d'origine de la famille du candidat démocrate, le vice-président Al Gore.

Jack Danforth m'intriguait. Pasteur, Jack était honnête, éthique et direct. Il avait fait preuve de régularité dans ses votes au fil de trois mandats au Sénat. Il s'était attiré mon respect quand il avait défendu Clarence Thomas lors de son audition de confirmation à la Cour Suprême en 1991. C'était un conservateur de principe, capable également de rassembler au-delà des partis. De plus, il pouvait nous aider à remporter le Missouri, qui serait un Etat décisif.

J'ai sérieusement envisagé de confier le poste à Danforth, mais je ne cessais de revenir à Dick Cheney. Dick avait une expérience plus étendue et variée que n'importe qui d'autre sur ma liste. En tant que chef de cabinet de la Maison-Blanche, il avait aidé le président Ford à guider le pays dans le sillage du Watergate. Il avait servi plus de dix ans au Congrès et n'avait jamais perdu d'élections. Il avait été un puissant secrétaire à la Défense. Il avait dirigé une entreprise mondiale et comprenait le secteur privé. Contrairement aux sénateurs ou aux gouverneurs sur ma liste, il s'était tenu aux côtés de présidents lors des décisions les plus terribles qui doivent être prises dans le Bureau Ovale, y compris quand il s'était agi d'envoyer des Américains à la guerre. Non seulement Dick serait un conseiller précieux, mais il serait parfaitement à même d'assumer la présidence.

Si Dick connaissait Washington mieux que personne, il ne se comportait pas comme un membre du sérail. Il laissait ses subordonnés récolter les honneurs. Il avait épousé Lynne Vincent, son amour du temps du lycée dans le Wyoming, et était totalement dévoué envers leurs filles, Liz et Mary. Il avait l'esprit pratique et un sens de l'humour caustique. Il m'avait dit qu'il avait entamé Yale quelques années avant moi, mais que l'université lui avait demandé de ne pas revenir. Deux fois. Il racontait qu'il avait un jour rempli un questionnaire de compatibilité afin de savoir quelle carrière correspondait le mieux à sa personnalité. Quand il avait reçu les résultats, Dick avait appris qu'il était fait pour diriger des pompes funèbres.

Mûrissant ma décision, j'appelai Papa pour lui demander son avis. Je lui lus les noms des candidats. Il connaissait la plupart d'entre eux et me dit que c'étaient des gens bien.

« Et Dick Cheney ? demandai-je.

– Dick serait un excellent choix, me répondit-il. Il te donnerait un avis honnête et solide. Et tu n'aurais jamais à redouter qu'il manœuvre dans ton dos. »

Quand Dick était venu au ranch me faire son dernier rapport, j'avais décidé de tenter une nouvelle fois ma chance avec lui. Quand il eut terminé sa présentation, je lui déclarai : « Dick, c'est vous, le colistier idéal. »

Si je l'avais déjà laissé entendre à plusieurs reprises, cette fois, il comprit que c'était sérieux. Finalement, il me dit : « Il faut que j'en parle à Lynne. » Ce que je pris pour un signe prometteur. Il me dit qu'il avait déjà fait trois infarctus et que Lynne et lui étaient heureux de vivre à Dallas. Puis il ajouta : « Mary est gay. » Je compris ce qu'il voulait dire à la façon qu'il eut de le dire. Dick aimait sa fille, et j'ai eu le sentiment qu'il sondait ma tolérance. En gros, c'était comme s'il m'avait dit : « Si ça vous pose un problème, je ne suis pas votre homme. »

Je lui souris et répondis : « Dick, prenez votre temps. Parlez-en à Lynne. Et je n'ai vraiment que faire des orientations de Mary. »

Plus tard dans la journée, je me suis entretenu avec quelques conseillers de confiance. Je ne voulais pas encore abattre mon jeu. Je leur ai juste dit que je pensais sérieusement à Cheney. La plupart ont été éberlués. Karl était contre. Je lui ai demandé de venir à la résidence du gouverneur pour défendre sa position. J'ai invité une autre personne à l'écouter : Dick. Je suis persuadé qu'il faut exprimer ouvertement les désaccords. Je tenais aussi à ce que se forge une relation de confiance entre Karl et Dick, au cas où ils se retrouveraient ensemble à la Maison-Blanche.

Karl présenta courageusement ses arguments : la présence de Cheney en tant que colistier ne nous apporterait rien sur la carte électorale, puisque les trois voix du Wyoming au Collège électoral étaient les plus robustement républicaines de tout le pays. Le parcours de Cheney au Congrès était très conservateur et ses votes sur certains sujets brûlants pourraient être utilisés contre nous. Du fait de sa fragilité cardiaque, on pourrait se demander s'il était apte à servir. Si je choisissais l'ancien secrétaire à la Défense de Papa, d'aucuns se demanderaient si j'étais autonome. Enfin, Dick vivait au Texas, et la Constitution interdisait à deux résidents du même Etat de récolter les voix du Collège électoral.

J'écoutai soigneusement les objections de Karl. Dick déclara qu'il les trouvait plutôt convaincantes. Pas moi. Ce qu'avait fait Dick au Congrès m'importait peu. Pour moi, son expérience au Capitole était un atout. Son manque d'impact sur la carte électorale ne m'inquiétait pas non plus. Je pense que les électeurs fondent leur décision sur le candidat présidentiel, pas sur le vice-président[1].

Quant au fait de choisir le secrétaire à la Défense de Papa, qui angoissait Karl, j'étais convaincu qu'en m'assurant les services d'un

---

1. A l'exception, pourrait-on dire, de mon Etat en 1960, quand John Kennedy choisit Lyndon Johnson comme colistier. En revanche, ce ne fut pas le cas en 1988, quand Michael Dukakis désigna le sénateur du Texas Lloyd Bentsen. (NdA)

colistier sérieux et accompli je parviendrais à contrebalancer l'idée que j'avais besoin de l'aide de mon père.

Il fallait résoudre deux problèmes : la santé de Dick et la question de la résidence. Dick accepta de se soumettre à un examen médical et transmit les résultats au Dr Denton Cooley, un cardiologue réputé de Houston. Le médecin déclara que le cœur de Dick résisterait au stress de la campagne et de la vice-présidence. Dick et Lynne pourraient se faire enregistrer sur les listes électorales dans le Wyoming, l'Etat que Dick avait représenté au Congrès et qu'il considérait toujours comme sa terre d'attache.

La façon qu'eut Dick de gérer ces semaines délicates me conforta dans l'idée que j'avais fait le bon choix. Pas une fois il ne me poussa à prendre ma décision. En fait, il insista pour que je rencontre Jack Danforth avant de parvenir à une conclusion définitive. Le 18 juillet, Dick et moi allâmes rendre visite à Jack et son épouse, Sally, à Chicago. Notre visite, dans une atmosphère détendue, dura trois heures. Elle confirma l'impression positive que m'avait faite Jack. Mais j'avais choisi Dick.

Une semaine plus tard, je formulai mon offre officielle. Comme d'habitude, je me suis levé vers 5 heures du matin. Après deux tasses de café, j'étais impatient de me lancer. J'ai réussi à attendre jusqu'à 6 h 22 avant d'appeler Dick. Je l'ai trouvé sur le tapis de course, ce qui me sembla être un bon signe. Lynne et lui nous rejoignirent à Austin dans l'après-midi pour l'annonce officielle.

Dix ans plus tard, je ne regrette pas ma décision de m'être présenté avec Dick Cheney. Sa position antiavortement et antifiscalité m'a aidé à consolider une partie de notre base. Il fut d'une grande crédibilité quand il déclara aux militaires : « L'aide arrive. » Sa façon calme et efficace de riposter lors du débat des candidats à la vice-présidence contre Joe Liebermann a rassuré les électeurs quant à la force de notre équipe. J'ai été réconforté de savoir qu'il serait prêt à agir si quelque chose m'arrivait.

Mais c'est quatorze mois plus tard que le véritable bénéfice d'avoir choisi Dick fut manifeste. Un matin de septembre 2001, les Américains furent confrontés à une crise inimaginable. L'homme calme et tranquille que j'avais recruté en ce jour d'été à Crawford se montra aussi robuste qu'un chêne.

La désignation du candidat à la vice-présidence vint conclure une éprouvante succession de primaires. Ces dernières ont tendance à user les candidats jusqu'à la corde. Elles dévoilent les forces et les faiblesses aux électeurs. Je ne l'avais pas compris à l'époque, mais l'usure de la campagne aide un candidat à se préparer aux pressions de la présidence. Ces journées intenses ont également révélé le caractère des gens qui m'entouraient et sont à la base des décisions que j'ai prises à la Maison-Blanche quand j'ai dû choisir mon équipe.

La campagne a démarré par le caucus dans l'Iowa, l'expérience absolue en termes de contacts avec la base. Laura et moi avons parcouru l'Etat, serré des milliers de mains, englouti des litres de café. En dépit de toute notre préparation méticuleuse, c'est un imprévu qui a été l'un des moments les plus révélateurs de notre campagne.

En décembre 1999, je participais à un débat républicain à Des Moines. Les modérateurs étaient Tom Brokaw, de NBC, et un animateur local, John Bachman. Après avoir abordé certains sujets prévisibles, Bachman nous a pris par surprise : « A quel philosophe ou penseur politique vous identifiez-vous le plus et pourquoi ? »

Je devais être le troisième à répondre. Je me suis dit que j'allais citer quelqu'un comme Mill ou Locke, dont la théorie de la loi naturelle avait influencé les Fondateurs. Puis j'ai pensé à Lincoln ; difficile de se tromper avec Abe dans un débat républicain. J'étais encore pris dans mes réflexions quand Bachman s'est tourné vers moi : « Gouverneur Bush ? » Plus le temps de comparer mes options. Les mots sont sortis comme ça : « Le Christ, ai-je dit, parce qu'Il a changé mon cœur. »

Tout le monde a eu l'air éberlué. Où étais-je allé chercher ça ? En voiture, sur le chemin du retour, Mère et Papa m'ont appelé, comme ils le faisaient presque toujours après un événement important. « Bien joué, fils, m'a dit Papa. Je ne pense pas que ta réponse te fasse trop de tort. – Quelle réponse ? ai-je demandé. – Tu sais, celle sur Jésus », a-t-il expliqué.

Au début, je ne m'étais même pas dit que cette réponse aurait pu me porter tort. J'avais juste dit ce que j'avais sur le cœur. Mais avec du recul, j'ai compris pourquoi il s'était inquiété. Je me méfiais des politiciens qui brandissaient la religion comme moyen de récolter des voix. Je n'avais pas foi dans une approche méthodiste, ou juive, ou musulmane de la politique publique. Ce n'était pas le rôle du gouvernement de promouvoir une religion plutôt qu'une autre. Je ne l'avais pas fait quand j'étais gouverneur du Texas, et je n'avais certainement pas l'intention de le faire en tant que président.

Evidemment, ma déclaration suscita des hauts cris. « Il y a quelque chose d'impie dans tout cela », écrivit un éditorialiste. « W. s'est juste aperçu que Jésus vendait bien dans l'Iowa », conclut un autre.

Les réactions ne furent pas toutes négatives. Ma réponse avait interpellé beaucoup de gens qui avaient vécu des expériences comparables dans leur vie et avaient apprécié que je parle ouvertement de la foi.

Le soir du résultat du caucus, je l'ai emporté dans l'Iowa avec 40 % des voix. Après une courte célébration de la victoire, nous sommes partis pour le New Hampshire. Je savais que ce petit Etat pouvait être un piège pour les favoris. Les électeurs locaux sont connus pour faire trébucher ceux qui sont en tête. J'étais confiant dans notre campagne dans l'Etat, sous la férule de mon ami le sénateur Judd Gregg. J'avais passé beaucoup de temps dans le New Hampshire, à participer à des défilés et à perfectionner mon talent pour retourner les crêpes. Le jour des primaires, Laura et moi nous sommes installés dans notre hôtel à Manchester pour suivre les résultats. En début d'après-midi, Karl est arrivé avec les premiers sondages de sortie des urnes : j'étais sur le point de perdre, sévèrement.

Laura a pris la parole : « George, tu veux être président ? » a-t-elle demandé. J'ai hoché la tête. « Alors tu ferais mieux de veiller à ce que personne ne donne de nouveau une fausse image de toi. »

Elle avait raison. J'avais commis l'erreur classique du favori. J'avais laissé le sénateur John McCain de l'Arizona, mon principal rival pour la nomination, prendre l'initiative dans le New Hampshire. Il avait mené une campagne énergique qui avait séduit beaucoup d'indépendants, lesquels avaient surpassé le vigoureux soutien de mes camarades républicains. McCain, membre du Congrès depuis 1983, avait réussi à se présenter comme un outsider et moi comme un homme du sérail. Il parlait de réformes à chacune de ses étapes, même si c'était moi qui avais réformé un système d'éducation, modifié les lois sur les délits civils et changé la vision qu'avait le Texas du système social. Je devais l'admettre, John avait orchestré une campagne habile et efficace. Et je devais tirer les leçons de mon erreur.

Je suis allé faire de l'exercice au gymnase. Sur le tapis de course, je me suis demandé que faire ensuite. J'étais face à la plus grande décision, en termes de personnel, de ma jeune campagne. Les conventions exigeaient de moi que je vire quelques personnes et que je proclame un nouveau départ. J'ai préféré procédé inversement. J'ai réuni mes cadres et je leur ai dit que je refusais de balancer qui que ce soit par-dessus bord pour satisfaire les loups qui hurlaient à la télévision. Si une personne méritait d'être réprimandée, c'était moi. Que l'on gagne ou que l'on perde, nous finirions cette campagne en équipe. Puis j'ai confié une mission à chacun. Karl devait appeler les directeurs politiques dans les Etats où se tiendraient les prochaines primaires. Joe devait rassurer le personnel de la campagne. Karen devait contacter les acteurs clés des médias. Quant à Don Evans, il devait remonter le moral des responsables de la collecte de fonds.

J'ai appelé Josh Bolten, le directeur de la politique qui, avec la majorité du personnel, se trouvait à notre quartier général à Austin.

« Comment ça va pour tout le monde ? ai-je demandé.

– La plupart sont sous le choc », a-t-il admis.

Je savais que l'équipe attendait de moi un signal. « Rassemblez-les et dites-leur qu'ils devraient être fiers parce que nous allons la gagner, cette campagne », ai-je dit à Josh.

En y réfléchissant, la perte du New Hampshire nous a ouvert une porte. Les électeurs aiment juger comment un candidat réagit à l'adversité. Reagan et Papa avaient fait la preuve de leur combativité après avoir perdu l'Iowa en 1980 et en 1988 respectivement. Le sort de la campagne de Bill Clinton s'était inversé après sa défaite dans le New Hampshire en 1992, comme Barack Obama en 2008. En 2000, je considérai la défaite comme une chance de prouver que je pouvais encaisser les coups et continuer. La leçon, c'était que, parfois, la meilleure des décisions en termes de remaniement d'une équipe consiste à ne rien faire.

En Caroline du Sud, nous avons choisi un nouveau thème pour mettre en lumière mes succès bipartisans au Texas : un Réformateur avec des Résultats. Nous avons organisé des événements dans les mairies, où je répondais aux questions jusqu'à ce que le public n'en ait plus à poser. Je travaillais aussi par téléphone, m'assurant le soutien de dirigeants dans tout l'Etat. Puis McCain a diffusé un spot qui mettait en doute ma personnalité en me comparant avec Bill Clinton. C'était aller trop loin. Je suis passé à la radio pour contre-attaquer. Cette réaction, accompagnée d'une campagne bien organisée auprès de la base, porta ses fruits. J'ai gagné en Caroline du Sud avec 53 % des voix, j'ai remporté neuf des treize primaires lors du Super Mardi, et, porté par mon élan, j'ai fini par être désigné candidat.

Au début de mai, John et moi nous sommes rencontrés pendant une heure et demie à Pittsburgh. Il était, cela se comprend, furieux du langage insultant auquel certains de mes partisans avaient eu recours en Caroline du Sud. Je comprenais sa colère et lui ai assuré que je le respectais. Après notre rencontre, il déclara aux journalistes que j'étais « plus qu'approprié » pour restaurer l'intégrité de la Maison-Blanche.

Ce n'était pas le soutien le plus flamboyant que j'aie connu, mais c'était le début de la réconciliation entre John et moi. En août, John et son épouse, Cindy, nous ont reçus dans leur superbe ranch de Sedona, en Arizona. C'était amusant de voir le chef McCain s'activer aux fourneaux, détendu, occupé à faire griller des travers. Nous avons fait campagne ensemble en 2000 et de nouveau en 2004. Je le respecte et suis heureux de l'avoir eu à mes côtés.

Al Gore était un homme brillant et un politicien accompli. Comme moi, il était sorti d'une des écoles de l'Ivy League et avait un père dans la politique. Mais nos personnalités semblaient très différentes. Il avait l'air rigide, sérieux et hautain. C'était comme s'il avait été candidat à la présidence toute sa vie. Il avait rassemblé une formidable coalition de gens de gauche favorables à l'interventionnisme de l'Etat, des élites culturelles et des syndicats. Il était tout à fait capable de s'engager dans un populisme de lutte des classes. C'était aussi un vice-président en pleine prospérité économique. Il allait être difficile à battre.

Quand je considère aujourd'hui la campagne de 2000, il ne m'en reste plus qu'une vision confuse de bains de foule, de collecte de fonds et de bagarre pour les gros titres du lendemain matin. Il y eut deux moments où le carrousel s'arrêta. Le premier eut lieu lors de la Convention nationale républicaine à Philadelphie, efficacement orchestrée par l'ancien adjoint au directeur de cabinet et secrétaire aux Transports de Papa, Andy Card.

J'avais assisté à toutes les conventions depuis 1976, mais rien n'équivalait à ce que je ressentis lorsque je me retrouvai sous les projecteurs. J'attendais en coulisses dans la pénombre, écoutant le décompte : « Cinq, quatre, trois, deux, un. » Puis, me voici dans la salle bondée. Je pouvais sentir la chaleur corporelle et l'odeur des gens. Ensuite, des visages se sont précisés. J'ai vu Laura et les filles, Mère et Papa. Toute ma vie, j'avais regardé George Bush parler. Je fus frappé par l'inversion des rôles.

« Nos occasions sont trop belles, nos vies trop courtes pour gâcher cet instant, déclarai-je. Alors, ce soir, nous jurons à notre nation que nous allons profiter de cet instant de promesse américaine. Nous nous servirons de cet instant idéal pour de grandes choses. [...] Cette administration a vécu, ils ont eu leur chance. Ils n'ont pas gouverné. Nous le ferons. »

Deux mois plus tard, la campagne fit une nouvelle pause, pour les débats, cette fois. Karen Hughes supervisa mon équipe de préparation, Josh Bolten s'occupant de la politique. Josh associais un esprit remarquable à une modestie désarmante et un enthousiasme communicatif. Je n'oublierai jamais ce jour d'août 1999 à Ames, dans l'Iowa, à l'occasion d'un sondage officieux. Je contemplais des centaines de motos qui venaient d'entrer en vrombissant dans la ville. Parmi les motards se trouvaient le gouverneur Tommy Thompson du Wisconsin et le sénateur Ben Nighthorse Campbell du Colorado. Quand l'homme de tête est descendu de sa Victory bleue chromée fabriquée dans l'Iowa et qu'il a retiré son casque, j'ai eu la surprise de voir que c'était Josh, arborant un foulard orné du logo de notre campagne. « Monsieur le gouverneur, a-t-il lancé, permettez-moi de vous présenter les Bikers pour Bush. »

Le premier débat eut lieu à Boston. Dans la loge, en coulisses, j'appelai Kirbyjon Caldwell, et nous avons prié au téléphone. Kirbyjon demanda au Tout-Puissant de me donner force et sagesse. Sa voix m'apporta un tel réconfort, un tel calme que je fis de la prière téléphonique avec Kirbyjon une tradition avant chaque grand événement de la campagne, et pendant ma présidence.

Ensuite, j'entendis la voix du modérateur, Jim Lehrer de PBS, qui présentait les candidats. Nous sommes sortis de nos coins respectifs pour nous retrouver au centre de la scène. Gore me gratifia de sa poignée de main ultra-ferme. Je me dis qu'il cherchait à m'impressionner, tout comme Ann Richards en 1994.

Je me concentrai sur les questions, même si j'avais parfois l'impression d'être en pilotage automatique. Le temps que je regarde ma montre – que j'avais ôtée et posée sur mon pupitre pour éviter de répéter une erreur que Papa avait un jour commise pendant un débat – et c'était presque terminé. Nous avons procédé à nos déclarations finales, nous sommes de nouveau serré la main – une poignée de main normale, cette fois – et avons participé à la ruée de la famille, des amis et des conseillers qui suit toujours les débats.

Immédiatement après, Karen m'a expliqué que Gore avait commis une grave erreur. Il avait constamment soupiré et grimacé pendant que je parlais. Pour moi, c'était une nouvelle. Je m'étais tellement concentré sur ma prestation que je ne m'en étais pas aperçu.

Le deuxième et le troisième débats se déroulèrent dans des formats différents, mais avec des résultats semblables. Aucun de nous ne commit de gaffe notable. Il y eut un moment intéressant au cours du troisième débat, à l'Université Washington de St. Louis. Le lieu était assez grand pour que nous déambulions sur l'estrade. La question portait sur la déclaration des droits des patients. J'étais en train de répondre quand je vis Gore se diriger vers moi. Il est grand, et sa présence n'a pas tardé à remplir mon espace. Le vice-président allait-il me bousculer d'un coup d'épaule ? Me prendre au collet ? Pendant une fraction de seconde, je me serais cru de retour dans la cour de l'école élémentaire Sam Houston. Je lui ai adressé un regard de dédain amusé et j'ai continué.

J'étais confiant quant aux débats. Je pensais m'en être tiré mieux que prévu, et me disais que le plus dur de la campagne était derrière moi. J'avais tort.

Cinq jours avant les élections, lors d'une étape de routine dans le Wisconsin, Karen Hughes me prit à part. Nous nous sommes rendus dans une pièce à l'écart et elle me dit : « Un reporter du New

Hampshire a appelé à propos de la conduite en état d'ivresse. » Je sentis le sol se dérober sous moi. Des informations aussi négatives à la fin de la campagne ne pouvaient qu'être explosives.

J'avais sérieusement envisagé de dévoiler cette histoire quatre ans plus tôt, quand j'avais été convoqué pour faire partie d'un jury. Le procès portait justement sur une affaire de conduite en état d'ivresse. J'ai finalement été exempté parce que, en tant que gouverneur, je pourrais être amené ultérieurement à statuer sur le cas de l'accusé dans le cadre d'une grâce. Alors que je sortais du tribunal d'Austin, un journaliste s'était écrié : « Avez-vous jamais été arrêté pour conduite en état d'ivresse ? » J'avais répondu : « Je n'ai pas eu un parcours exemplaire pendant ma jeunesse. Quand j'étais jeune, j'ai fait beaucoup de bêtises. Mais je vais vous dire ceci, j'appelle les gens à ne pas boire et conduire. »

Politiquement, le fait de révéler mon affaire de conduite en état d'ivresse n'aurait pas été un problème. Les élections suivantes n'avaient lieu que deux ans plus tard, et j'avais cessé de boire. J'ai décidé de ne pas en parler pour une raison : mes filles. Barbara et Jenna n'allaient pas tarder à conduire. Je craignais qu'en révélant cet incident je ne sape les sermons sévères que je leur administrais sur la boisson et la conduite. Je ne tenais pas à ce qu'elles me disent : « Papa l'a fait et il s'en est bien sorti, alors, pourquoi pas nous ? »

Laura était en déplacement avec moi le jour où la presse découvrit l'affaire. Elle appela Barbara et Jenna pour le leur dire avant qu'elles ne l'apprennent à la télévision. Puis je me suis présenté devant les caméras et j'ai fait une déclaration : « J'ai été arrêté. J'ai reconnu devant le policier que j'avais bu. J'ai payé une amende. Et je regrette que cela ait eu lieu. Mais c'est ainsi. J'ai appris la leçon. »

Ne pas avoir révélé l'affaire de moi-même est peut-être l'erreur la plus coûteuse que j'aie jamais commise en politique. Plus tard, Karl estima que plus de deux millions de personnes, y compris de nombreux conservateurs sociaux, étaient soit restés chez eux, soit avaient modifié leurs intentions de vote. Ils avaient espéré un autre genre de président, quelqu'un qui aurait été un modèle de responsabilité personnelle.

Si je devais le refaire, je pense que j'aurais dit la vérité à ce sujet ce jour-là devant le tribunal d'Austin. J'aurais expliqué mon erreur aux filles, et organisé une réunion avec l'Association des Mères contre la conduite en état d'ivresse pour émettre un vigoureux avertissement contre l'alcool et la conduite. Toutes ces pensées me traversèrent l'esprit quand je me couchai cette nuit-là dans le Wisconsin. Une autre les accompagnait : je venais peut-être, par ma propre faute, de perdre la présidence.

Cinq jours plus tard, les quatre points d'avance que je comptais avant la révélation sur la conduite en état d'ivresse s'étaient évaporés. Je menai une campagne acharnée durant la dernière semaine et, le jour fatidique, j'étais à égalité avec Gore. Ce soir-là, notre nombreuse famille se rassembla pour dîner au Shoreline Grill d'Austin. Les toasts fleurirent jusqu'à l'arrivée des premiers sondages de sortie des urnes. Les chaînes de télévision annonçaient que Gore avait conquis la Pennsylvanie, le Michigan et la Floride. Dan Rather, le présentateur de CBS, assura à ses téléspectateurs : « Soyons clairs dès le départ. […] Si nous disons que quelqu'un a gagné dans un Etat, vous pouvez être sûrs que c'est du solide. Un point c'est tout ! »

Nos invités qui n'y connaissaient pas grand-chose en politique continuaient à babiller. « Ce n'est que le début de la soirée, tout peut arriver… » Ceux qui comprenaient la carte électorale savaient que je venais de perdre. Jeb et moi étions furieux que les télévisions aient proclamé la victoire de Gore en Floride avant la fermeture des bureaux de vote dans le sud de l'Etat, région férocement républicaine qui se trouve dans le fuseau horaire central. Qui savait combien de mes partisans avaient entendu l'information et avaient décidé de ne pas aller voter ? Laura et moi avons quitté le dîner sans toucher à nos assiettes.

Le retour à la résidence du gouverneur fut calme. Il n'y a pas grand-chose à dire quand on a perdu. J'étais à plat, déçu, un peu hébété. Je ne ressentais pas d'amertume. J'étais prêt à accepter le verdict du peuple et à répéter les paroles de Mère en 1992 : « Il est temps de passer à autre chose. »

Peu après notre retour, le téléphone sonna. Je me dis que c'était le premier des appels pour me réconforter : « Tu as fait de ton mieux… » Au lieu de cela, c'était Karl. Il n'avait pas l'air abattu, mais plutôt combatif. Il parlait vite. Il commença à me bombarder d'informations sur la façon dont les sondages de sortie des urnes en Floride avaient surestimé les résultats dans telle ou telle circonscription.

Je l'interrompis et lui demandai d'en venir au fait. Il me dit que les projections en Floride étaient mathématiquement biaisées. Puis il téléphona aux chaînes de télévision et hurla les faits aux spécialistes des sondages. En deux heures, il avait systématiquement démontré que les grandes chaînes avaient eu tort. A 20 h 55, heure centrale, CNN et CBS retirèrent la Floride de la colonne de Gore. Toutes les autres chaînes firent de même.

Laura et moi suivirent les résultats depuis la résidence avec Mère, Papa, Jeb et plusieurs conseillers. Les Cheney, Don Evans et un bataillon d'autres proches débarquèrent à leur tour. Au fil de la nuit, il devint évident que le résultat de l'élection dépendrait de la Floride. A 1 h 15 du matin, les chaînes annoncèrent de nouveau que la Floride avait voté – pour moi, cette fois.

Al Gore m'appela peu après. Il eut la grâce de me féliciter et me dit : « Nous leur avons offert un sacré suspense. » Je le remerciai et lui expliquai que je devais aller faire un discours aux vingt mille âmes courageuses qui se gelaient sous la pluie devant le capitole de l'Etat. Il me demanda d'attendre qu'il ait parlé à ses partisans, dans une quinzaine de minutes. J'ai accepté.

Il me fallut du temps pour prendre conscience de l'importance de ce qui s'était passé. Quelques heures plus tôt, j'avais été prêt à passer à autre chose. Et maintenant, je me préparais à devenir président des Etats-Unis.

Quinze minutes s'écoulèrent. Puis quinze autres. Toujours pas de discours de Gore concédant la défaite. Quelque chose n'allait pas. Jeb, sur son portable, commença à surveiller les résultats de Floride. Il m'annonça que mon avance se réduisait. A 2 h 30, Bill Daley, le directeur de campagne de Gore, appela Don Evans. Don lui parla brièvement puis me tendit le téléphone. Le vice-président était au bout du fil. Il m'expliqua que ses chiffres en Floride avaient changé depuis son dernier appel et que, par conséquent, il se rétractait.

Je n'avais jamais entendu dire qu'un candidat était revenu sur sa défaite. Je lui ai répondu qu'au Texas, quand quelqu'un donnait sa parole, c'était important. « Pas la peine de vous montrer désagréable », me rétorqua-t-il. Peu après, les chaînes de télévision replaçaient la Floride dans la catégorie des indécis – leur quatrième changement en huit heures – et remettaient en cause le résultat de toute l'élection.

Je ne sais pas si j'étais désagréable, mais une chose est sûre, j'étais énervé. Au moment précis où je me disais que cette course folle était terminée, nous nous retrouvions à la case départ. Dans le salon, plusieurs personnes me recommandèrent de me déclarer officiellement vainqueur. J'y ai réfléchi, jusqu'à ce que Jeb me tire à l'écart et me dise : « George, ne fais pas ça. Le résultat est trop disputé. » En Floride, mon avance n'était plus que de deux milliers de voix à peine.

Jeb avait raison. Il aurait été imprudent de chercher à forcer le destin. J'ai annoncé à tout le monde que l'élection ne se déciderait pas cette nuit. La plupart sont allés se coucher. Je suis resté avec Jeb et Don, suspendus au téléphone avec la Floride. A un moment donné, Don a appelé la secrétaire d'Etat de Floride, Katherine Harris, pour obtenir des informations plus récentes. Je l'ai entendu s'exclamer : « Comment ça, vous êtes au lit ? Vous comprenez que c'est l'élection qui est en jeu ? Qu'est-ce qui se passe ?! »

Sur ce, cette étrange nuit prit fin – et cinq semaines encore plus étranges commencèrent.

Sur les 105 millions d'électeurs qui se prononcèrent ce jour-là, la présidentielle de 2000 serait décidée par quelques centaines de votes dans un Etat. La Floride se transforma immédiatement en champ de bataille juridique. Don Evans apprit vers 4 h 30 que l'équipe de campagne de Gore avait dépêché un groupe de juristes pour coordonner le recomptage. Il me conseilla de faire de même. J'étais face au choix le plus bizarre de ma vie publique : qui envoyer en Floride pour garantir que notre avance soit préservée ?

Je n'avais pas le temps de mettre au point une liste ou de procéder à des entretiens. Don suggéra James Baker. C'était le choix idéal – un homme d'Etat, un juriste accompli, véritable aimant pour les gens de talent. J'appelai Jim et je lui demandai s'il était partant. Peu après, il était en route pour Tallahassee.

Laura et moi étions moralement et physiquement épuisés. La campagne avait consumé jusqu'à notre dernière once d'énergie. Une fois qu'il fut clair que nous étions embarqués dans un long processus légal, nous passâmes l'essentiel de notre temps à décompresser dans notre ranch de Crawford.

C'est en février 1998 que j'avais vu le Prairie Chapel Ranch pour la première fois. J'avais voulu posséder un endroit à moi – où me réfugier et fuir une vie trépidante –, comme Papa l'avait fait à Kennebunkport. Quand j'ai vendu mes parts dans les Rangers, Laura et moi avons eu de quoi l'acheter.

Dès que j'ai vu la propriété de Benny Engelbrecht et ses 640 hectares dans le comté de McLennan, presque à mi-chemin entre Austin et Dallas, j'en suis tombé amoureux. Le ranch s'étendait à la fois sur une plaine idéale pour le pacage du bétail et des canyons accidentés qui rejoignaient le confluent de la Bosque et de la Rainey. Depuis le fond des canyons d'une trentaine de mètres, le spectacle des falaises calcaires était à couper le souffle. Tout comme les arbres – d'immenses pécans locaux, des chênes à feuilles persistantes, des ormes du Texas, des chênes à gros fruits et des orangers des Osages avec leurs fruits verts. En tout, on trouvait sur place plus d'une dizaine d'essences différentes, une rareté dans le centre du Texas.

Pour convaincre Laura, je promis de faire construire une maison et de nouvelles routes pour atteindre les endroits les plus pittoresques du ranch. Elle dénicha un jeune architecte de l'Université du Texas, David Heymann, qui conçut une maison confortable à un étage dotée de grandes fenêtres, chacune offrant une vue imprenable sur notre domaine. Il fit appel à la chaleur géothermique et à de l'eau recyclée pour minimiser l'impact sur l'environnement. L'essentiel des travaux eut lieu en 2000. Un mariage qui, la même année, survit à une élection présidentielle et à la construction d'une maison est un mariage solide – témoin de la patience et du talent de Laura Bush.

Le ranch était l'endroit idéal pour traverser l'orage post-électoral. J'appelais régulièrement Jim Baker pour me tenir informé et transmettre des recommandations stratégiques. J'ai très vite décidé de ne pas regarder les reportages interminables et hystériques de la télévision. Au lieu de cela, je partais courir sur de longs parcours, ce qui me donnait la possibilité de réfléchir à l'avenir. Je brûlais aussi de l'énergie en dégageant des cèdres qui pompaient l'eau dont avaient besoin les essences locales, partais en excursion le long du ruisseau avec Laura. Si je devenais président, je tenais à être en forme et prêt pour la transition.

Nous vécûmes quelques instants de grande tension en cours de route. Le 8 décembre, un mois et un jour après l'élection, Laura et moi étions de retour à Austin. Cet après-midi-là, la cour suprême de Floride devait rendre sa décision qui, Jim Baker en était certain, confirmerait officiellement ma victoire.

Laura et moi avions invité nos bons amis Ben et Julie Crenshaw à suivre les résultats avec nous. Ben est un des meilleurs golfeurs de son époque, et une des personnes les plus charmantes du milieu sportif professionnel. Au cours des semaines précédentes, le Gentil Ben avait rejoint la foule qui protestait devant la résidence du gouverneur. Certains étaient des partisans de Gore, mais beaucoup me soutenaient. Une des trois jeunes filles de Ben et Julie brandissait une pancarte ornée des mots « Sore-Loserman[*] », en référence au tandem Gore-Lieberman. Ben s'était affublé d'un badge rose fait maison qui disait : « Floride, plus de Mulligan[**]. »

Ben, Julie, Laura et moi étions rassemblés dans le salon et attendions la décision de la cour. J'avais fait une exception à ma règle et regardais la télévision dans l'espoir que je pourrais savourer la victoire en temps réel. Vers 15 heures, le porte-parole de la cour s'est rapproché de son pupitre. Je me suis préparé à prendre Laura dans mes bras. Puis il annonça que la Cour, par 4 voix contre 3, avait penché en faveur de Gore. Cette décision autorisait un recomptage manuel dans tout l'Etat, un Mulligan de plus.

Peu après, Jim Baker me téléphona pour savoir si je souhaitais en appeler à la Cour Suprême des Etats-Unis. Ted Olson, un remarquable juriste qu'il avait recruté, et lui pensaient que notre dossier

---

[*] Que l'on pourrait traduire par « Mauvais perdant-man ». (NdT)

[**] Au golf, un Mulligan est un terme utilisé en partie amicale lorsqu'un joueur accorde une deuxième chance à son partenaire lors de son premier coup de départ. (NdT)

était solide. Ils expliquèrent que faire appel de la décision était un coup risqué. La Cour Suprême pouvait refuser de prendre l'affaire en considération, ou se prononcer contre nous. J'ai dit à Jim de faire appel. J'étais résolu à accepter mon sort. Le pays avait besoin que tout cela se termine, d'une façon ou d'une autre.

Le 12 décembre, trente-cinq jours après l'élection, Laura et moi étions au lit quand Karl a appelé et insisté pour que nous allumions la télévision. J'ai écouté avec une grande concentration tandis que Pete Williams, de NBC News, annonçait le verdict de la Cour Suprême. Par 7 voix contre 2, les juges avaient conclu que la procédure de recomptage chaotique et incohérente en Floride constituait une violation de la clause de protection égale de la Constitution. Puis, par 5 voix contre 4, la Cour a statué qu'il n'y avait aucun moyen équitable de recompter les voix à temps pour que la Floride participe au Collège électoral. Les résultats de l'élection étaient donc confirmés. Par 2 912 790 voix contre 2 912 253, j'avais gagné en Floride. Je serais le quarante-troisième président des Etats-Unis.

Ma première réaction fut le soulagement. L'incertitude avait coûté cher au pays. Après tous ces aléas, je n'avais plus la capacité émotionnelle de me réjouir. J'avais espéré partager ma victoire avec vingt mille personnes devant le capitole du Texas le soir de l'élection. Au lieu de cela, j'ai probablement été le premier candidat à apprendre qu'il avait remporté la présidence en regardant la télévision au lit avec son épouse.

Pendant les cent quarante premières années de l'histoire américaine, les inaugurations présidentielles ont eu lieu le 4 mars. Un président élu en novembre avait environ 120 jours pour mettre au point son gouvernement. En 1933, le Vingtième Amendement fit passer l'inauguration au 20 janvier, ramenant la période de transition à environ 75 jours. Quand l'élection de 2000 parvint enfin à sa conclusion à l'issue de mon bras de fer avec Gore, il me restait 38 jours.

Ma première grande décision tint au fonctionnement de la Maison-Blanche. J'avais déjà étudié la question. En 1991, Papa m'avait demandé d'analyser le fonctionnement de sa Maison-Blanche. Après m'être entretenu avec les principaux membres de son cabinet, j'avais dégagé un thème commun : les gens étaient insatisfaits. La plupart avaient le sentiment que le chef de cabinet, John Sununu, les avait empêchés d'accéder au Bureau Ovale et avait limité les informations destinées à Papa. J'avais toujours apprécié John, mais je n'étais pas là pour débattre de l'affaire. Je devais transmettre les résultats de mon enquête. Ce que je fis plusieurs jours avant Thanksgiving 1991. Papa en conclut qu'il devait procéder à un changement. Il me demanda de prévenir John, ce dont je m'acquittai lors d'une conversation peu agréable. Peu après, il présentait sa démission.

J'étais déterminé à éviter ce problème. Je voulais disposer d'une structure assez resserrée pour permettre à l'information de circuler sans heurt, mais assez souple pour que je puisse bénéficier des conseils de plusieurs sources. Il était important que mes conseillers se sentent libres de me faire part directement de leurs soucis, sans passer par un filtre. Et il serait plus facile de convaincre des membres indispensables de ma famille politique texane de me suivre à Washington s'ils savaient qu'ils pourraient venir me voir quand ils le voudraient.

La clé, dans la mise en place de cette structure, était de recruter un chef de cabinet expérimenté et sûr de lui qui ne se sentirait pas menacé par mes relations avec ses subordonnés. Ironie du sort, j'ai trouvé l'homme idéal en la personne de l'adjoint de John Sununu, Andy Card. Quand je me rendais à la Maison-Blanche de Papa, je passais souvent par le bureau d'Andy pour qu'il me mette au courant de la situation avec franchise. Andy était fin, humble, loyal et travailleur. Il avait servi sous tous les chefs de cabinet des présidences Reagan et Bush. J'avais besoin de son solide bon sens et de son caractère impassible, mais aussi de son grand cœur et de son sens de l'humour. J'étais convaincu qu'il était l'homme idéal pour diriger le personnel de ma Maison-Blanche.

Quelques semaines avant l'élection, je l'avais rencontré discrètement en Floride. Manifestement, il pensait que je lui demandais d'assurer la transition. « Non, je parle du Grand Truc », lui dis-je. Je lui expliquai qu'il serait le seul chef de cabinet, mais que je m'appuierais aussi considérablement sur des Texans comme Karl, Karen, Al Gonzales, Harriet Miers, Clay Johnson et Dan Bartlett. Andy accepta, du moment que je le tenais au courant de toute décision que je prendrais en son absence. J'ai annoncé mon choix à la fin du mois de novembre, faisant de lui le premier membre officiel de mon équipe à la Maison-Blanche.

Le deuxième poste essentiel à pourvoir était celui de conseiller à la sécurité nationale. Je savais, pour avoir vu la relation étroite que Papa entretenait avec Brent Scowcroft, qu'il était crucial de trouver quelqu'un d'extrêmement capable et de complètement fiable.

Lors d'un voyage dans le Maine durant l'été 1998, Papa m'avait présenté Condoleezza Rice, qui avait travaillé comme spécialiste de l'URSS au sein de son Conseil de sécurité nationale (NSC). Fille d'un pasteur afro-américain née pendant la ségrégation à Birmingham, dans l'Alabama, Condi était titulaire d'un doctorat de l'Université de Denver et était devenue doyenne de Stanford à l'âge de trente-huit ans. Je compris immédiatement que c'était une femme brillante, réfléchie, énergique.

Au cours des deux ans et demi qui suivirent, Condi et moi nous rencontrâmes fréquemment pour débattre de politique étrangère. Un jour d'été en 1999, Condi, Laura et moi étions en randonnée sur notre ranch. Alors que nous entamions l'ascension d'une pente raide, Condi se lança dans un discours sur l'histoire des Balkans. Laura et moi soufflions et ahanions, tandis que Condi continuait, expliquant la désintégration de la Yougoslavie et l'ascension de Milosevic. Désormais, le sentier en question est surnommé la Colline des Balkans. Je décidai que si je me retrouvais dans le Bureau Ovale, ce serait avec Condi à mes côtés.

Mon premier choix pour le gouvernement fut aisé. Colin Powell serait secrétaire d'Etat. Je l'avais rencontré pour la première fois à Camp David en 1989, alors qu'il était chef de l'état-major inter-armées. Dick Cheney et lui étaient venus informer Papa de la reddition du dictateur panaméen Manuel Noriega. Colin portait son uniforme de l'Armée de Terre. En dépit de la formalité de sa tenue, il était enjoué et aimable. Il avait parlé avec tous les gens présents dans la salle, même des figurants comme les enfants du président.

Colin était très admiré au pays, et respecté dans le reste du monde. Il serait capable de défendre avec crédibilité les intérêts et les valeurs de l'Amérique, qu'il s'agisse du renforcement de l'OTAN ou de la libéralisation des marchés. Pour moi, Colin Powell incarnait le retour de George Marshall, un soldat devenu diplomate.

Les deux autres postes clés de la sécurité nationale étaient le secrétaire à la Défense et le DCI (Director of Central Intelligence), le grand patron du renseignement. Plus de dix ans après la chute du Mur de Berlin, le département de la Défense était encore en grande partie conçu pour mener la guerre froide. J'avais fait campagne en appelant à une mutation ambitieuse des forces armées. Je prévoyais de réaligner la structure de nos forces et d'investir dans les nouvelles technologies comme les armes de précision et la défense antimissiles. Je savais que je me heurterais à une certaine résistance au Pentagone, et il me fallait un secrétaire tenace et novateur pour prendre la tête de mon projet.

Mon principal candidat était Fred Smith, fondateur et président-directeur de FedEx. Fred était sorti de Yale avec son diplôme deux ans avant moi, avait été décoré de la Silver Star dans les Marines au Vietnam et avait fait de sa société l'une des entreprises les plus prospères du monde. Il adorait l'armée et apporterait son sens de l'organisation au Pentagone. Andy Card appela Fred, apprit que le poste l'intéressait et l'invita à Austin. J'étais sur le point de lui confier le poste, mais juste avant son voyage, on lui diagnostiqua une affection cardiaque. Il dut donc se retirer pour raison de santé.

Nous considérâmes divers autres noms pour le poste, dont Dan Coats, brillant sénateur de l'Indiana. Puis Condi émit une idée intéressante : pourquoi pas Don Rumsfeld ?

Don avait été secrétaire à la Défense vingt-cinq ans plus tôt, du temps de l'administration Ford. Il avait depuis servi dans plusieurs commissions influentes dans le domaine de la sécurité nationale. Je l'avais envisagé pour la CIA, pas pour la Défense. Quand je m'entretins avec lui, il me décrivit un fascinant projet de transformation du département de la Défense. Il parlait de rendre nos forces plus légères, plus flexibles et plus faciles à déployer. Et c'était un fervent partisan d'un système de défense antimissiles capable de nous protéger contre des Etats hors la loi comme la Corée du Nord et l'Iran.

Rumsfeld m'impressionna. Il s'y connaissait, était cultivé et sûr de lui. En tant qu'ancien secrétaire à la Défense, il disposait des compétences et de l'expérience nécessaires pour apporter de profonds changements au Pentagone. Il commanderait la bureaucratie, au lieu de se laisser gouverner par elle. Dick Cheney, qui avait été l'adjoint de Don quand ce dernier était chef de cabinet de Gerald Ford, me le recommanda chaudement.

Un problème subsistait. Certains pensaient que Don avait usé de son influence pour persuader le président Ford de nommer Papa directeur de la CIA en 1975 pour mieux l'écarter de la course à la vice-présidence. Je n'avais aucun moyen de savoir si cela était vrai. Mais quels qu'aient pu être les désaccords entre Papa et lui vingt-cinq ans plus tôt, cela ne me regardait pas, tant que Don était capable de s'acquitter de sa mission. Il devint donc la première personne à avoir été à la fois le plus jeune secrétaire à la Défense, et le plus âgé.

Avec Rumsfeld au Pentagone, je n'avais plus personne en pointe pour s'occuper de la CIA. J'avais beaucoup de respect pour l'Agence, compte tenu du temps qu'y avait passé mon père. En tant que président élu, je recevais déjà les rapports de renseignements depuis quelques semaines quand je rencontrai le directeur en poste, George Tenet. Il était à l'opposé des stéréotypes que l'on croise dans les romans d'espionnage – des personnages à cravate issus de l'élite. Tenet était un homme du peuple, fils d'immigrés grecs de New York. Il parlait de façon abrupte, dans un langage souvent imagé, et se souciait manifestement beaucoup de l'Agence.

Le fait de maintenir à son poste le directeur de la CIA de Bill Clinton était un moyen d'afficher une certaine continuité et de prouver que je considérais l'Agence comme échappant au domaine de la politique. Je demandai à Papa de sonder certains de ses contacts à la CIA. Il me dit que Tenet était très respecté du personnel. Dès que George et mois nous sommes mieux connus, j'ai décidé de ne plus lui chercher de remplaçant. Ce Grec jusqu'au bout des ongles et grand mâcheur de cigares accepta de rester.

Durant les premières années de notre administration, l'équipe de la sécurité nationale fonctionna pour l'essentiel sans heurt. Ce ne fut pas le cas de l'équipe des économistes. Le problème tenait en partie à une erreur de recrutement. En tant que président, j'avais trois grands conseillers en économie : le directeur du Conseil économique national (NEC), le président du Conseil des consultants économiques (CEA) et le secrétaire au Trésor. J'avais choisi Larry Lindsey, économiste chevronné et l'un des principaux consultants de ma campagne, pour prendre la tête du NEC. Glenn Hubbard, autre économiste de renom, présidait le CEA. Ils accomplirent un travail remarquable quand il s'agit de mettre au point les baisses d'impôts que j'avais annoncées avant l'élection. La législation fut votée avec une confortable majorité bipartisane.

Mon secrétaire au Trésor ne partageait pas notre enthousiasme pour les réductions fiscales. Paul O'Neill m'avait été recommandé par Dick, Clay Johnson et d'autres membres de l'équipe. Son curriculum impressionnant incluait ses succès au Bureau de la gestion et du budget et en tant que P-DG d'Alcoa, société inscrite au tableau des Fortune 100. Je m'étais dit que son expérience pratique des affaires imposerait le respect à Wall Street et au Capitole.

Malheureusement, les choses dérapèrent dès le début. Paul dénigra les baisses d'impôts, ce qui me parvint évidemment aux oreilles. Nous nous réunissions régulièrement, mais jamais nous ne nous sommes entendus. Il n'avait pas gagné ma confiance, ni n'avait acquis de crédibilité auprès du monde de la finance, du Congrès ou de ses collègues au gouvernement. Je comptais sur un secrétaire au Trésor fort – un leader comme Jim Baker ou Bob Rubin –, capable de défendre ma politique économique dans ses discours et à la télévision. A la fin de 2002, près de deux millions d'Américains avaient perdu leur emploi en un an, et Paul ne leur faisait pas passer notre détermination à leur redonner du travail. Au lieu de cela, il profitait de nos réunions au Bureau Ovale pour parler de sujets annexes, comme son projet d'améliorer la sécurité sur le lieu de travail à la Monnaie des Etats-Unis.

Je ne tenais pas à répéter l'erreur de Papa en 1992, quand il lui avait été reproché de s'être détaché de l'économie. Je décidai qu'un remaniement de l'équipe économique était la meilleure façon de montrer que mon administration était sérieuse quand elle parlait de lutter contre le ralentissement qui affectait les Américains de la rue. Pour que ce changement soit crédible, il fallait qu'il soit exhaustif. Larry Lindsey avait bien travaillé, et il ne fut pas facile de le remercier. Il comprenait qu'un nouveau départ était nécessaire et prit la chose avec professionnalisme. Paul ne fit pas de même. Je fus désolé de le voir partir en mauvais termes, mais j'étais heureux d'avoir pris cette décision.

L'été suivant, je fus invité de manière impromptue à procéder à un nouveau changement. Chaque semaine, Dick Cheney et moi déjeunions ensemble, seul à seul. C'était une tradition qui remontait à Jimmy Carter et Walter Mondale. J'appréciais cette ambiance détendue, qui me donnait l'occasion d'entendre ce que Dick pouvait avoir à l'esprit. Si j'avais des réunions du même type avec d'autres conseillers de haut rang, mes déjeuners avec Dick étaient les seuls à être réguliers. Pour moi, le vice-président n'était pas qu'un conseiller de plus. Il avait placé son nom à côté du mien sur les bulletins de vote, et avait été élu. Je tenais à ce qu'il se sente à l'aise avec tous les dossiers qui atterrissaient sur mon bureau. Ce dernier, après tout, pouvait devenir le sien à tout moment.

Dick et moi déjeunions dans une petite salle à manger non loin du Bureau Ovale. Parmi les décorations de la pièce se trouvait un taureau en bronze que des amis de l'est du Texas m'avaient offert, et un paysage qui me rappelait le littoral du Maine. Mais le chef-d'œuvre de la pièce était un portrait de John Quincy Adams, le seul autre fils de président à avoir occupé la fonction. Je l'avais fait mettre là en guise de clin d'œil à Papa. Un jour, au début de ma présidence, il avait plaisanté avec moi au sujet de la relation particulière qu'il y avait entre W et Q[*]. Je voulais que la prochaine fois qu'il aurait envie de se moquer de moi, il soit obligé de contempler Q. J'avais beaucoup lu au sujet de Quincy. J'admirais ses principes abolitionnistes, mais n'approuvais pas la campagne qu'il avait menée pour exclure le Texas de l'Union. Quoi qu'il en soit, j'ai gardé son portrait jusqu'à la fin de mon séjour à la Maison-Blanche.

A la mi-2003, Dick attaqua un de nos déjeuners hebdomadaires par un commentaire surprenant. « Monsieur le président, dit-il, je veux que vous sachiez que vous ne devriez pas hésiter à vous représenter avec quelqu'un d'autre. Je ne vous en voudrais pas. » Je m'enquis de sa santé. Il me dit que son cœur allait bien. Il pensait simplement que je devais avoir la possibilité de choisir un autre colistier. Son offre me marqua. C'était si peu caractéristique de la frénésie de pouvoir qui régnait à Washington. Cela me confirma que j'avais fait le bon choix avec Dick.

J'ai effectivement pris son offre en considération. Je me suis ouvert à Andy, à Karl et quelques autres de la possibilité de

---

[*] « W », George W. Bush ; « Q », John Quincy Adams, sixième président des Etats-Unis (1825-1829), fils de John Adams, deuxième président (1797-1801). (NdT)

demander à Bill Frist, le redoutable sénateur du Tennessee qui était devenu le chef de la majorité, de se présenter avec moi. Nous nous attendions tous que l'élection de 2004 soit également disputée. Si Dick avait une grande influence sur une partie de notre base, il était désormais la cible de toutes les critiques des médias et de la gauche. Il était considéré comme sombre et impitoyable – le Dark Vador de l'administration. Dick se moquait bien de son image – ce que j'appréciais chez lui – , néanmoins les caricatures n'en étaient que plus durables. Une rumeur prétendait que c'était en réalité lui qui dirigeait la Maison-Blanche. Tout le personnel, dont le vice-président, savait que ce n'était pas le cas. Mais l'impression était restée. En acceptant la proposition de Dick, je pouvais prouver que c'était bien moi qui étais aux commandes.

Plus j'y pensais, plus je me disais que Dick ne devait pas partir. Je ne l'avais pas choisi pour jouer les atouts politiques. Je l'avais choisi pour m'aider dans mon travail. C'était exactement ce qu'il avait fait. Il acceptait toutes les missions que je lui confiais. Il me donnait son avis sans détours. Il comprenait que la décision ultime dépendait de moi. Quand nous n'étions pas d'accord, nous le gardions pour nous. Mais surtout, je lui faisais confiance. J'appréciais sa constance, j'aimais être à ses côtés. C'était devenu un bon ami. Lors d'un autre de nos déjeuners, quelques semaines plus tard, je lui ai demandé de rester, et il a accepté.

A l'approche de l'élection de 2004, j'ai commencé à m'inquiéter de la discorde de plus en plus marquante au sein de l'équipe de la sécurité nationale. Dans la plupart des administrations, il y a une friction naturelle entre les diplomates du département d'Etat et les soldats de la Défense. Le secrétaire d'Etat George Shultz et le secrétaire à la Défense Caspar Weinberger étaient célèbres pour s'être affrontés sous Reagan. Le président Ford avait remplacé le secrétaire à la Défense James Schlesinger en grande partie parce qu'il n'arrivait pas à s'entendre avec Henry Kissinger. Je n'avais rien contre un peu de tension créative dans mon organisation. Les divergences d'opinion entre conseillers clarifient la prise de décisions difficiles. Mais il était essentiel que ces divergences soient exprimées avec respect, et que mes décisions soient considérées comme définitives.

Après le succès de la libération de l'Afghanistan, les conflits territoriaux entre les Affaires étrangères et la Défense semblaient tolérables. Mais quand le débat au sujet de l'Irak s'intensifia, des hauts responsables des deux départements commencèrent à échanger des propos de plus en plus acides. En ma présence, Colin et Don faisaient toujours preuve d'un respect mutuel. Avec le temps, je compris qu'ils étaient comme deux vieux duellistes qui gardaient toujours leurs pistolets dans leurs étuis, laissant leurs témoins se tirer dessus.

Un incident mémorable eut ainsi lieu lors de l'une des présentations télévisées de Don Rumsfeld, comme il en orchestrait presque quotidiennement depuis le début de la guerre en Afghanistan. Il était amusant de voir comment il gérait la presse. Il était passé maître dans l'art de parer les questions des journalistes, et il joutait avec exubérance et brio. J'aimais le taquiner sur son statut de star du début de l'après-midi. « Vous êtes l'idole des plus de soixante ans », lui disais-je. Ce qu'il prenait avec calme.

En janvier 2003, un journaliste demanda à Don pourquoi les alliés européens ne soutenaient pas davantage nos appels à faire rendre des comptes à Saddam Hussein. « Je crois que vous pensez à l'Europe comme l'Allemagne et la France, répondit Don. Moi pas. Je pense que ça, c'est la vieille Europe. »

J'étais d'accord avec lui. Les nouvelles démocraties du centre et de l'est de l'Europe avaient fait directement l'expérience du cauchemar de la tyrannie et penchaient en faveur d'une action contre Saddam Hussein. Mais ce n'est pas cet argument raisonnable qui fit la Une. La description de l'Allemagne et de la France comme étant la « vieille Europe » suscita un tollé.

Colin était furieux. Lui s'efforçait de convaincre les Allemands et les Français de rejoindre notre cause aux Nations unies, et il avait le sentiment que Don venait marcher sur ses plates-bandes d'une façon qui compliquait sa mission diplomatique. Ses subordonnés pensaient clairement comme lui. Les divergences qui s'étaient jusque-là exprimées en coulisses débordèrent jusque dans la presse.

Je fus irrité de lire des titres comme « Une Maison-Blanche divisée : guerre civile dans l'administration Bush » et « Le nouveau rôle de Bush : médiateur dans les querelles sur la gestion de l'Irak après la guerre ». Lors des réunions du NSC, je fis savoir que les disputes et les fuites à la presse portaient tort à notre crédibilité et fournissaient des munitions à nos détracteurs. Je pris à part Don et Colin individuellement. Je demandai à Dick et Condi d'intervenir en coulisses. Puis j'ordonnai à l'habile adjoint de Condi, Steve Hadley, de dire aux subordonnés de se calmer. Mais rien n'y fit.

Au printemps 2004, Don vint me voir avec de graves informations. Au mépris des ordres et du droit de la guerre, des soldats américains avaient infligé de terribles traitements à des détenus dans une prison irakienne du nom d'Abou Ghraib. Je me suis senti mal, presque malade. Voilà donc ce que représentait désormais notre armée ou notre pays. Les coupables passèrent en cour martiale, mais la réputation de l'Amérique avait été sérieusement ternie. Pour moi, ce fut l'un des moments les plus sombres de ma présidence.

Je me sentais aussi pris au dépourvu. Don m'avait dit que l'armée enquêtait sur des rapports faisant état de violences dans la prison, mais je ne savais pas à quel point les photos seraient brutales, malsaines. La première fois que je les vis, ce fut le jour de leur diffusion dans « 60 Minutes II ». Je n'étais pas satisfait de la façon dont l'affaire avait été gérée. L'équipe de la Maison-Blanche non plus. Des gens commençaient à parler à la presse, à montrer en particulier du doigt mon secrétaire à la Défense. Quand Don eut vent de l'affaire, il me transmit une note manuscrite : « Monsieur le président, je veux que vous sachiez que je vous soumettrai ma démission en tant que secrétaire à la Défense dès que vous estimerez que cela peut vous être utile. »

Je l'appelai le soir même et lui dis que je n'accepterais pas sa démission. Je ne lui reprochais pas le mauvais comportement des soldats à Abou Ghraib, et ne tenais pas à faire de lui un bouc émissaire. J'avais besoin que ce problème soit résolu, et je voulais que ce soit lui qui s'en charge. Don m'envoya une autre lettre, plus longue.

Ces derniers jours, j'ai longuement réfléchi à la situation, j'ai témoigné devant le Congrès et pris en compte votre opinion. J'ai un grand respect pour vous, pour vos remarquables qualités de chef dans la guerre mondiale contre la terreur, et pour vos espoirs pour notre pays. Cependant, j'en ai conclu que le tort causé par les abus s'était produit sous ma responsabilité, que ces derniers avaient été commis par des individus dont la conduite dépend au bout du compte de moi, et que la meilleure solution était que je vous présente ma démission.

Don renouvelait son offre, ce qui lui valut mon respect. Il était clair que son premier message n'avait pas été qu'une formalité. Il envisageait sérieusement de partir. C'était une preuve de son tempérament, de sa loyauté envers sa fonction, de sa compréhension des torts que causait Abou Ghraib. J'ai sérieusement pris sa proposition en considération. Je savais que ce serait un message fort que de remplacer le chef du Pentagone après une erreur aussi grave. Mais un facteur énorme me retenait : personne ne me paraissait apte sur le moment à remplacer Don, et je ne pouvais me permettre de créer un vide au sommet de la Défense.

Si je décidai de refuser la démission de Don, au printemps 2004, ma patience était à bout vis-à-vis des querelles au sein de l'équipe de la sécurité nationale. Ce qui avait débuté comme de la tension créative devenait destructeur. Les rumeurs sur ces affrontements renforçaient l'impression de désarroi qui émanait de l'administration, et cela m'exaspérait. J'en conclus que cette animosité était si profondément ancrée que la seule solution était de changer l'ensemble de l'équipe de sécurité nationale après la présidentielle de 2004.

Colin Powell me facilita les choses. Toujours au printemps 2004, il me dit qu'il était prêt à passer à autre chose. Il avait servi durant trois rudes années et se sentait naturellement fatigué. C'était aussi un homme sensible, qui avait été blessé par les querelles intestines et découragé par notre incapacité à trouver des armes de destruction massive en Irak. Je demandai à Colin de rester jusqu'au lendemain de l'élection et lui suis reconnaissant d'avoir accepté.

Comme il m'avait prévenu à l'avance, j'eus tout le temps de réfléchir à sa succession. J'admirais Colin mais, parfois, on avait le sentiment que le département d'Etat qu'il dirigeait n'était pas pleinement convaincu par ma philosophie et ma politique. Il était essentiel à mes yeux qu'il n'y ait pas de hiatus entre le président et le secrétaire d'Etat. Au bout de six ans à la Maison-Blanche et en campagne, j'étais désormais très proche de Condi Rice. Elle était capable de comprendre mes pensées et de saisir mes humeurs. Nous avions la même vision du monde, et elle n'avait pas peur de me faire savoir quand elle ne partageait pas mon avis.

L'éventail de ses talents était stupéfiant. Je l'avais vue présenter des questions sensibles pour la sécurité nationale aux membres du Congrès et à la presse. C'était une pianiste douée qui avait joué avec Yo-Yo Ma. L'histoire de sa jeunesse dans le Sud ségrégationniste était un modèle pour les gens. Et elle savait comment gérer quelques-unes des personnalités les plus importantes de la planète.

J'en eus la preuve en mars 2001. J'avais organisé une réunion sur la politique vis-à-vis de la Corée du Nord pour préparer ma rencontre, le lendemain, avec le président sud-coréen Kim Dae-jung, premier chef d'Etat asiatique à venir me voir. L'administration précédente avait fait des concessions au dictateur nord-coréen Kim Jong-il en échange de sa promesse de renoncer à son programme d'armement nucléaire. Cette politique avait échoué, et je déclarai à l'équipe que nous allions en changer. Dorénavant, la Corée du Nord devrait modifier son comportement *avant* que l'Amérique consente à des concessions.

A 5 h 15 le lendemain matin, je lus le *Washington Post*. Un article commençait par : « L'administration Bush compte poursuivre la politique de l'administration Clinton dans les négociations avec la Corée du Nord sur ses programmes de missiles, a déclaré hier le secrétaire d'Etat Colin Powell. »

Je suis resté sous le choc. Je me suis dit que le journaliste s'était peut-être trompé dans sa citation de Colin, parce que c'était là l'exact contraire de ce dont nous avions parlé lors de la réunion. J'ai appelé Condi. Comme moi, c'est une lève-tôt, mais elle n'avait pas encore vu l'article. Je lui ai résumé et j'ai dit : « Le temps que Colin arrive à la Maison-Blanche pour la réunion, cette affaire a intérêt à être réglée. »

C'était une tâche ardue pour Condi. Elle devait exiger du secrétaire d'Etat, un ancien général célèbre dans le monde entier et plus âgé qu'elle d'une génération, qu'il rectifie sa citation. Plus tard dans la matinée, Colin entra d'une démarche chaloupée dans le Bureau Ovale et déclara : « Monsieur le président, ne vous inquiétez pas, l'affaire est réglée. »

L'année suivante, je demandai à Condi de faire de même avec le vice-président. Nous étions en août 2002, et je réfléchissais à ma décision de réclamer ou non une résolution de l'ONU pour renvoyer des inspecteurs de l'armement en Irak. Dick avait tenu un discours à la Convention des vétérans des guerres étrangères au cours duquel il avait dit : « Le retour des inspecteurs nous donnerait [...] une fausse impression de sécurité, comme si Saddam était vaguement " rentré dans sa boîte " », ce qui laissait entendre que j'avais pris ma décision. Or, j'en étais encore à considérer mes options. J'ai demandé à Condi de dire clairement à Dick qu'il s'était avancé et que cela me gênait. Ce qu'elle fit, et cela n'arriva plus jamais, ce qui est tout à l'honneur de Dick.

Je me préparai donc à annoncer la nomination de Condi au poste de secrétaire d'Etat peu après la présidentielle de 2004. Pour la remplacer en tant que conseiller à la sécurité nationale, je décidai de promouvoir son remarquable adjoint, Steve Hadley, un juriste humble et réfléchi dont l'avis était toujours impeccable, discret et jamais compromis par de quelconques considérations personnelles. Puis, soudain, Andy m'informa que Colin ne semblait plus décidé à partir. Colin était un ami, et j'accordais une grande valeur à ses accomplissements, surtout ses efforts pour rassembler une puissante coalition dans la guerre contre le terrorisme et pour poser les jalons d'une paix future entre Israéliens et Palestiniens. Mais j'avais déjà fait mon choix, et ce serait Condi.

Je me suis toujours demandé si l'une des raisons pour lesquelles Colin avait hésité à partir n'était pas qu'il s'attendait que Don Rumsfeld s'en aille aussi. Il avait raison de le penser. J'avais prévu d'effectuer des changements dans la Défense dans le cadre du remaniement de l'équipe de la sécurité nationale. A la fin de 2004, j'ai demandé à Andy d'approcher de nouveau Fred Smith pour voir si le poste l'intéressait. J'avais vu Fred, et il avait l'air tout à fait bien. Le problème, cette fois, ce n'était pas sa santé, c'était sa fille aînée. Wendy était née avec une grave malformation cardiaque, et il avait besoin de passer du temps avec elle. Elle finit malheureusement par décéder en 2005.

J'avais envisagé d'autres candidatures. J'ai pensé envoyer Condi au Pentagone, mais j'ai décidé qu'elle ferait une meilleure secrétaire d'Etat. J'ai considéré le sénateur Joe Lieberman, du Connecticut, puis je me suis dit qu'il ne correspondait pas non plus. A un moment donné, j'ai contacté Jim Baker. S'il avait accepté, il aurait pu se prévaloir d'une triple couronne, lui qui aurait ainsi été le premier à avoir occupé les fonctions de secrétaire d'Etat, secrétaire au Trésor et à la Défense. Mais il profitait de sa retraite et ne tenait pas à revenir à Washington.

La réalité, c'est qu'il y a peu de gens capable de diriger des forces armées pendant une guerre planétaire complexe, et que Don Rumsfeld était de ceux-là. Il disposait d'une précieuse expérience et pensait comme moi que la guerre contre le terrorisme était un combat idéologique à long terme. Parfois, il m'énervait, quand il se montrait brutal avec les chefs militaires et les membres de mon personnel. Je pensais qu'il avait commis une erreur en ne venant pas assister à la cérémonie de départ du général Eric Shinseki, le chef d'état-major de l'Armée de Terre qui avait démissionné en 2003 après une carrière honorable. La décision de Don avait contribué à donner l'impression, erronée, que le général avait été limogé parce qu'il désapprouvait notre politique au sujet de l'Irak[1].

Mais j'appréciais Don. Il respectait la chaîne de commandement. Son épouse Joyce et lui se consacraient à nos troupes et visitaient souvent des hôpitaux militaires sans chercher à attirer l'attention des médias. Don accomplissait un travail magnifique dans le domaine de la réforme de l'armée, la mission qui, à l'origine, avait fait que je l'avais choisi. Il avait augmenté notre arsenal d'avions sans pilote, renforcé la capacité de projection de nos forces et leurs moyens de communication en bande large afin que nous puissions faire un meilleur usage des connexions et de l'imagerie en temps réel. Il avait par ailleurs commencé à replier nos unités d'anciens avant-postes de la guerre froide comme l'Allemagne, et investi considérablement dans les Forces spéciales, en particulier dans le domaine de l'intégration entre le renseignement et les opérations spéciales.

En dépit de son air rugueux, Don Rumsfeld était un homme honnête et attentif. Un jour, nous étions dans le Bureau Ovale, et il ne me restait que quelques minutes avant ma réunion suivante. Je lui ai demandé en passant comment se portait sa famille. Au début, il ne répondit pas. Puis il finit par lâcher quelques mots, avant de fondre en larmes. Il m'expliqua que son fils Nick luttait contre un grave problème de drogue. Sa souffrance était profonde, son amour authen-

---

1. J'ai entendu dire par la suite que l'entourage du général Shinseki n'avait pas invité Don. Quoi qu'il en soit, je pense qu'il aurait dû venir quand même. (NdA)

tique. Des mois plus tard, je lui ai demandé comment allait Nick. Rayonnant, Don me dit que son fils avait subi une cure de désintoxication et qu'il allait bien. Il était touchant de voir que Don était fier de la force de caractère de son fils.

J'ai encore eu de la sympathie pour lui au printemps 2006, quand un groupe de généraux en retraite déclencha un barrage de critiques publiques contre lui. J'envisageais toujours de le remplacer, mais il était hors de question que je me laisse bousculer par un groupe d'officiers en retraite au point de limoger le secrétaire à la Défense, un civil. Cela aurait ressemblé à un putsch, et aurait créé un précédent désastreux.

Au fil de l'année 2006, la situation en Irak empira de façon dramatique. La violence sectaire déchirait le pays. Au début de l'automne, Don me dit qu'il pensait qu'il nous faudrait un « œil neuf » sur la question. Je reconnus qu'un changement était nécessaire, d'autant plus que je pensais sérieusement à appliquer une nouvelle stratégie d'envoi ponctuel de renforts. Mais je peinais toujours à lui trouver un remplaçant.

Un soir, pendant l'automne 2006, je bavardais avec mon ami de lycée et d'université Jack Morrison, que j'avais nommé au Conseil de consultation présidentiel sur le renseignement étranger (PFIAB). Je m'inquiétais de la détérioration de la situation en Irak et lui faisais part de la réflexion de Don Rumsfeld sur le besoin d'un « œil nouveau ».

« J'ai une idée, fit Jack. Et Bob Gates ? » Il me dit qu'il l'avait rencontré récemment dans le cadre de ses fonctions au PFIAB.

Pourquoi n'avais-je pas pensé à Bob ? Il avait été directeur de la CIA dans l'administration de Papa et adjoint au conseiller à la sécurité nationale du président Reagan. Il avait dirigé avec succès une grande organisation, la Texas A & M University. Il avait été membre de la Commission Baker-Hamilton, qui étudiait les problèmes en Irak. Il serait parfait pour le poste.

J'appelai aussitôt Steve Hadley et lui demandai de sonder Bob. Nous avions essayé de le nommer directeur du renseignement national (DNI) l'année précédente, mais il avait refusé parce qu'il aimait son travail de président de A & M Steve me fit son rapport le lendemain. Bob était intéressé.

J'étais à peu près sûr d'avoir trouvé l'homme idéal pour le poste. Mais je m'inquiétais du moment. Nous étions à quelques semaines des élections de mi-mandat. Si je nommais un nouveau secrétaire à la Défense à ce stade, on pourrait croire que je prenais des décisions d'ordre stratégique en fonction de considérations politiques. Je décidai donc d'attendre après les élections.

Le week-end avant l'échéance, Bob vint en voiture de College Station, au Texas, jusqu'au ranch de Crawford. Nous nous rencontrâmes

dans mon bureau, un bâtiment d'un étage isolé, à environ huit cents
mètres de la maison. Je me sentais à l'aise avec Bob. C'est un
homme franc, discret, dont il émane une force tranquille. Je lui
promis qu'il pourrait me contacter quand il le souhaitait. Puis je lui
dis qu'il y avait encore une chose qu'il devait savoir avant d'accepter
ce poste : j'envisageais sérieusement d'augmenter le nombre de nos
troupes en Irak. Il y était ouvert. Je lui dis encore que je savais qu'il
avait une vie confortable à A & M, mais que son pays avait besoin
de lui. Il accepta le poste sur-le-champ.

Je savais que Dick apprécierait moyennement ma décision. C'était
un ami proche de Don. Comme toujours, il me dit ce qu'il avait sur
le cœur. « Je ne suis pas d'accord avec votre décision. Je crois que
Don s'en tire très bien. Mais c'est vous qui décidez. C'est vous le
président. » Je lui demandai d'annoncer la nouvelle à son ami, ce
qui, espérais-je, atténuerait le choc.

Don accepta le changement comme le professionnel qu'il est. Il
m'adressa une lettre émouvante. « Je pars avec un grand respect
pour vous et votre commandement dans une période particulièrement dure pour notre pays, écrivit-il. […] Ce fut le plus grand
honneur de ma longue vie que de pouvoir servir notre pays en ces
temps si critiques dans notre histoire. »

Le remplacement du secrétaire à la Défense a été l'une des deux
décisions difficiles que j'ai dû prendre dans le domaine du personnel en 2006. L'autre concerna les chefs de cabinet. L'atmosphère
à Washington devenait viciée et Andy Card me rappela qu'il n'y
avait que quelques postes où un changement pourrait être perçu
comme significatif. Dont le sien. Début 2006, il avait souvent
mentionné l'éventualité de son départ. « Vous pouvez le faire facilement et cela pourrait modifier le débat, disait-il. Vous vous devez
de l'envisager. »

A peu près au même moment, Clay Johnson demanda à me voir.
Clay m'avait servi chaque jour qui s'était écoulé depuis que j'étais
devenu gouverneur en 1995. Ce jour-là, quand nous nous installâmes pour déjeuner, il me demanda ce que je pensais du fonctionnement de la Maison-Blanche. Je lui répondis que j'étais un peu
troublé. Des membres du personnel s'étaient plaints. Mais du haut
de la présidence, il était difficile de dire si ces ronchonnements
n'étaient que des griefs mesquins ou s'ils mettaient au contraire en
lumière des problèmes plus sérieux.

Clay eut un regard prouvant qu'il était sûr de la réponse. Puis il
sortit un stylo de sa poche, prit sa serviette en papier, et dessina
l'organigramme de la Maison-Blanche. C'était un fouillis inextri-
cable, les lignes d'autorité se croisaient et se confondaient. Il en

était certain, c'était là la source majeure des difficultés. Puis il me dit : « Je ne suis pas le seul à le penser. » Il ajouta que beaucoup de gens avaient spontanément utilisé le même terme peu flatteur pour décrire la structure de la Maison-Blanche, un terme qui revenait à parler de foutoir.

Clay avait raison. L'organisation se délitait. Les gens s'étaient ménagé des niches confortables, et l'efficacité qui avait autrefois caractérisé notre structure s'était émoussée. La meilleure solution pour régler le problème était de procéder à un changement au sommet. Je décidai qu'il était temps d'accepter la proposition d'Andy.

Ce fut difficile. Andy Card était un homme loyal, honorable, qui avait piloté la Maison-Blanche avec efficacité lors de jours terribles. Lors d'un voyage à Camp David cet été-là, je suis allé voir Andy et son épouse Kathi au bowling. Ils font partie de ces couples merveilleux dont l'amour est si évident. Ils savaient que je n'étais pas là pour le bowling. Mon visage dut trahir mon anxiété. Je commençai par remercier Andy de son travail. Il m'interrompit et me dit : « Monsieur le président, vous voulez procéder à un changement. » J'essayai de m'expliquer, mais il ne me laissa pas faire. Nous sommes tombés dans les bras l'un de l'autre et il m'a dit qu'il acceptait ma décision.

J'étais ennuyé de laisser un tel vide sans avoir déjà prévu un remplaçant. Par conséquent, avant de parler à Andy, j'avais demandé à Josh Bolten de passer me voir. Je respectais Josh, tout comme ses collègues. Après avoir été le directeur de la politique de ma campagne, il avait occupé le poste d'adjoint au chef de cabinet pour la politique et de directeur du Bureau de la gestion et du budget. Il connaissait mes priorités mieux que quiconque. J'avais une confiance absolue en lui.

Quand je demandai à Josh s'il accepterait d'être mon nouveau chef de cabinet, il ne sauta pas sur ma proposition. Comme la plupart des gens à la Maison-Blanche, il admirait Andy Card et savait à quel point ce poste était difficile. Après avoir réfléchi, il reconnut que la Maison-Blanche avait besoin d'être restructurée et rafraîchie. Il me dit que s'il prenait ce poste, il espérait avoir le feu vert pour effectuer des changements de personnel et clarifier les lignes d'autorité et de responsabilité. Je lui répondis que c'était justement pour cela que j'avais besoin de lui. Il accepta et resta jusqu'au bout, ce qui fait de lui l'une des premières personnes que j'ai recrutées pour ma campagne, et l'un des derniers que j'ai vus au Bureau Ovale – dix bonnes années plus tard.

Peu après avoir pris ses fonctions, Josh mit en œuvre plusieurs changements, remplaçant entre autres le directeur du service de presse de la Maison-Blanche par Tony Snow, un ancien animateur de radio et de télévision à l'esprit incisif qui devint un ami cher jusqu'à ce qu'en 2008 il perde la bataille qu'il avait menée avec courage contre le cancer. Le plus ardu fut de redéfinir le rôle de Karl. Après la présidentielle de 2004, Andy avait demandé à Karl de devenir adjoint au chef de cabinet pour la politique, la plus haute fonction politique à la Maison-Blanche. J'en comprenais la logique. Karl est plus qu'un conseiller politique. C'est un passionné de politique, fasciné par la connaissance et la transformation des idées en actes. J'avais approuvé sa promotion parce que je voulais profiter de l'expertise et des compétences de Karl. Pour éviter toute confusion, Andy avait bien précisé que Karl ne ferait pas partie des réunions portant sur la sécurité nationale.

Vers la mi-2006, les républicains étaient en difficulté à l'approche des élections de mi-mandat, et la gauche avait injustement utilisé le nouveau rôle de Karl pour nous accuser de politiser certaines décisions. Josh demanda à Karl de se concentrer sur les élections de mi-mandat et de continuer à nous fournir des informations stratégiques. Pour le remplacement dans la gestion des opérations quotidiennes de politique, Josh fit venir son adjoint du Bureau de la gestion et du budget, Joel Kaplan, brillant et sympathique diplômé d'Harvard qui travaillait pour moi depuis 2000.

Je m'inquiétais de la réaction de Karl. Il avait appris à essuyer bien des camouflets à Washington, mais c'était un homme fier et sensible qui s'était exposé à des attaques virulentes en mon nom. Preuve de sa loyauté et du talent de gestionnaire de Josh, leur nouvel arrangement fonctionna jusqu'à ce que Karl quitte la Maison-Blanche en août 2007.

Si les nominations à la Maison-Blanche et au gouvernement sont essentielles pour la prise de décision, elles sont temporaires. Les nominations dans la justice durent toute la vie. Je sais à quel point Papa était fier d'avoir nommé Clarence Thomas, un humaniste empreint de sagesse et pétri de principes. Je sais aussi qu'il avait été déçu de voir son autre candidat, David Souter, devenir un juge différent de ce qu'il avait espéré.

L'histoire abonde en récits de ce genre. John Adams est célèbre pour avoir dit du juge Marshall – qui œuvra dans la magistrature pendant encore trente ans après le départ d'Adams – qu'il était son plus beau cadeau au peuple américain. Mais quand on demandait à Dwight Eisenhower quelle était sa plus grande erreur en tant que président, il répondait : « J'en ai fait deux, et elles siègent toutes les deux à la Cour Suprême. »

Peu après avoir emporté la décision en 2000, j'ai demandé à mon avocat à la Maison-Blanche, Alberto Gonzales, et à son équipe de juristes de me dresser une liste des candidats à la Cour Suprême. Al était un ancien immigré discret qui s'était frayé un chemin à la Rice University et à la faculté de droit d'Harvard, et qui s'était attiré ma confiance du temps où j'étais gouverneur. Je lui précisai que la Cour Suprême devait inclure des femmes, des minorités, et des gens sans aucune expérience de la magistrature. Je lui expliquai aussi clairement que l'orientation politique ne pouvait servir de critère. Les seuls critères qui comptaient à mes yeux étaient l'intégrité, les capacités intellectuelles et la modération judiciaire. Je redoutais les juges activistes qui faisaient passer leurs préférences personnelles avant la loi. J'étais partisan d'une application stricte de l'école constructionniste : je voulais des juges qui pensaient que la Constitution disait bien ce qu'elle voulait dire.

Pendant plus de onze ans, les neuf mêmes juges avaient siégé ensemble, la magistrature la plus longue de l'histoire moderne. Le 30 juin 2005, Harriet Miers – qui avait remplacé Al Gonzales en tant qu'avocate de la Maison-Blanche quand il était devenu ministre de la Justice – fut informée que la Cour Suprême allait me transmettre une lettre de l'un des juges. Nous pensâmes tous que la missive proviendrait du juge William Rehnquist, âgé de quatre-vingts ans et malade. Mais le lendemain matin, Harriet m'appela et m'annonça une nouvelle surprenante : « C'est O'Connor », dit-elle.

J'avais rencontré la juge Sandra O'Connor plusieurs fois au fil des ans. Première femme à siéger à la Cour Suprême, elle avait une personnalité directe et séduisante. Je l'aimais beaucoup et l'appelai dès que j'eus reçu sa lettre. Elle m'expliqua qu'il était temps pour elle de s'occuper de son époux chéri, John, qui était atteint de la maladie d'Alzheimer.

Si ce départ n'était pas celui auquel je m'étais attendu, nous étions prêt à combler le vide. L'équipe d'Harriet avait préparé un épais classeur qui contenait les biographies de onze candidats, ainsi que des analyses détaillées de leurs écrits, de leurs discours et de leurs philosophies professionnelles. Je devais me rendre en Europe au début de juillet, et les longues heures à bord d'Air Force One étaient idéales pour lire. Après avoir étudié le classeur, je réduisis la liste à cinq juges impressionnants : Samuel Alito, Edith Brown Clement, Michael Luttig, John Roberts et J. Harvie Wilkinson.

Chacun vint me voir à la résidence de la Maison-Blanche. Je m'efforçai de les mettre à l'aise en leur faisant visiter les pièces habitées. Puis je les emmenai dans le salon familial qui dominait l'Aile Ouest. J'avais lu les résumés de leurs écrits. Je souhaitais maintenant les sonder. Je cherchais quelqu'un qui partageait ma vision de la justice, et dont les valeurs ne changeraient pas avec le temps. Je m'entretins donc avec chacun en espérant que l'un d'entre eux se distinguerait.

Ce qui fut le cas. John Roberts arrivait de Londres, où il enseignait pendant l'été. Je connaissais son parcours : premier de sa classe à Harvard et à la faculté de droit, greffier auprès du juge Rehnquist, il avait défendu des dizaines d'affaires devant la Cour Suprême. Il avait été nommé à la cour d'appel de Washington en 1992, mais n'avait pas été confirmé avant l'élection. Je l'avais nommé dans la même institution en 2001. Sa nomination avait été confirmée en 2003, et il s'était depuis brillamment acquitté de sa tâche. Ce curriculum remarquable dissimulait un homme authentique, d'une grande gentillesse. Il avait le sourire facile et parlait avec passion des deux jeunes enfants que Jane, son épouse, et lui avaient adoptés. Il maîtrisait parfaitement son domaine, et sa personnalité était rayonnante.

Je parlai de ma décision avec Dick, Harriet, Andy, Al et Karl. Ils appréciaient Roberts, mais il n'était pas en tête de toutes les listes. Dick et Al soutenaient Luttig qui, estimaient-ils, était le juriste conservateur le plus engagé. Harriet défendait Alito parce qu'il affichait le parcours le plus solide. Andy et Karl partageaient mon intérêt pour Roberts. Je demandai leur avis à d'autres, dont quelques-uns des juristes plus jeunes de la Maison-Blanche. L'un d'entre eux était Brett Kavanaugh, que j'avais nommé à la cour d'appel de Washington. Brett me dit que Luttig, Alito et Roberts promettaient tous d'être des juges inébranlables. Pour les départager, ajouta-t-il, la question était de savoir lequel serait capable de prendre le plus efficacement la direction de la Cour – lequel serait le plus à même de convaincre ses collègues grâce à la persuasion et la pensée stratégique.

Je pensais que Roberts était un chef-né. Je ne craignais pas de le voir s'écarter de ses principes avec le temps. Il m'avait décrit sa philosophie, axée sur la modestie de la justice, en usant d'une analogie avec le baseball qui m'avait parlé : « Un bon juge est comme un arbitre – et aucun arbitre n'ira croire qu'il est la personne la plus importante sur le terrain. »

Le mardi 19 juillet, j'appelai John pour lui proposer le poste. Nous l'annonçâmes le soir même depuis le Salon Est. Tout se passa comme prévu jusqu'à ce que, lors de mon discours à une heure de grande écoute, Jack Roberts, âgé de quatre ans, échappe à sa mère et entreprenne de danser sur le sol. Nous apprîmes par la suite qu'il imitait Spider-Man. Je l'aperçus du coin de l'œil, et je dus faire un grand effort de concentration pour continuer mon discours. Jane finit par rattraper le petit Jack. Le public avait bien ri, et la famille de Jack eut ainsi des souvenirs pour la vie.

Au début de septembre, trois jours avant l'audition de confirmation de Roberts, Karl m'appela tard un samedi soir. Laura et moi étions couchés, et personne n'appelle à une telle heure pour vous faire part de bonnes nouvelles. Karl me dit que le président de la Cour Suprême était mort. Rehnquist était un grand homme. Il avait servi trente-trois ans à la Cour, dont dix-neuf en tant que président. Il avait fait prêter serment à Papa lors de son inauguration en 1988, et avait présidé à la mienne en 2001. A l'approche de ma seconde inauguration, Rehnquist souffrait d'un cancer de la thyroïde. On ne l'avait plus vu en public depuis des semaines. Mais quand était venu le moment de lire le serment, sa voix avait résonné, puissante et claire : « Répétez après moi : Moi, George Walker Bush, jure solennellement... »

Je me retrouvais désormais avec deux sièges vides à la Cour Suprême. Je décidai que les compétences de John Roberts faisaient de lui un président idéal. John se tira parfaitement de son audition, fut confirmé à une large majorité et revint dans le Salon Est pour sa prestation de serment. C'était la preuve que la vie peut parfois prendre des virages étonnants. John Roberts qui, treize ans plus tôt, avait cru qu'il n'aurait plus aucune chance de devenir juge, était désormais président de la Cour Suprême des Etats-Unis.

Le poste d'O'Connor était toujours vacant. J'étais convaincu que je devais la remplacer par une femme. Je n'aimais pas l'idée qu'il n'y ait qu'une seule femme, Ruth Bader Ginsburg, à la Cour Suprême. Laura était de mon avis – et en fit part à la presse.

C'est une des rares fois où les opinions de Laura furent reprises de façon publique, mais ce ne fut pas, loin s'en faut, la seule fois où je fis appel à ses conseils éclairés. Laura avait un don instinctif pour prendre le pouls du pays. Elle ne s'impliquait pas dans tous les domaines, elle n'y tenait d'ailleurs pas. Elle choisissait des causes qui l'inspiraient – l'enseignement, la santé des femmes, la reconstruction du littoral du golfe du Mexique après Katrina, le sida et la malaria, et la liberté en Birmanie et en Afghanistan.

Je recommandai à Harriet et à la commission de recherche d'établir une nouvelle liste comprenant davantage de femmes. Les candidates qu'elle trouva étaient impressionnantes. Mais il y avait quelques obstacles contrariants. Quand je demandai une enquête plus poussée sur une juge particulièrement qualifiée, il s'avéra que son mari connaissait des problèmes financiers qui risquaient de compromettre sa situation. Priscilla Owen, ancienne juge à la Cour Suprême du Texas, était un choix évident. C'était une des premières personnes que j'avais nommées pour un siège à la cour d'appel en 2001. Malheureusement, les démocrates l'avaient prise pour cible. Elle avait enfin été confirmée au printemps 2005 dans le cadre d'un accord bipartisan. Je me disais qu'elle serait parfaite pour la Cour Suprême. Mais plusieurs sénateurs, dont des républicains, me prévinrent que la bagarre serait rude et qu'au bout du compte elle ne serait pas confirmée.

Deux autres informations nous parvinrent du Capitole. D'une part, d'aucuns m'invitaient à choisir un juriste autre qu'un représentant de la magistrature assise. D'autre part, il m'était conseillé d'envisager sérieusement mon avocate de la Maison-Blanche, Harriet Miers. Nombre de sénateurs avaient été impressionnés par Harriet quand elle avait encadré John Roberts à l'occasion de son audition au Congrès.

Cette idée me plaisait. Au Texas, elle avait joué un rôle de pionnière – elle avait été la première femme à diriger un grand cabinet d'avocat, puis le Barreau de Dallas, et le Barreau de l'Etat du Texas. Elle avait été élue au conseil municipal de Dallas, avait dirigé la Commission de la loterie locale et occupé cinq ans de suite des postes de responsabilité à la Maison-Blanche. Je ne doutais pas qu'elle partageait ma vision de la justice et je savais qu'elle ne risquait pas de changer. Elle ferait une juge exceptionnelle.

Je lui demandai si le poste l'intéressait. Elle fut surprise – plutôt choquée –, mais dit qu'elle accepterait si telle était ma volonté. J'évoquai l'idée avec d'autres membres de la commission de recherche. Les collègues d'Harriet l'aimaient et la respectaient, et certains dirent que c'était un bon choix. D'autres avancèrent qu'il était trop risqué de choisir quelqu'un qui n'avait aucune expérience en tant que juge, ou que nous pourrions être accusés de népotisme. Plusieurs me déclarèrent sans ménagement que ce n'était pas un bon choix. Personne ne m'avertit que nous risquions d'être victimes d'un ouragan de critiques de la part de nos partisans.

Il ne restait plus qu'Harriet et Priscilla Owen. Je décidai de nommer Harriet. Je la connaissais mieux. Je pensais qu'elle avait une meilleure chance d'être confirmée. Et elle apporterait une perspective unique à la Cour puisqu'elle était étrangère à la magistrature assise. Au début, de nombreux sénateurs et juges saluèrent cette décision. Mais leurs voix se perdirent bien vite dans le tumulte. A droite, ce qui avait commencé comme des murmures incrédules se mua en hurlements. Comment pouvais-je nommer quelqu'un qui avait si peu d'expérience ? Comment pouvaient-ils avoir confiance dans la philosophie judiciaire de quelqu'un qu'ils ne connaissaient pas ?

Il me semble qu'un autre argument pesait contre Harriet, un argument qui, pour l'essentiel, ne fut jamais ouvertement exprimé : comment pouvais-je nommer quelqu'un qui ne frayait pas avec les cercles de l'élite juridique ? Harriet ne sortait pas d'une faculté de droit de l'Ivy League. Son style personnel ne fit qu'aggraver les doutes. Elle n'a rien de désinvolte, ni de fantaisiste. Elle réfléchit longuement avant de parler – un trait de caractère si rare à Washington qu'il était considéré comme de la lenteur intellectuelle. Comme le dit avec condescendance un de ses détracteurs conservateurs : « Aussi charmante, serviable, prompte et ordonnée soit-elle, Harriet Miers n'est pas qualifiée pour jouer le rôle d'un juge de la Cour Suprême dans *A la Maison-Blanche,* et encore moins dans la vraie vie. »

Toutes ces critiques venaient de prétendus amis. Quand la gauche se mit elle aussi à attaquer Harriet, je compris que c'en était fait de sa nomination. Après trois rudes semaines, je reçus un appel dans le Salon des Traités, où je travaillais tard le soir. L'opératrice de la Maison-Blanche me dit qu'Harriet voulait me parler. D'une voix calme et sûre, elle m'informa qu'il valait mieux qu'elle retire sa candidature à la Cour Suprême. Cela avait beau me chagriner, j'acceptai.

Si je sais qu'Harriet aurait fait une excellente juge, je n'avais pas assez réfléchi à l'impact que ce choix allait avoir sur les autres. J'avais mis mon amie dans une situation impossible. Si je devais recommencer, je ne jetterais pas Harriet aux loups de Washington.

Le lendemain matin, Harriet se présenta à son travail, comme tous les autres jours. Elle passa de bureau en bureau dans l'Aile Ouest, remontant le moral des nombreux collègues, jeunes et moins jeunes, qui étaient désolés de voir quelqu'un qu'ils admiraient être si mal traité. Quand elle se présenta au Bureau Ovale, je lui dis : « Dieu soit loué, vous vous êtes retirée. J'ai toujours une formidable avocate. » Elle a souri et a répondu : « Monsieur le président, je suis prête à chercher votre prochain candidat. »

Cette fois, je n'avais pas droit à l'erreur. Si l'idée de choisir une femme continuait de me plaire, je ne trouvais personne de plus qualifié que Sam Alito. Sam est un homme particulièrement réservé. La première fois que je l'ai interviewé, il eut l'air mal à l'aise. J'ai donc essayé ce moyen classique de rompre la glace – le baseball, en l'occurrence. Sam est un grand fan des Phillies de Philadelphie. Alors que nous parlions sport, j'ai constaté que sa gestuelle se modifiait. Il a commencé à se laisser aller un peu sur sa vie et sur le droit. Il était scolaire, mais pratique. Il avait été procureur fédéral dans le New Jersey avant d'entrer à la troisième cour d'appel en 1990. Ses opinions étaient robustes et il les défendait avec fermeté. Il ne faisait aucun doute qu'il adhérerait strictement à la Constitution.

Quatre jours après le retrait d'Harriet, je rencontrai Sam dans le Bureau Ovale et lui proposai le poste. Il accepta. Nos partisans étaient ravis. Nos détracteurs savaient qu'ils ne pourraient pas s'opposer à la confirmation de Sam, mais ils ne le ménagèrent quand même pas lors de son audition. Ils s'efforcèrent de le présenter comme un raciste, un radical, un sexiste, tout ce qu'ils purent inventer – le tout ne reposant sur rien. Leur démagogie m'écœurait. Quand un sénateur revint sur ces fausses accusations, Martha Ann, l'épouse de Sam, éclata en sanglots. Sa réaction était si authentique que même certains démocrates comprirent qu'ils étaient allés trop loin.

Quand le Sénat eut confirmé Sam en tant que juge de la Cour Suprême, je l'invitai, lui et sa famille, à la Maison-Blanche pour sa prestation de serment. Avant la cérémonie, je le pris à part. Je le remerciai d'avoir supporté l'audition et lui souhaitai bonne chance à la Cour. Puis je dis : « Sam, vous devriez remercier Harriet, c'est elle qui a rendu cela possible. » Il répondit : « Monsieur le président, vous avez absolument raison. »

La décision la plus émouvante que je dus prendre fut la dernière de ma présidence. Les racines de mon dilemme remontaient à l'été 2003. En Irak, nos troupes n'avaient pas trouvé les armes de destruction massive auxquelles nous nous attendions tous, et ce fut la ruée médiatique pour désigner un bouc émissaire. Dans mon discours sur l'état de l'Union de 2003, j'avais cité un rapport des renseignements britanniques qui affirmait que l'Irak cherchait à acheter de l'uranium au Niger. Cette unique phrase dans mon discours de cinq mille mots n'était pas un point essentiel de l'accusation contre Saddam. Les Britanniques, quant à eux, continuaient de défendre leurs informations[1]. Pourtant, ces seize mots engendrèrent une controverse politique et furent source d'une considérable agitation.

En juillet 2003, l'ancien ambassadeur Joseph Wilson écrivit un éditorial dans le *New York Times* où il assurait que l'administration avait fait fi de ses conclusions sceptiques, à la suite d'un déplacement en Afrique pour étudier les relations entre l'Irak et le Niger. On pouvait s'interroger sur l'exactitude et l'exhaustivité du rapport de Wilson, mais son accusation devint le sujet favori des adversaires de la guerre. Peu après l'édito de Wilson, Bob Novak, éditorialiste de longue date à Washington, signalait que Wilson avait été envoyé en Afrique non par Dick Cheney ou un quelconque autre responsable de l'administration, comme l'avait suggéré Wilson, mais sur les recommandations de son épouse, Valerie Plame, qui travaillait à la CIA.

C'est alors que l'on apprit que le poste de la femme de Wilson était classé confidentiel. Les critiques sous-entendirent que quelqu'un au sein de mon administration avait commis un délit en laissant filtrer

---

1. En 2004, le rapport Butler, impartial, conclut que cette déclaration était « fondée ». (NdA)

intentionnellement l'identité d'un agent de la CIA. Le département de la Justice nomma un procureur spécial qui fut chargé de l'enquête.

Je m'étais toujours méfié des procureurs spéciaux. Je n'avais pas oublié comment Lawrence Walsh avait politisé son enquête sur l'Irangate et les Contras durant la campagne de 1992. Mais une fuite des services de renseignements était une affaire sérieuse, et j'ordonnai à mon équipe de coopérer pleinement. Le procureur Patrick Fitzgerald interrogea la plupart des membres de l'équipe, dont moi. Au début de la procédure, le secrétaire d'Etat adjoint Richard Armitage informa Fitzgerald que c'était lui qui avait transmis les informations sur Plame à Novak. Ce qui n'empêcha pas le procureur spécial de poursuivre son enquête.

Pendant plus de deux ans, Fitzgerald traîna plusieurs responsables de l'administration devant un grand jury, dont le chef de cabinet de Dick, Scooter Libby. Après deux comparutions de Scooter, Fitzgerald l'inculpa de parjure, d'obstruction à la justice et de fausses déclarations. Scooter passa en jugement et fut condamné à trente mois de prison en juin 2007.

J'étais face à une décision douloureuse. Je pouvais laisser Scooter partir en prison. Je pouvais user de mon pouvoir constitutionnel et le gracier. Ou je pouvais commuer sa sentence, ce qui voulait dire qu'il serait toujours condamné, mais qu'il ne ferait pas de prison. A la Maison-Blanche, quelques-uns, dont le vice-président, faisaient vigoureusement pression en faveur d'une grâce présidentielle. Leur argument était que l'enquête n'aurait jamais dû se poursuivre à partir du moment où Fitzgerald avait identifié la source de Novak. Mais la plupart de mes conseillers estimaient que le verdict était correct et qu'il ne devait pas être changé.

Je décidai qu'il aurait été erroné de gracier un ancien membre de mon cabinet accusé d'avoir fait obstruction à la justice, d'autant plus que j'avais ordonné à mon équipe de coopérer avec l'enquête. Mais le châtiment de Scooter était disproportionné. La longue enquête et le procès avaient déjà causé des dégâts personnels, professionnels et financiers pour Scooter et sa famille. Au début de juillet 2007, j'annonçai ma décision : « Je respecte le verdict du jury. Mais j'ai conclu que la peine de prison infligée à M. Libby était excessive. Par conséquent, je commue la partie de sa sentence qui requérait qu'il passe trente mois en prison. »

La gauche réagit avec fureur. « Aujourd'hui, le geste du président Bush dit à l'Amérique que l'on peut mentir, tromper et faire obstruction à la justice, du moment que l'on reste fidèle à son administration », proclama un membre du Congrès. Un autre lança : « J'appelle les démocrates de la Chambre à envisager une procédure de destitution. » D'ailleurs, la décision ne plut pas non plus à tout le monde à la Maison-Blanche. Dick continuait de réclamer une grâce totale.

Une des plus grandes surprises de ma présidence fut le flot de recours en grâce que je reçus à la fin. Jamais je n'avais été aussi souvent pris à part par des gens qui me suggéraient que tel ou tel ami ou ancien collègue méritait d'être gracié. Au début, cela m'exaspéra. Puis je fus dégoûté. Je finis par comprendre l'énorme injustice du système. Si vous aviez des contacts avec le président, vous pouviez toujours défendre votre affaire dans la frénésie des derniers jours. Sinon, il fallait attendre que le département de la Justice révise votre dossier et émette une recommandation. Durant mes dernières semaines à la présidence, je décidai que je ne gracierais personne qui passerait par des canaux officieux.

Pendant ces ultimes journées, Dick fit tout pour que Scooter soit gracié. Scooter était un honnête homme, un fonctionnaire dévoué, et je comprenais les implications pour sa famille. J'ai demandé à deux avocats de confiance de réviser son affaire de fond en comble, y compris les preuves qui avaient été présentées à charge et à décharge lors de son procès. Je les autorisai également à rencontrer Scooter pour entendre sa version de l'histoire. A l'issue d'une analyse minutieuse, tous deux me déclarèrent qu'ils n'avaient trouvé aucune raison de revenir sur le verdict.

J'ai passé notre dernier week-end à Camp David à me débattre avec cette décision. « Décide-toi, c'est tout, me fit Laura. Tu es en train de tout gâcher pour tout le monde. » J'ai fini par arriver à la même conclusion qu'en 2007 : il fallait respecter le verdict du jury. Lors d'une de nos dernières réunions, j'informai Dick que je n'accorderais pas ma grâce à Scooter. Il me fixa intensément. « Je ne peux pas croire que vous allez abandonner un soldat sur le champ de bataille », dit-il. Son commentaire me fit mal. En huit ans, je n'avais jamais vu Dick comme ça, même vaguement. Je craignais que cela ne porte au mieux gravement tort à l'amitié que nous avions édifiée.

Quelques jours plus tard, je discutais avec une tierce personne de la procédure de grâce présidentielle. En route pour l'inauguration sur Pennsylvanie Avenue, j'ai fait part de mes frustrations vis-à-vis de ce système à Barack Obama. Je lui ai fait une suggestion : Annoncez très tôt quelle sera votre politique dans ce domaine, et n'en déviez pas.

Après l'inauguration du président Obama, Laura et moi nous sommes rendus en hélicoptère sur la base aérienne d'Andrews. Notre dernier rendez-vous avant de prendre l'avion pour le Texas était une cérémonie d'adieu devant trois mille amis, membres de la famille et anciens collaborateurs. Dick avait accepté de m'annoncer. Il s'était blessé au dos en déplaçant des cartons, si bien que Lynne dut le pousser sur l'estrade en fauteuil roulant. Il agrippa le micro. Je n'avais aucune idée de ce qu'il allait dire. J'espérais qu'il serait capable de faire abstraction de sa déception. Ses paroles furent chaleureuses et pleines de bonté : « Il y a huit ans et demi, j'ai entamé un partenariat avec George Bush, et cela a vraiment été un grand honneur. […] Si je n'ai qu'un regret, c'est simplement que ces jours soient terminés et que tous les membres de cette superbe équipe doivent désormais suivre leur propre voie. »

L'homme que j'avais choisi en cette chaude journée de juillet m'était resté fidèle jusqu'à la fin. Notre amitié avait survécu.

4

Cellules souches

En plein cœur de Londres se dressait un immeuble gris de trente-quatre étages. L'un d'entre eux comportait un vaste espace ouvert connu sous le nom de Salle de Fertilisation. A l'intérieur, des techniciens mélangeaient méticuleusement des ovules et des spermatozoïdes dans des tubes à essai pour produire la prochaine génération. La couveuse était la source de vie d'un nouveau gouvernement mondial, qui avait maîtrisé la formule lui permettant d'accoucher d'une société productive et stable.

Cette scène n'était pas née de l'imagination de Jay Lefkowitz, le brillant avocat qui me la lisait à voix haute dans le Bureau Ovale en 2001. Elle était tirée du *Meilleur des Mondes,* le roman d'Aldous Huxley daté de 1932. Avec les récents progrès de la biotechnologie et de la génétique, ce livre semblait maintenant particulièrement d'actualité, et c'était terrifiant. Tout comme les leçons qu'il nous enseignait : en dépit de toute son efficacité, le monde utopique d'Huxley paraissait stérile, sans joie, dépourvu de sens. La quête pour améliorer l'humanité avait abouti à la perte de toute humanité.

En avril de la même année, un autre texte arriva au Bureau Ovale. Décrivant ce qu'elle présentait comme une « épreuve familiale poignante », l'auteur m'appelait à soutenir les « possibilités miraculeuses » de la recherche sur les cellules souches prélevées sur des embryons afin de développer des remèdes pour les gens comme son époux, qui était atteint de la maladie d'Alzheimer. Elle concluait : « Monsieur le président, j'ai une certaine expérience personnelle en ce qui concerne les décisions nombreuses auxquelles vous êtes confronté chaque jour. [...] Je vous serais très reconnaissante si vous preniez en considération mes réflexions et mes prières sur ce sujet critique. Sincèrement, Nancy Reagan. »

La lettre de Mme Reagan et le roman d'Huxley ont servi de cadre à la décision que je devais prendre à propos de la recherche sur les cellules souches. Beaucoup estimaient que le gouvernement fédéral avait la responsabilité de financer la recherche médicale susceptible d'aider à sauver la vie de gens comme le président Reagan. D'autres affirmaient qu'en soutenant la destruction d'embryons humains on basculait d'une falaise morale vers une société implacable où la vie n'aurait plus de valeur. Le contraste était terrible, et j'étais face à une décision difficile.

« Parfois, nos différences sont si profondes que l'on pourrait croire que l'on partage un continent plutôt qu'un pays, avais-je déclaré dans mon discours inaugural le 20 janvier 2001. Nous ne l'acceptons pas, nous ne l'autoriserons pas. Notre unité, notre union est l'œuvre sérieuse des dirigeants et des citoyens de chaque géné- ration. Et voici ce à quoi je m'engage solennellement : j'œuvrerai à édifier une seule nation de justice et d'opportunité. »

Après un déjeuner avec des dignitaires au Capitole, Laura et moi avions parcouru le chemin jusqu'à la Maison-Blanche dans le cadre du défilé officiel pour l'inauguration. Pennsylvania Avenue était bordée de partisans, ainsi que de quelques poches de manifestants. Ils brandissaient de grandes pancartes écrites dans un langage ordu- rier, lançaient des œufs sur le cortège, et hurlaient à pleins poumons. Passant l'essentiel du trajet dans la limousine présidentielle derrière des vitres épaisses, leurs cris ressemblaient à une pantomime. Si je ne pouvais entendre ce qu'ils disaient, leurs majeurs étaient tout à fait éloquents : l'amertume laissée par l'élection de 2000 n'était pas près de s'effacer.

Laura et moi avons suivi le reste du défilé depuis la tribune devant la Maison-Blanche. Nous avons salué les représentants de chaque Etat et avons eu la joie de voir passer les fanfares de lycées de Midland et Crawford. Après le défilé, je suis entré dans le Bureau Ovale. Alors que j'approchais depuis la résidence, la pièce donnait l'impression de briller. Son éclairage vif et ses tentures dorées tran- chaient avec le sombre ciel d'hiver.

Chaque président décore le Bureau Ovale comme il l'entend. J'y fis suspendre plusieurs tableaux texans, dont la vision de la bataille de Fort Alamo par Julian Onderdonk, un paysage de l'ouest du Texas et un champ de bleuets – moyen de garder quotidiennement à l'esprit notre ranch de Crawford. J'avais également apporté un tableau intitulé *Rio Grande,* de Tom Lea, un ami et peintre d'El Paso, et une scène représentant un cavalier chargeant à contrepente par W.H.D. Koerner. Son titre, *A Charge to Keep,* évoquait un chant méthodiste de Charles Wesley, que nous avions entonné lors de mon inauguration au poste de gouverneur. Le tableau et l'hymne symbolisaient tous deux l'importance qu'il y a à servir une cause plus grande que soi.

Je décidai de garder le portrait de George Washington par Rembrandt Peale que Papa et Bill Clinton avaient fait placer au-dessus de la cheminée. J'y ajoutai des bustes d'Abraham Lincoln, Dwight Eisenhower et Winston Churchill – prêt du gouvernement britannique de la part du Premier ministre Tony Blair. J'avais dit à Tony que j'admirais le courage, les principes et le sens de l'humour de Churchill – autant de caractéristiques que je jugeais nécessaires pour gouverner. (Mon exemple préféré de l'humour de Churchill est sa réplique quand Franklin Roosevelt le surprit sortant de sa baignoire lors d'une visite à la Maison-Blanche en décembre 1941. « Je n'ai rien à cacher au président des Etats-Unis ! » lança-t-il.) Après le 11 Septembre, j'ai compris que ces trois bustes avaient quelque chose en commun : tous représentaient des dirigeants en temps de guerre. Je n'y avais assurément pas pensé quand je les avais choisis.

Sur le mur, un espace était réservé à celui que le président considérait comme son prédécesseur le plus influent. J'avais choisi Lincoln. C'était lui qui avait fait face à la mission la plus terrible qui pût incomber à un président, la sauvegarde de l'Union. D'aucuns me demandaient pourquoi je n'avais pas mis le portrait de Papa à cet emplacement. « Le numéro quarante et un sera toujours dans mon cœur, disais-je. Le seize est sur le mur. »

La pièce maîtresse du Bureau Ovale était le bureau Resolute. Je l'avais choisi du fait de son importance historique. Son histoire remontait à 1852, quand la reine Victoria avait envoyé le *HMS Resolute* retrouver l'explorateur britannique John Franklin, disparu alors qu'il cherchait le passage du nord-ouest. Le *Resolute* avait été pris dans les glaces et abandonné par son équipage. En 1855, il avait été découvert par un baleinier américain, qui l'avait ramené dans le Connecticut. Le navire avait été acheté par le gouvernement américain, réparé et rendu à l'Angleterre, cadeau adressé à la reine en signe de bonne volonté. Quand le *Resolute* avait été retiré du service vingt ans plus tard, Sa Majesté avait fait faire plusieurs bureaux ornementaux à partir des poutres du navire, et elle en avait offert un au président Rutherford B. Hayes.

Depuis Hayes, la plupart des présidents se sont servis du bureau Resolute d'une façon ou d'une autre. Franklin Roosevelt avait commandé un panneau coulissant orné d'un sceau présidentiel sculpté, peut-être pour dissimuler son fauteuil roulant, à en croire certains historiens. Le petit John F. Kennedy Jr. avait passé la tête par ce panneau dans ce qui est sans doute la photo la plus célèbre prise dans le Bureau Ovale. Papa avait installé le Resolute dans son bureau à l'étage de la résidence, tandis que Bill Clinton l'avait ramené dans le Bureau Ovale. Se trouver assis derrière ce meuble historique me rappela – du premier au dernier jour – que l'institution présidentielle est plus importante que la personne qui l'incarne.

Andy Card était avec moi quand j'ai pris place pour la première fois derrière le Resolute. Ma première décision dans le Bureau Ovale fut de remplacer le fauteuil du bureau – une machine étrange qui vibrait quand on la branchait – par quelque chose de plus pratique. Puis la porte de la Roseraie s'était ouverte. J'avais levé les yeux. C'était Papa.

« Monsieur le président », dit-il. Il portait un costume sombre, les cheveux encore humides après le bain qu'il avait pris pour se réchauffer.

« Monsieur le président », avais-je répliqué.

Il était entré dans le bureau, et j'avais contourné le bureau. Nous nous sommes rencontrés au milieu de la pièce. Aucun de nous n'a beaucoup parlé. C'était inutile. L'instant était plus fort qu'aucun de nous n'aurait pu l'exprimer.

Le neuvième jour de ma présidence, mon équipe de politique intérieure s'est rassemblée dans le Bureau Ovale. Tout le monde était à l'heure, comme je l'espérais. La ponctualité est essentielle si l'on veut qu'une organisation reste rigoureuse. La principale intervenante ce jour-là était Margaret Spellings, mère de deux enfants intelligente et combative. Elle avait travaillé avec moi à Austin et m'avait suivi à Washington pour devenir ma conseillère en politique intérieure. Elle couvrit un éventail de sujets, y compris une nouvelle initiative pour les personnes handicapées et une commission sur la réforme électorale dirigée par les anciens présidents Ford et Carter. Puis elle se lança dans un débat sur la recherche sur les cellules souches des embryons. « L'administration Clinton a émis de nouvelles directives légales qui estiment que l'Amendement Dickey autorise le financement fédéral de la recherche sur les cellules souches. Nous avons plusieurs options pour continuer… »

Elle n'alla pas plus loin. « Pour commencer, fis-je, l'interrompant, qu'est-ce qu'une cellule souche exactement ? » C'est en posant des questions que j'apprends le mieux. Parfois, je sonde pour comprendre un sujet complexe. D'autres fois, j'utilise mes questions comme moyen de tester les connaissances de mes rapporteurs. S'ils ne peuvent pas répondre avec concision et dans un anglais compréhensible, c'est un signal d'alerte qui prouve qu'ils sont peut-être les premiers à ne pas maîtriser le sujet.

Comme d'habitude, Margaret était bien préparée. Elle m'expliqua la partie scientifique. Les cellules souches des embryons constituent une ressource particulière pour la médecine parce qu'elles peuvent se transformer en une grande variété de cellules différentes. Tout comme un pied de vigne se divise en plusieurs branches distinctes, les cellules souches de l'embryon ont la capacité de se développer en cellules nerveuses pour le cerveau, en tissus musculaires pour le cœur, ou d'autres organes. Ces cellules offraient la possibilité de traiter des maladies allant du diabète juvénile à Alzheimer et Parkinson. C'était une nouvelle technologie, qui n'avait pas encore fait ses preuves sur le plan scientifique. Mais le potentiel était remarquable. Toutefois, la seule façon d'extraire les cellules souches est de détruire l'embryon. Ce qui représentait un dilemme moral : la destruction d'une vie humaine était-elle justifiée par l'espoir d'en sauver d'autres ?

La réponse du Congrès semblait claire. Chaque année depuis 1995, la Chambre et le Sénat avaient voté des lois interdisant le recours à des fonds fédéraux pour la recherche passant par la destruction d'embryons humains. Cette loi était connue comme l'Amendement Dickey, du nom du parlementaire qui l'avait proposée, Jay Dickey de l'Arkansas.

En 1998, un chercheur de l'Université du Wisconsin isola pour la première fois une cellule souche individuelle. En se divisant, elle engendra une multitude d'autres cellules – ce que l'on appelle une lignée – qui pouvaient être utilisées pour la recherche. Peu après, l'administration adoptait une nouvelle interprétation de l'Amendement Dickey. Des juristes affirmèrent que l'argent des contribuables pouvait servir à soutenir la recherche sur les cellules souches sur des lignées dérivées d'embryons détruits dans la mesure où cette destruction elle-même était financée par des sources privées. Les National Institutes of Health (NIH) se disposèrent à accorder des bourses en fonction de ces critères, mais le mandat du président Clinton prit fin avant que des fonds aient été distribués. C'était à moi qu'il incombait maintenant de décider ou non d'allouer ces bourses.

Il était évident que la question dépassait le simple cadre d'un financement. Les implications morales étaient énormes : un embryon congelé est-il une vie humaine ? Si oui, dans quelle mesure devons-nous le protéger ?

Je déclarai à Margaret et à l'adjoint au chef de cabinet Josh Bolten que c'était une décision d'une portée considérable. J'expliquai comment je comptais procéder. J'expliciterais mes principes directeurs, écouterais des experts des deux camps, avancerais une première conclusion que je soumettrais à des gens avisés. Après avoir finalisé ma décision, je l'expliquerais au peuple américain. Enfin, je veillerais à ce que ma politique soit appliquée.

Pour gérer le processus, Josh fit intervenir Jay Lefkowitz, l'avocat du Bureau de la gestion et du budget, l'institution qui superviserait ma politique de financement. Jay était un juriste à la fois vif et réfléchi, juif new-yorkais pratiquant doué d'un sens de l'humour caustique. Il me plut immédiatement. Ce qui était une bonne chose, puisque nous allions passer beaucoup de temps ensemble.

Jay me suggéra de lire de nombreux textes. Il y inclut des articles de revues médicales, des écrits philosophiques et des analyses juridiques. Ces lectures couvraient l'éventail des opinions exprimées. Dans la revue *Science,* le bioéthicien Louis Guenin affirmait : « Si nous rejetons [la recherche sur les cellules souches], ce n'est pas cela qui fera naître plus de bébés. Si nous menons ces recherches, nous pourrions atténuer le malheur. »

Ceux qui y étaient opposés assuraient qu'en soutenant la destruction de la vie humaine, le gouvernement franchirait une ligne morale. « La recherche sur les cellules souches des embryons nous engage sur une voie qui transformera notre perception de la vie humaine en une ressource naturelle malléable et commercialisable – exactement comme du bétail ou une mine de cuivre –, qui sera exploitée au bénéfice de ceux qui sont nés et qui vivent », écrivit l'expert en bioéthique Wesley J. Smith dans *National Review.*

Fondamentalement, la question des cellules souches se résumait à l'affrontement philosophique entre la science et la morale. Je me sentais tiraillé entre les deux directions. Je ne tenais pas à rejoindre les rangs des défenseurs de la théorie de la terre plate. Je comprenais les espoirs que suscitaient de nouvelles thérapies. J'avais perdu une sœur emportée par la leucémie dans son enfance. J'avais été membre du conseil d'administration de la Fondation nationale sur la paralysie Kent Waldrep, groupe de pression dirigé par un ancien joueur de football de l'Université chrétienne du Texas qui avait été victime d'une blessure à la moelle épinière. J'avais foi dans les promesses de la science et de la technologie et dans leur capacité à alléger les souffrances et à lutter contre la maladie. Pendant ma campagne présidentielle, je m'étais engagé à respecter la volonté du Congrès, exprimée à la fin des années 90, de doubler le financement pour les NIH.

Dans le même temps, j'estimais que la technologie devait respecter des frontières morales. Je craignais qu'en autorisant la destruction d'embryons humains pour la recherche, nous ne fassions un pas sur la pente glissante nous entraînant de la science-fiction à la réalité médicale. J'imaginais des chercheurs clonant des fœtus pour développer des pièces de rechange de l'organisme dans un laboratoire. Je prévoyais qu'il serait tentant de développer des bébés sur mesure qui permettraient aux parents de produire leur basketteur blond à eux. Nous n'étions pas très loin du cauchemar du clonage humain à grande échelle. Je savais que ces possibilités paraissaient fantastiques à certains. Mais une fois la science engagée sur cette voie, il serait très difficile de faire marche arrière.

La question des cellules souches rejoignait le débat sur l'avortement. Cela peut paraître difficile à croire aujourd'hui, mais l'avortement n'était pas une question majeure en politique quand j'étais jeune. Je ne me souviens pas qu'il ait été évoqué tant que ça durant les premières campagnes de Papa ou dans des discussions à Andover ou Yale. Cela changea en 1973, quand la Cour Suprême, dans une décision que le juge Byron White qualifia d'« exercice du pouvoir judiciaire brut », décréta que l'avortement était un droit protégé par la Constitution.

La question de l'avortement est complexe, sensible et personnelle. Ma foi et ma conscience me poussaient à conclure que la vie humaine est sacrée. Dieu a créé l'homme à Son image et, par conséquent, toute personne a de la valeur à Ses yeux. Il me semblait que l'enfant qui n'est pas encore né, s'il dépend de sa mère, est un être distinct et indépendant digne d'être protégé à part entière. Quand j'ai vu l'échographie de Barbara et Jenna pour la première fois, je n'ai pas douté un seul instant qu'elles étaient distinctes et vivantes. Le fait qu'elles ne pouvaient pas se défendre ne faisait que souligner le devoir de la société envers elles.

Beaucoup de gens honnêtes et sérieux n'étaient pas de cet avis, y compris dans ma famille. Je comprenais leurs raisons et respectais leurs opinions. En tant que président, je ne tenais pas à accuser des millions de gens d'être dans le péché ou à jeter de l'huile sur des incendies culturels qui faisaient déjà rage. Je me sentais en revanche obligé d'exprimer mes convictions antiavortement et de guider le pays vers ce que le pape Jean-Paul II appelait la culture de la vie. J'étais convaincu que la plupart des Américains reconnaîtraient que nous nous porterions mieux s'il y avait moins d'avortements. Une de mes premières décisions à la Maison-Blanche fut de réinstaurer la politique dite de Mexico, qui privait de financement fédéral tout groupe qui défendait les avortements à l'étranger. Je soutenais les lois des Etats qui exigeaient une autorisation parentale pour les mineurs cherchant à avorter. Et je soutins, signai et défendis une loi interdisant la sinistre pratique de l'avortement par naissance partielle.

Laura et moi étions de fervents partisans de l'adoption. Après avoir eu des difficultés à concevoir, il nous était difficile d'imaginer que l'on puisse refuser ce que nous considérions comme un don précieux. Pourtant, étant père de deux filles, je pouvais comprendre le dilemme d'une adolescente effrayée confrontée à une grossesse imprévue. L'adoption était une alternative positive à l'avortement, un moyen de sauver une vie et d'en illuminer deux de plus, celles des parents adoptifs. Je fus heureux de signer une loi qui augmentait le financement des centres d'assistance du planning familial, et d'accroître les aménagements fiscaux contrebalançant le coût de l'adoption.

A long terme, je comptais sur un changement d'attitude qui aboutirait à une modification de la loi, de nouvelles technologies comme l'échographie en 3D permettant à davantage d'Américains de comprendre l'humanité des bébés avant la naissance. J'espérais également que les dirigeants politiques continueraient de s'exprimer en faveur d'une culture qui chérit toutes les vies humaines innocentes. Bob Casey, le défunt gouverneur démocrate de Pennsylvanie, l'avait bien dit : « Quand on parle de l'enfant avant la naissance, la question n'est pas de savoir quand débute la vie, mais quand débute l'amour. »

A partir du printemps 2001, Margaret, Jay et Karl Rove – qui était en contact étroit avec des groupes de pression dans les deux camps – invitèrent une succession de scientifiques, d'éthiciens, de penseurs religieux et d'activistes distingués pour débattre de la recherche sur les cellules souches. Ces conversations me fascinaient. Plus j'en apprenais, plus j'avais de questions. Quand je fis un discours pour la cérémonie de remise des diplômes à Notre Dame, j'abordai la recherche sur les cellules souches avec le Père Ed « Monk » Malloy, le recteur de l'université. Quand j'intervins à Yale le lendemain, j'évoquai le sujet avec le Dr Harold Varmus au Centre de cancérologie Sloan-Kettering. A l'occasion de l'anniversaire d'un docteur de l'équipe médicale de la Maison-Blanche, je demandai à tous les médecins présents ce qu'ils en pensaient. Quand la rumeur se répandit que je cherchais des avis autorisés, je fus bombardé d'informations par des secrétaires du cabinet, des membres de mon équipe, des consultants extérieurs, et des amis.

Evidemment, j'ai demandé conseil à Laura. Son père avait succombé à Alzheimer, sa mère avait souffert d'un cancer du sein, et la possibilité de nouveaux médicaments suscitait de grands espoirs en elle. Mais elle craignait que les groupes de pression n'enjolivent ce que pouvait vraiment faire la recherche sur les cellules souches, risquant du même coup de briser les espoirs des familles.

Les membres de la communauté présentèrent deux arguments clés en faveur du financement de la recherche sur les cellules souches. Le premier était le potentiel médical. Les chercheurs me dirent que des millions d'Américains souffraient de maladies dont l'impact pourrait être atténué grâce à des traitements dérivés des cellules souches. D'après les spécialistes, seules quelques lignées suffiraient à explorer la science et à en déterminer la valeur. « Si nous disposions de dix à quinze lignées, personne ne se plaindrait », déclara Irv Weissman, un chercheur de renom de Stanford, au *New York Times*.

Une équipe de chercheurs des NIH me dit que plusieurs dizaines de lignées de cellules souches étaient déjà en développement. Ils firent également état de recherches préliminaires sur d'autres moyens de dériver des cellules souches qui permettraient d'éviter de détruire les embryons. Et ils étaient unanimes : en privant de soutien fédéral la recherche sur les cellules souches, on se fermerait une porte. L'argent des contribuables était important non seulement en tant que source de financement, expliquèrent-ils, mais aussi comme symbole de l'approbation de l'innovation scientifique.

Leur deuxième argument était pratique : la plupart des embryons utilisés pour la recherche sur les cellules souches finiront de toute façon par être jetés. La source principale de ces embryons était les cliniques de fécondation *in vitro*. Quand un couple se soumettait à cette procédure, les médecins avaient généralement coutume de fertiliser plus d'ovules qu'ils n'en implantaient chez la future mère. Par conséquent, certains embryons seraient abandonnés une fois le traitement terminé. Ils étaient alors congelés et conservés par la clinique. Puisque ces embryons dits de rechange n'allaient pas servir à concevoir des enfants, affirmaient les scientifiques, n'était-il pas logique de s'en servir pour des recherches qui, potentiellement, pouvaient sauver des vies ?

Un des groupes à défendre le plus activement la recherche sur les cellules souches était la Fondation de recherche sur le diabète juvénile. En juillet 2001, j'en invitai les représentants dans le Bureau Ovale. Dans la délégation se trouvaient deux de mes amis, Woody Johnson et Mike Overlock. Tous deux comptaient parmi mes soutiens politiques, et tous deux avaient des enfants atteints du diabète. Ils défendaient leur cause avec passion et conviction, et une dévotion incontestable envers leurs enfants. Mais je fus surpris quand je vis à quel point ils étaient sûrs que la recherche sur les cellules souches allait bientôt réaliser une percée. Quand je leur fis remarquer que cette science n'avait pas encore fait ses preuves et que l'on pouvait trouver d'autres solutions que la destruction d'embryons, il devint évident que leur groupe de pression ne laissait pas la place au doute. Cette rencontre m'avait permis d'entrevoir les passions que pouvait susciter ce débat.

Le même jour, je rencontrai aussi les représentants du Droit national à la vie. Ils s'opposaient à toute recherche détruisant les embryons. Ils me rappelèrent que chaque minuscule amas de cellules souches a le potentiel de se développer et de devenir une personne. En fait, nous avions tous commencé nos existences à ce stade. En guise de preuve, ils m'indiquèrent un nouveau programme des Nightlight Christian Adoptions. Cette agence obtenait l'autorisation de couples ayant choisi la fécondation *in vitro* de placer leurs embryons congelés et inutilisés sur les listes d'adoption. Des mères aimantes se faisaient implanter les embryons et portaient les bébés – surnommés les flocons de neige – jusqu'à leur naissance. Le message était clair : chaque embryon congelé était le début d'un enfant.

Beaucoup des bioéthiciens que je rencontrai adoptaient la même position. Ils reconnaissaient que la plupart des embryons congelés dans les cliniques de fécondation *in vitro* ne deviendraient pas des enfants. Mais ils affirmaient qu'il y avait une différence morale entre le fait de laisser des embryons mourir de mort naturelle et celui de mettre un terme actif à leur existence. En autorisant la destruction de la vie pour sauver la vie, ajoutaient-ils, on entrait dans un territoire dangereux sur le plan moral. Comme le dit l'un d'entre eux : « Le fait qu'un être doive mourir ne nous donne pas le droit de nous en servir comme s'il s'agissait d'une ressource naturelle exploitable. »

Certaines des opinions que j'avais entendues m'avaient surpris. Le Dr Dan Callahan, un éthicien d'une grande profondeur, me dit qu'il était favorable à l'avortement mais contre la recherche sur les cellules souches. Il pensait qu'il y avait une différence morale entre le fait d'avorter un bébé au profit direct de sa mère et celui de détruire un embryon dans le but, vague et indirect, d'aider la recherche scientifique. Le Dr Benjamin Carson, un des chirurgiens les plus respectés dans le monde, me dit que la recherche sur les cellules souches pouvait avoir une grande valeur, mais que les scientifiques feraient mieux de trouver d'autres solutions que la destruction de l'embryon, par exemple en prélevant des cellules souches dans le sang du cordon ombilical. En revanche, Orrin Hatch et Strom Thurmond, deux des membres du Sénat les plus engagés contre l'avortement, soutenaient le principe du financement fédéral de la recherche sur les cellules souches parce qu'ils estimaient qu'il était plus important de sauver des vies que de détruire des embryons.

En juillet 2001, je rendis visite au pape Jean-Paul II dans sa magnifique résidence d'été de Castel Gandolfo. Des gardes suisses en grand uniforme nous escortèrent dans une succession de pièces jusqu'à la salle de réception. Le pape Jean-Paul II était un des grands personnages de l'histoire moderne. Rescapé de l'occupation de sa Pologne natale par les nazis puis les communistes, il était devenu le premier pape non italien en 455 ans. En lançant son appel : « N'ayez pas peur », il avait mobilisé les consciences en Europe centrale et orientale, et contribué à la disparition du Rideau de Fer. Comme l'écrivit plus tard John Lewis Gaddis, historien distingué spécialiste de la guerre froide : « Quand Jean-Paul II embrassa le tarmac de l'aéroport de Varsovie le 2 juin 1979, il entama le processus qui entraîna la fin du communisme en Pologne – puis partout ailleurs en Europe. »

En 2001, la vigueur et l'énergie du Saint-Père avaient cédé la place à la fragilité. Ses gestes étaient mesurés, il parlait doucement et lentement. Mais son regard pétillait. Il était animé d'un esprit incontestable. Avec précaution, il nous emmena, Laura, notre fille Barbara et moi, sur un balcon d'où nous pûmes admirer le superbe lac Albano en contrebas. Puis nous nous sommes retirés dans une salle de réunion sobre, où nous avons abordé divers sujets, dont la recherche sur les cellules souches. Il comprenait les promesses de la science – le Saint-Père souffrait de la maladie de Parkinson. Mais il n'en démordait pas : la vie humaine devait être protégée sous toutes ses formes. Je le remerciai de savoir ainsi gouverner selon ses principes. Je lui expliquai que le soutien sans faille de l'Eglise catholique en faveur de la vie offrait de solides fondations morales qui permettaient à des politiciens antiavortement comme moi de mieux argumenter leurs points de vue. Je lui dis que j'espérais que l'Eglise serait toujours un roc dans la défense de la dignité humaine.

Quand le Saint-Père mourut en 2005, Laura, Papa, Bill Clinton et moi assistâmes ensemble à ses funérailles à Rome. C'était la première fois qu'un président américain était présent aux obsèques d'un pape, pour ne rien dire de la venue de deux de ses prédécesseurs. Peu après notre arrivée, nous allâmes rendre hommage au Saint-Père dont la dépouille était exposée. En nous agenouillant pour prier près de lui, Laura se tourna vers moi et me dit : « Le moment est bien venu de prier pour des miracles. » Pris d'une impulsion, je priai pour Peter Jennings, le présentateur d'ABC News qui était en train de mourir d'un cancer.

La messe des obsèques fut incroyablement émouvante. La foule sur la place Saint-Pierre poussait des hourras, chantait et brandissait des bannières célébrant la vie du Saint-Père. Après l'homélie prononcée par le cardinal Joseph Ratzinger – qui, onze jours plus tard, deviendrait le pape Benoît XVI –, un groupe de représentants de l'Eglise portèrent la bière du Saint-Père en montant les marches vers la basilique Saint-Pierre. Juste avant d'y pénétrer, ils se tournèrent vers la foule et soulevèrent le cercueil une dernière fois. A cet instant, les nuées s'écartèrent et le soleil effleura la simple boîte en bois.

Après avoir écouté et réfléchi pendant plusieurs mois, j'étais sur le point de prendre une décision à propos de la recherche sur les cellules souches. Une conversation que j'avais eue le 10 juillet avec Leon Kass, médecin et professeur de philosophie très respecté de l'Université de Chicago, avait été un moment essentiel. Il avait écrit et enseignait dans des domaines aussi différents que la biologie de l'évolution, la littérature et la Bible.

J'avais expliqué à Leon que je me débattais avec cette question. La recherche sur les cellules souches de l'embryon paraissait synonyme de tant d'espoirs. Mais elle soulevait d'inquiétantes questions morales. Je me demandais s'il serait possible de mettre au point une politique fondée sur des principes et qui favoriserait la science tout en respectant la dignité de la vie.

L'esprit logique de Leon se mit au travail. Il soutint que les embryons – même congelés depuis longtemps – étaient potentiellement en vie et méritaient donc une certaine forme de respect. « C'est le cœur lourd que l'on utilise ces choses, me dit-il. On leur doit au moins le respect de ne pas les manipuler à nos propres fins. Nous sommes face aux germes de la prochaine génération. »

Je lui fis part d'une idée : et si j'autorisais le financement de la recherche sur les cellules souches, mais uniquement pour les lignées déjà existantes ? Les embryons utilisés pour les créer avaient été détruits. Il n'y avait aucun moyen de les ramener à la vie. Il semblait logique de laisser les scientifiques s'en servir pour développer des traitements susceptibles de sauver d'autres vies. Cela soulevait une autre question : si j'autorisais le financement fédéral de la recherche reposant sur des embryons détruits, ne risquais-je pas d'encourager de nouvelles destructions ?

Leon me dit qu'il pensait qu'il serait éthique de financer la recherche sur des embryons déjà détruits, à deux conditions. Je devais rappeler le principe moral qui avait été violé – dans ce cas, la dignité de la vie humaine. Et je devais expliquer clairement que les fonds fédéraux ne serviraient pas à la destruction d'autres embryons. Si je prenais en compte ces deux éléments, me dit-il, la politique passerait le test éthique. « Si vous financez la recherche sur des lignées déjà développées, vous n'êtes pas complice de leur destruction. »

La conversation avec Leon avait consolidé mes réflexions. Je décidai que le gouvernement financerait les recherches sur les lignées de cellules souches dérivées d'embryons déjà détruits. Dans le même temps, je demanderais au Congrès d'augmenter le financement de la recherche sur d'autres sources de cellules souches qui ne suscitaient pas de controverse éthique. Et j'imposerais une limite morale incontournable : l'argent des impôts fédéraux ne servirait pas à soutenir la destruction de la vie au profit de la médecine. Je créai en même temps un nouveau conseil présidentiel de bioéthique, composé d'experts de toutes les origines, sous la direction de Leon Kass.

L'étape suivante fut d'annoncer ma décision au peuple américain. Karen me suggéra d'effectuer un discours télévisé. Quand le président s'adresse à la nation à la télévision, c'est généralement en tant que commandant en chef. Là, je m'adresserais aux gens en tant que chef de l'éducation. L'idée me plut. La recherche sur les cellules souches était une question grave pour le pays, mais dont la plupart des citoyens ne savaient pas grand-chose – comme cela avait été le cas pour moi en janvier. Il était presque aussi important d'expliquer ma décision que de l'avoir prise.

Le 9 août 2001, je m'adressai à tout le pays depuis Crawford, au Texas – c'était vraiment une première dans l'histoire présidentielle. La veille, Laura et moi avions dîné avec Jay, Karen et son fils Robert, ainsi qu'un ami de la famille, l'architecte d'intérieur de Fort Worth Ken Blasingame. Je demandai à Jay de dire une prière avant que nous ne commencions notre repas. Il prononça quelques paroles profondes. Quand il eut fini, nous avons tous gardé la tête baissée, attendant qu'il dise *Amen*. Au bout de quelques secondes de silence, il nous expliqua que les prières juives ne se terminaient pas toujours par *Amen*. Ce fut une conclusion idéale pour une affaire au cours de laquelle j'avais tant appris.

« Bonsoir, dis-je en attaquant mon discours, j'apprécie que vous m'accordiez quelques minutes de votre temps ce soir afin que je puisse discuter avec vous d'une question complexe et difficile, une question qui est l'une des plus fondamentales de notre temps. » Je présentai le dilemme : « Si nous devons consacrer toute notre énergie à la victoire contre la maladie, il est tout aussi important de tenir compte des problèmes moraux que pose la nouvelle frontière de la recherche sur les cellules souches à partir d'embryons humains. Même les fins les plus nobles ne justifient pas n'importe quel moyen. »

Vers la fin, j'expliquai ma décision :

> *La recherche sur les cellules souches des embryons est synonyme à la fois de formidables promesses et de terribles dangers. J'ai donc décidé que nous devions procéder avec grande prudence. [...] J'ai conclu que nous devrions autoriser le recours à des fonds fédéraux pour la recherche sur ces lignées de cellules souches [existantes], là où la décision fatidique a déjà été prise. De grands scientifiques me disent que la recherche sur ces soixante lignées est riche de promesses et pourrait aboutir à des percées dans le domaine des thérapies et des médicaments. Cela nous permet d'explorer la promesse et le potentiel de la*

recherche sur les cellules souches sans franchir une ligne morale fon-
damentale, en approuvant ou encourageant, avec l'argent des
contribuables, de nouvelles destructions d'embryons humains qui, eux,
représentent potentiellement une vie. [...] J'ai pris cette décision avec
grand soin, et je prie pour que ce soit la bonne.

Pendant des semaines avant mon discours, j'avais éprouvé un sentiment d'anxiété. J'avais sans cesse remis en question ce que je pensais, pesant et repesant les choix qui s'offraient à moi. Une fois la décision prise, je connus la paix. Je ne savais pas quelle serait la réaction du public. Nous n'avions pas fait appel à un groupe témoin ni procédé à un sondage. Tout comme nous avions attendu que Jay dise *Amen* à la fin de la prière, nous nous préparâmes à attendre la réponse.

Celle-ci fut prompte. Dans les deux camps, de nombreux activistes et politiciens saluèrent ma politique comme étant raisonnable et équilibrée. Si certains scientifiques et groupes de pression se dirent déçus, beaucoup accueillirent favorablement ce financement fédéral sans précédent comme un vote de confiance pour leurs travaux. Le directeur de la Fondation de recherche sur le diabète juvénile émit un communiqué qui disait : « Nous applaudissons le président pour le soutien qu'il apporte à la recherche sur les cellules souches. » Mon ami Kent Waldrep, le joueur de football paralysé qui avait créé un groupe de pression dont j'étais membre du conseil d'administration, déclara à un journaliste : « C'est tout ce dont la communauté scientifique a besoin, et même un peu plus, je crois. »

Si je fis l'objet de critiques, ce fut de la part de la droite. Un activiste conservateur compara ma décision à la conduite des nazis pendant l'Holocauste. Un autre dit : « J'ai honte de notre président, qui fait des compromis et laisse ma génération [...] croire que la vie humaine peut être décortiquée, maltraitée et détruite. » Le porte-parole de la Conférence des évêques catholiques américains dit : « Je suis apparemment le seul homme en Amérique a être contre la politique du président. »

Il ne resta pas seul bien longtemps. Le ton du débat devint très vide brûlant, rugueux. Avec le recul, il est clair que deux facteurs toxiques s'étaient conjugués : l'argent et la politique.

Beaucoup de scientifiques furent parmi les premiers à se retourner contre la politique. En proposant des fonds fédéraux, j'avais aiguisé leurs appétits. Au printemps 2002, je répondis à une de leurs plaintes récurrentes en autorisant que la recherche sur les cellules souches financée par le privé puisse être menée sur des sites qui touchaient de l'argent de l'Etat. C'était une mesure importante, mais elle ne satisfit pas les scientifiques, qui en réclamaient toujours plus.

Les groupes de pression ne furent pas longs à suivre. Les grands espoirs qu'ils nourrissaient au sujet de nouveaux médicaments les avaient amenés à faire des promesses irréalistes. Ils avaient apparemment le sentiment qu'en limitant le nombre de cellules souches disponibles pour la recherche on ne pouvait que retarder les percées. Ils recrutèrent des stars d'Hollywood animées de bonnes intentions pour faire vibrer la corde sensible. Ils s'aperçurent également que l'affaire pouvait les aider à récolter de grosses sommes. Certains de ceux qui, au départ, m'avaient soutenu se muèrent en détracteurs acharnés.

Les politiciens aussi comprirent qu'ils pouvaient en tirer parti. En 2004, les démocrates avaient conclu que la recherche sur les cellules souches était un bon moyen de marquer des points. Cela leur permettait d'ouvrir un nouveau front dans le débat sur l'avortement tout en se parant des atours de la compassion. Dans tout le pays, des candidats diffusèrent des spots qui mettaient l'accent sur les bénéfices de la recherche sur les cellules souches sans rappeler que ce domaine scientifique n'avait pas encore fait ses preuves, que son caractère moral était douteux et qu'il existait d'autres solutions éthiques.

Le candidat démocrate, le sénateur John Kerry, déclencha une vigoureuse campagne sur la question. Il critiquait régulièrement ce qu'il appelait une « interdiction » sur la recherche sur les cellules souches. Je fis remarquer que cette interdiction n'existait pas. Au contraire, j'étais le premier président de l'histoire à financer la recherche sur les cellules souches des embryons. De plus, je n'avais imposé aucune restriction au financement par le secteur privé.

Quoi qu'il en soit, la campagne de Kerry utilisa le sujet pour lancer une attaque plus générale et me brocarder comme étant « antisciences », ce qui était faux. J'avais soutenu les sciences en finançant des recherches alternatives sur les cellules souches, en favorisant le développement d'énergies propres, en augmentant les dépenses fédérales sur la recherche technologique, et en lançant une initiative mondiale sur le sida. Mais la démagogie se poursuivit jusqu'à l'élection. Le pire fut atteint en octobre, quand le colistier de Kerry, le sénateur John Edwards, déclara lors d'un rassemblement politique dans l'Iowa que, si Kerry devenait président, « des gens comme Christopher Reeve [1] se lèveraient de leur fauteuil roulant et marcheraient à nouveau ».

Le débat sur les cellules souches m'a fait découvrir un phénomène dont j'ai été témoin tout au long de ma présidence : les attaques

---

1. Reeve, acteur célèbre pour avoir incarné Superman, était cloué dans un fauteuil roulant depuis un accident de cheval. Il mourut, hélas, en octobre 2004, la veille de la déclaration d'Edwards. (NdA)

extrêmement personnelles. Des adversaires et des commentateurs partisans ont remis en question ma légitimité, mon intelligence et ma sincérité. Ils se sont moqués de mon apparence, de mon accent et de mes convictions religieuses. J'ai été traité de nazi, de criminel de guerre, on m'a accusé d'être Satan en personne. Ce compliment-là m'a été adressé par un dirigeant étranger, le président du Venezuela Hugo Chavez. Un avocat a dit que j'étais à la fois un paumé et un menteur. Il a fini par être chef de la majorité au Sénat.

D'une certaine façon, je n'ai pas été surpris. J'avais subi bien des coups durs dans la politique au Texas. J'avais vu Papa et Bill Clinton être tournés en dérision par leurs adversaires et les médias. Abraham Lincoln avait été comparé à un babouin. Même George Washington était devenu si impopulaire que des caricatures politiques montraient le héros de la Révolution américaine poussé vers la guillotine.

Il n'en reste pas moins que cette spirale descendante de la décence durant mes mandats, exacerbée par l'avènement des chaînes d'informations en continu sur le câble et des blogs politiques hyperpartisans, constitua une grande déception. L'atmosphère toxique qui règne dans la politique américaine empêche des gens bien de se présenter.

Avec le temps, insultes et noms d'oiseaux devinrent la norme. Certains ont dit que j'aurais dû riposter plus durement contre ces caricatures. Mais je pense que cela aurait souillé la présidence que de se mettre au niveau des critiques. Je m'étais présenté en promettant que le ton changerait à Washington. Une promesse que j'ai prise au sérieux, et j'ai essayé de faire mon possible, sans grand succès.

L'hystérie du débat n'affecta jamais mes décisions. J'ai lu beaucoup de livres historiques, et j'ai été frappé de voir combien de présidents ont dû endurer des critiques sans pitié. Leur façon de réagir fut à la mesure de leur personnalité, et souvent de leur réussite. Le temps a fini par donner raison à ceux qui fondaient leurs décisions sur des principes, non sur un instantané de l'opinion publique.

George Washington a écrit un jour que le fait de gouverner avec conviction lui avait été « une consolation intérieure dont aucun effort terrestre ne saura me priver ». Et il continuait : « Les traits de la malveillance, aussi barbelés et bien lancés soient-ils, jamais ne peuvent atteindre la part la plus vulnérable de mon être. »

J'ai lu ces mots dans *Presidential Courage* (« Courage présidentiel »), un livre de l'historien Michael Beschloss paru en 2007. Comme je le dis à Laura, s'ils continuent à évaluer l'héritage de

George Washington plus de deux cents ans après qu'il a quitté ses fonctions, je connais un autre George W. qui ne devrait pas trop se soucier des gros titres d'aujourd'hui.

Loin des hurlements des télévisions et de la campagne, ma politique des cellules souches progressa tranquillement dans les labos. Pour la première fois de l'histoire, des scientifiques touchaient des subventions fédérales pour soutenir leurs recherches sur les cellules souches des embryons.

Les scientifiques profitèrent également des nouveaux financements accordés par l'Etat à la recherche alternative sur les cellules souches pour explorer le potentiel de la moelle osseuse adulte, du placenta, du liquide amniotique et d'autres sources autres que les embryons. Leurs recherches aboutirent à de nouveaux traitements pour des patients souffrant de dizaines de maladies – sans inconvénient moral. Par exemple, les médecins ont découvert un moyen de récolter des cellules souches sans risque à partir des cordons ombilicaux pour traiter les patients qui souffrent de leucémie et de drépanocytose.

Pour l'essentiel, ces recherches se sont déroulées sous la supervision du Dr Elias Zerhouni, le brillant Algérien-Américain que j'avais nommé à la tête des NIH. Pour Elias, c'était un poste difficile. Il s'est retrouvé pris au piège entre un président qu'il avait accepté de servir et la communauté scientifique dont il faisait partie. Il n'approuvait pas ma politique sur les cellules souches. Mais il s'intéressait davantage à de nouveaux traitements qu'à la politique. Il finança activement le travail sur les sources alternatives de cellules souches, et les percées réalisées dans le domaine doivent être en grande part attribuées au Dr Zerhouni et à son équipe de chercheurs des NIH.

Malheureusement, la plupart des membres du Congrès s'intéressaient, eux, davantage à la politique qu'aux découvertes scientifiques. A l'approche des élections de 2006, les démocrates ne cachèrent pas leur intention de se servir une fois encore de l'affaire comme d'une arme politique. Un candidat aux sénatoriales du Missouri persuada Michael J. Fox, qui souffre de la maladie de Parkinson, de s'en prendre à son adversaire dans des spots diffusés à la télévision dans tout l'Etat. Des républicains qui, au départ, avaient soutenu la politique se mirent à craindre pour leurs sièges et changèrent d'avis. En juillet 2006, la Chambre des Représentants et le Sénat envisagèrent un projet de loi qui aurait annulé ma politique des cellules souches en autorisant le financement fédéral de recherches qui détruisaient des vies humaines.

J'étais président depuis cinq ans et demi quand je dus une nouvelle fois opposer mon veto à un projet de loi. J'avais travaillé en étroite collaboration avec les majorités au Congrès afin qu'elles passent des lois que je pouvais accepter. Mais tandis que ce projet de loi sur les cellules souches se frayait un chemin au Congrès, j'avais prévenu sans détours que je m'y opposerais. Ce que j'ai fait quand il est arrivé sur mon bureau

On me qualifia de toutes sortes d'épithètes, « buté » étant l'un des plus polis. Mais je ne bougeai pas d'un pouce. Si je reniais mes principes sur une question comme la recherche sur les cellules souches, comment pourrais-je préserver ma crédibilité dans d'autres domaines ?

Je réfléchis longuement au meilleur moyen d'utiliser mon veto. Je cherchais un moyen vivace de montrer que ma position reposait sur mon respect pour la vie, mais pas sur une quelconque aversion pour les sciences. Quand Karl Zinsmeister, mon conseiller en politique intérieure, me suggéra d'inviter un groupe de bébés flocons de neige à la Maison-Blanche, je trouvai cette idée parfaite. Chacun était né d'un embryon congelé qui, au lieu d'être détruit pour la recherche, avait été implanté dans une mère adoptive.

Je fis mon discours de veto dans le Salon Est, entouré de vingt-quatre enfants surexcités et de leurs parents. Un des bambins avait quatorze mois et s'appelait Trey Jones. Il avait commencé dans la vie comme embryon né de Dave et Heather Wright, de Macomb, dans le Michigan. Le couple avait procédé à une fécondation *in vitro,* ce qui leur avait permis de donner naissance à trois beaux enfants. Ils avaient accepté que le reste de leurs embryons congelés soient adoptés, plutôt que détruits pour la recherche.

A Cypress, dans le Texas, J.J. et Tracy Jones priaient pour avoir un enfant. Par le biais de Nightlight Christian Adoptions, ils avaient hérité des embryons de la famille Wright. Le résultat était ce petit garçon blond et souriant, Trey, que je tenais dans mes bras à la Maison-Blanche. Grâce au miracle de la science et à la compassion de deux familles, Trey avait un foyer aimant et une vie pleine d'espoir devant lui.

Quelques semaines après l'événement, je reçus une lettre touchante de J.J. Jones. Il y décrivait la « douleur de la stérilité » et à quel point Tracy et lui se sentaient bénis d'avoir leur « précieux Trey que certains décrivent comme un reste destiné à être soit détruit, soit utilisé pour la recherche ». Il m'informait également que Trey aurait bientôt un petit frère ou une petite sœur, le produit d'un autre embryon congelé que Tracy et lui avaient adopté.

La réaction du Congrès à mon veto fut loin d'être aussi chaleureuse. Le démocrate qui avait proposé le projet de loi se lança dans une déclaration cinglante affirmant que mon veto était fondé sur « un calcul politique cynique ». On voit mal comment, puisque la plupart des sondages montraient que mon attitude sur les cellules souches n'était pas populaire. En guise de représailles, les démocrates refusèrent de voter une loi en faveur de la recherche sur des sources alternatives de cellules souches. S'ils ne pouvaient pas financer la recherche qui détruisait les embryons, alors ils préféraient n'en financer aucune. Voilà pour ce qui est de leur désir passionné de favoriser la découverte de nouveaux traitements.

Quand les démocrates prirent le contrôle de la Chambre et du Sénat, ils décidèrent de tenter une nouvelle fois d'annuler ma politique. La président de la Chambre, Nancy Pelosi, annonça qu'il s'agissait de l'une de ses principales priorités. Ils me soumirent un nouveau projet de loi en juin 2007 ; je le renvoyai une fois de plus avec mon veto. Grâce au courage de nombreux républicains du Capitole, le veto tint bon.

Cinq mois plus tard, les Américains eurent la surprise de lire un gros titre inattendu en première page du *New York Times* : « Les scientifiques contournent les embryons pour obtenir des cellules souches. » L'article décrivait comment deux équipes de chercheurs, une dans le Wisconsin et l'autre au Japon, avaient reprogrammé une cellule de l'épiderme adulte pour qu'elle se comporte comme une cellule souche d'embryon. En n'ajoutant que quatre gènes à la cellule adulte, les scientifiques avaient pu reproduire le fonctionnement si prometteur des cellules souches des embryons sans controverse morale.

La découverte eut un écho dans toute la communauté scientifique. Les fervents partisans de la recherche sur les cellules souches des embryons saluèrent cette percée comme « une avancée spectaculaire » sans « complexité éthique ». Ian Wilmut, le chercheur écossais qui avait cloné la brebis Dolly, annonça qu'il cesserait de vouloir cloner des embryons humains, et qu'il utiliserait désormais cette nouvelle technique.

Ces nouvelles m'enthousiasmèrent. C'était la percée scientifique que j'avais espérée quand j'avais fait ma déclaration en 2001. Charles Krauthammer, un des éditorialistes les plus perspicaces d'Amérique et critique respectueux de ma décision sur les cellules souches en 2001, écrivit : « Le verdict est clair : rarement la décision d'un président – si vilipendé pour son attitude morale – ne s'est trouvée à ce point justifiée. »

Dans les années à venir, notre nation sera confrontée à d'autres dilemmes bioéthiques, du clonage à l'ingénierie génétique. L'histoire jugera le comportement de notre pays en grande partie à la façon que nous aurons de relever ces défis à la dignité humaine. Je suis convaincu, comme je l'étais quand j'ai annoncé ma décision sur les cellules souches en 2001, que les sciences et l'éthique peuvent coexister. En nous appuyant sur une politique mesurée, nous pouvons ouvrir la voie à ces nouveaux remèdes qu'espérait Nancy Reagan, sans avoir à basculer dans le monde prédit par Aldous Huxley.

Après mon discours à la nation sur la recherche sur les cellules souches en août 2001, plusieurs commentateurs y virent la décision la plus importante de ma présidence. Sur le moment, c'était vrai, mais cela ne dura pas longtemps.

5

Jour de flammes

Le mardi 11 septembre 2001, je me réveillai avant l'aube dans ma suite au Colony Beach and Tennis Resort près de Sarasota, en Floride. Je commençai la matinée en lisant la Bible, puis je descendis courir. Il faisait encore nuit noire quand j'entamai mon jogging autour du parcours de golf. Les agents des Services secrets s'étaient faits à mes habitudes; les gens du coin, eux, durent trouver ce footing dans le noir un peu bizarre.

De retour à l'hôtel, je pris une douche rapide, avalai un petit déjeuner léger et feuilletai les quotidiens du matin. La plus grande nouvelle, c'était Michael Jordan qui sortait de sa retraite pour rejoindre la NBA. D'autres titres s'intéressaient aux primaires pour les municipales de New York et à l'éventualité d'un cas de vache folle au Japon.

Vers 8 heures, j'eus droit au briefing présidentiel quotidien (PDB). Le PDB, qui associait des renseignements d'un haut niveau de confidentialité et des analyses en profondeur de la géopolitique, était un des moments les plus fascinants de ma journée. Celui du 11 septembre, effectué par un brillant analyste de la CIA du nom de Mike Morell, couvrait la Russie, la Chine, et le soulèvement palestinien en Cisjordanie et dans la Bande de Gaza.

Peu après le PDB, nous partîmes visiter l'école élémentaire Emma E. Booker pour mieux y défendre la réforme de l'éducation.

Sur le court trajet séparant notre cortège de la salle de classe, Karl Rove me signala qu'un avion s'était écrasé dans le World Trade

Center. Cela paraissait étrange. J'imaginais un petit avion de tourisme, qui avait dû se perdre de façon dramatique. Puis Condi appela. Je lui parlai sur une ligne sécurisée dans une salle de classe qui avait été convertie en centre de communications pour le personnel de la Maison-Blanche en déplacement. Elle me dit que l'appareil qui venait de frapper le World Trade Center n'était pas un avion de tourisme. C'était un avion de ligne.

Je fus éberlué. C'était le pire pilote du monde qui avait dû se trouver aux commandes. Comment avait-il pu percuter un gratte-ciel par un jour de beau temps ? Peut-être avait-il eu un infarctus. Je dis à Condi de se tenir au courant et demandai à Dan Bartlett, mon directeur des communications, de préparer une déclaration garantissant le soutien total des services de gestion des situations d'urgence.

Je saluai la directrice de Booker, une femme charmante, Gwen Rigell. Elle me présenta l'institutrice, Sandra Kay Daniels, et sa classe pleine de CE1. Mme Daniels entama un exercice de lecture. Au bout de quelques minutes, elle dit à ses élèves de prendre leurs manuels. Je sentis une présence derrière moi. Andy Card rapprocha sa tête de la mienne et murmura à mon oreille.

« Un second avion vient de percuter la deuxième tour », dit-il en prononçant soigneusement chaque mot avec son accent du Massachusetts. « L'Amérique est attaquée. »

J'éprouvai tout d'abord un sentiment d'outrage. Quelqu'un avait osé attaquer l'Amérique. Ils allaient le payer. Puis je vis les visages des enfants devant moi. Je pensai au contraste entre la brutalité des agresseurs et l'innocence de ces enfants. Des millions comme eux allaient bientôt compter sur moi pour les protéger. J'étais décidé à ne pas les abandonner.

J'aperçus des journalistes au fond de la salle, qui apprenaient la nouvelle sur leurs portables et leurs pagers. Mon instinct se mit en branle. Je savais que ma réaction serait filmée et diffusée dans le monde entier. La nation serait sous le choc ; le président, lui, ne le pouvait pas. Si je quittais brusquement la classe, cela effraierait les enfants et émettrait des ondes de panique dans tout le pays.

La leçon de lecture se poursuivait, mais en esprit, j'étais bien loin de la salle de classe. Qui avait pu faire ça ? Quelle était l'étendue des dégâts ? Que devait faire le gouvernement ?

Ari Fleischer, mon attaché de presse, s'interposa entre les journalistes et moi. Il me montra un carton qui disait : « Ne dites rien pour l'instant. » Je n'en avais pas eu l'intention. J'avais choisi mon plan d'action : quand la leçon serait finie, je quitterais la classe calmement, rassemblerais des informations, puis je m'adresserais à la nation.

Environ sept minutes après l'entrée d'Andy, je suis revenu dans notre centre de communications, où quelqu'un avait apporté une télévision. Horrifié, je vis repasser au ralenti les images du deuxième avion percutant la tour sud. L'énorme boule de feu et l'explosion de fumée étaient pires que je ne l'avais imaginé. Le pays serait ébranlé, et il fallait que je passe immédiatement à la télévision. Je griffonnai ma déclaration à la main. Je voulais assurer au peuple américain que le gouvernement réagissait et que nous traînerions les coupables devant les juges. Puis je voulus rentrer le plus vite possible à Washington.

« Mesdames et messieurs, c'est un moment difficile pour l'Amérique, commençai-je. [...] Deux avions se sont écrasés contre le World Trade Center dans ce qui est apparemment une attaque terroriste contre notre pays. » Il y eut des exclamations contenues dans l'audience composée de parents et de membres du personnel de l'école, qui s'étaient attendus à un discours sur l'éducation. « Nous ne tolérerons pas d'actes terroristes contre notre nation », dis-je. Je conclus en appelant à un moment de silence pour les victimes.

Plus tard, j'appris que mes déclarations avaient été l'écho de la promesse de Papa, qui avait annoncé que « nous ne tolérerons pas cette agression » après l'invasion du Koweït par Saddam Hussein. Cette répétition n'était pas intentionnelle. Dans mes notes, j'avais écrit : « Le terrorisme contre l'Amérique ne réussira pas. » Les paroles de Papa avaient dû être enfouies dans mon subconscient, attendant de refaire surface lors d'une nouvelle crise.

Les Services secrets voulaient rapidement m'embarquer sur Air Force One. Tandis que notre cortège fonçait sur la Route 41 de Floride, j'appelai Condi sur la ligne sécurisée dans la limousine. Elle me dit qu'un troisième avion s'était écrasé, cette fois sur le Pentagone. Je m'adossai à mon siège et absorbai ce qu'elle venait de m'annoncer. Mes pensées s'éclaircirent : le premier avion aurait pu être un accident. Le deuxième était bel et bien une attaque. Le troisième était une déclaration de guerre.

Je sentais mon sang bouillir. Nous allions trouver qui avait fait ça, et nous allions leur botter le cul.

L'entrée en guerre était visible sur l'aéroport. Des agents armés de fusils d'assaut entouraient Air Force One. Deux des hôtesses attendaient en haut de la passerelle. Leurs visages trahissaient leur peur et leur tristesse. Je savais que des millions d'Américains éprouveraient les mêmes sentiments. Je les pris dans mes bras et leur dis que tout irait bien.

J'entrai dans la cabine présidentielle et demandai qu'on me laisse seul. Je pensais à la peur qu'avaient dû ressentir les passagers de ces avions, au chagrin qui allait s'abattre sur les familles des morts. Tant de gens avaient perdu des êtres chers si brutalement. Je priai Dieu pour qu'il réconforte les affligés et qu'il guide le pays en cette épreuve. Les paroles de l'un de mes chants d'église préférés me revinrent, « Dieu de Grâce et Dieu de Gloire » : « Donne-nous la sagesse, donne-nous le courage pour faire face en cette heure. »

Si mes émotions étaient les mêmes que celles de la plupart des Américains, mes devoirs, eux, étaient autres. Le temps du deuil viendrait plus tard. Le temps de réclamer justice viendrait aussi. Mais d'abord, je devais gérer la crise. Nous avions été victimes de l'attaque surprise la plus dévastatrice depuis Pearl Harbor. Un ennemi avait frappé notre capitale pour la première fois depuis la guerre de 1812. En une matinée, le but de ma présidence était devenu clair : je devais protéger notre peuple et défendre nos libertés qui venaient d'être prises pour cibles.

Pour réagir efficacement à une crise, il faut commencer par communiquer une impression de calme. C'était ce que j'avais tenté de faire en Floride. Ensuite, nous devions démêler les faits, agir pour sécuriser le pays, et aider les zones touchées à se remettre. Avec le temps, nous devrions mettre au point une stratégie afin de traîner les terroristes en justice pour qu'ils ne puissent plus recommencer.

J'appelai Dick Cheney tandis qu'Air Force One grimpait rapidement à 45 000 pieds, bien au-dessus de notre altitude de croisière habituelle. Le vice-président avait emmené dans le Presidential Emergency Operations Center, le PEOC, un complexe souterrain, quand les Services secrets avaient cru qu'un avion pouvait viser la Maison-Blanche. Je lui dis que je prendrais mes décisions en vol et que je comptais sur lui pour les faire appliquer au sol.

Je pris rapidement deux décisions. L'armée avait déployé des patrouilles de combat, des chasseurs qui avaient pour mission d'intercepter tout appareil ne répondant pas aux sommations, au-dessus de Washington et New York. L'interception air-air était ce que j'avais appris en tant que pilote de F-102 dans la Garde nationale du Texas trente ans plus tôt. A l'époque, nous imaginions que nos cibles seraient des bombardiers soviétiques. Aujourd'hui, ce serait un avion de ligne rempli d'innocents.

Nous devions préciser avec clarté les règles d'engagement. Je dis à Dick que nos pilotes devaient entrer en contact avec tout appareil suspect et s'efforcer de les contraindre à atterrir pacifiquement. Si cela ne fonctionnait pas, je leur donnais l'ordre de les abattre. Les avions détournés étaient des armes de guerre. En dépit du coût terrible, en en abattant un, on pouvait sauver d'innombrables vies au sol. Je venais de prendre ma première décision en tant que commandant en chef en temps de guerre.

Dick me rappela quelques minutes plus tard. Condi, Josh Bolten et d'autres membres de l'équipe de la sécurité nationale l'avaient rejoint au PEOC. Ils avaient appris qu'un avion ayant coupé ses communications se dirigeait sur Washington. Dick me demanda de confirmer l'ordre que j'avais donné. Ce que je fis. J'appris plus tard que Josh Bolten avait insisté pour que l'ordre soit clair afin de veiller au respect de la chaîne de commandement. Je repensais à l'époque où j'étais pilote. « Je ne peux pas imaginer ce que ça doit être de recevoir cet ordre », dis-je à Andy Card. J'espérais sincèrement que personne n'aurait à l'exécuter.

La deuxième décision porta sur l'endroit où atterrir. J'étais convaincu que nous devions revenir à Washington. Je tenais à diriger la riposte depuis la Maison-Blanche. Cela rassurerait le pays de voir le président dans la capitale qui venait d'être attaquée.

Peu après avoir décollé de Sarasota, Andy et Eddie Marinzel, agent des Services secrets originaire de Pittsburgh, personnage noueux et athlétique qui commandait mon escorte le 11 septembre, entreprirent de m'en dissuader. Ils me dirent que la situation à Washington était trop instable, que le danger d'une attaque était trop élevé. La FAA pensait que six avions avaient été détournés, ce qui signifiait que trois pouvaient encore se trouver en l'air. Je leur répondis que je n'allais pas laisser les terroristes me faire peur. « Je suis le président, fis-je d'un ton ferme. Et nous allons à Washington. »

Ils insistèrent. L'idée que des terroristes aient pu me contraindre à fuir me rebutait. Mais j'avais beau vouloir rentrer, je comprenais qu'il était entre autres de ma responsabilité d'assurer la continuité du gouvernement. Quelle victoire de propagande pour l'ennemi s'ils parvenaient à éliminer le président ! Mon aide de camp militaire et les agents des Services secrets recommandèrent que nous dirigions notre appareil sur la base aérienne de Barksdale, en Louisiane, où nous pourrions faire le point. Je cédai. Quelques minutes plus tard, je sentis Air Force One braquer vers l'ouest.

La lamentable technologie des communications d'Air Force One fut la source d'une de mes plus grandes frustrations le 11 septembre 2001. L'avion ne disposait pas de télévision par satellite. Nous dépendions des moindres chaînes locales que nous pouvions capter. Au bout de quelques minutes sur une chaîne, l'écran se brouillait.

J'aperçus assez de fragments de reportages pour comprendre l'horreur de ce que contemplaient les Américains. Eperdus, des gens sautaient des étages supérieurs des tours du World Trade Center. D'autres s'agrippaient aux fenêtres, espérant être sauvés. Je ressentais leur souffrance, leur désespoir. J'occupais les fonctions les plus puissantes de la planète, et pourtant, je me sentais impuissant à les aider.

A un moment donné, la retransmission dura assez longtemps pour que je puisse voir la tour sud s'effondrer. La tour nord s'écroula moins de trente minutes plus tard. Je m'étais accroché à l'espoir que les malheureux pris au piège des étages supérieurs auraient le temps de s'échapper. Ils n'avaient plus aucune chance.

L'effondrement des deux tours amplifia encore la catastrophe. Cinquante mille personnes travaillaient d'ordinaire dans ces édifices. Certains avaient été évacués, mais combien étaient restés. Des milliers ? Des dizaines de milliers ? Je n'en avais aucune idée. Mais j'étais sûr que je venais de voir plus d'Américains mourir que tout autre président dans l'histoire.

Je me tenais au courant des derniers développements en appelant Dick et Condi au PEOC. Nous tentâmes d'établir une ligne ouverte, mais elle était régulièrement coupée. Dans les années qui suivirent, le chef d'état-major adjoint Joe Hagin supervisa d'importantes modernisations du système de communication du PEOC, de la Situation Room et d'Air Force One.

Quand nous recevions des informations, elles étaient souvent contradictoires et parfois tout à fait fausses. Je découvrais ce qu'est le brouillard de guerre. Des rapports faisaient état d'une bombe au département d'Etat, d'un incendie sur le National Mall, du détournement d'un avion de ligne à destination des Etats-Unis, et d'une menace téléphonique contre Air Force One. L'auteur de l'appel avait utilisé le nom de code de l'avion, Angel, connu de très peu de gens. L'information la plus bizarre concerna un objet volant à grande vitesse en direction de notre ranch de Crawford. Toutes ces informations étaient infondées, s'avéra-t-il par la suite. Mais compte tenu des circonstances, nous prenions tout rapport au sérieux.

Un de ceux que je reçus se révéla, en revanche, exact. Un quatrième avion s'était écrasé quelque part en Pennsylvanie. « Nous l'avons abattu, ou il s'est écrasé ? » demandai-je à Dick Cheney. Personne ne savait. J'en avais l'estomac tourné. Avais-je ordonné la mise à mort de ces Américains innocents ?

Quand le brouillard se dissipa, j'eus vent de l'héroïsme à bord du Vol 93. Après avoir appris les attaques précédentes grâce aux appels qu'ils avaient passés à leurs proches au sol, les passagers avaient décidé de prendre la cabine d'assaut. Parmi les derniers mots enregistrés à bord du vol condamné, on peut entendre un certain Todd Beamer qui appelle les autres passagers à l'action en disant : « On y va. » La Commission sur le 11 Septembre conclut par la suite que la révolte des passagers à bord du Vol 93 avait peut-être évité la destruction soit du Capitole, soit de la Maison-Blanche. Leur acte de courage compte parmi les plus hauts faits d'armes de l'histoire américaine.

Toute la matinée, je tentai de joindre Laura. Elle devait témoigner devant une commission sénatoriale pour défendre notre initiative dans le domaine de l'éducation à peu près au moment où les avions frappaient les tours du World Trade Center. Je passai plusieurs appels, la communication ne cessait d'être coupée. Je n'arrivais pas à croire que le président des Etats-Unis était incapable de joindre son épouse au Capitole. « Mais qu'est-ce qui se passe, bon sang ? » grinçai-je à l'adresse d'Andy Card.

Je finis enfin par la contacter au moment où Air Force One descendait sur Barksdale. La voix de Laura avait toujours eu un effet apaisant, mais ce fut particulièrement réconfortant de l'entendre. Elle me dit qu'elle avait été emmenée en lieu sûr par les Services secrets. Je fus tout à fait soulagé quand elle me dit qu'elle avait parlé à Barbara et Jenna, qui allaient bien toutes les deux. Laura me demanda quand je rentrais à Washington. Je lui répondis que tout le monde me poussait à ne pas revenir, mais que je serais bientôt là. Je ne savais absolument pas si cela était vrai, je l'espérais, en tout cas.

L'atterrissage à Barksdale me donna l'impression de me retrouver dans un décor de cinéma. Des F-16 de mon ancienne unité de la base d'Ellington nous avaient escortés. Des bombardiers étaient alignés sur la piste. C'était une scène frappante, la force ainsi déployée de notre puissante Armée de l'Air. Je savais que ce n'était qu'une question de temps avant que j'utilise cette puissance contre quiconque avait commandité ces attentats.

Il n'y avait pas de cortège présidentiel qui m'attendait à Barksdale, aussi l'officier commandant la base, le général Tom Keck, avait-il dû improviser. Les agents me firent descendre la passerelle de l'appareil à toute vitesse et m'embarquèrent dans un véhicule qui démarra en trombe et fonça sur la piste à ce qui me semblait être 130 kilomètres/heure. Quand l'homme au volant commença à prendre des virages à cette vitesse, je hurlai : « Ralentis, fiston, il n'y a pas de terroristes sur cette base ! » C'est probablement le moment où j'ai le plus frôlé la mort ce jour-là.

J'entrai en contact avec Don Rumsfeld sur la ligne sécurisée du bureau du général Keck. Il avait été difficile de retrouver Don parce qu'il avait fait partie des premiers secours au Pentagone. Après l'impact de l'avion, il avait couru à l'extérieur et aidé les sauveteurs à emporter les victimes sur des civières.

Je dis à Don que je considérais ces attentats comme un acte de guerre, et que j'approuvais sa décision de faire passer le niveau d'alerte militaire à DefCon 3 pour la première fois depuis la guerre du Kippour en 1973. Dans le monde entier, les sites militaires américains avaient renforcé leurs mesures de sécurité et se préparaient à réagir immédiatement aux ordres. J'expliquai à Don que notre première priorité était de sortir de cette crise. Ensuite, je prévoyais d'orchestrer une puissante riposte militaire. « La balle est dans votre camp, à vous et à Dick Myer [le chef de l'état-major interarmées] », ajoutai-je.

A 11 h 30 heure de Louisiane, il y avait presque trois heures que je m'étais adressé au pays. Je redoutais que les gens n'aient le sentiment que le gouvernement se repliait sur lui-même. Laura m'avait fait part de la même inquiétude. J'enregistrai un bref message expliquant que le gouvernement réagissait et que la nation surmonterait cette épreuve. Si l'idée était bonne, l'arrière-plan – une salle de conférence stérile dans une base militaire en Louisiane – n'inspirait pas vraiment confiance. Le peuple américain avait besoin de voir son président à Washington.

J'insistai auprès d'Andy afin que l'on puisse rentrer à la Maison-Blanche. Les agents des Services secrets estimaient que c'était encore trop risqué. Dick et Condi partageaient cet avis. Ils me recommandèrent de me rendre au Commandement Stratégique, sur la base aérienne d'Offutt, dans le Nebraska. Le site disposait de logements sécurisés et de communications fiables. Je me résignai à retarder une fois encore mon retour. Quand nous embarquâmes dans l'avion à Barksdale, les hommes de l'Air Force étaient en train de charger des palettes de vivres et d'eau supplémentaires dans la soute. Nous devions être prêts à toute éventualité.

Une fois arrivés à Offutt, on m'emmena au centre de commandement, qui était bondé d'officiers qui avaient été occupés à participer à un exercice prévu depuis longtemps. Soudain, une voix retentit sur le système de communication interne. « Monsieur le président, un avion qui ne répond pas arrive de Madrid. Avons-nous l'autorisation de l'abattre ? »

Ma première réaction fut de penser : *Quand tout cela va-t-il se terminer ?* Puis je détaillai les règles d'engagement que j'avais approuvées plus tôt. Mon esprit passait en revue les scénarios du pire. Quelles seraient les implications diplomatiques si nous détruisions un avion étranger ? Et que se passerait-il si nous réagissions trop tard et que les terroristes avaient déjà atteint leur cible ?

La voix revint sur les haut-parleurs. « Le vol de Madrid, annonça-t-elle, s'est posé à Lisbonne, au Portugal. »

Dieu merci, me dis-je. Encore un exemple du brouillard de guerre.

Nous passâmes au centre de communications, d'où je convoquai une réunion de sécurité nationale en vidéoconférence. J'avais mûrement réfléchi à ce que j'allais dire. Je commençai par une déclaration sans ambiguïté. « Nous sommes en guerre contre le terrorisme. Dès aujourd'hui, c'est la nouvelle priorité de notre administration. » Je reçus des informations sur la réaction des services d'urgence. Puis je me tournai vers George Tenet. « Qui a fait ça ? » lui demandai-je.

George répondit par deux mots : *Al-Qaïda.*

Avant le 11 Septembre, la plupart des Américains n'avaient jamais entendu parler d'Al-Qaïda. J'avais eu droit à ma première présentation de ce réseau terroriste alors que j'étais encore candidat à la présidentielle. Mot arabe qui signifie « la base », Al-Qaïda était un réseau terroriste islamique fondamentaliste abrité et soutenu par le gouvernement taliban en Afghanistan. Il avait pour chef Oussama ben Laden, un Saoudien radical issu d'une famille riche, qui avait été expulsé du royaume quand il s'était opposé à la décision d'accepter des troupes américaines sur place pendant la guerre du Golfe. Le groupe affichait des opinions extrémistes et considérait qu'il était de son devoir de tuer quiconque se dressait sur sa route.

Al-Qaïda avait un penchant pour les attentats à forte visibilité. Trois ans plus tôt, les terroristes avaient perpétré des attentats simultanés contre deux ambassades américaines en Afrique de l'Est, causant la mort de 200 personnes et en blessant plus de 5 000. Ils étaient également responsables de l'attaque contre l'*USS Cole,* qui avait tué 17 marins américains au large de la côte yéménite en octobre 2000. Dès l'après-midi du 11 Septembre, la communauté du renseignement avait découvert que des agents connus d'Al-Qaïda se trouvaient sur la liste des passagers des avions détournés.

La CIA s'était inquiétée du réseau avant le 11 Septembre, mais les informations dont elle disposait suggéraient que des attentats étaient prévus à l'étranger. A la fin du printemps et au début de l'été 2001, nous avions renforcé la sécurité de nos ambassades, accru la coopération avec les services de renseignements étrangers et été avertis par le biais de la FAA du risque de détournement sur des vols internationaux. Au cours des neuf premiers mois de ma présidence, nous avions contribué à neutraliser des menaces terroristes à Paris, Rome, en Turquie, en Israël, en Arabie Saoudite, au Yémen et ailleurs.

Durant l'été, j'avais demandé à la CIA de s'intéresser de nouveau à la capacité d'Al-Qaïda de frapper sur le territoire des Etats-Unis. Au début d'août, l'Agence, lors d'un briefing présidentiel quotidien, était revenue sur les intentions de Ben Laden, jamais démenties, de s'en prendre à l'Amérique, mais elle n'avait pu confirmer aucun plan concret. « Nous n'avons pas été en mesure de corroborer certaines des menaces les plus sensationnelles qui nous ont été signalées, comme le fait que [...] Ben Laden chercherait à détourner un avion américain », disait le PDB[1].

Le 11 Septembre, il devint évident que la communauté du renseignement était passée à côté de quelque chose d'énorme. Ce manquement m'inquiéta, et j'attendais des explications. Mais je pensais qu'il aurait été inapproprié de chercher des responsables au beau milieu de la crise. Mon souci immédiat était que d'autres agents d'Al-Qaïda étaient peut-être actifs aux Etats-Unis.

Je contemplai l'écran vidéo dans le bunker d'Offutt et ordonnai à George Tenet de dresser l'oreille, autrement dit, d'être à l'affût de toutes les informations et de remonter toutes les pistes.

Je fis également savoir sans détours que je comptais utiliser l'armée dans cette guerre quand le moment serait venu. Nous ne nous contenterions pas d'une frappe limitée avec des missiles de croisière. Comme je le déclarai plus tard, nous ferions plus que de balancer « un missile d'un million de dollars sur une tente qui en vaut cinq ». Quand l'Amérique réagirait à ces attentats, ce serait de façon délibérée, irrésistible et efficace.

Il restait un sujet à aborder durant la vidéoconférence : quand revenir à Washington ? Brian Stafford, le directeur des Services secrets, me dit que la capitale n'était toujours pas sûre. Cette fois, je m'insurgeai. J'avais décidé de parler à la nation, et il était hors de question que je le fasse depuis un bunker souterrain dans le Nebraska.

Pendant le vol de retour, Andy et Mike Morell, de la CIA, vinrent me voir dans la salle de conférence. Mike m'expliqua que les services de renseignements français avaient transmis des rapports sur d'autres agents – ce que l'on appelait des cellules dormantes – qui, aux Etats-Unis, préparaient une deuxième vague d'attentats. « Deuxième vague », un terme terrifiant. Je pensais que l'Amérique pourrait surmonter les attaques du 11 Septembre sans céder à la panique. Mais une nouvelle série d'attentats serait extrêmement difficile à encaisser. Ce fut un des moments les plus sombres de la journée.

Alors que je suivais les reportages pendant le vol de retour, je vis une photo de Barbara Olson. Barbara était commentatrice sur CNN, et l'épouse de l'avocat général Ted Olson, qui m'avait défendu devant la Cour Suprême lors du recomptage des voix en Floride. Elle se trouvait à bord du Vol 77 d'American Airlines, l'appareil qui s'était écrasé sur le Pentagone. Elle représentait mon premier lien

---

1. La source de l'information, un service de renseignement étranger, reste classé confidentiel. (NdA)

personnel avec la tragédie. J'appelai Ted. Il était calme, mais sa voix trahissait à quel point il était sous le choc, anéanti. Je lui dis que j'étais désolé. Il me raconta que Barbara l'avait appelé depuis l'avion détourné et qu'elle lui avait posément transmis des informations. Elle avait été une patriote jusqu'au bout. Je fis le serment à Ted que nous trouverions les responsables de sa mort.

Le vol de retour me donna aussi l'occasion d'appeler mes parents. Mère et Papa avaient passé la nuit du 10 septembre à la Maison-Blanche, puis étaient partis tôt le matin du 11. Ils étaient en vol quand la nouvelle des attentats était tombée. L'opérateur me mit en contact avec Papa. Je sentis qu'il était anxieux. Il ne s'inquiétait pas pour ma sécurité – il savait que les Services secrets me protégeaient –, mais à cause du stress que je devais ressentir. J'essayai de le rassurer. « Je vais bien », lui dis-je.

Papa me passa Mère.

« Où êtes-vous ? demandai-je.

– Nous sommes dans un motel à Brookfield, dans le Wisconsin, répondit-elle.

– Mais qu'est-ce que vous fichez là-bas ?

– Fils, rétorqua-t-elle, tu as obligé notre appareil à se poser ! »

Accomplissant un véritable exploit, Norm Mineta, le secrétaire aux Transports, et la FAA avaient présidé à l'atterrissage, en toute sécurité, de quatre mille appareils en à peine deux heures. Je pouvais espérer que la terreur venue du ciel était terminée.

Je commençai à réfléchir à ce que j'allais dire au pays quand je parlerais depuis le Bureau Ovale ce soir-là. Mon premier instinct était de dire au peuple américain que nous étions une nation en guerre. Mais en contemplant le carnage à la télévision, je compris que le pays était encore sous le choc. Une déclaration de guerre ne ferait qu'aggraver cette angoisse. Je décidai d'attendre un jour.

Je tenais malgré tout à annoncer une grande décision que j'avais prise : les Etats-Unis considéreraient tout pays abritant des terroristes comme étant responsable des actes de ces derniers. Cette nouvelle doctrine était en rupture avec le passé, l'approche consistant auparavant à traiter les groupes terroristes comme étant distincts de ceux qui les aidaient. Nous devions contraindre des pays à choisir : soit ils luttaient contre les terroristes, soit ils partageaient leur sort. Et nous devions mener cette guerre de façon offensive, en attaquant les terroristes à l'étranger avant qu'ils ne puissent nous attaquer chez nous.

Je voulais aussi que mon discours fasse passer un sentiment d'outrage moral. L'assassinat délibéré de gens innocents est un acte de pure cruauté. Par-dessus tout, je voulais exprimer mon réconfort et ma résolution – je voulais assurer que nous nous remettrions de ce choc, et que nous traînerions les terroristes devant leurs juges.

Air Force One se posa à la base aérienne d'Andrews, dans le Maryland, un peu après 18 h 30. Je montai rapidement à bord de Marine One, qui décolla et, dix minutes plus tard, atterrit sur la pelouse Sud. Tout au long du trajet, l'hélico effectua des manœuvres évasives. Je ne ressentais aucune peur. Je savais que les Marines qui pilotaient HMX-1 me ramèneraient chez moi.

Je contemplai Washington, comme abandonnée, muette. Au loin, je pouvais voir de la fumée monter du Pentagone. Le symbole de notre puissance militaire se consumait. Je fus frappé par l'habileté et l'implacabilité du pilote d'Al-Qaïda, qui avait réussi à s'écraser directement dans ce bâtiment de faible hauteur. Mon esprit remonta le temps. Ce que je voyais, c'était un Pearl Harbor des temps modernes. Tout comme Franklin Roosevelt avait rassemblé la nation pour défendre la liberté, c'était à moi qu'il incombait de prendre la tête d'une nouvelle génération pour protéger l'Amérique. Je me tournai vers Andy et déclarai : « Vous êtes en train d'assister à la première guerre du XXIe siècle. »

Après m'être posé sur la pelouse Sud, ma première halte fut le Bureau Ovale. J'y lus un brouillon de mon discours et modifiai quelques lignes. Puis je descendis au PEOC, qui fait partie d'une structure souterraine renforcée construite au début de la guerre froide pour résister à une attaque massive. Le bunker est constamment occupé par du personnel militaire et contient assez de vivres, d'eau et de courant électrique pour permettre au président et à sa famille de tenir durant de longues périodes. Au centre de l'installation se trouve une salle de conférence avec une grande table en bois – une Situation Room souterraine. Laura m'y attendait. Nous n'eûmes guère le temps de nous parler, mais cela ne fut pas nécessaire. Son étreinte valait tous les discours.

Je remontai ensuite, répétai mon discours, puis me dirigeai vers le Bureau Ovale.

« Aujourd'hui, nos concitoyens, notre mode de vie, notre liberté même ont été pris pour cibles dans une série d'actes terroristes délibérés et meurtriers », commençai-je. Je décrivis la brutalité des attaques et l'héroïsme de ceux qui y avaient réagi. Je continuai : « J'ai consacré l'ensemble des ressources de notre communauté du renseignement et de notre justice à la traque des responsables afin qu'ils soient amenés devant leurs juges. Nous ne ferons aucune distinction entre les terroristes qui ont commis ces actes et ceux qui les abritent. »

Je conclus sur le Psaume 23 : « Quand je marche dans la vallée de l'ombre de la mort, Je ne crains aucun mal, car tu es avec moi. » Je trouvai que ce discours était bien mieux que les déclarations que j'avais faites en Floride et en Louisiane. Pourtant, je savais qu'il faudrait que j'en fasse plus pour rassembler la nation dans les jours qui venaient.

Après le discours, je suis retourné au PEOC pour retrouver mon équipe de la sécurité nationale. Je voulais être mis au courant des derniers développements et détailler notre réaction du lendemain. Je leur dis que nous avions hérité d'une mission que nous n'avions ni recherchée, ni attendue, mais que le pays saurait se montrer à la hauteur. « La liberté et la justice l'emporteront », dis-je.

La réunion prit fin vers 22 heures. J'étais debout depuis l'aube et j'avais tourné à plein régime toute la journée. Carl Truscott, chef de la division de protection présidentielle, nous annonça que nous dormirions dans une petite chambre à côté de la salle de conférence du PEOC. Contre le mur se trouvait un vieux divan contenant un lit pliant. On aurait dit qu'il avait été mis là par Harry Truman en personne. Je me voyais passer une nuit agitée à lutter contre le matelas inconfortable et les supports en acier. Le lendemain apporterait son lot de décisions importantes, et il fallait que je dorme pour penser clairement. « Pas question que je dorme ici », fis-je à Carl.

Il savait que je n'en démordrais pas. « Dormez dans la résidence, concéda-t-il. Nous viendrons vous chercher s'il y a un problème. »

Le sommeil ne vint pas facilement. Mon esprit me repassait les images de la journée : les avions s'écrasant dans les immeubles, les tours s'effondrant, le Pentagone en flammes. Je pensais au chagrin que tant de familles devaient ressentir. Je pensais également à l'héroïsme – les hôtesses à bord des avions détournés qui avaient calmement signalé la situation à leurs supérieurs et les premiers secours qui s'étaient rués vers les incendies du World Trade Center et du Pentagone.

Juste au moment où je commençais à m'assoupir, une silhouette se découpa dans l'embrasure de la porte de la chambre. L'homme s'écria, essoufflé : « Monsieur le président, la Maison-Blanche est attaquée ! Allons-y ! »

Je dis à Laura qu'il fallait faire vite. Elle n'eut pas le temps de mettre ses lentilles de contact, et elle s'accrocha donc à moi. J'agrippai sa robe de chambre et la guidai d'un bras tout en attrapant Barney, notre scottish terrier, de l'autre. J'appelai Spot, notre springer anglais, pour qu'il nous suive. J'étais pieds nus, seulement vêtu d'un short et d'un T-shirt. Nous devions former un joli spectacle.

Les Services secrets nous entraînèrent hors de la résidence et nous poussèrent jusqu'à l'abri souterrain. J'entendis claquer une lourde porte, ainsi que le son d'une serrure pressurisée quand nous pénétrâmes dans le tunnel. Les agents nous propulsèrent par une autre porte. Un autre claquement, un autre sifflement. Nous galopâmes le long du dernier corridor, dépassâmes le personnel assis à l'extérieur, et entrâmes dans le PEOC.

Au bout de quelques minutes, un militaire entra dans la salle de conférence. « Monsieur le président, dit-il d'un ton pragmatique, c'était un des nôtres. » Un chasseur F-16 avait survolé le Potomac en émettant le mauvais signal de transpondeur. Une journée qui avait commencé par un jogging sur un parcours de golf s'était terminée par une ruée vers le bunker pour échapper à une éventuelle attaque sur la Maison-Blanche.

Quand je me réveillai, le 12 septembre, l'Amérique avait changé. Les avions de ligne étaient cloués au sol. Des véhicules armés patrouillaient dans les rues de Washington. Une aile du Pentagone avait été réduite à l'état de ruine. La Bourse de New York était fermée. Les tours jumelles de New York avaient disparu. Moi qui avais cru que ma présidence s'articulerait sur la politique intérieure, je me trouvais face à une guerre. Cette transformation montre à quelle vitesse le destin peut basculer, et comment, parfois, les missions les plus terribles auxquelles doit répondre un président sont inattendues.

La psyché de la nation avait été ébranlée. Des familles stockaient des masques à gaz et de l'eau en bouteille. Certains avaient fui les villes pour se réfugier à la campagne, redoutant que les immeubles des centres-villes ne soient pris pour cibles. D'autres, travaillant dans des gratte-ciel, ne pouvaient se résoudre à sortir de chez eux. Beaucoup refusèrent de monter à bord d'un avion pendant des semaines, voire des mois. Tout le monde était sûr que de nouvelles attaques allaient avoir lieu.

Aucun manuel ne préconise comment stabiliser une nation qui a été frappée par un ennemi sans visage. Je fis donc appel à mon instinct et à mon éducation. Mon optimisme typique de l'ouest du Texas m'aida à donner une impression de confiance. Il m'arrivait de m'exprimer trop brutalement, comme quand j'ai dit que je voulais Ben Laden « mort ou vif ». Mon entourage m'a beaucoup aidé en ces jours terribles. L'équipe de la Maison-Blanche a été d'une constance rassurante, Laura un roc de stabilité et d'amour. Mon frère Marvin et ma sœur Doro, qui vivaient tous deux dans la région de Washington, sont souvent venus déjeuner. Mère et Papa m'ont apporté un soutien sans faille. Ma famille m'a apporté du réconfort et m'a aidé à garder l'esprit clair.

J'ai également puisé de la force dans ma foi, et dans l'histoire. Je trouvais du réconfort dans la Bible, « le plus beau cadeau de Dieu à l'homme », comme disait Abraham Lincoln. J'admirais la pureté morale et la résolution de Lincoln. L'affrontement entre la liberté et la tyrannie était, disait-il, « une question qui ne peut être tranchée que par la guerre, et décidée par la victoire ». Il en irait de même de la guerre contre le terrorisme.

Je fixai trois objectifs dans les jours qui suivirent les attentats. Premièrement, il fallait empêcher les terroristes de frapper de nouveau. Deuxièmement, il fallait expliquer clairement au pays et au monde que nous nous étions engagés dans une guerre d'un nouveau genre. Troisièmement, il fallait aider les zones touchées à se remettre et veiller à ce que les terroristes n'aient pas réussi à paralyser notre économie ou à diviser notre société.

Le 12 septembre, je me rendis au Bureau Ovale à mon heure habituelle, vers 7 heures du matin. Mon premier ordre du jour fut de téléphoner à tous les dirigeants mondiaux qui m'avaient assuré de leur sympathie. J'appelai tout d'abord le Premier ministre britannique Tony Blair. Tony commença par me dire qu'il était « en état de choc » et qu'il se tiendrait « à 100 % » aux côtés de l'Amérique dans la guerre contre le terrorisme. Sa voix était sans équivoque. Notre conversation contribua à consolider les liens d'amitié les plus étroits que j'entretiendrais avec un dirigeant étranger. Au fil des années, alors que les décisions devenaient plus difficiles en temps de guerre, certains de nos alliés flanchèrent. Pas Tony Blair.

Tous les dirigeants qui m'appelèrent m'exprimèrent leur soutien. Jean Chrétien, du Canada, dit simplement : « Nous sommes là », promesse qu'avaient tenue les citoyens canadiens qui avaient accueilli des milliers d'Américains restés en rade quand leurs vols avaient été bloqués. Silvio Berlusconi, d'Italie, me dit qu'il avait « pleuré comme un petit garçon sans pouvoir s'arrêter » et me promit sa coopération. Jiang Zemin de Chine, Gerhard Schroeder d'Allemagne et Jacques Chirac promirent de m'aider par tous les moyens. Junichiro Koizumi, Premier ministre du pays qui avait attaqué l'Amérique à Pearl Harbor, dit des événements du 11 Septembre qu'ils n'étaient « pas une attaque seulement contre les Etats-Unis, mais contre la liberté et la démocratie ». Pour la première fois en cinquante-deux ans d'histoire de l'OTAN, les membres de l'Alliance votèrent pour invoquer l'Article 5 de la charte : une attaque contre l'un des membres est une attaque contre tous.

La coalition des volontaires dans la guerre contre le terrorisme était en train de se former et – pour le moment – tout le monde voulait en faire partie.

Après mes appels, j'eus un briefing avec la CIA. Puis je convoquais une réunion du NSC dans la Cabinet Room. George Tenet confirma que Ben Laden était responsable des attentats. Des interceptions réalisées par le renseignement avaient révélé que des membres d'Al-Qaïda se félicitaient les uns les autres dans l'est de l'Afghanistan. Je prévins que cette guerre serait différente. Nous étions face à un ennemi qui n'avait pas de capitale, pas d'armées à repérer sur le champ de bataille. Pour les battre, nous devrions faire appel à toutes les ressources de notre puissance nationale, de la collecte de renseignements au gel des comptes en banque des terroristes, en passant par le déploiement de troupes.

Cette réunion me donna la possibilité de parler à la presse. J'étais prêt à faire la déclaration que j'avais reportée la veille. « Les attentats délibérés et meurtriers qui ont été perpétrés hier contre notre pays étaient plus que des actes terroristes, dis-je. C'étaient des actes de guerre. »

Une demi-heure plus tard, je rencontrai les dirigeants du Congrès représentant les deux partis. Je leur fis part de deux inquiétudes. La première était la complaisance. Cela semblait difficile à imaginer en cet instant, alors que la douleur du 11 Septembre était si vive, mais je savais que le public finirait par passer à autre chose. En tant que dirigeants élus, nous avions la responsabilité de rester concentrés sur la menace et de mener la guerre jusqu'à la victoire.

Ma deuxième inquiétude concernait les conséquences pour les Américains d'origine arabe ou de religion musulmane. On m'avait rapporté des cas d'insultes envers des gens qui semblaient être d'origine moyen-orientale. J'étais conscient des aspects peu reluisants de l'histoire de l'Amérique en guerre. Pendant la Première Guerre mondiale, les Américains d'origine allemande avaient été ostracisés, et incarcérés dans certains cas extrêmes. Pendant la Seconde Guerre mondiale, le président Roosevelt avait approuvé qu'un grand nombre d'Américains d'origine japonaise soient internés dans des camps. L'un d'entre eux était Norm Mineta, qui avait été interné alors qu'il n'avait que dix ans. Sa présence dans la Cabinet Room ce matin-là était là pour nous rappeler les responsabilités du gouvernement, qui doit lutter contre l'hystérie et s'exprimer contre la discrimination. Je projetai de faire passer le message en me rendant dans une mosquée.

Les membres du Congrès étaient unis dans leur détermination à défendre le pays. Le sénateur Tom Daschle, chef de la majorité démocrate, émit un avertissement. Il me dit de faire attention au mot *guerre,* du fait de ses puissantes implications. Je l'écoutai exprimer ses inquiétudes, mais je n'étais pas d'accord. Si quatre attaques coordonnées de la part d'un réseau terroriste qui avait juré de tuer autant d'Américains que possible n'étaient pas un acte de guerre, alors, qu'est-ce que c'était ? Un manquement à l'étiquette diplomatique ?

Une des dernières personnes à intervenir fut Robert Byrd, le sénateur démocrate de Virginie-Occidentale, âgé de quatre-vingt-trois ans. Il avait servi pendant la crise des missiles de Cuba, la guerre du Vietnam, la fin de la guerre froide et bien d'autres défis. Ses paroles éloquentes enthousiasmèrent la salle : « Malgré la télévision et Hollywood, il y a une armée de gens qui croient en l'assistance divine et dans le Créateur. […] Des forces puissantes vous viendront en aide. »

Tard dans l'après-midi du 12 septembre, j'effectuai le bref trajet menant à l'autre rive du Potomac, au Pentagone. L'édifice fumait toujours, et des corps s'y trouvaient encore. Don Rumsfeld et moi parcourûmes le site du crash et remercièrent les équipes de sauvetage pour leur dévouement. A un moment donné, une équipe d'ouvriers en haut du bâtiment déploya un gigantesque drapeau américain. C'était un geste de défi et de résolution, exactement ce dont avait besoin le pays. Un des derniers groupes que je rencontrai fut l'équipe de la morgue. Joe Hagin les fit venir. Ils étaient couverts de poussière, s'étant acquitté du plus triste de tous les devoirs. Je leur dis à quel point j'appréciais la dignité avec laquelle ils travaillaient.

Mon expérience au Pentagone me persuada que je devais me rendre à New York dès que possible. Joe me dit que cette idée comportait de sérieux problèmes. Les Services secrets n'étaient pas sûrs que la zone fût sans danger. Les équipes sur place n'avaient pas le temps de se préparer à une visite présidentielle. Personne ne savait à quoi ressemblait l'environnement à Ground Zero. Je respectais ses inquiétudes, mais j'avais pris ma décision. Je voulais que les New-Yorkais sachent qu'ils n'étaient pas seuls. J'avais pris ces attentats de façon aussi personnelle qu'eux. Il n'y avait rien de mieux que de le leur dire en face.

Je décidai de l'annoncer le jeudi matin. Ari Fleischer avait suggéré que l'on invite la presse dans le Bureau Ovale pour qu'elle assiste à ma conversation téléphonique avec le gouverneur de New York George Pataki et avec le maire Rudy Giuliani. « Je ne peux que vous dire à quel point je suis fier de tous les braves citoyens de votre région du monde, et du travail extraordinaire que vous êtes tous en train d'accomplir », déclarai-je. Puis je dévoilai ma surprise. « Vous m'avez gentiment invité à venir à New York. J'accepte. Je serai là demain après-midi. »

J'acceptai de répondre à quelques questions de la presse après mon appel. Ils m'interrogèrent sur la sécurité de l'aviation, l'endroit où se trouvait Ben Laden, et ce que j'attendais du Congrès. La dernière question fut posée par un journaliste du *Christian Science Monitor* : « Pourriez-vous nous donner une idée des prières auxquelles vous pensez et de ce que vous ressentez… ? »

J'étais parvenu à masquer mes émotions en public au cours des deux derniers jours, mais cette question les fit remonter à la surface. Je repensai à la voix affectée par le chagrin de Ted Olson. Je revis les membres épuisés de l'équipe de la morgue. Je pensai aux enfants innocents qui étaient morts, à ceux qui avaient perdu leur maman ou leur papa. La tristesse qui s'était accumulée afflua. Mes yeux se remplirent de larmes et ma gorge se serra. Je marquai un bref temps d'arrêt pendant que les appareils photo crépitaient. Je me repris, posai ma main à plat sur le bureau Resolute et me penchai en avant. « Eh bien, je ne pense pas à moi en ce moment. Je pense aux familles, aux enfants. Je suis un type aimant, et je suis aussi quelqu'un qui, malgré tout, a un boulot à faire. Et j'ai l'intention de le faire. »

Plus tard dans la journée, Laura et moi sommes allés rendre visite à des victimes du Pentagone, au Centre hospitalier de Washington. Quelques-uns avaient été brûlés sur presque tout le corps. Je demandai à un homme s'il était dans les Rangers. Sans hésiter, il répondit : « Non, monsieur, je suis des Forces spéciales. J'ai un trop gros QI pour être un Ranger. » Tout le monde dans la salle – son épouse, ses médecins, Laura et moi – éclata de rire. C'était si bon de rire. Je quittai l'hôpital inspiré par le courage des blessés et la compassion des médecins et des infirmières.

A notre retour de l'hôpital, Andy Card attendait dans l'allée de la pelouse Sud. Avant même que j'aie pu descendre de la limousine, il avait ouvert la portière et s'était jeté à l'intérieur. Il me dit qu'il y avait eu une alerte à la bombe à la Maison-Blanche. Les Services secrets avaient déplacé le vice-président, et ils voulaient m'évacuer moi aussi. Je dis aux agents de vérifier leurs informations et de renvoyer chez eux autant de membres du personnel que possible. Mais je restai sur place. Je n'allais pas faire à l'ennemi le plaisir de me voir encore une fois embarqué vers d'autres lieux. Les Services secrets étendirent le périmètre de sécurité de la Maison-Blanche. Nous survécûmes à la journée. Quand nous allâmes nous coucher, je me dis : *Un jour de plus sans attentat. Dieu merci.*

Près de 3 000 hommes, femmes et enfants innocents perdirent la vie le 11 Septembre. J'estimais qu'il était important que le pays fasse son deuil ensemble. J'ai donc décrété que le vendredi serait une journée nationale de prière et du souvenir. Je savais que le 14 septembre serait un jour pénible, émouvant. Je ne m'attendais pas qu'il soit l'un des plus forts de ma vie.

Peu après 7 heures du matin, Andy Card me retrouva dans le Bureau Ovale pour mon briefing de sécurité. La CIA pensait qu'il restait des agents d'Al-Qaïda sur le territoire des Etats-Unis et qu'ils comptaient attaquer à l'aide d'armes biologiques, chimiques ou nucléaires. Il était difficile d'imaginer quelque chose de plus dévastateur que le 11 Septembre, mais ce serait le cas si des terroristes utilisaient des armes de destruction massive.

Je demandai au directeur du FBI Bob Mueller et au ministre de la Justice John Ashcroft de me tenir au courant des progrès de l'enquête du FBI sur les pirates de l'air. Bob me dit qu'ils avaient identifié la plupart des terroristes et qu'ils avaient établi quand ils étaient entrés sur le territoire, où ils avaient séjourné et comment ils avaient mis leur plan à exécution. C'était un remarquable résultat, mais ça ne suffisait pas.

« Qu'est-ce que vous faites pour empêcher la prochaine attaque ? » demandai-je. Les gens bougèrent nerveusement sur leurs sièges. Je dis à Bob que je voulais que le Bureau adopte une mentalité de temps de guerre. Nous devions empêcher les attaques de se produire, pas seulement enquêter sur elles après qu'elles avaient eu lieu. A la fin de la réunion, Bob confirma : « C'est notre nouvelle mission, prévenir les attentats. » Dans les années qui suivraient, il tiendrait sa promesse. Il procéda à la transformation la plus fondamentale qu'ait connue le FBI en un siècle d'histoire.

Après une conversation téléphonique avec le Premier ministre israélien Ariel Sharon, un chef de gouvernement qui savait ce qu'était la lutte contre le terrorisme, j'entamai ma première réunion de cabinet depuis les attentats. Quand je suis entré dans la salle, l'équipe se mit à m'applaudir longuement. Je fus surpris, et leur soutien enthousiaste me serra la gorge. Les larmes revinrent pour la deuxième fois en deux jours.

Nous commençâmes par une prière. Je demandai à Don Rumsfeld de la prononcer. Il eut des mots touchants pour les victimes et demanda la « patience de freiner notre désir d'action ». Le silence après la prière me donna le temps de me reprendre. Je pensai au discours que je teindrais bientôt à la Cathédrale Nationale. Colin Powell aussi, apparemment, puisqu'il me tendit un billet.

« Cher monsieur le président, avait-il écrit, quand je dois tenir un discours de cet ordre, j'évite les mots dont je sais qu'ils m'émeuvent, comme Maman et Papa. » C'était un geste plein d'attention. Colin avait été au combat ; il connaissait les puissantes émotions que nous ressentions tous et s'efforçait de me réconforter. En ouvrant la réunion, j'ai brandi son billet et j'ai plaisanté : « Laissez-moi vous dire ce que vient juste de me dire le secrétaire d'Etat. [...] " Cher monsieur le président, ne craquez pas ! " »

La Cathédrale Nationale est un édifice impressionnant, avec des plafonds d'une trentaine de mètres, d'élégants arcs-boutants et des vitraux lumineux. Le 14 septembre, les bancs étaient noirs de monde. Les anciens présidents Ford, Carter, Bush et Clinton étaient présents avec leurs épouses. Ainsi que presque tous les membres du Congrès, l'ensemble du cabinet, les chefs d'état-major, les juges de la Cour Suprême, le corps diplomatique et des familles des victimes. Une personne n'était pas là : Dick Cheney. Il se trouvait à Camp David pour assurer la continuité du gouvernement, preuve de la menace qui planait toujours.

J'avais demandé à Laura et Karen Hughes de se charger du programme, et elles s'en étaient admirablement tirées. Parmi les intervenants se trouvaient des représentants de nombreuses confessions : l'imam Muzammil Siddiqi, de la Société islamique d'Amérique du Nord, le rabbin Joshua Haberman, Billy Graham, le cardinal Theodore McCarrick, et Kirbyjon Caldwell. Vers la fin de la cérémonie, ce fut mon tour. En grimpant les marches vers le pupitre, je murmurai une prière : « Seigneur, que ta lumière brille à travers moi. »

Le discours de la cathédrale fut le plus important de ma jeune présidence. J'avais dit à mes rédacteurs – Mike Gerson, John McConnell et Matthew Scully – que je voulais atteindre trois objectifs : pleurer les vies perdues, rappeler aux gens l'existence d'un Dieu aimant, et rappeler clairement que ceux qui avaient attaqué notre pays devraient répondre de leurs actes.

« Nous sommes ici en cette heure de chagrin, commençai-je. Tant de nous ont subi des pertes si terribles, et aujourd'hui, nous exprimons la peine de notre nation. Nous nous présentons devant Dieu pour prier pour les disparus et les morts, et pour ceux qui les aiment. [...] Aux enfants et aux parents, aux conjoints et aux familles et aux amis des disparus, nous offrons la plus profonde sympathie de la nation. Et je vous l'assure, vous n'êtes pas seuls. »

Je scrutai la foule. Trois soldats assis sur ma droite pleuraient. Tout comme Charity Wallace, la chef de cabinet de mon épouse. J'étais décidé à ne pas succomber à la contagion des larmes. J'évitais soigneusement de regarder le banc où se trouvaient Mère, Papa et Laura. Je continuai :

Trois jours à peine après ces événements, les Américains n'ont pas encore pris assez de distance. Mais notre responsabilité envers l'histoire est déjà claire : nous devons répondre à ces attaques et débarrasser le monde du mal. C'est une guerre furtive, sournoise et meurtrière. Cette nation est pacifique, mais féroce quand on la pousse à la colère. Ce sont d'autres que nous qui ont décidé du moment et des termes de ce conflit. Il prendra fin d'une façon et au moment que nous choisirons. [...]

Les signes que nous envoie Dieu ne sont pas toujours ceux que l'on cherche. C'est dans la tragédie que nous apprenons que Ses voies ne

sont pas toujours les nôtres. Pourtant, les prières et la souffrance privée,
que ce soit dans nos foyers et dans cette belle cathédrale, sont connues,
entendues et comprises. [...] le monde qu'Il a créé a un dessein moral.
Le chagrin, la tragédie et la haine ne durent qu'un temps. La bonté, le
souvenir et l'amour n'ont pas de fin. Et le Seigneur de la vie accepte
tous ceux qui meurent, et tous ceux qui portent le deuil.

Quand je me suis rassis aux côtés de Laura, Papa tendit la main et me serra doucement le bras. Certains ont voulu voir dans ce geste le passage symbolique du flambeau d'une génération à une autre. Pour moi, c'était la caresse rassurante d'un père qui connaissait les défis de la guerre. Je puisais de la force dans son exemple et son amour. J'avais besoin de cette force pour la prochaine étape du voyage : la visite de Manhattan, là où les avions avaient frappé.

Le vol vers le nord fut paisible. J'avais demandé à Kirbyjon Caldwell de m'accompagner. J'avais vu les images de New York à la télévision et je savais que la dévastation était terrible. Il était réconfortant d'avoir un ami et un homme de foi à mes côtés.

Le gouverneur Pataki et le maire Giuliani m'accueillirent à la base aérienne McGuire, dans le New Jersey. Ils avaient l'air épuisés. Le gouverneur avait travaillé sans relâche depuis le mardi matin, allouant les ressources de son Etat et ralliant les troupes sous son commandement. Et rarement un homme fut plus à la hauteur de l'événement et avec plus de naturel que Rudy Giuliani le 11 Septembre. Il sut redresser la tête au bon moment, pleurer quand il le fallait, et resta sans cesse aux commandes.

J'embarquai dans l'hélico avec George et Rudy. Sur le trajet vers la ville, les pilotes des Marines survolèrent Ground Zero. Je repensai à mon vol en hélicoptère le soir du 11 Septembre. Le Pentagone avait été blessé, mais pas détruit. Ce n'était pas le cas des tours jumelles. Elles avaient disparu. Il n'en restait que des tas de gravats. La dévastation était choquante, absolue.

La vue aérienne n'était rien comparée à ce que je vis au sol. George, Rudy et moi nous entassâmes dans un Suburban. Nous venions à peine de commencer à rouler en direction du site de la catastrophe quand quelque chose attira mon regard sur le bas-côté. On aurait dit une grosse masse grise. J'y regardai de plus près. C'était un groupe de sauveteurs de la première heure, couverts de cendres de la tête aux pieds.

Je demandai au chauffeur de s'arrêter. Je me suis approché, j'ai commencé à serrer des mains, et j'ai remercié les hommes de tout ce qu'ils avaient fait. Ils avaient travaillé sans s'arrêter. Plusieurs avaient des larmes qui coulaient sur leurs joues, traçant des sillons dans la suie comme des ruisseaux dans un désert. L'émotion de cette rencontre était annonciatrice de la suite.

A l'approche de Ground Zero, ce fut comme si j'avais pénétré dans un cauchemar. Il y avait peu de lumière. De la fumée flottait dans l'air, mêlée aux particules de débris en suspension, formant un étrange voile gris. Nous avons pataugé dans des flaques laissées par la pluie matinale et l'eau utilisée pour éteindre les incendies. Des responsables locaux me parlaient : « C'est ici que se tenait l'ancien quartier général. [...] C'est là que s'est regroupée l'unité. » Je m'efforçais de les écouter, mais mon esprit ne cessait de revenir à la dévastation, et à ceux qui avaient commandité les attentats. Ils nous avaient frappés encore plus durement que je ne l'avais compris.

Nous marchions depuis quelques minutes quand George et Rudy nous ont entraînés vers un puits où des sauveteurs creusaient dans les débris en quête de survivants. Si le reste du site était un cauchemar, ici, c'était l'enfer pur et simple. Il faisait plus sombre que plus haut. Outre la suie lourde qui flottait dans l'air, il y avait des piles de verre et de métal fracassé.

Quand les sauveteurs me virent, ils formèrent une ligne. Je serrai la main de tous. Leurs visages et leurs vêtements étaient sales. Ils avaient les yeux injectés de sang et leurs voix étaient éraillées. Ils affichaient tout le spectre des émotions : du chagrin et de l'épuisement, de l'angoisse et de l'espoir, de la colère et de la fierté. Plusieurs murmurèrent « Merci », « Dieu vous bénisse » ou « Nous sommes fiers de vous ». Je leur dis que c'était l'inverse. C'était moi qui étais fier d'eux.

Au bout de quelques minutes, l'humeur changea. Un pompier couvert de suie me dit que sa caserne avait perdu plusieurs hommes. Je tentai de le réconforter, mais ce n'était pas ce qu'il attendait de moi. Il me regarda droit dans les yeux et me dit : « George, trouvez les salauds qui ont fait ça et tuez-les. » Il est rare que les gens appellent le président par son prénom. Mais cela m'allait très bien. C'était une affaire personnelle.

Plus je passais du temps avec eux, plus les émotions brutes remontaient à la surface. Pour la plupart de ces hommes et de ces femmes, j'étais un visage qu'ils avaient vu à la télévision. Ils ne me connaissaient pas. Ils ne savaient pas de quoi j'étais capable. Ils voulaient être sûrs que je partageais leur détermination. Un homme s'exclama : « Ne me décevez pas ! » Un autre me hurla droit sous le nez « Faites ce qu'il faut ! » Leur soif de sang était palpable et compréhensible.

Andy Card me demanda si je souhaitais dire quelque chose à la foule. Je décidai qu'il le fallait. Il n'y avait pas de tribune, pas de micro, pas de texte préparé. Andy m'indiqua un tas de métal. Je jetai un coup d'œil à Carl Truscott, des Services secrets, qui me fit comprendre d'un hochement de tête que je pouvais grimper sans danger. Un pompier plus âgé se trouvait au sommet. J'ai tendu la main et il m'a aidé à le rejoindre. Il s'appelait Bob Beckwith.

Nina Bishop, membre de l'équipe qui venait de reconnaître les lieux avant nous, avait trouvé un mégaphone que je pouvais utiliser pour m'adresser à la foule. Elle me le plaqua dans les mains. Les gens pouvaient me voir en haut du monticule qui, je l'appris par la suite, était ce qui restait d'un camion de pompier écrasé. Mon premier instinct fut de les consoler. Je leur dis que l'Amérique, à genoux, priait pour les victimes, les sauveteurs, les familles.

Des gens crièrent. « On ne vous entend pas. – Moi je vous entends ! » répliquai-je. Ce qui suscita une acclamation. J'avais espéré les rassembler et exprimer la résolution de tout le pays. Soudain, j'ai su comment. « Je vous entends. Le reste du monde vous entend », dis-je, suscitant de nouvelles acclamations, plus fortes. « Et les gens qui ont abattu ces immeubles vont bientôt nous entendre tous ! » La foule explosa. Ce fut un dégagement d'énergie comme je n'en avais encore jamais connu. Ils se mirent à scander : « USA, USA, USA ! »

Au fil des années, il m'était arrivé de passer du temps à New York. Mais je dus attendre le 14 septembre 2001 pour prendre la mesure de la véritable personnalité de la ville. Après ma visite à Ground Zero, nous avons roulé jusqu'au Centre Javits, à un peu plus de quatre kilomètres au nord. Je fus étonné par le nombre de gens qui brandissaient des drapeaux et nous saluaient sur West Side Highway. « Je suis désolé de vous dire ça, monsieur le président, plaisanta Rudy, mais aucun d'entre eux n'a voté pour vous. »

Au Centre Javits, je suis entré dans une zone de transit pour les sauveteurs venus de tout le pays. Je rencontrai des pompiers et des sauveteurs d'Etats aussi distants que l'Ohio et la Californie. Sans qu'on leur demande, ils étaient venus en renforts dans la ville. Je les remerciai au nom du pays et les encourageai à poursuivre leurs efforts.

Le garage du bâtiment avait été converti en espace de rassemblement pour environ deux cents membres des familles de sauveteurs portés disparus. Les gens présents étaient de tous les âges, des grands-mères aux nouveau-nés. Beaucoup vivaient le même cauchemar : leurs proches avaient été vus ou entendus pour la dernière fois près du World Trade Center. Ils voulaient savoir s'ils avaient survécu.

Je venais de contempler les débris des tours. Je savais que ce serait un miracle si quelqu'un en sortait. Pourtant, les familles refusaient de renoncer. Nous avons prié et pleuré ensemble. Beaucoup de gens me demandaient des photos ou des autographes. Je me sentais mal à l'aise de signer des autographes en ces instants de deuil, mais j'étais prêt à tout pour atténuer leurs souffrances. Je demandai à chaque famille de me parler en quelques mots de leurs disparus. Puis je dis : « Je vais signer cette carte, et ensuite, quand votre papa [ou maman ou fils ou fille] rentrera à la maison, il vous croira quand vous lui direz que vous avez vraiment rencontré le président. »

Dans un coin de la salle, je vis une famille regroupée autour d'une femme assise. Je m'installai à ses côtés, et elle me dit qu'elle s'appelait Arlene Howard. Son fils était un policier de l'autorité portuaire qui avait pris sa journée le 11 Septembre, mais qui s'était porté volontaire pour aider dès qu'il avait entendu parler des attentats. La dernière fois qu'on l'avait vu, il fonçait dans la poussière et la fumée, trois jours plus tôt.

Alors que je me préparais à leur faire mes adieux, Arlene a fouillé dans son sac et m'a tendu la main. Elle tenait un objet métallique. « C'est le badge de mon fils. Il s'appelle George Howard. S'il vous plaît, souvenez-vous de lui », me dit-elle en me plaquant le badge dans la main. Je lui promis de ne pas l'oublier.

J'ai servi pendant 2 685 jours après qu'Arlene m'eut donné ce badge. Je l'ai gardé sur moi pendant tout ce temps. Au fil des ans, la plupart des Américains ont repris une vie normale. C'était naturel et souhaitable.

Cela voulait dire que le pays se remettait, que les gens se sentaient plus en sécurité. Alors que je consigne ces réflexions par écrit, ce jour de flammes est un lointain souvenir pour certains de nos citoyens. Les Américains les plus jeunes n'ont aucune connaissance directe de l'événement. Un jour, le 11 Septembre sera pour nous comme Pearl Harbor – une date célébrée sur le calendrier, un moment important de l'histoire, mais plus une cicatrice dans notre cœur, plus une raison de continuer à se battre.

Pour moi, la semaine du 11 Septembre sera toujours bien plus. Je vois toujours le Pentagone brûler, les tours en flammes, et cet entassement d'acier tordu. J'entends toujours les voix des gens cherchant des survivants, et les sauveteurs criant : « Ne me décevez pas ! » et « Faites ce qu'il faut ! » Je ressens toujours la tristesse des enfants, la souffrance des brûlés, le tourment des familles brisées. Je m'émerveille toujours de la bravoure des pompiers, de la compassion d'inconnus, du courage sans égal des passagers qui obligèrent cet avion à s'écraser.

Le 11 Septembre a redéfini le sens du mot sacrifice. Il a redéfini le sens du mot devoir. Et il a redéfini mon travail. L'histoire de cette semaine est la clé pour comprendre ma présidence. Tant de décisions ont suivi, dont beaucoup furent complexes et controversées. Pourtant, après le 11 Septembre, j'ai senti que mes responsabilités étaient claires. Tant que je serais à mon poste, je ne pourrais jamais oublier ce qui était arrivé à l'Amérique ce jour-là. Je me consacrerais de tout mon cœur, de toute mon âme à la protection du pays, quoi qu'il en coûte.

Mes grands-parents, Prescott et Dorothy Walker Bush, font campagne pour le sénat dans le Connecticut.

L'officier de marine avec sa belle et jeune épouse. En partant à la guerre, mon père a peint le nom de Barbara sur le flanc de son avion.

Sur les épaules de mon père à Yale,
à l'âge de neuf mois.

En voyage avec ma mère
dans le désert.

Une journée ordinaire à Midland, où
je jouais au base-ball jusqu'au coucher
du soleil.

Le dernier Noël avec ma sœur Robin, en 1952.

De retour à Houston, pendant les vacances scolaires d'Andover. A l'époque, il y avait une telle différence d'âge avec mes frères et sœurs que j'avais l'impression d'être leur oncle.

Laura et moi nous sommes mariés trois mois après le barbecue chez Joe et Jan O'Neill, à Midland. Ce fut la meilleure décision de toute mon existence.

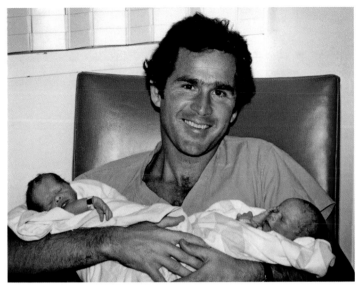

Nous nous apprêtions à adopter lorsque nous avons appris que Laura était enceinte de jumelles.

Barbara Bush et Jenna Welch portant leurs homonymes dans les bras.

Dans l'abri des Rangers avec les filles. J'avais toujours rêvé de posséder un club de base-ball, et j'étais certain que c'était le meilleur métier au monde.

Avant mon investiture en tant que gouverneur, mon père m'a légué les boutons de manchette offerts par ses parents lorsqu'il avait reçu ses ailes de pilote dans la marine. © *Dallas Morning News*/David Woo

En compagnie du gouverneur adjoint, Bob Bullock, mon improbable associé démocrate à Austin. © Associated Press/Harry Cabluck

Un baiser pour la première dame du Texas lors de ma seconde cérémonie d'investiture en tant que gouverneur. © *Dallas Morning News*/David Woo

En tournée électorale avec Dick Cheney, qui a dynamisé l'équipe et est devenu un vice-président fiable, attaché à des principes. © Associated Press/Eric Draper

Avec mon frère Jeb le soir des élections de 2000, alors que les résultats étaient prometteurs.
© *Time Magazine*/
Brooks Kraft

Karl Rove était comme un savant fou de la scène politique, drôle, intelligent, débordant d'énergie et d'idées.
© Maison-Blanche/Eric Draper

En compagnie de mes deux plus proches conseillers en politique étrangère, mon conseiller à la sécurité nationale, Steve Hadley, et ma secrétaire d'Etat, Condi Rice.
© Maison-Blanche/Paul Morse

Avec mes chargés de communication, (*de gauche à droite*) Dan Bartlett, Dana Perino et Tony Snow.
© Maison-Blanche/Eric Draper

Autour d'un café avec John Roberts dans la salle d'attente Ouest, le matin de sa nomination en 2005.
© Maison-Blanche/Eric Draper

En grande discussion avec le révérend Billy Graham, qui m'a permis d'approfondir mon approche de la foi.
© Maison-Blanche/Paul Morse

En visite chez le pape Jean-Paul II à Castel Gandolfo en 2001. Le Saint-Père m'a exhorté à défendre le caractère sacré de l'existence.
© Maison-Blanche/Eric Draper

Avec Trey Jones, un bébé « flocon de neige », né d'un embryon congelé que la recherche allait détruire.
© Maison-Blanche/Kimberlee Hewitt

Lors d'un exercice de lecture en salle de classe le 11 septembre 2001, le chef d'état-major Andy Card m'a murmuré : « Un second avion vient de percuter la deuxième tour, l'Amérique est attaquée. »
© Associated Press/Doug Mills

Au téléphone avec Dick Cheney à bord d'Air Force One le 11 septembre. J'ai donné l'autorisation d'abattre un avion de ligne détourné, priant pour que nos pilotes n'aient pas à le faire.
© Maison-Blanche/Eric Draper

De retour à la Maison-Blanche le 11 septembre, en pleine préparation de mon discours à la nation avec (*de gauche à droite*) le conseiller de la Maison-Blanche Al Gonzales, Condi Rice, ma conseillère politique Karen Hughes, mon secrétaire de presse Ari Fleischer et Andy Card.
© Maison-Blanche/Paul Morse

En visite au Pentagone le 12 septembre 2001, accompagné du secrétaire à la Défense, Don Rumsfeld.
© Maison-Blanche/Eric Draper

Dans la cathédrale nationale, le 14 septembre 2001. « La date et les conditions de ce conflit ont été dictées par les terroristes, ai-je dit. Nous déciderons donc quand et comment il se terminera. »
© Maison-Blanche/Eric Draper

Concertation avec le maire de New York, Rudy Giuliani (*à gauche*) et le gouverneur de New York, George Pataki au McGuire Air Force Base juste avant de prendre l'hélicoptère pour Ground Zero.
© Maison-Blanche/Paul Morse

Parmi les secouristes, au milieu des décombres des tours. « George, retrouvez les enfoirés qui ont fait ça et descendez-les ! » a crié l'un d'eux. Un autre a hurlé : « Coûte que coûte ! » © Maison-Blanche/Eric Draper

Dans ma main, le badge de l'officier de police de l'autorité portuaire, George Howard, mort dans le World Trade Center.
© Maison-Blanche/Eric Draper

Match d'ouverture des *World Series* de 2001 au Yankee Stadium. « Ne faites pas rebondir la balle, ou vous serez hué », m'avait averti le bloqueur des Yankees, Derek Jeter. © Maison-Blanche/Eric Draper

En réunion avec Dick Cheney, Colin Powell, Don Rumsfeld et l'équipe de sécurité nationale à Camp David le samedi suivant le 11 septembre. © Maison-Blanche/Eric Draper

Dans le Salon Bleu, où j'explique au Premier ministre britannique Tony Blair que nous allons déployer des troupes au sol en Afghanistan. © Maison-Blanche/Eric Draper

En plein travail dans le Salon des Traités, d'où j'ai annoncé le lancement de la guerre en Afghanistan le 7 octobre 2001. © Maison-Blanche/Joyce Boghosian

En 2006, le président pakistanais Pervez Musharraf (*à gauche*) et le président afghan Hamid Karzai s'adressaient à peine la parole. J'ai tenté de les rapprocher en faisant de la diplomatie personnelle.
© Maison-Blanche/Eric Draper

Un discours à Fort Drum en 2002, face à la division Tenth Mountain, qui a aidé à repousser Al-Qaïda et les talibans d'Afghanistan. © Maison-Blanche/Paul Morse

Dan et Maureen Murphy reçoivent la médaille d'honneur décernée à leur fils, le lieutenant des Navy SEALs Michael Murphy, qui a sacrifié sa vie pour aider ses hommes en Afghanistan. © Maison-Blanche/Joyce Boghosian

Au ranch avec le général Tommy Franks, qui a mené les libérations en Afghanistan et en Irak. © Maison-Blanche/Susan Sterner

« Tu dois tout essayer pour éviter la guerre, m'a dit mon père lors d'une conversation sur l'Irak, fin 2002. Mais si l'autre refuse de coopérer, tu n'auras pas le choix. »
© Maison-Blanche/Eric Draper

6

Sur le pied de guerre

Le 17 octobre 2001, je montai à bord d'Air Force One pour mon premier voyage à l'étranger depuis le 11 Septembre. Nous partions assister au sommet de l'APEC, la Coopération économique pour l'Asie-Pacifique, qui réunissait vingt et un dirigeants des nations du pourtour du Pacifique. Le déplacement était source d'inquiétude pour les Services secrets. Pendant des semaines, nous avions reçu des rapports glaçants sur de nouvelles attaques potentielles. Toutefois, le renforcement des liens entre l'Amérique et l'Extrême-Orient était une de mes principales priorités, et je voulais que mes collègues les chefs d'Etats puissent constater *de visu* ma volonté de lutter contre les terroristes.

Quand Air Force One se posa à Shanghai, je repensai à la ville poussiéreuse et envahie de vélos que j'avais visitée avec Mère en 1975. Cette fois, nous reliâmes le centre de la ville en quarante-cinq minutes par une autoroute moderne. Nous traversâmes un nouveau quartier scintillant baptisé Pudong. J'appris plus tard que le gouvernement avait déplacé environ cent mille personnes pour faire place au chantier. Les gratte-ciel et les néons me rappelaient Las Vegas. Pour Shanghai, le Grand Bond en avant avait enfin eu lieu.

Le lendemain matin, je me serrai sous une tente bleue au Ritz-Carlton avec Colin Powell, Condi Rice, Andy Card et un rapporteur de la CIA. La structure était conçue pour protéger le briefing de sécurité nationale de curieux éventuels. Nous avons allumé un écran vidéo et le visage de Dick Cheney est apparu depuis New York. Il portait une cravate blanche et un smoking pour son discours au dîner de la Fondation Alfred E. Smith, événement caritatif organisé chaque année par l'Eglise catholique.

Dès que je vis Dick, je sus que quelque chose n'allait pas. Il était aussi blanc que sa cravate.

« Monsieur le président, dit-il, un des bio-détecteurs s'est déclenché à la Maison-Blanche. Ils ont trouvé des traces de la toxine botulique. Il est possible que nous y ayons été exposés. »

La CIA m'avait parlé de la toxine botulique. C'était une des substances les plus toxiques au monde. Personne ne parla. Enfin, Colin demanda : « Quel est le délai d'exposition ? » Procédait-il à un calcul mental pour savoir quand il était passé à la Maison-Blanche pour la dernière fois ?

Le conseiller adjoint à la sécurité nationale Steve Hadley expliqua que le FBI testait la substance incriminée sur des souris. Les vingt-quatre prochaines heures seraient cruciales. Si les souris continuaient à s'agiter, les pattes sur terre, nous ne risquerions rien. Mais si elles se retrouvaient les pattes en l'air, nous étions fichus. Condi s'efforça de détendre l'atmosphère. « Eh bien, dit-elle, en voilà une façon de mourir pour son pays. »

Je me rendis au sommet en attendant les résultats des tests. Le lendemain, Condi apprit que Steve essayait de la joindre. « Je pense que je sais pourquoi », fit-elle. Quelques minutes plus tard, elle revenait porteuse de nouvelles.

« Les pattes sur terre, pas en l'air », dit-elle. C'était une fausse alerte.

Des années plus tard, des incidents comme l'affaire de la toxine botulique peuvent paraître délirants et exagérés. Il est facile de ricaner à l'idée des plus hauts responsables des Etats-Unis priant pour que des souris de laboratoire restent debout. Mais à l'époque, ces menaces étaient pressantes et bien réelles. Six matins par semaine, George Tenet et la CIA me décrivaient ce qu'ils appelaient la Matrice de la menace, qui résumait les attaques potentielles sur notre territoire. Le dimanche, je recevais un rapport de renseignements écrit. Entre le 11 Septembre et la mi-2003, la CIA me signala une moyenne de quatre cents menaces spécifiques chaque mois. Elle remonta les filières de vingt tentatives présumées d'attaques à grande échelle, allant d'une éventuelle utilisation d'armes chimiques et biologiques en Europe à des attentats potentiels sur notre territoire à l'aide d'agents dormants. Certains rapports mentionnaient des cibles spécifiques, dont de grands monuments, des bases militaires, des universités et des centres commerciaux. Pendant des mois après le 11 Septembre, je me réveillai au milieu de la nuit en m'inquiétant de ce que j'avais lu.

Je harcelais mes rapporteurs de questions. Quel était le degré de crédibilité de chaque menace ? Qu'avions-nous fait pour en savoir plus ? Chaque élément d'information était le fragment d'une mosaïque. A la fin septembre, Bob Mueller, le directeur du FBI, posa un fragment conséquent quand il m'annonça qu'il y avait 331 agents potentiels d'Al-Qaïda aux Etats-Unis. Il était impossible de se méprendre sur le tableau d'ensemble : la perspective d'une deuxième vague d'attentats terroristes contre l'Amérique était bien réelle.

Avant le 11 Septembre, beaucoup avaient considéré le terrorisme essentiellement comme un crime qu'il fallait poursuivre, comme l'avait fait le gouvernement après l'attentat à la bombe contre le World Trade Center en 1993. Après le 11 Septembre, il était évident que les attentats contre nos ambassades en Afrique de l'Est et contre l'*USS Cole* étaient plus que des crimes isolés. Il s'était agi de répétitions avant le 11 Septembre, éléments d'un grand projet orchestré par Oussama ben Laden, qui avait émis ce que l'on appelle une fatwa appelant au meurtre d'Américains « comme étant le devoir de tout musulman en mesure de le faire dans tout pays où cela est possible ».

Le 11 Septembre, il était devenu clair que l'approche légale dans la lutte contre le terrorisme avait échoué. Des suicidaires prêts à s'écraser avec des avions de ligne dans des immeubles n'étaient pas des criminels comme les autres. La menace de poursuites ne suffisait pas à les dissuader. Ils avaient déclaré la guerre à l'Amérique. Pour protéger le pays, nous devions leur faire la guerre.

Cette guerre serait différente de toutes celles qu'avait menées l'Amérique par le passé. Nous devions découvrir les complots terroristes. Nous devions suivre leurs mouvements et perturber leurs opérations. Nous devions les couper de leurs moyens financiers et les priver de leurs bases de repli. Et nous devions faire tout cela sous la menace d'autres attentats. Les terroristes avaient fait de notre territoire un champ de bataille. Une des décisions les plus importantes fut de mettre l'Amérique sur le pied de guerre.

Mon autorité pour diriger la guerre contre le terrorisme reposait sur deux piliers. Le premier était l'Article II de la Constitution, qui confère au président des pouvoirs en temps de guerre en tant que commandant en chef. L'autre était une résolution votée au Congrès trois jours après le 11 Septembre. Par 98 voix à 0 au Sénat et 420 contre 1 à la Chambre, le Congrès avait déclaré :

> *que le président est autorisé à user de toute la force nécessaire et appropriée contre ces nations, organisations ou personnes qui, selon lui, ont planifié, autorisé, commis ou assisté les attentats terroristes qui se sont produits le 11 Septembre 2001, ou ont donné asile à ces organi-*

sations ou personnes, afin de prévenir tout acte de terrorisme interna-
tional à l'avenir contre les Etats-Unis par lesdites nations, organi-
sations ou personnes.

Dans les années qui suivirent, certains, au Congrès, allaient
oublier ces mots. Pas moi. Chaque matin, je me réveillais en réfléchissant au danger qui nous guettait et aux responsabilités qui étaient
les miennes. J'étais aussi douloureusement conscient que les présidents avaient traditionnellement tendance à aller trop loin en temps
de guerre. John Adams avait signé les lois sur les étrangers et la
sédition, qui interdisaient la contestation publique. Abraham Lincoln avait suspendu l'*habeas corpus* pendant la guerre de Sécession.
Franklin Roosevelt avait fait interner les Japonais-Américains pendant la Seconde Guerre mondiale. Quand j'avais prêté serment,
j'avais juré de « préserver, protéger et défendre la Constitution ».
Mon devoir le plus solennel, la mission de ma présidence étaient de
protéger l'Amérique – dans le cadre de l'autorité que me conférait la
Constitution.

Notre première tâche, immédiatement après le 11 Septembre, fut
de renforcer les défenses du pays contre une autre attaque. L'entreprise était considérable. Pour arrêter l'ennemi, nous devions être
sûrs de nous à 100 %. Pour nous faire mal, il leur suffisait de réussir
une seule fois.

Nous mîmes en place une série de nouvelles mesures de sécurité.
J'approuvai le déploiement de forces de la Garde nationale dans les
aéroports, autorisai la présence de davantage de policiers à bord des
avions, exigeai des compagnies aériennes qu'elles renforcent les
portes des cabines de pilotage, et durcis la procédure d'attribution
des visas et de contrôle des passagers. Travaillant avec les gouvernements des Etats et les municipalités ainsi que le secteur privé,
nous avons musclé la sécurité dans les ports, sur les ponts, les centrales nucléaires et d'autres infrastructures vulnérables.

Peu après le 11 Septembre, je nommai le gouverneur Tom Ridge,
de Pennsylvanie, à un nouveau poste chargé de superviser nos opérations de sûreté du territoire. Tom disposait d'une expérience précieuse, mais au début de 2002, il devint clair que cette mission était
trop importante pour être coordonnée depuis un petit bureau de la
Maison-Blanche. Des dizaines d'agences fédérales différentes se
partageaient la responsabilité d'assurer la sécurité du territoire. Cette
approche morcelée était inefficace, et il y avait un trop grand risque
que quelque chose passe entre les mailles du filet. En mars 2002,
nous en eûmes la preuve flagrante quand il s'avéra que les Services
de l'immigration et de naturalisation (INS) avaient envoyé un courrier à une école de pilotage de Floride assurant qu'ils avaient attribué

des visas d'étudiants à Mohamed Atta et Marwan al-Shehhi. La personne qui ouvrit la lettre dut avoir un choc. C'étaient les pilotes qui avaient écrasé les avions dans les tours le 11 Septembre.

Je fus choqué, moi aussi. Comme je le dis à la presse à l'époque : « Je pouvais à peine avaler mon café. » Ce manque de rigueur mettait en lumière le besoin d'une réforme plus exhaustive. L'INS, une branche du département de la Justice, n'était pas la seule agence à se débattre avec ses nouvelles responsabilités dans le domaine de la sûreté du territoire. Les Douanes, qui dépendent du département du Trésor, étaient confrontées à la mission colossale d'assurer la sécurité des ports du pays, responsabilité qu'elles partageaient avec les gardes-côtes, qui dépendaient, eux, du département des Transports.

Le sénateur démocrate du Connecticut, John Lieberman, avait défendu avec ferveur l'idée de la création d'un nouveau ministère fédéral afin de centraliser nos efforts dans ce secteur. J'aimais et respectais Joe. C'était un législateur robuste, qui avait oublié l'amertume de l'élection de 2000 et comprenait l'urgence de la guerre contre le terrorisme. Au départ, je me méfiai de son idée d'un nouveau ministère. Une grande bureaucratie ne pouvait qu'être peu maniable. Je redoutais également de procéder à une réorganisation massive en pleine crise. Comme le dit J.D. Crouch, qui devint par la suite mon conseiller adjoint à la sécurité nationale : « Quand on est occupé à transformer les épées en socs de charrue, on ne peut pas à la fois se battre et labourer. »

Avec le temps, je finis par changer d'avis. Je compris qu'un ministère consacré à la sûreté du territoire centraliserait autorité et responsabilité. Si toutes les agences responsables de la protection du pays étaient regroupées sous un même toit, il y aurait moins de failles et moins de redondance. Je savais aussi qu'il y avait un précédent à une restructuration du gouvernement en temps de guerre. A l'aube de la guerre froide, en 1947, le président Harry Truman avait rassemblé les départements de la Marine et de la Guerre en un nouveau département de la Défense. Ses réformes avaient renforcé l'armée pour les décennies suivantes.

Je décidai que cette réorganisation était un risque à prendre. En juin 2002, je m'adressai au pays depuis la Maison-Blanche pour appeler le Congrès à créer un nouveau département de la Sûreté du Territoire.

En dépit du soutien de nombre de législateurs, le projet de loi progressait difficilement. Les démocrates bloquèrent la législation en insistant pour que le nouveau département accorde à ses salariés des droits de négociation collectifs dont ne disposaient pas les autres institutions gouvernementales. J'étais exaspéré de voir les démocrates retarder une mesure de sécurité urgente pour satisfaire les syndicats.

Les candidats républicains présentèrent la question aux électeurs lors des élections de mi-mandat en 2002, et je fis de même. Le jour des élections, notre parti conquit six sièges à la Chambre et deux au Sénat. Karl Rove me rappela que le seul autre président à avoir gagné des sièges à la fois à la Chambre et au Sénat lors des élections à mi-mandat était Franklin Roosevelt.

Quelques semaines plus tard, la loi sur la sûreté du territoire était votée. Je n'eus pas à chercher bien loin pour nommer mon premier secrétaire à ce nouveau département. Ce fut Tom Ridge.

Le 2 octobre 2001, Bob Stevens, rédacteur en chef d'un tabloïde, fut admis dans un hôpital de Floride avec une forte fièvre et des vomissements. Quand les médecins l'examinèrent, ils découvrirent qu'il avait respiré une bactérie mortelle, l'anthrax. Trois jours plus tard, il était mort.

D'autres employés du journal tombèrent malades, ainsi que des gens qui avaient ouvert le courrier chez NBC, ABC et CBS News. Des enveloppes pleines de poudre blanche arrivèrent au bureau sénatorial de Tom Daschle. Plusieurs membres du personnel du Capitole et des postiers tombèrent également malades. Tout comme un employé d'un hôpital new-yorkais et une femme de quatre-vingt-quatorze ans dans le Connecticut. Au total, dix-sept personnes furent contaminées. Tragiquement, cinq moururent.

Une des lettres contenant de l'anthrax disait :

11-09-01
VOUS NE POUVEZ PAS NOUS ARRÊTER.
NOUS AVONS CET ANTHRAX.
VOUS MOUREZ MAINTENANT.
VOUS AVEZ PEUR ?
MORT À L'AMÉRIQUE.
MORT À ISRAËL.
ALLAH EST GRAND.

Une idée abominable me vint : s'agissait-il de la deuxième vague, une attaque biologique ?

On m'avait expliqué les horribles conséquences d'une attaque avec des armes biologiques. D'après une évaluation, une « attaque à la variole soigneusement orchestrée par un Etat dans la zone métropolitaine de New York » pouvait contaminer 630 000 personnes sur-le-champ, et 2 à 3 millions de plus avant que l'épidémie ne soit maîtrisée. Un autre scénario envisageait l'utilisation d'armes biologiques dans le métro dans quatre grandes villes à l'heure de pointe. 200 000 personnes pourraient être contaminées au départ, et le nombre des victimes pourrait atteindre le million. En termes économiques, le coût pouvait « se situer entre 60 milliards et plusieurs centaines de milliards de dollars, selon les circonstances de l'attaque ».

Quand la nouvelle de l'anthrax se répandit, le pays fut pris de panique. Des millions d'Américains n'osaient plus ouvrir leur boîte aux lettres. Dans les bureaux, les services du courrier fermèrent. Des mères se ruèrent sur les hôpitaux pour commander des tests d'anthrax pour leurs enfants qui ne souffraient que d'un rhume. Des malades amateurs de canular envoyaient des paquets remplis de talc ou de farine, ce qui aggrava les peurs de la population.

Les services postaux procédèrent à des tests aléatoires dans le courrier dans plus de deux cents bureaux de poste du pays. A la Maison-Blanche, le courrier fut détourné et passé aux rayons X pendant tout le reste de ma présidence. Des milliers de membres du gouvernement, dont Laura et moi, furent invités à prendre du Cipro, un puissant antibiotique.

Durant l'attaque à l'anthrax, la plus grande question fut de savoir d'où elle venait. Un des meilleurs services de renseignements d'Europe nous dit qu'il soupçonnait l'Irak. Le régime de Saddam Hussein était un des rares dans le monde à avoir utilisé des armes de destruction massive, et avait reconnu détenir de l'anthrax en 1995. D'autres pensaient qu'Al-Qaïda était impliqué. C'était frustrant, mais nous ne disposions d'aucune preuve concrète et de peu de pistes utiles [1].

Un mois après le 11 Septembre, je tins une conférence de presse télévisée depuis la Maison-Blanche. Plus tôt dans la journée, nous avions fait passer le niveau d'alerte antiterroriste en réaction à des informations selon lesquelles un haut responsable des talibans avait menacé l'Amérique d'une nouvelle attaque d'envergure.

« Vous parlez de la menace générale envers les Américains, fit Ann Compton d'ABC News. […] A quoi doivent s'attendre les Américains ? »

J'avais encore à l'esprit un rapport de la CIA sur l'éventualité que des terroristes diffusent de l'anthrax au-dessus d'une ville à l'aide d'un avion de tourisme. « Ann, répondis-je, si vous voyez quelqu'un que vous n'avez jamais vu auparavant monter dans un avion d'épandage qui ne [lui] appartient pas, signalez-le. »

Ma tirade suscita l'hilarité, mais cet humour masquait une réalité exaspérante : nous pensions que d'autres attentats se préparaient, mais nous ne savions ni quand, ni où, ni par qui. Tout au long de ma

---

1. En 2010, à l'issue d'une enquête minutieuse, le département de la Justice et le FBI conclurent que le Dr Bruce Ivins, scientifique du gouvernement qui se suicida en 2008, était le seul auteur des attaques à l'anthrax. (NdA)

présidence, il fut difficile de trouver un juste équilibre entre le besoin d'alerter le public et la peur de l'alarmer. Avec le temps, certains détracteurs nous ont accusés d'avoir exagéré la menace ou d'avoir manipulé les niveaux d'alerte à des fins politiques. Ils ont tort, tout simplement. Nous prenions nos informations au sérieux et avons fait de notre mieux pour tenir le peuple américain au courant tout en préservant sa sécurité.

« C'est le pire que nous ayons vu depuis le 11 Septembre », déclara George Tenet d'un ton grave en retirant de sa bouche son cigare à demi mâchonné, lors d'un briefing du renseignement à la fin du mois d'octobre. Une source extrêmement fiable avait averti ses services que des attentats encore plus spectaculaires que celui du World Trade Center auraient lieu le 30 ou le 31 octobre.

Après plusieurs fausses alertes, nous nous sommes dit que, cette fois, c'était peut-être vrai. Dick Cheney et moi avons conclu qu'il devait se rendre en lieu sûr et quitter Washington – ce fameux endroit secret – afin de garantir la continuité du gouvernement. Les Services secrets me recommandèrent de faire de même. Je leur dis que je ne bougerais pas. C'était peut-être un peu bravache de ma part. Mais surtout, c'était du fatalisme. J'étais en paix avec moi-même. Si la volonté de Dieu était que je meure à la Maison-Blanche, je l'acceptais. Laura pensait comme moi. Nous avions confiance, le gouvernement survivrait à une attaque, même si nous mourrions.

Mais j'avais une bonne raison de quitter Washington pendant quelques heures. Les Yankees de New York m'avaient invité à lancer la première balle pour le troisième tour du championnat. Sept semaines après le 11 Septembre, ce serait un message fort de voir le président au Yankee Stadium. J'espérais que ma visite remonterait le moral des New-Yorkais.

Nous prîmes Air Force One pour New York, puis nous rendîmes en hélico jusqu'au stade. J'entrai sur le terrain pour faire quelques assouplissements. Un agent des Services secrets me passa un gilet pare-balles. Après quelques lancers d'échauffement, le formidable « arrêt-court * » des Yankees, Derek Jeter, vint faire quelques passes. Nous avons bavardé. Puis il m'a demandé : « Eh, président, vous allez lancer depuis le poste du lanceur, ou de devant ? »

Je lui ai demandé ce qu'il en pensait. « Lancez depuis le poste du lanceur, dit Derek. Ou sinon, ils vont vous huer. » J'acceptai. En repartant, il a regardé par-dessus son épaule et a ajouté : « Mais ne la ratez pas non plus. Ils vont vous huer. »

---

* « Arrêt-court », « shortstop » en anglais, joueur défensif positionné entre la deuxième et la troisième base. (NdT)

Au bout de neuf mois de présidence, j'avais l'habitude d'être présenté à la foule. Mais je n'avais jamais ressenti ce que j'ai connu quand Bob Sheppard, le présentateur légendaire des Yankees, a proclamé : « Veuillez souhaitez la bienvenue au président des Etats-Unis. » Je me suis placé au poste du lanceur, j'ai salué la foule pouce levé, et j'ai fixé l'attrapeur, Todd Greene. Il m'avait l'air de se trouver bien plus loin que les dix-huit mètres réglementaires. J'ai senti un afflux d'adrénaline et j'avais l'impression que la balle était un boulet. J'ai armé mon tir, et lancé la balle.

Dans le stade, il y eut une éruption comparable à un bang. « USA, USA, USA ! » J'ai repensé aux sauveteurs de Ground Zero. J'ai serré la main à Todd Greene, posé pour une photo avec les managers, Joe Torre des Yankees et Bob Brenly des Diamondbacks d'Arizona, et je suis remonté jusqu'à la tribune de George Steinbrenner. J'étais plus que soulagé. Je fus heureux de voir Laura et notre fille Barbara. Elle me prit dans ses bras et me dit : « Papa, tu as lancé une prise ! »

Nous sommes rentrés à Washington tard le soir et avons attendu le lendemain. Il n'y eut aucun attentat le 31 octobre.

Pour mettre le pays sur le pied de guerre, il ne fallait pas se contenter de renforcer nos défenses physiques. Nous avions besoin de meilleurs outils juridiques, financiers et dans le domaine du renseignement pour trouver les terroristes et les arrêter avant qu'il ne soit trop tard.

Une de nos grandes faiblesses dans nos capacités antiterroristes était surnommée « la cloison ». Au fil du temps, le gouvernement avait adopté une série de procédures qui empêchaient les représentants de la loi et le personnel du renseignement d'échanger des informations essentielles.

« Comment pouvons-nous assurer à nos citoyens que nous les protégeons si nos propres équipes ne peuvent même pas se parler ? dis-je lors d'une réunion peu après les attentats. Il faut régler ce problème. »

Le ministre de la Justice John Ashcroft se chargea de rédiger un projet de loi. Le résultat en fut l'USA PATRIOT Act [1]. Ce projet de loi éliminait la cloison et permettait aux représentants de la loi et aux membres du renseignement de partager leurs informations. Il modernisait nos capacités antiterroristes en donnant aux enquêteurs accès à des outils comme les écoutes mobiles, qui leur permettaient

---

1. Le Congrès baptisa la loi le Uniting and Strengthening America by Providing Appropriate Tools Required to Intercept and Obstruct Terrorism Act (littéralement, loi sur l'unification et le renforcement de l'Amérique en prévoyant les outils appropriés nécessaires à l'interception et l'obstruction du terrorisme). (NdA)

de suivre des suspects qui changeaient de numéros de portables
– système qui avait depuis longtemps permis d'arrêter des trafiquants de drogue et des patrons de la mafia. Il autorisait des mesures
financières agressives pour geler les avoirs des terroristes. Et il
incluait une supervision judiciaire et parlementaire pour protéger les
libertés civiques.

Une clause suscita quelques inquiétudes. Le PATRIOT Act donnait la possibilité au gouvernement de réclamer des mandats pour
analyser les documents de personnes soupçonnées de terrorisme,
comme leurs factures de carte bancaire, leur loyer, leur carte d'inscription en bibliothèque. En tant qu'ancienne bibliothécaire, Laura
n'aimait guère l'idée que des agents fédéraux viennent fouiner dans
les rayons. Moi non plus, d'ailleurs. Mais la communauté du renseignement redoutait que les terroristes ne se servent des ordinateurs
des bibliothèques pour communiquer. Les archives des bibliothèques avaient joué un rôle dans plusieurs affaires réputées, comme
les meurtres du Zodiaque en Californie. La dernière chose que je
voulais, c'était que la liberté d'information offerte par les bibliothèques américaines soit retournée contre nous par Al-Qaïda.

Les législateurs comprirent l'urgence de la menace et votèrent
le PATRIOT Act à 98 voix contre 1 au Sénat et 357 contre 66 à la
Chambre. Je le ratifiai le 26 octobre 2001. « Nous avons pris le
temps de l'étudier, nous avons pris le temps de le lire, et nous avons
pris le temps d'en retirer les éléments qui auraient effectivement
empiété sur les libertés de tous les Américains », déclara Patrick
Leahy, sénateur démocrate du Vermont. Son collègue démocrate,
le sénateur de New York Chuck Schumer, ajouta : « S'il y a un mot
clé pour définir ce projet de loi, c'est " équilibre ". Dans la nouvelle
société de l'après-11 Septembre à laquelle nous sommes confrontés,
l'équilibre sera un mot clé. […] L'équilibre et la raison ont
prévalu. »

Au cours des cinq ans qui suivirent, le PATRIOT Act a aidé à
neutraliser des cellules terroristes potentielles à New York, dans
l'Oregon, en Virginie et en Floride. Ainsi, les représentants de la loi
et les services de renseignements ont partagé des informations qui
ont abouti à l'arrestation de six Américains d'origine yéménite à
Lackawanna, dans l'Etat de New York. Ils s'étaient rendus dans un
camp terroriste en Afghanistan et avaient rencontré Oussama ben
Laden. Cinq avaient plaidé coupable d'avoir apporté un soutien
matériel à Al-Qaïda. Le sixième reconnut s'être livré à des transac-
tions illicites avec le réseau.

Quelques-uns ont prétendu que les Six de Lackawanna et d'autres
que nous avons arrêtés n'étaient guère plus que des « idiots du
village » nourrissant des plans fantaisistes mais « qui n'avaient

aucune intention de perpétrer des actes terroristes ». Je me suis toujours demandé comment ces petits malins pouvaient en être si sûrs. Après tout, en août 2001, l'idée que des terroristes commandés depuis des grottes en Afghanistan allaient attaquer le World Trade Center et le Pentagone à bord d'avions de ligne américains nous aurait paru tirée par les cheveux. Pour moi, la leçon du 11 Septembre était simple : il ne fallait prendre aucun risque. Quand nos représentants de la loi et nos spécialistes du renseignement trouvaient des gens ayant des liens avec des réseaux terroristes sur le territoire des Etats-Unis, je préférais que l'on me reproche de les avoir envoyés en prison plutôt que d'attendre jusqu'à ce qu'il soit trop tard.

Peu à peu, la réalité du 11 Septembre s'effaça, et avec elle le soutien massif des parlementaires en faveur du PATRIOT Act. Les défenseurs des libertés civiques et les commentateurs aux franges des deux partis dépeignirent à tort cette loi comme l'incarnation de tout ce qu'ils désapprouvaient dans la guerre contre le terrorisme. Des clauses cruciales du PATRIOT Act, comme l'autorisation de procéder à des écoutes mobiles, devaient expirer en 2005. Je fis tout pour qu'elles soient reconduites. Comme je le dis au Congrès, la menace n'avait pas expiré, elle.

Les législateurs eurent recours à des tactiques dilatoires et se plaignirent. Mais ils finirent par voter, et renouvelèrent le PATRIOT Act par 89 voix contre 10 au Sénat et 251 contre 174 à la Chambre. Début 2010, les clauses cruciales du PATRIOT Act furent reconduites par un Congrès majoritairement démocrate.

Je n'ai qu'un regret au sujet de loi, et c'est son nom. Quand mon administration avait soumis le projet de loi au Capitole, il s'appelait au départ la Loi antiterroriste de 2001. Le Congrès se crut plus malin et le rebaptisa. Par conséquent, il fut sous-entendu que quiconque s'opposait à la loi n'était pas un bon patriote. Ce n'était pas ce que je voulais. J'aurais dû exiger du Congrès qu'il modifie le nom de la loi avant que je la ratifie.

Dans le cadre de l'enquête sur le 11 Septembre, nous découvrîmes que deux pirates de l'air qui s'étaient infiltrés aux Etats-Unis, Khalid al-Mihdhar et Nawaf al-Hazmi, avaient communiqué avec des chefs d'Al-Qaïda à l'étranger plus d'une dizaine de fois avant les attentats. Ma question fut aussitôt de savoir pourquoi nous n'avions pas intercepté leurs appels. Si nous avions su ce que disaient Mihdhar et Hazmi, peut-être aurions-nous pu empêcher les attentats du 11 Septembre.

C'était Mike Hayden, général de l'Air Force à la tête de la NSA, l'Agence de sécurité nationale, qui détenait les réponses. Si la communauté du renseignement est le cerveau de la sécurité nationale, alors la NSA fait partie de la matière grise. L'agence regorge d'experts et de casseurs de code brillants, au fait des technologies de pointe, ainsi que d'analystes et de linguistes. Mike me dit que la NSA avait la capacité de surveiller ces appels d'Al-Qaïda aux Etats-Unis avant le 11 Septembre. Mais il n'était pas autorisé à le faire sans un mandat, processus qui pouvait se révéler lent et complexe.

La raison en était une loi intitulée le Foreign Intelligence Surveillance Act, ou FISA. Rédigée en 1978, avant que ne se répande l'utilisation des portables et d'Internet, la FISA interdisait à la NSA de surveiller des communications impliquant des gens se trouvant aux Etats-Unis sans mandat d'un tribunal. Par exemple, si un terroriste en Afghanistan contactait un terroriste au Pakistan, la NSA avait le droit d'intercepter leurs communications. Mais si le même terroriste appelait quelqu'un aux Etats-Unis, ou envoyait un courriel passant par un serveur américain, la NSA devait obtenir un mandat.

C'était absurde. Pourquoi serait-il plus difficile de surveiller les communications d'Al-Qaïda avec des terroristes se trouvant aux Etats-Unis plutôt qu'avec leurs agents à l'étranger ? Comme le dit Mike Hayden, nous « volions à l'aveugle sans système d'alerte avancée ».

Après le 11 Septembre, nous ne pouvions plus nous permettre de voler à l'aveugle. Si des agents d'Al-Qaïda appelaient depuis ou aux Etats-Unis, nous avions fichtrement besoin de savoir qui ils appelaient et ce qu'ils disaient. Et compte tenu de l'urgence des menaces, nous ne pouvions pas nous permettre de nous enliser dans un processus d'obtention de mandat. Je demandai aux avocats de la Maison-Blanche et au département de la Justice de voir si je pouvais autoriser la NSA à surveiller les communications d'Al-Qaïda depuis et vers les Etats-Unis sans mandat conforme à la FISA.

Tous deux me dirent que cela m'était possible. Ils conclurent que le fait de surveiller nos ennemis pendant la guerre tombait dans le domaine des compétences approuvées par la résolution parlementaire sur la guerre et était couvert par l'autorité constitutionnelle du commandant en chef. Abraham Lincoln avait fait écouter les télégraphes pendant la guerre de Sécession. Woodrow Wilson avait ordonné l'interception de presque toutes les communications téléphoniques et télégraphiques sortant ou entrant aux Etats-Unis pendant la Première Guerre mondiale. Franklin Roosevelt avait autorisé l'armée à lire et à censurer les communications pendant la Seconde Guerre mondiale.

Avant d'approuver le Terrorist Surveillance Program (TSP), je voulais être sûr qu'il disposait de garde-fous contre les abus. Je ne tenais pas à transformer la NSA en un Big Brother orwellien. Je savais que les frères Kennedy s'étaient entendus avec J. Edgar Hoover pour écouter illégalement les conversations d'innocents, dont Martin Luther King. Lyndon Johnson avait continué dans cette voie. C'était, selon moi, un triste chapitre de notre histoire, et je n'allais pas le répéter.

Le matin du 4 octobre 2001, Mike Hayden et l'équipe juridique se présentèrent au Bureau Ovale. Ils m'assurèrent que le Programme de Surveillance des Terroristes avait été soigneusement mis au point afin de protéger les libertés civiques des innocents. Le but du programme était de surveiller des numéros dits « sales », dont les spécialistes du renseignement pensaient qu'ils appartenaient à des agents d'Al-Qaïda. Beaucoup avaient été récupérés sur les portables ou les ordinateurs de terroristes capturés sur le champ de bataille. Si nous interceptions par inadvertance tout ou fragment de communications purement domestiques, l'incident serait signalé au département de la Justice et ferait l'objet d'une enquête. Pour être sûr que le programme soit appliqué aussi longtemps que nécessaire, il devait être régulièrement réévalué et soumis à approbation.

Je donnai donc l'ordre de le mettre en œuvre. Nous envisagions de passer par le Congrès, mais des membres importants des deux partis qui avaient eu droit à des rapports ultrasecrets sur le programme comprenaient que cette opération de surveillance était indispensable et qu'un débat législatif n'aurait pas été possible sans risquer de révéler nos méthodes à l'ennemi.

Je savais qu'un jour le Programme de Surveillance des Terroristes serait sujet à controverse. Mais je l'estimais nécessaire. Les ruines du World Trade Center fumaient encore. Tous les matins, je recevais des rapports de renseignements sur l'éventualité de nouveaux attentats. Il était essentiel de surveiller les communications terroristes à destination des Etats-Unis si l'on voulait assurer la sécurité du peuple américain.

Le 22 décembre, un passager britannique du nom de Richard Reid tenta de faire sauter un vol des American Airlines, avec à son bord 197 personnes et reliant Paris à Miami, en essayant de déclencher des explosifs dissimulés dans ses chaussures. Heureusement, une hôtesse avait repéré son comportement suspect, et des passagers l'avaient maîtrisé avant qu'il n'ait pu allumer la mèche. L'avion avait été détourné sur Boston, où Reid fut embarqué menottes aux poignets. Il expliqua plus tard à ses interrogateurs qu'il avait eu pour but de paralyser l'économie américaine grâce à un attentat en pleine période des fêtes. Sous le coup de huit chefs d'inculpation pour activité terroriste, il plaida coupable, et purge une peine de prison à perpétuité à la prison de haute sécurité fédérale de Florence, dans le Colorado.

Cet attentat avorté eut un énorme impact sur moi. Trois mois après le 11 Septembre, il montrait à quel point la menace terroriste était terriblement réelle. Dans les aéroports, le personnel de sécurité commença à demander aux gens d'ôter leurs chaussures aux contrôles. Je savais que c'était une source de gêne, mais j'avais le sentiment que cela était nécessaire pour éviter que quelqu'un d'autre ne tente de reproduire ce geste. J'ai su que ma politique était appliquée sans faille quand la mère de Laura, âgée de quatre-vingt-deux ans, dut retirer ses chaussures avant de prendre l'avion de Midland pour venir passer Noël à Washington. En revanche, j'espérais avec ferveur ne pas me trouver trop près le jour où ils demanderaient à Mère de faire de même.

L'attentat raté au-dessus de l'Atlantique mit en lumière une faille importante dans notre approche de la guerre contre le terrorisme. Quand Richard Reid fut arrêté, il fut rapidement confié au système pénal américain, ce qui lui accordait les mêmes garanties constitutionnelles qu'un criminel de droit commun. Mais l'homme aux chaussures explosives n'était pas un cambrioleur ou un braqueur de banques ; c'était un fantassin dans la guerre que menait Al-Qaïda contre l'Amérique. Il avait envoyé un courriel à sa mère deux jours avant sa tentative : « Ce que je fais s'inscrit dans la guerre en cours entre l'Islam et l'incroyance. » En accordant à ce terroriste le droit de garder le silence, nous nous privions de la possibilité d'obtenir des renseignements cruciaux sur son plan et ses commanditaires.

Le cas de Reid montrait bien que nous avions besoin d'une nouvelle politique pour traiter les terroristes prisonniers. Dans cette guerre d'un nouveau genre, il n'y a pas de meilleure source sur d'éventuels attentats que les terroristes eux-mêmes. Alors que les menaces s'accumulaient après le 11 Septembre, je fus confronté à trois des décisions les plus critiques que j'allais prendre dans la guerre contre le terrorisme : où mettre les combattants ennemis capturés, comment déterminer leur statut juridique et veiller à ce qu'ils finissent par passer en justice, et comment apprendre ce qu'ils savaient sur de futurs attentats afin de protéger le peuple américain.

Au début, la plupart des combattants d'Al-Qaïda faits prisonniers étaient détenus et interrogés dans des prisons de campagne en Afghanistan. En novembre, des agents de la CIA étaient partis interroger des prisonniers talibans et d'Al-Qaïda enfermés dans une forteresse afghane primitive datant du XIXe siècle, Qala-i-Jangi. Il y avait eu une émeute. Utilisant des armes entrées clandestinement sur le site, des combattants ennemis avaient tué un de nos hommes, Johnny « Mike » Spann, faisant de lui le premier Américain mort au combat dans la guerre.

Cette tragédie prouva qu'il était nécessaire que nous nous dotions d'un site sécurisé où garder les terroristes capturés. Il y avait quelques solutions, aucune n'étant particulièrement séduisante. Pendant un temps, nous avons détenu des agents d'Al-Qaïda sur des bâtiments de la Marine en mer d'Arabie. Mais ce n'était pas un système viable à long terme. Une autre possibilité consistait à envoyer les terroristes sur une base sécurisée sur une île ou un territoire américain lointain, comme Guam. Mais en enfermant des terroristes sur le sol américain, on risquait d'activer des garanties constitutionnelles dont ils n'auraient pu autrement bénéficier, comme le droit de garder le silence. Et il serait beaucoup plus difficile d'obtenir des renseignements dont nous avions cruellement besoin.

Nous décidâmes d'installer les prisonniers sur une base navale éloignée, à la pointe sud de Cuba, à Guantanamo. La base se trouvait en territoire cubain, mais les Etats-Unis la contrôlaient dans le cadre d'un bail contracté après la guerre hispano-américaine. Le département de la Justice me signala que les prisonniers qui y seraient amenés ne pourraient bénéficier du système pénal américain. La zone autour de Guantanamo était inaccessible et peu peuplée. Il n'était guère plaisant d'envisager de détenir des terroristes sur le territoire cubain de Fidel Castro. Mais comme le dit Don Rumsfeld, Guantanamo était la « moins pire des solutions ».

A Guantanamo, les détenus eurent droit à un logement propre et sûr, à trois repas par jour, à un exemplaire du Coran, à la possibilité de prier cinq fois par jour et aux mêmes soins médicaux que leurs gardiens. Ils pouvaient faire de l'exercice et disposaient d'une bibliothèque garnie de livres et de DVD. Un des ouvrages les plus populaires était une traduction arabe d'*Harry Potter*.

Au fil du temps, nous avons invité des membres du Congrès, des journalistes et des observateurs internationaux à visiter Guantanamo et à voir par eux-mêmes quelles conditions y régnaient. Beaucoup sont revenus surpris de ce qu'ils y avaient trouvé. Un responsable belge inspecta le site à cinq reprises et parla de « prison modèle », qui offrait aux détenus un meilleur traitement que les prisons belges. « Je n'ai jamais été témoin d'actes de violence ou de choses qui m'ont choqué à Guantanamo, dit-il. Il ne faut pas confondre ce centre avec Abou Ghraib. »

Si notre traitement humain des détenus de Guantanamo était conforme aux Conventions de Genève, Al-Qaïda ne tombait cependant pas sous le coup desdites conventions d'un point de vue légal. Le but de ces dernières était de pousser les Etats-nations à faire la guerre en respectant des règles qui protégeaient la dignité humaine et la vie des innocents – et de punir les combattants qui ne les respectaient pas. Mais les terroristes ne représentaient pas un Etat-nation. Ils n'avaient pas signé les Conventions de Genève. Tout leur mode opératoire – qui consistait à tuer intentionnellement des innocents – était un défi aux principes de Genève. Et si Al-Qaïda capturait un Américain, il était peu probable qu'ils le traiteraient convenablement.

Cela nous fut confirmé avec une cruelle clarté à la fin du mois de janvier 2002, quand des terroristes au Pakistan enlevèrent Daniel Pearl, reporter pour le *Wall Street Journal.* Ils l'accusaient d'être un espion de la CIA et tentèrent de faire chanter les Etats-Unis en échange de sa libération. L'Amérique a toujours eu pour politique de ne pas négocier avec les terroristes, tradition que je maintins. Je savais qu'en cédant aux revendications des terroristes je ne ferais qu'encourager d'autres enlèvements. Nos unités militaires et des renseignements recherchaient activement Pearl, mais ils ne le trouvèrent pas à temps. Dans ses derniers instants, Danny Pearl déclara : « Mon père est juif, ma mère est juive, je suis juif. » Puis ses ravisseurs d'Al-Qaïda lui tranchèrent la gorge.

Ayant pris ma décision quant à la protection garantie par les Conventions de Genève, je choisis également de créer un système légal afin d'établir l'innocence ou la culpabilité des détenus. George Washington, Abraham Lincoln, William McKinley et Franklin Roosevelt avaient été confrontés à des dilemmes comparables sur la façon de traîner en justice des combattants ennemis prisonniers en temps de guerre. Tous étaient parvenus à la même conclusion : une cour martiale.

Le 13 novembre 2001, je signai un ordre exécutoire établissant des tribunaux militaires pour juger les terroristes capturés. Le système ressemblait étroitement à celui mis en place par Roosevelt en 1942 afin de juger huit espions nazis qui s'étaient infiltrés aux Etats-Unis. La Cour Suprême avait approuvé à l'unanimité le caractère légal de ces tribunaux.

J'étais certain que la justice rendue par les tribunaux militaires serait équitable. Les détenus avaient droit à la présomption d'innocence, à une représentation par un avocat qualifié et pouvaient présenter des preuves qui auraient « une valeur probante pour une personne raisonnable ». Pour des questions pratiques de sécurité nationale, ils n'étaient pas autorisés à voir des informations confidentielles qui dévoileraient les sources et les méthodes des services de renseignements. Pour condamner un accusé, les deux tiers de la cour devaient être d'accord. Le détenu pourrait faire appel de la décision ou de la peine devant le secrétaire à la Défense et le président.

Ma décision à ce sujet – comme tant d'autres dans cette nouvelle guerre – était liée à la tension entre la nécessité de protéger le peuple américain et celle de garantir les libertés civiques. Pour notre position dans le monde, il était vital que nous préservions nos valeurs. Nous ne pouvions pas prétendre diriger le monde libre ni rallier de nouveaux alliés à notre cause si nous ne pratiquions pas ce que nous prônions. J'estimais que les tribunaux militaires représentaient cet équilibre entre le respect de l'Etat de droit et le besoin de protéger notre pays.

Le 28 mars 2002, George Tenet avait la voix tremblante d'excitation. Il m'expliqua que la police pakistanaise, assistée d'agents du FBI et de la CIA, avait lancé un raid contre plusieurs repaires d'Al-Qaïda dans la ville de Faisalabad, au Pakistan. Ils avaient arrêté plus d'une vingtaine de combattants, dont Abu Zubaydah.

Cela faisait des mois que j'entendais parler de Zubaydah. D'après les agences de renseignements, c'était un fidèle lieutenant d'Oussama ben Laden, ainsi qu'un recruteur et un membre important d'Al-Qaïda qui avait notamment eu la charge d'un camp d'entraînement en Afghanistan par lequel étaient passés plusieurs membres du commando du 11 Septembre. Il était également soupçonné d'avoir participé à d'autres complots visant à détruire des cibles en Jordanie et à faire sauter l'aéroport international de Los Angeles. D'après la CIA, il préparait d'autres attaques contre les Etats-Unis.

Zubaydah avait été gravement blessé lors d'un échange de tirs avant son arrestation. La CIA avait fait venir un de ses meilleurs médecins qui lui avait sauvé la vie. Les Pakistanais nous l'avaient ensuite livré. Le FBI commença à interroger Zubaydah, qui avait manifestement été entraîné pour résister aux interrogatoires. Il révéla des bribes d'information, des choses qu'il pensait que nous connaissions déjà. Nous en savions effroyablement peu. C'est ainsi, par exemple, que nous avons appris avec certitude l'existence d'un nouvel *alias* désignant Khalid Cheikh Mohammed, l'homme présenté – y compris par Zubaydah – comme le cerveau des attentats du 11 Septembre.

Puis Zubaydah cessa de répondre à nos questions. George Tenet me dit que les interrogateurs le soupçonnaient de détenir d'autres informations. S'il nous cachait encore des choses, qu'est-ce que cela pouvait être ? Zubaydah était le meilleur moyen pour nous d'éviter une autre attaque dévastatrice. « Nous devons trouver ce qu'il sait, ordonnai-je à mes collaborateurs. Quelles sont nos options ? »

L'une d'entre elles consistait à laisser la CIA prendre la relève et envoyer Zubaydah en lieu sûr dans un pays étranger où l'agence aurait un contrôle total sur son environnement. Les experts de la CIA mirent au point une liste de techniques d'interrogatoire différentes de celles auxquelles Zubaydah avait montré qu'il pouvait résister. George m'assura que tous les interrogatoires seraient menés par des professionnels du renseignement expérimentés et ayant bénéficié d'une formation complète. Une équipe médicale serait également présente sur les lieux afin de veiller à la santé physique et mentale du prisonnier.

A ma demande, le département de la Justice et les juristes de la CIA procédèrent à un examen juridique approfondi et conclurent que ces méthodes d'interrogatoire renforcées étaient conformes à la Constitution américaine ainsi qu'à toutes les lois en vigueur, y compris celles sur l'interdiction de la torture.

J'ai parcouru cette liste de techniques. Deux d'entre elles m'ont paru excessives et, même si elles étaient légales, j'ai demandé aux agents de la CIA de ne pas les utiliser. Il y avait aussi une autre technique appelée *waterboarding*, qui consistait à simuler une noyade. Certes, la méthode était brutale mais les experts médicaux avaient assuré les agents de la CIA qu'elle n'infligeait aucune lésion durable.

Je savais qu'un programme d'interrogatoires aussi sensible et controversé que celui-ci finirait par être révélé au grand jour. Quand cela arriverait, nous prêterions le flanc à la critique qui nous reprocherait d'avoir compromis les valeurs morales de l'Amérique. J'aurais préféré que nous obtenions ces informations d'une autre manière. Mais entre notre sécurité et nos valeurs, il fallait vraiment choisir. Si je n'avais pas autorisé l'utilisation du *waterboarding* sur des hauts responsables d'Al-Qaïda, j'aurais dû accepter que notre pays s'expose à un risque encore plus grand d'être attaqué. C'était un risque que je n'étais pas prêt à courir au lendemain du 11 Septembre. En tant que président, ma plus grande responsabilité était de protéger ce pays. J'ai donc autorisé l'emploi de ces techniques d'interrogatoire.

Celles-ci se révélèrent particulièrement efficaces. Zubaydah divulgua de nombreuses informations sur les structures et les opérations d'Al-Qaïda. Il nous donna également des indices qui nous permirent de localiser Ramzi bin al-Shibh, le responsable logistique des attentats du 11 Septembre. La police pakistanaise l'arrêta un an jour pour jour après les attaques.

Plus tard, Zubaydah expliqua à ses interrogateurs pourquoi il avait recommencé à répondre à leurs questions. Selon sa conception de l'islam, il ne devait résister aux interrogatoires que jusqu'à une certaine limite. C'est avec le *waterboarding* qu'il avait franchi ce seuil. Ayant rempli son devoir religieux, il avait commencé à coopérer. « Vous devez faire ça pour tous mes frères », dit-il à ses geôliers.

Le 1er mars 2003, George Tenet me raconta une histoire d'espionnage digne d'un roman de John Le Carré. Les informations récoltées lors des interrogatoires d'Abu Zubaydah et de Ramzi bin al-Shibh, combinées à d'autres renseignements, nous avaient permis de repérer un des principaux chefs d'Al-Qaïda. Un courageux agent étranger, recruté par la CIA, nous avait alors conduits à la porte d'un immeuble au Pakistan. « Je ne veux pas que mes enfants grandissent avec ces fous qui déforment la religion et tuent des innocents », avait expliqué cet homme par la suite.

Les forces pakistanaises avaient donné l'assaut et capturé leur cible. Il s'agissait du principal responsable opérationnel d'Al-Qaïda, également meurtrier de Daniel Pearl et cerveau des attentats du 11 Septembre : Khalid Cheikh Mohammed.

J'étais soulagé de savoir un des principaux chefs d'Al-Qaïda sous les verrous. Malheureusement, mon soulagement fut de courte durée. Les fouilles dans le quartier général de Khalid Cheikh Mohammed avaient permis de mettre la main sur ce qu'un représentant officiel qualifia ensuite de « véritable mine » de renseignements importants. Khalid Cheikh Mohammed était manifestement en train de préparer d'autres attaques. L'homme ne semblait toutefois guère enclin à nous livrer la moindre information sur ses activités. « Je parlerai, dit-il, une fois que je serai à New York et que j'aurai vu mon avocat. »

George Tenet me demanda s'il avait mon autorisation pour utiliser les méthodes d'interrogatoire renforcées – notamment le *waterboarding* – sur Khalid Cheikh Mohammed. Je repensai alors à mon entrevue avec la veuve de Daniel Pearl, qui était enceinte lorsque son mari avait été assassiné. Je songeai aux 2 973 victimes arrachées à leur famille par les attentats du 11 Septembre. Enfin, je pensai à mon devoir de protéger ce pays contre un nouvel acte de terrorisme.

« Oh, que oui ! », répondis-je.

Khalid Cheikh Mohammed se révéla particulièrement résistant. Mais quand il finit par craquer, il nous apprit énormément de choses. Il nous révéla plusieurs projets d'attaque à l'anthrax contre des cibles américaines et nous mit sur la piste de trois individus travaillant sur le programme de guerre biologique d'Al-Qaïda. Il nous livra des informations permettant la capture d'Hambali, chef du groupe terroriste le plus dangereux d'Asie du Sud-Est affilié à Al-Qaïda et responsable des attentats de Bali qui avaient fait 202 victimes. Il nous révéla également d'autres indices menant au frère d'Hambali. Celui-ci avait commencé à recruter des agents pour mener une nouvelle attaque sur le territoire américain, sorte de réédition du 11 Septembre sur la Côte Ouest dans laquelle les terroristes projetaient de détourner un avion et de l'écraser contre la Library Tower de Los Angeles.

Quelques années plus tard, le *Washington Post* publia un article en première page décrivant l'évolution de Khalid Cheikh Mohammed. Intitulé « Comment un prisonnier est devenu un agent », cet article montrait « le plaisir que semblait prendre Mohammed à discuter, parfois pendant des heures, du fonctionnement interne d'Al-Qaïda, des plans de l'organisation, de son idéologie et de ses agents. [...] Il lui arrivait même d'écrire sur un tableau noir ». Les renseignements qu'il nous fournit se révélèrent cruciaux et permirent de sauver la vie de nombreux Américains. Ils n'auraient probablement jamais été obtenus sans les méthodes d'interrogatoire renforcées de la CIA.

Sur les milliers de terroristes capturés après le 11 Septembre, une centaine ont été détenus dans le cadre du programme de la CIA. Environ un tiers a été interrogé selon les méthodes d'interrogatoire renforcées. Trois ont subi la technique du *waterboarding*. Les informations révélées par ces détenus de la CIA représentaient plus de la moitié des connaissances de l'agence sur Al-Qaïda. Leurs interrogatoires ont permis de déjouer des projets d'attentat contre des centres militaires et diplomatiques américains à l'étranger, contre l'aéroport d'Heathrow et le quartier des affaires de Canary Wharf à Londres ainsi que de nombreuses autres cibles aux Etats-Unis. D'après ce que me disaient les spécialistes du renseignement, sans le programme de la CIA, d'autres attentats auraient certainement eu lieu aux Etats-Unis.

Après avoir mis en place le programme de la CIA, nous en avons informé un petit nombre de parlementaires proches de chacun des deux grands partis. A l'époque, certains craignaient que nous n'allions pas assez loin. Toutefois, quelques années plus tard, lorsque le danger parut moins immédiat et que les vents eurent tourné sur le plan politique, bon nombre de représentants et sénateurs se montrèrent extrêmement critiques. Ils accusèrent des Américains de s'être livrés à des actes de torture illégaux. Ce n'était pas vrai. J'avais demandé aux plus hauts responsables juridiques du gouvernement américain d'examiner les méthodes employées et ceux-ci m'avaient assuré qu'elles ne constituaient pas des actes de torture. Il est aussi insultant que mensonger de prétendre que nos agents du renseignement ont enfreint la loi en respectant les avis des juristes.

Le programme d'interrogatoire de la CIA a sauvé des vies. Si nous avions capturé davantage de responsables d'Al-Qaïda détenteurs de précieux renseignements, je leur aurais appliqué le même traitement.

Au matin du 10 mars 2004, Dick Cheney et Andy Card m'accueillirent avec une nouvelle choc : le Terrorist Surveillance

Program (TSP), le programme de surveillance électronique de la NSA, expirait le soir même.

« Comment ce programme peut-il expirer ? demandai-je. C'est un élément vital pour la protection du pays. » Cela faisait deux ans et demi que j'avais autorisé la mise en place du TSP, en octobre 2001. Durant cette période, la NSA s'en était servie pour découvrir des informations importantes concernant divers projets et cibles d'attentats. Mike Hayden, directeur de la NSA, a déclaré publiquement que ce programme avait « permis de détecter et de déjouer plusieurs attaques sur le territoire américain » et que « de [son] point de vue de professionnel, nous aurions probablement pu repérer plusieurs complices des attentats du 11 Septembre aux Etats-Unis », si ce programme avait été opérationnel auparavant.

Andy m'expliqua la situation. Alors que depuis 2001, John Ashcroft recommandait régulièrement le renouvellement du TSP, le département de la Justice venait de formuler une objection légale concernant un élément de ce programme.

« Pourquoi ne m'en a-t-on pas informé ? » demandai-je. Andy était aussi étonné que moi. Il me dit qu'il n'avait appris la nouvelle que la nuit précédente. L'équipe juridique avait dû penser que ce désaccord pourrait être réglé sans l'intervention du président. Je demandai à Andy de travailler avec Ashcroft et Alberto Gonzales, conseiller de la Maison-Blanche, pour trouver une solution à ce problème. De mon côté, j'étais attendu à Cleveland où je devais prononcer un discours sur la politique commerciale.

A mon retour, j'interrogeai Andy. La situation n'avait guère progressé. Le département de la Justice campait sur ses positions. Mes conseillers juridiques refusaient eux aussi de céder. Ils étaient convaincus de la légalité du programme.

« Bon Dieu, où est Ashcroft ? demandai-je.

– A l'hôpital », me répondit Andy.

Voilà qui était nouveau. J'appelai John et appris qu'il sortait tout juste d'une opération d'urgence de la vésicule biliaire. Je lui dis que je lui envoyais Andy et Al pour discuter d'une affaire urgente. Les deux hommes se rendirent à l'hôpital avec l'ordre de renouvellement du TSP. Ils en revinrent sans la signature d'Ashcroft. Le seul moyen de poursuivre le programme était de passer outre l'objection du département de la Justice. Cela ne me plaisait pas, mais je ne voyais pas d'autre solution. Je décidai donc de signer l'ordre de maintien du TSP en usant de mon autorité en tant que chef de l'exécutif.

Je me couchai irrité, avec le sentiment que l'on ne m'avait pas tout dit. J'étais bien décidé à découvrir le fond de cette affaire.

« Monsieur le président, nous avons un grave problème, me dit Andy alors que je pénétrais dans le Bureau Ovale, le matin du

12 mars. Jim Comey est le ministre de la Justice par intérim et il s'apprête à donner sa démission parce que vous avez renouvelé le TSP. Plusieurs membres du département de la Justice menacent de faire pareil. »

J'étais stupéfait. Personne ne m'avait dit que Comey, l'adjoint de John Ashcroft, le remplaçait pendant son hospitalisation. Si je l'avais su, je n'aurais jamais envoyé Andy et Alberto voir John dans sa chambre d'hôpital.

Je demandai à parler à Comey en privé après le briefing matinal du FBI, auquel il assistait à la place de John Ashcroft. Nous ne nous étions guère fréquentés mais je savais qu'il avait une excellente réputation en tant que procureur de New York. Je commençai par lui expliquer qu'il était de mon devoir de faire tout ce qui était nécessaire pour protéger notre pays et que je pensais que le TSP était un élément essentiel dans cette tâche. Il m'expliqua alors ce qui le gênait à propos de ce programme. « Je ne comprends tout simplement pas pourquoi vous soulevez ce problème à la dernière minute », lui dis-je alors.

Il eut l'air choqué. « Monsieur le président, vos collaborateurs sont au courant depuis des semaines », répliqua-t-il, avant de lancer une autre bombe : il n'était pas le seul à menacer de démissionner. Bob Mueller, directeur du FBI, comptait le suivre. J'étais sur le point d'assister à la vague de démissions la plus importante de l'histoire américaine moderne et ce alors que nous étions en pleine guerre.

Je convoquai Bob au Bureau Ovale. J'en étais venu à bien le connaître au cours des deux ans et demi passés. C'était un homme honorable, ancienne star de hockey à Princeton, qui avait servi dans les Marines et dirigé le bureau du procureur de San Francisco. Sans la moindre hésitation, il prit parti pour Comey. Si je maintenais le programme en dépit de l'avis du département de la Justice, il ne pourrait plus travailler au sein de mon administration.

Je devais prendre une décision importante et sans traîner. Certains à la Maison-Blanche me conseillaient de faire usage de mon autorité selon l'article II de la Constitution et d'accepter les démissions. D'autres me disaient de me plier à l'avis du département de la Justice, de modifier le programme et de préserver l'intégrité de mon administration.

J'étais prêt à défendre les pouvoirs conférés au président par l'article II de la Constitution. Mais pas à n'importe quel prix. Je repensais au Massacre du samedi soir d'octobre 1973, lorsque la mise à pied par le président Nixon du procureur indépendant, Archibald Cox, chargé de l'affaire du Watergate, avait poussé le ministre de la Justice et son adjoint à donner leur démission. Cela avait été une crise historique que je n'avais pas l'intention de rééditer. Cela ne m'aurait pas servi à grand-chose de savoir que la loi était de mon côté si mon gouvernement explosait et que nos principaux programmes de lutte antiterroriste étaient dévoilés dans la tourmente médiatique qui ne manquerait pas de se produire.

Je décidai donc de me ranger à l'avis du département de la Justice et de modifier la partie du programme jugée problématique tout en maintenant le TSP. Comey et Mueller renoncèrent à démissionner et le TSP continua de donner de bons résultats, ce qui était le principal.

J'étais soulagé d'avoir surmonté cette crise mais le simple fait qu'elle ait pu avoir lieu me perturbait. Je fis clairement comprendre à mes conseillers que je ne voulais plus jamais être laissé dans l'ignorance de la sorte. Je ne soupçonnais personne d'avoir eu de mauvaises intentions. L'un des principaux problèmes auquel est confronté chaque administration consiste à savoir comment gérer l'emploi du temps du président et à quel moment lui soumettre une difficulté. La crise du TSP relevait d'une erreur de jugement. Les désaccords ne manquèrent pas dans les années qui suivirent mais plus jamais un tel incident ne se reproduisit.

La biographie du président Truman par le grand historien David McCullough compte parmi mes livres favoris. J'admirais Truman pour sa fermeté, ses principes et sa vision stratégique. « J'avais le sentiment que la lune, les étoiles et toutes les planètes m'étaient tombées dessus », avait-il déclaré lorsqu'il avait dû s'improviser président au sortir de la Seconde Guerre mondiale. Et pourtant, cet homme originaire du Missouri savait prendre des décisions difficiles et s'y tenir. Il faisait ce qu'il croyait juste et ne se préoccupait guère de ce que disaient ses détracteurs. En quittant la Maison-Blanche en 1953, il avait à peine 20 % d'opinions favorables. Aujourd'hui, il est considéré comme l'un des plus grands présidents américains.

Après sa nomination au poste de secrétaire d'Etat, Condi m'avait offert une biographie de Dean Acheson, le secrétaire d'Etat de Truman. Ces deux livres me rappelaient l'importance des décisions prises par Truman à la fin des années 40 et au début des années 50. Ces choix avaient assuré notre victoire dans la guerre froide et façonné le monde dont j'avais hérité en tant que président. Truman avait forgé l'Alliance Atlantique et signé le National Security Act donnant ainsi naissance à la CIA, au Conseil de sécurité nationale (NSC) et au département de la Défense ; il avait mené une guerre impopulaire qui avait permis d'établir une démocratie alliée en Corée du Sud et il avait promis assistance à tous les pays qui résisteraient à la domination communiste. C'était la doctrine Truman.

Tout comme l'administration Truman en son temps, nous nous trouvions au début d'un long combat. Nous avions mis au point toute une gamme d'outils pour faire face aux nouvelles menaces. Une des principales priorités de mon second mandat fut de transformer ces outils en institutions et en lois dont mes successeurs pourraient se servir.

Dans plusieurs domaines, nous étions sur la bonne voie. Le département de la Sûreté du Territoire, bien que souffrant de l'inertie inhérente à toute grande bureaucratie, constituait une nette amélioration par rapport à la coexistence de 22 agences séparées. Le FBI s'était doté d'une nouvelle Branche de la sécurité nationale chargée de la prévention des attaques terroristes. Le département de la Défense avait formé un nouveau commandement unifié, le Commandement Nord (NORTHCOM), avec pour unique mission la défense du territoire. De son côté, le Trésor avait adopté une nouvelle stratégie agressive visant à perturber les réseaux de financement des terroristes. Nous avions rallié plus de 90 pays à notre Initiative de Sécurité contre la Prolifération qui s'était fixé comme objectif de mettre un terme au trafic international de matériel lié aux armes de destruction massive. Nous fondant en partie sur les recommandations de la Commission du 11 Septembre, nous avions créé un nouveau Centre national antiterroriste (NCTC) et nommé un directeur national du renseignement, soit la réforme la plus importante dans le milieu du renseignement depuis la création de la CIA par Truman.

Dans d'autres domaines, nous avions encore du travail à faire. Certains de nos dispositifs majeurs dans la guerre contre le terrorisme, notamment le TSP et le programme d'interrogatoires de la CIA, reposaient sur les vastes pouvoirs définis par l'article II de la Constitution ainsi que sur la résolution du Congrès en faveur de la guerre. La meilleure façon de nous assurer que ces outils restent utilisables après mon mandat était de travailler avec le Congrès afin de les transformer en lois. Ainsi que l'avait noté Robert Jackson, juge de la Cour Suprême, dans un avis de 1952 qui faisait référence, c'est quand il agit avec le soutien explicite du Congrès qu'un président a le plus d'autorité.

Tout le problème était de trouver comment présenter le TSP et le programme d'interrogatoire de la CIA au Congrès sans dévoiler trop de détails à l'ennemi. Je pensais la chose possible mais nous devions travailler en étroite collaboration avec les membres du Congrès afin de mener le débat de manière à ne pas révéler d'information confidentielle majeure. Nous étions en train d'étudier la question quand deux événements nous forcèrent la main.

« Le *New York Times* recommence avec cette histoire de surveillance », me dit Steve Hadley en décembre 2005. Déjà l'année précédente, le journal avait envisagé de publier un long article sur le TSP. Condi et Mike Hayden avaient convaincu les responsables du *Times* de ne pas révéler les principaux éléments du programme.

J'ai demandé à l'éditeur du *New York Times*, Arthur Sulzberger, et à son rédacteur en chef, Bill Keller, de venir me voir le 5 décembre 2005. Ce n'était pas une requête ordinaire et j'ai apprécié qu'ils acceptent ce face-à-face. Ils arrivèrent vers 17 heures. Steve Hadley, Andy Card, Mike Hayden et moi-même les attendions dans le Bureau Ovale. Nous prîmes place près de la cheminée sous le portrait de George Washington. Je leur ai alors expliqué que notre pays était toujours en danger et que leur journal était sur le point d'aggraver cette menace en révélant des indices sur le TSP dont nos ennemis pourraient se servir contre nous. Ensuite, j'ai autorisé le général Hayden à leur présenter le programme.

Mike était une personnalité apaisante. Ce n'était pas le genre de macho qui essaie d'impressionner les gens avec ses étoiles de général. Il a parlé de sa longue carrière dans le milieu du renseignement et de sa méfiance naturelle vis-à-vis de tout programme susceptible de servir à collecter des données sur les citoyens américains. Enfin, il a insisté sur les garde-fous mis en place, les nombreuses vérifications légales qui avaient été menées et les résultats qu'avait donnés ce programme.

Sa présentation a duré environ une demi-heure. J'observais les responsables du journal de près. Leur expression était indéchiffrable. Je les ai invités à poser des questions à Mike. Ils n'en avaient pas. J'ai regardé Sulzberger droit dans les yeux et je l'ai abjuré de ne pas publier l'article pour des raisons de sécurité nationale. Il m'a répondu qu'il réfléchirait à ma demande.

Dix jours plus tard, Bill Keller appelait Steve pour lui dire que le *New York Times* maintenait la parution de son article. Nous ne pouvions même pas essayer de plaider une dernière fois notre cause. Le journal avait annoncé la nouvelle sur son site Internet avant de téléphoner à Steve.

J'étais déçu par le *New York Times* et en colère contre tous ceux qui avaient trahi leur pays en organisant ces fuites. Le département de la Justice ouvrit une enquête criminelle afin de découvrir les sources de ces informations confidentielles. A l'été 2010, aucun responsable n'avait été inquiété.

La réaction de la gauche fut hystérique. « C'est le président George Bush, pas le roi George Bush », fulmina un sénateur. « L'administration Bush a l'air de se croire au-dessus des lois », renchérit un autre. Cet épisode eut pour conséquence immédiate de perturber le renouvellement du PATRIOT Act, qui devait être de nouveau approuvé par le Congrès. « Le PATRIOT Act est mort et enterré », se vanta Harry Reid, chef de la minorité au Sénat, lors d'un rassemblement politique. En 2001, il avait voté pour cette loi.

Le PATRIOT Act fut finalement renouvelé mais l'épisode de cette fuite avait créé un problème plus grave. Les opérateurs de télécommunication soupçonnés d'avoir aidé le gouvernement à mettre en place le TSP furent confrontés à une vague de recours collectifs. Ce n'était pas juste. Ces sociétés qui avaient accepté d'accomplir leur devoir patriotique en aidant le gouvernement à garantir la sécurité de l'Amérique méritaient d'être saluées et non poursuivies en justice. Une chose était sûre : toute forme de coopération avec le secteur des télécommunications était désormais exclue à moins de pouvoir leur assurer l'immunité.

Au début de l'année 2006, j'ai commencé à discuter avec des parlementaires importants d'un projet de loi visant à moderniser le Foreign Intelligence Surveillance Act. Le nouveau texte autorisait explicitement le genre d'opérations de surveillance menées dans le cadre du TSP tout en offrant une protection légale aux opérateurs de télécommunication.

Le débat avança par à-coups. Par chance, je pouvais compter sur deux alliés persuasifs : un homme aux idées claires, Mike McConnell, directeur des services de renseignements et ancien amiral de l'US Navy, et un homme inflexible, Mike Mukasey, procureur général des Etats-Unis et juge fédéral de New York. Ils passèrent des heures au Capitole à expliquer pourquoi nous devions renforcer nos capacités de renseignements et quels garde-fous avaient été prévus pour éviter les abus.

Le Congrès se prononça finalement à l'été 2008. Le texte fut adopté par 293 voix contre 129 à la Chambre des Représentants. Au Sénat, il en recueillit 69. Ce vote permit essentiellement de mettre un terme à la polémique concernant la légalité de nos opérations de surveillance. Le Congrès avait offert son soutien – bipartite – à un texte nous offrant encore plus de marge de manœuvre que le TSP.

Le second événement qui nous força la main se produisit en juin 2006 lorsque la Cour Suprême se prononça dans l'affaire *Hamdan v. Rumsfeld.*

Cette décision fut le point d'orgue de plus de quatre ans de bataille juridique concernant les tribunaux militaires que j'avais autorisés en novembre 2001. Il avait fallu deux ans et demi au département de la Justice pour définir les procédures à suivre et ouvrir le premier procès. Il ne fait aucun doute qu'il s'agissait d'une entreprise complexe tant au plan juridique que pratique. Je notai toutefois un manque d'enthousiasme certain pour ce projet. Avec toutes les pressions en Irak et en Afghanistan, les tribunaux n'avaient jamais figuré parmi nos priorités.

Les avocats des prisonniers furent plus rapides que nous. En 2004, l'avocat commis d'office par l'US Navy pour Salim Hamdan – le chauffeur d'Oussama ben Laden, capturé en Afghanistan – contesta l'équité de ces tribunaux. La cour d'appel confirma leur validité en tant que dispositif judiciaire de temps de guerre. En juin 2006, toutefois, la Cour Suprême cassa cette décision, jugeant que – contrairement à Franklin Roosevelt et d'autres de mes prédécesseurs – je devais obtenir l'autorisation explicite du Congrès pour établir ces tribunaux.

Cette décision eu également des répercussions sur le programme d'interrogatoire de la CIA. Dans son arrêt rendu à la majorité, le juge de la Cour Suprême, John Paul Stevens, estima que l'Article III commun aux quatre Conventions de Genève – concernant exclusivement « les conflits armés ne présentant pas un caractère international » – était d'une certaine manière applicable à la guerre contre Al-Qaïda. Ce texte interdisait toute « atteinte à la dignité des personnes », formule vague ouverte à toutes sortes d'interprétations. Résultat, les juristes de la CIA, inquiets, ont commencé à se demander si leurs agents chargés de mener les interrogatoires ne risquaient pas tout à coup d'être poursuivis en justice. La CIA m'informa alors qu'elle devait suspendre ce programme d'interrogatoire qui avait pourtant permis de sauver tant de vies.

Je m'opposai fermement à la décision de la Cour que je considérais comme un acte de militantisme judiciaire. Je respectais toutefois le rôle de la Cour Suprême dans notre démocratie constitutionnelle. Je n'avais pas l'intention de suivre l'exemple du président Andrew Jackson qui avait déclaré : « John Marshall a pris sa décision, qu'il essaie donc de la faire appliquer maintenant ! » Que cela lui plaise ou non, le président doit accepter que les décisions de la Cour Suprême fassent loi dans ce pays.

Tout comme les fuites concernant le TSP, la décision de la Cour Suprême nous montra clairement qu'il était temps de graver le système des tribunaux militaires et le programme d'interrogatoire de la CIA dans le marbre de la loi. J'abordai cette question en public lors de plusieurs discours et interventions. Le plus marquant eut lieu en septembre 2006 dans le Salon Est de la Maison-Blanche. Afin de clairement montrer les enjeux de cette loi, j'annonçai le transfert de Khalid Cheikh Mohammed et de treize autres hauts responsables d'Al-Qaïda détenus dans des centres de la CIA à l'étranger vers la base de Guantanamo, où ils seraient jugés par les tribunaux nouvellement créés par le Congrès.

« Cette loi transforme le président en véritable dictateur », s'exclama un parlementaire. D'autres comparèrent l'attitude de nos soldats et des professionnels de la CIA à celles des talibans et de Saddam Hussein.

J'étais certain que le peuple américain saurait faire la part des choses. La plupart des Américains comprenaient que les professionnels du renseignement avaient besoin de disposer de certains outils pour obtenir des informations de terroristes préparant des attaques contre notre pays. Ils ne voulaient pas non plus que les prisonniers de Guantanamo soient transférés en territoire américain et jugés par un tribunal civil leur offrant les mêmes droits constitutionnels que n'importe quel criminel ordinaire.

Un mois après mon discours du Salon Est, le Congrès adoptait le Military Commissions Act de 2006 avec une confortable majorité bipartite. Le texte comprenait tout ce que nous voulions, notamment l'autorisation de rouvrir les tribunaux militaires et le droit pour le président de recourir aux méthodes d'interrogatoire renforcées s'il le jugeait nécessaire.

Alors que j'assistais à mon dernier briefing de la CIA, la veille de l'entrée en fonctions du président Obama, je réfléchissais à tout ce qui s'était passé depuis le 11 Septembre : les vraies et les fausses alertes, la menace mortelle de la toxine botulique et tous les complots que nous avions déjoués. Les terroristes avaient frappé à Bali, Jakarta, Riyad, Istanbul, Madrid, Londres, Amman et Bombay. Les comptes rendus que je recevais tous les matins des services de renseignements indiquaient clairement qu'ils étaient déterminés à frapper de nouveau l'Amérique.

Après le traumatisme du 11 Septembre, nous ne disposions d'aucun cadre légal, militaire ou politique préétabli pour lutter contre ce type d'ennemi inédit ne respectant aucune des règles conventionnelles de la guerre. A mon départ de la Maison-Blanche, nous avions mis en place un système efficace de programmes antiterroristes reposant sur des bases juridiques solides.

Bien sûr, tout ne s'était pas passé comme je l'aurais souhaité. J'étais exaspéré par la lenteur avec laquelle progressaient les tribunaux militaires. Même après l'adoption du Military Commissions Act, une nouvelle bataille juridique mit un frein au processus. A la fin de mon second mandat, nous n'avions pu organiser que deux procès.

Les difficultés survenues autour de ces procès vinrent compliquer une autre tâche que je m'étais fixée au début de mon second mandat : fermer le camp de Guantanamo de manière responsable. Quand bien même j'étais convaincu de la nécessité d'ouvrir ce camp de détention après les attentats du 11 Septembre, il me fallait bien reconnaître qu'il était devenu un argument de propagande pour nos ennemis et un sujet de discorde pour nos alliés. Lorsque je quittai la Maison-Blanche, le nombre de prisonniers à Guantanamo était passé de près de 800 à moins de 250. J'espère que nous pourrons juger un maximum de ceux qui restent encore. Il sera peut-être très compliqué de juger certains des terroristes les plus dangereux et les plus endurcis de Guantanamo. Je savais que si je les libérais et qu'ils faisaient couler du sang américain, celui-ci serait sur mes mains. Le principal problème de la fermeture de Guantanamo est de trouver quoi faire de ces détenus.

Rétrospectivement, je pense que j'aurais probablement pu éviter certaines polémiques et autres revers juridiques autour des tribunaux militaires, du TSP et du programme d'interrogatoire de la CIA si j'avais cherché à les codifier dès leur lancement. Si les membres du Congrès avaient eu à se décider en même temps que moi – au lendemain du 11 Septembre – je suis certain qu'ils auraient largement approuvé tout ce que nous leur demandions. Dans le cas du TSP et du programme de la CIA, il était toutefois trop dangereux de révéler des détails opérationnels à l'ennemi tant que nous n'avions pas un meilleur contrôle de la situation.

J'ai été troublé par les polémiques suscitées autour des services de renseignements et du département de la Justice pour leur rôle dans nos programmes de surveillance et de renseignement. Nos agents de renseignements ont exécuté leurs ordres avec courage et savoir-faire, ils méritent notre gratitude pour avoir protégé notre pays. Les experts juridiques de mon administration ont fait tout ce qu'ils pouvaient pour résoudre des problèmes complexes à un moment où notre pays était confronté à une menace sans précédent. Leurs successeurs ont le droit de ne pas approuver leurs conclusions. Mais la criminalisation de ces différences d'opinion légales constituerait un précédent désastreux pour notre démocratie.

Dès le début, j'ai su que la réaction de l'opinion publique à mes décisions dépendrait de la survenue d'autres attentats. Si rien ne se produisait, tout ce que j'aurais fait serait certainement considéré comme excessif. Si nous étions de nouveau attaqués, les gens me demanderaient pourquoi je n'avais pas été plus ferme.

C'est la règle de toute présidence. La façon dont l'opinion perçoit les événements se forme toujours rétrospectivement. Au moment de prendre une décision, vous n'avez pas cet avantage. Le 11 Septembre 2001, j'ai juré de faire tout ce qui serait nécessaire pour protéger l'Amérique dans le respect de nos lois et de notre Constitution. Les historiens peuvent débattre des décisions que j'ai prises, de la politique que j'ai adoptée et des dispositifs que j'ai laissés derrière moi. Une chose reste toutefois indiscutable : après le cauchemar du 11 Septembre, l'Amérique a vécu sept ans et demi sans subir la moindre attaque réussie sur son sol. Si je devais résumer le plus grand accomplissement de ma présidence en une phrase, ce serait celle-ci.

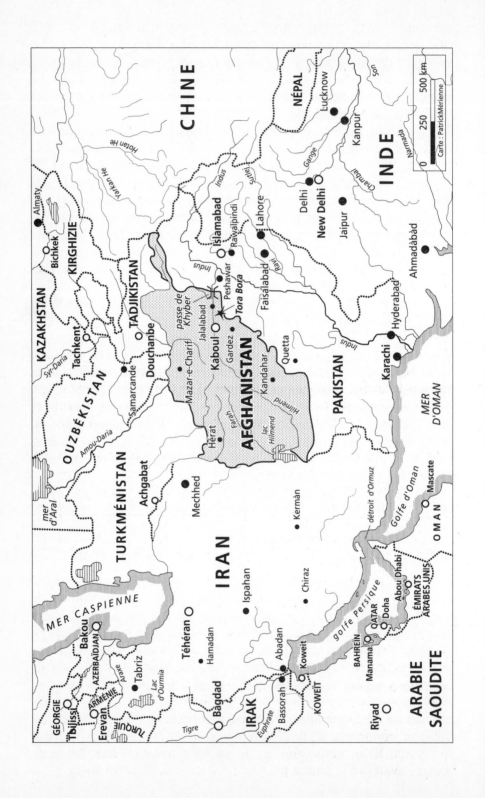

7

Afghanistan

Le Salon des Traités était l'un de mes endroits préférés à la Maison-Blanche. Spacieux et solennel, il se trouve au second étage entre la Chambre de Lincoln et la Chambre Jaune. Avant la construction de l'Aile Ouest de la Maison-Blanche, le Salon des Traités faisait office de bureau présidentiel. Son nom remonte à 1898 et à la signature par le président William McKinley du traité mettant fin à la guerre hispano-américaine.

Son mobilier se compose essentiellement d'un vaste bureau couleur brun noisette sur lequel fut signé le traité et autour duquel se réunissait le cabinet du président Ulysses Grant. Je me servais de ce bureau pour préparer mes discours, lire des comptes rendus et passer des coups de téléphone, la plupart du temps le soir en revenant du Bureau Ovale.

En face du bureau se trouve un grand tableau intitulé *The Peacemakers*. Il s'agit d'une peinture à l'huile représentant le président Lincoln à bord du bateau à vapeur *River Queen* en compagnie du général Grant, du général William Tecumseh Sherman et du contre-amiral David Porter, un mois avant la fin de la guerre de Sécession. On y voit Lincoln consultant ses chefs militaires sur la stratégie à mener pour vaincre les forces de la Confédération et établir une paix juste et durable. Avant le 11 Septembre, je regardais cette scène comme un épisode fascinant de notre histoire. Après les attentats, ce tableau a pris une signification autrement plus grave à mes yeux. Il me rappelait la clarté de l'objectif de Lincoln : cet homme avait fait la guerre pour une cause noble et nécessaire.

Le dimanche 7 octobre 2001, peu après midi, j'entrai dans le Salon des Traités pour prononcer un discours à la nation. Quelques heures auparavant, plusieurs bombardiers à long rayon d'action avaient décollé de la base de Whiteman, dans le Missouri. Les sous-marins américains et britanniques du golfe Persique avaient lancé leurs missiles Tomahawk et les avions de chasse de la Navy avaient quitté les ponts de l'*USS Carl Vinson* et de l'*USS Enterprise*.

« Obéissant à mes ordres, déclarai-je, les forces américaines ont commencé leurs frappes contre les camps d'entraînement terroristes d'Al-Qaïda et les installations militaires du régime taliban en Afghanistan. »

J'étais conscient de la gravité de ma décision. Je savais que cette guerre apporterait son lot de morts et de souffrance. Chaque vie perdue serait une tragédie irréparable pour une famille. A la fin de mon discours, je citai une lettre que m'avait envoyée une enfant de dix ans, fille de militaire. « Même si je ne veux pas que mon père se batte, je suis prête à vous le donner », écrivait-elle.

A l'angoisse que je ressentais à l'idée de tels sacrifices, se mêlait le sentiment d'urgence de la situation. Il était crucial pour la protection du peuple américain d'anéantir ce sanctuaire d'Al-Qaïda en Afghanistan. Nous avions minutieusement préparé notre opération. Nous agissions par nécessité et pour nous défendre, pas pour nous venger.

Je regardai par la fenêtre du Salon des Traités. Au loin, je voyais le Mémorial Jefferson où sont gravés ces mots de la Déclaration d'Indépendance : « Nous tenons pour évidentes les vérités suivantes : tous les hommes sont créés égaux. » Sur l'autre rive du Potomac se dressait la façade éventrée du Pentagone. Cela faisait vingt-six jours, depuis le 11 Septembre, que nous nous préparions. Nous avions suffisamment attendu. L'Amérique était prête à contre-attaquer. La libération de l'Afghanistan pouvait commencer.

Envoyer de jeunes Américains à la guerre est la décision la plus grave que puisse prendre un président. C'est ce que j'avais pu constater en 1989 lorsque Laura, les filles et moi avions passé Noël à Camp David. Le 20 décembre de cette année, Papa avait déployé 27 000 soldats au Panama pour chasser le dictateur Manuel Noriega et ramener la démocratie.

L'opération Juste Cause avait été un succès. Le dictateur avait été rapidement renversé. Il y avait eu peu de victimes américaines. L'ambiance était plutôt à la fête. Mais pas pour Papa. Pour les blessés et les familles des victimes – ainsi que pour leur commandant en chef –, cette victoire avait été cher payée.

J'étais à côté de Papa et de Mère, chantant des chants de Noël, lorsque l'aumônier de la Navy avait fait son entrée. « Monsieur le président, j'arrive tout juste de Wilford Hall à San Antonio où ont été rapatriés les soldats blessés, avait-il déclaré. J'ai dit aux hommes que si j'avais un message pour le président, je pourrais vous voir ce soir.

« Ils m'ont dit : " Dites au président que nous sommes fiers de servir un grand pays et de servir un grand homme comme George Bush " », avait poursuivi l'aumônier. Les yeux de mon père s'étaient remplis de larmes.

Ce moment poignant m'avait permis de voir de près ce que la décision d'envoyer des troupes pouvait coûter personnellement à un président. Toutefois, rien ne pouvait me préparer à ce que j'allais ressentir lorsque ce serait moi le président qui donnerais cet ordre.

Ainsi que j'avais pu m'en apercevoir lors de la présidence de mon père, Camp David est l'un des grands privilèges réservés au chef de l'Etat américain. Niché au milieu des montagnes Catoctin, dans le Maryland, à une centaine de kilomètres de Washington, cette retraite d'une centaine d'hectares se trouve à seulement trente minutes d'hélicoptère de la Maison-Blanche. Elle en paraît pourtant bien plus éloignée. Le site est géré par l'US Navy et protégé par des Marines. Il abrite plusieurs chalets rustiques, une salle de gym, une piscine, un bowling, un practice de golf et divers sentiers de vélo et de randonnée au milieu des bois. Il y règne une atmosphère propice à la réflexion.

Le chalet présidentiel s'appelle Aspen et dispose d'un intérieur simple mais confortable. Il comporte trois chambres – exactement ce qu'il fallait pour notre famille –, un salon ensoleillé où je pouvais regarder le football avec mon frère et des amis ainsi qu'une cheminée en pierre à côté de laquelle Laura et moi aimions bien lire le soir.

A moins de cinq cents mètres en bas de la colline se trouve le grand pavillon Laurel avec sa vaste salle à manger, son petit bureau présidentiel et sa salle de réunion boisée où Jimmy Carter négocia les accords de Camp David.

C'est là que je réunis mes conseillers à la sécurité nationale le matin du samedi 15 septembre 2001 pour commencer à élaborer notre plan de bataille en Afghanistan. L'ambiance était sombre, sérieuse, concentrée. Autour de moi, assis à la grande table en chêne, se trouvaient les plus hauts représentants de la sécurité nationale du gouvernement [1]. Ensemble, ils cumulaient des dizaines d'années d'expérience de gestion de crise.

---

1. Le vice-président Dick Cheney ; le secrétaire d'Etat Colin Powell ; le secrétaire d'Etat à la Défense, Don Rumsfeld, et son adjoint, Paul Wolfowitz ; le procureur général, John Ashcroft ; le directeur du FBI, Bob Mueller ; le secrétaire d'Etat au Trésor, Paul O'Neill ; le

La première présentation importante de cette matinée fut celle de George Tenet, directeur de la CIA. Six mois auparavant, sur mes ordres, George et le Conseil de sécurité nationale (NSC) avaient commencé à travailler sur une stratégie globale pour détruire le réseau d'Al-Qaïda. Durant quatre jours, entre les attentats du 11 Septembre et cette réunion à Camp David, la CIA avait renforcé sa stratégie. George suggéra que je laisse plus d'autorité à nos agents en opération secrète et notamment que les agents de la CIA puissent tuer ou capturer des membres d'Al-Qaïda sans demander systématiquement mon accord au préalable. Je décidai d'accéder à sa requête.

Le plan de la CIA reposait sur le lancement d'une nouvelle offensive en Afghanistan, où avaient été préparés les attentats du 11 Septembre. La présence de terroristes en Afghanistan remontait à 1979 après l'invasion du pays par les forces soviétiques et l'instauration d'un régime fantoche. Les tribus afghanes ainsi qu'un groupe de combattants islamiques radicaux connus sous le nom de moudjahidines s'étaient soulevés contre cette occupation étrangère. Avec l'aide des Etats-Unis, du Pakistan et de l'Arabie Saoudite, les rebelles avaient causé près de 15 000 morts aux Soviétiques et les avaient chassés en 1989. Deux ans plus tard, le régime soviétique s'effondrait.

Libéré de l'occupant communiste, le peuple afghan avait la possibilité de reconstruire son pays. Mais n'ayant plus d'intérêts à défendre en Afghanistan, le gouvernement américain décida brutalement de suspendre son aide. L'absence des Etats-Unis créa un vide. Les tribus qui avaient vaincu les forces soviétiques se retournèrent les unes contre les autres et les talibans, groupe d'islamistes fondamentalistes, arrivèrent au pouvoir. Ils imposèrent une vision fanatique et barbare de l'islam, interdisant aux filles d'aller à l'école, obligeant les hommes à porter la barbe d'une certaine longueur et empêchant les femmes de quitter leur maison sans être accompagnées d'un homme de leur famille. Les plaisirs les plus simples, comme chanter, taper des mains et faire voler des cerfs-volants, furent proscrits.

Une police religieuse brutale était chargée de faire respecter la loi des talibans. Un compte rendu du département d'Etat de 1998 raconte comment une femme avait été battue avec une antenne de voiture dans une rue de Mazar-e-Charif parce que sa burqa avait glissé de son visage alors qu'elle portait deux jeunes enfants dans

---

directeur de la CIA, George Tenet, et son adjoint, John McLaughlin ; le président du comité des chefs d'états-majors interarmées, Hugh Shelton, et son vice-président, Dick Myers ; le chef de cabinet de la Maison-Blanche, Andy Card ; la conseillère à la Sécurité nationale, Condi Rice, et son adjoint, Steve Hadley ; le conseiller juridique de la Maison-Blanche, Alberto Gonzales et le secrétaire général du vice-président, Lewis « Scooter » Libby. (NdA)

les bras et un sac de courses. Dans le stade national de football, on coupait des membres aux simples voleurs de pommes.

Les homosexuels étaient lapidés ainsi que toute personne soupçonnée d'adultère. Peu de temps après s'être emparés de Kaboul, les talibans avaient kidnappé l'ancien président afghan dans sa retraite onusienne. Après l'avoir battu et castré, ils avaient accroché sa dépouille à un lampadaire. Dans la province de Bamiyan, où vit une minorité hazara, les talibans avaient massacré au moins 170 civils innocents en janvier 2001. Quelques mois plus tard, ils avaient dynamité deux précieux Bouddhas géants vieux de mille cinq cents ans.

Certains furent toutefois accueillis à bras ouverts par les talibans. Peu après leur arrivée au pouvoir, les mollahs fondamentalistes offraient l'asile à Oussama ben Laden, fondateur d'Al-Qaïda. Entre 1996 et 2001, Ben Laden établit des camps d'entraînement en Afghanistan par lesquels seraient passés près de 10 000 terroristes. En contrepartie, il puisait dans sa fortune personnelle pour financer le régime des talibans. A la date du 11 Septembre 2001, l'Afghanistan n'était plus seulement un Etat sponsorisant le terrorisme, c'était un Etat sponsorisé par les terroristes.

L'idéologie des talibans était ferme mais on ne pouvait en dire autant de leur contrôle sur le pays. Dans une petite région du nord de l'Afghanistan, un groupe de chefs de tribus baptisé l'Alliance du Nord restait fidèle à la population locale. Le 9 septembre 2001, des agents d'Oussama ben Laden assassinaient le chef respecté de cette Alliance, le commandant Ahmed Chah Massoud. Sa mort galvanisa les membres de l'Alliance et les incita à coopérer avec les Etats-Unis. Nous étions liés par un ennemi commun et animés de la même détermination à mettre un terme au pouvoir des talibans.

Le plan de George Tenet consistait à déployer des agents de la CIA afin d'armer, de financer et de rejoindre les forces de l'Alliance du Nord. Ensemble, ces hommes devaient porter le premier coup de notre offensive. En nous unissant avec les forces d'opposition locales, nous évitions de passer pour des conquérants ou des occupants. L'Amérique allait aider le peuple afghan à se libérer.

Nous n'agirions pas seuls. Colin Powell avait fait un travail admirable pour rallier des pays à notre coalition. Certains comme le Royaume-Uni et l'Australie avaient proposé d'envoyer des hommes ; d'autres comme le Japon et la Corée du Sud offraient un soutien logistique et de l'aide humanitaire. La Corée du Sud envoya ensuite également des troupes. Plusieurs alliés arabes, comme la Jordanie ou l'Arabie Saoudite, nous livrèrent des informations importantes sur les opérations d'Al-Qaïda.

Notre partenaire le plus fondamental était le Pakistan. Aucun pays n'exerçait plus d'influence en Afghanistan que son voisin de l'est.

Le 11 Septembre, le Pakistan était l'un des trois seuls pays au monde à avoir reconnu le régime des talibans. Les deux autres étaient l'Arabie Saoudite et les Emirats arabes unis.

Certains au Pakistan avaient peut-être des sympathies pour le régime des talibans. Mais leur première préoccupation était de faire contrepoids à l'Inde, ennemi juré du Pakistan. Tant que le Pakistan restait fidèle au gouvernement afghan, il écartait tout risque d'encerclement.

Le Pakistan a toujours eu des relations mouvementées avec les Etats-Unis. Après une étroite collaboration pendant la guerre froide, le Congrès américain décida de suspendre son aide au Pakistan – privant Islamabad des F-16 qu'il convoitait tant et que les Etats-Unis lui avaient promis – en réaction au développement de son programme nucléaire militaire. En 1998, le Pakistan procéda à un essai nucléaire secret et fut frappé de nouvelles sanctions. Un an plus tard, le général Pervez Musharraf prenait la tête d'un coup d'Etat et renversait le gouvernement démocratiquement élu. En 2001, l'Amérique avait pratiquement suspendu la totalité de ses aides au Pakistan.

Le 13 septembre 2001, Colin Powell appela le président Musharraf et lui signifia clairement qu'il devait choisir son camp. Il lui présenta une liste de conditions non négociables, comprenant la condamnation des attentats du 11 Septembre, l'interdiction d'offrir l'asile à Al-Qaïda sur le territoire pakistanais, le partage de renseignements, l'autorisation de survoler son espace aérien et la rupture de toute relation diplomatique avec les talibans.

Musharraf subissait d'énormes pressions internationales. Pour les membres les plus radicaux de son gouvernement ainsi que ses services de renseignements, il était impensable de tourner le dos aux talibans. Profitant d'une pause pendant une séance du conseil de guerre, je téléphonai à Musharraf depuis Camp David.

« Je voulais vous remercier d'écouter les demandes de notre pays endeuillé et j'attends avec impatience de collaborer avec vous afin de traduire ces individus en justice, lui dis-je.

– L'enjeu est de taille, me répondit Musharraf. Nous sommes avec vous. »

Notre relation avec le Pakistan devait par la suite se révéler plus complexe. Reste qu'en l'espace de quatre jours, nous étions parvenus à faire passer le voisin le plus important de l'Afghanistan du statut d'allié des talibans à celui d'ennemi déclaré.

Ce fut ensuite au tour des généraux de prendre la parole. Donald Rumsfeld appela le chef de l'état-major interarmées, Hugh Shelton, un Ranger de l'armée à un mois de la retraite, et son adjoint, Dick Myers, général de l'Armée de l'Air que je lui avais désigné comme successeur. Ils me présentèrent trois possibilités.

La première consistait à appliquer le plan du Pentagone prévu pour les situations d'urgence. Il s'agissait de lancer des missiles de croisière sur les camps d'Al-Qaïda en Afghanistan. Ce plan pouvait être mis en œuvre immédiatement, sans risque pour les soldats américains.

La deuxième option était de combiner les tirs de missiles de croisière avec un déploiement de bombardiers. Cela nous permettait de frapper davantage de cibles, tout en exposant nos pilotes à un risque limité.

La troisième solution, la plus agressive, consistait à déployer des missiles de croisière, des bombardiers ainsi que des hommes sur le terrain. Cette option était essentiellement théorique et l'armée devrait la retravailler en détail.

Le général Shelton souligna que le débarquement de nos troupes dans un pays enclavé et montagneux comme l'Afghanistan serait un processus long et délicat sur le plan diplomatique. Nous aurions besoin de diverses autorisations pour stationner nos troupes, survoler des espaces aériens étrangers et organiser des missions de sauvetage. Sans compter les conditions climatiques et le facteur chance.

Une grande discussion s'ensuivit. George Tenet mit en garde contre le risque de représailles sur notre territoire. « S'ils ont déjà un deuxième plan d'attaque prêt, nous ne pourrons pas les empêcher de frapper, dit-il. J'imagine qu'ils possèdent des armes chimiques et biologiques », ajouta-t-il, l'air sombre.

Dick Cheney craignait que le conflit ne se propage au Pakistan, où le gouvernement risquait de perdre tout contrôle du pays et potentiellement de son arsenal nucléaire. Il s'agirait alors d'un « véritable scénario catastrophe », comme le dit très justement Steve Hadley, conseiller adjoint pour la sécurité nationale.

Le secrétaire adjoint à la Défense, Paul Wolfowitz, suggéra alors d'attaquer l'Irak en même temps que les talibans. Avant le 11 Septembre, la dictature de Saddam Hussein était largement considérée comme le régime le plus dangereux au monde. Ce régime avait déjà une longue tradition de soutien aux terroristes, allant jusqu'à payer les familles des Palestiniens commettant des attentats suicide. Les soldats de Saddam Hussein ouvraient régulièrement le feu contre des pilotes américains ou britanniques patrouillant dans les zones d'exclusion aérienne définies par les Nations unies. Et cela faisait plus de dix ans que l'Irak se moquait des résolutions de l'ONU exigeant des preuves que le pays ne possédait plus d'armes de destruction massive.

« En nous occupant de l'Irak, nous enverrions un signal fort de notre engagement contre le terrorisme », expliqua Don Rumsfeld.

Colin nous mit en garde contre cette solution. « Attaquer l'Irak aujourd'hui serait vu comme une manœuvre malhonnête, dit-il.

Nous perdrions le soutien de l'ONU, des pays musulmans et de l'OTAN. Si nous voulons nous occuper de l'Irak, nous devons le faire au moment que nous choisirons. Mais nous ne devrions pas le faire maintenant parce que nous n'avons aucun lien entre l'Irak et les attentats. »

George Tenet approuva. « Il ne faut pas frapper maintenant. Ce serait une erreur, dit-il. Notre cible prioritaire doit être Al-Qaïda. »

Conscient de la menace que représentait Saddam, Dick Cheney était d'avis que nous devrions nous occuper de lui. « Mais ce n'est pas le bon moment, reconnut-il. Nous perdrions notre dynamique. Pour l'heure, le monde va devoir choisir entre les Etats-Unis et les méchants. »

J'appréciais ce débat animé. Le fait d'écouter des discussions avec des points de vue divergents me permettait de mieux percevoir quelles étaient mes options. Je n'allais pas décider sur-le-champ. J'attendrais le lendemain.

Le dimanche 16 septembre fut une journée de réflexion. Laura et moi nous rendîmes à la messe dans la charmante chapelle Evergreen de Camp David. Commencée pendant l'administration Reagan et achevée lors de la présidence de mon père, cette chapelle tenait une place à part dans notre famille. Le premier mariage qui y fut célébré fut celui unissant ma sœur Doro à son cher époux, Bobby Koch.

A 10 heures, en ce premier dimanche d'après le 11 Septembre, une lumière de fin d'été filtrait à travers la forêt paisible et jusque dans la chapelle. Plusieurs membres de l'US Navy ainsi que des Marines accompagnés de leur famille se joignirent à nous pour la prière, de même que des responsables de la sécurité nationale arrivés de la veille pour notre conseil.

Camp David avait la chance d'avoir un excellent pasteur, Bob Williams, aumônier de la Navy. Ce dimanche-là, il prononça un sermon à la fois émouvant et réconfortant. Il posa les questions avec lesquelles tant d'entre nous se débattaient : « Pourquoi ? Mon Dieu, comment cela est-il possible ? »

Bob nous dit que les réponses à ces questions nous dépassaient. « La vie est parfois un incroyable labyrinthe de contradictions et d'aberrations », reconnut-il. Nous pouvions toutefois trouver le réconfort en nous disant que la volonté de Dieu l'emporterait toujours. Il cita un extrait de saint Ignace de Loyola : « Priez comme si tout dépendait de Dieu, car cela est vrai. Mais agissez comme si tout dépendait de vous, car cela est vrai. »

Après l'office, Laura et moi sommes montés à bord de Marine One pour rentrer à Washington. Cet après-midi-là, je pris l'une des décisions les plus importantes de ma présidence : nous allions lutter contre les terroristes en passant à l'offensive et l'Afghanistan serait le premier théâtre des opérations.

Ce choix marquait une rupture par rapport à la politique américaine de ces vingt dernières années. Après les attentats contre un cantonnement de Marines et notre ambassade au Liban par les forces du Hezbollah en 1983, le président Reagan avait retiré nos troupes du pays. Lorsque des seigneurs de la guerre avaient abattu un de nos hélicoptères Black Hawk en Somalie en 1993, le président Clinton avait rapatrié nos soldats. En 1998, Al-Qaïda avait fait exploser des bombes dans deux ambassades américaines en Afrique de l'Est et le président Clinton avait réagi en lançant des missiles de croisière sur des repaires de l'organisation en Afghanistan. Toutefois, les camps d'entraînement ayant été largement abandonnés, ces frappes à longue portée s'étaient révélées aussi inutiles qu'inefficaces. Quand Al-Qaïda avait attaqué l'*USS Cole* au large des côtes du Yémen, les Etats-Unis n'avaient pratiquement pas réagi.

Mes prédécesseurs avaient pris leurs décisions dans des circonstances totalement différentes. Après qu'Al-Qaïda eut tué près de 3 000 personnes sur le sol américain, il était clair que les terroristes avaient interprété notre manque de réaction comme un signe de faiblesse et une incitation à l'audace. Dans ses messages, l'organisation terroriste citait fréquemment nos retraits militaires comme la preuve que les Américains étaient, selon la formule de Ben Laden, des « tigres de papier » et que l'on pouvait les « chasser en moins de vingt-quatre heures. »

Après le 11 Septembre, j'étais déterminé à les faire changer d'avis. Je décidai d'employer la plus agressive des trois méthodes proposées par le général Shelton. Les frappes par bombardiers et les tirs de missiles de croisière feraient partie de notre plan de représailles mais cela ne suffisait pas. Ce n'était pas en lâchant des bombes – qui coûtent cher – sur des camps à moitié vide que nous parviendrions à chasser les talibans du pays ou à détruire le sanctuaire d'Al-Qaïda. Cela ne ferait que renforcer le sentiment de quasi-impunité des terroristes. Cette fois-ci, nous allions envoyer des troupes sur le terrain et les y laisser jusqu'à ce que les talibans et Al-Qaïda aient quitté le pays et qu'une société libre puisse émerger.

A moins de recevoir une preuve irréfutable de l'implication de Saddam Hussein dans les attentats du 11 Septembre, j'essaierais de trouver une solution diplomatique à la question irakienne. J'espérais que les pressions cumulées de la communauté internationale obligeraient Saddam à se conformer à ses obligations. La meilleure façon de lui montrer que nous ne plaisantions pas était de gagner notre pari en Afghanistan.

Le lendemain matin, je convoquai le Conseil de sécurité nationale (NSC) dans la Cabinet Room. « L'objet de cette réunion est de déterminer les objectifs de la première offensive de la guerre contre le terrorisme, déclarai-je. Ça commence aujourd'hui. »

Peu après le 11 Septembre, Denny Hastert, président de la Chambre des Représentants, aussi fiable que constant, avait suggéré que je m'exprime devant le Congrès réuni en séance commune, ainsi que l'avait fait le président Roosevelt après l'attaque de Pearl Harbor. L'idée me plaisait mais je voulais attendre d'avoir une annonce à faire. C'était désormais le cas. La date fut fixée au 20 septembre.

Je savais que le peuple américain se posait beaucoup de questions : Qui nous avait attaqués ? Pourquoi nous haïssaient-ils ? A quoi ressemblerait cette guerre ? Qu'attendait-on des citoyens ordinaires ? Mon discours devait répondre à ces questions.

Je décidai de convier un invité spécial pour l'occasion : le Premier ministre britannique, Tony Blair. Tony arriva pour dîner à la Maison-Blanche quelques heures avant mon intervention au Capitole. Je l'attirai dans un coin tranquille du premier étage pour lui présenter les derniers détails de notre plan d'attaque et notamment ma décision de déployer des troupes au sol. Il me réaffirma le soutien du Royaume-Uni. Le plus proche allié de l'Amérique lors des guerres du siècle dernier serait de nouveau à nos côtés pour la première guerre de ce siècle.

Alors que l'heure de mon intervention approchait, Tony me dit : « Vous n'avez pas l'air nerveux le moins du monde, George. Est-ce que vous n'avez pas besoin de vous isoler un moment ? » Je ne m'étais pas posé la question jusque-là. Je n'avais pas besoin d'être seul. J'avais longuement mûri ma décision et je savais ce que je voulais dire. De plus, j'appréciais la compagnie d'un ami.

L'ambiance à la Chambre des Représentants était sensiblement différente de celle qui régnait à la Cathédrale Nationale le 14 septembre. C'était un mélange d'énergie, de colère et de méfiance. J'appris par la suite que plus de 82 millions de personnes avaient suivi ce moment sur leur poste de télévision, soit un record d'audience absolu pour une allocution présidentielle.

« En temps normal, les présidents se présentent devant cette assemblée pour faire le bilan de l'état de l'Union, commençai-je. Ce soir, il n'y pas besoin de faire un tel bilan. Le peuple américain le connaît déjà [...] Mes chers compatriotes, nous avons vu l'état de notre Union, elle est solide. »

J'enchaînai ensuite avec les questions et les réponses : l'identité des terroristes, leur idéologie et le nouveau type de guerre que nous allions mener. « Notre réaction dépassera largement le cadre de la riposte instantanée et des frappes isolées, poursuivis-je. Ne vous attendez pas à une unique bataille mais à une campagne longue et différente de tout ce que vous avez pu voir. Elle comprendra des opérations spectaculaires, retransmises à la télévision, ainsi que des opérations secrètes dont même les succès seront tenus secrets… Chaque pays, dans chaque région, doit aujourd'hui prendre sa décision. Soit vous êtes avec nous, soit vous êtes avec les terroristes. »

J'adressai également un ultimatum aux talibans : « Ils nous livreront les terroristes ou subiront le même sort qu'eux. » Nous ne nous faisions guère d'illusion sur la réaction des maîtres de l'Afghanistan, mais en révélant leur obstination au grand jour, nous légitimions un peu plus le déclenchement de nos frappes militaires. Alors que mon discours touchait à sa fin, je dis :

> *Dans notre douleur et notre colère, nous avons trouvé notre mission et notre moment. […] Nous allons rallier le monde à cette cause par nos efforts et par notre courage. Nous ne nous lasserons pas, nous ne faiblirons pas, et nous ne faillirons pas.*
>
> *Je nourris l'espoir que dans les mois et les années qui viennent, la vie reprenne un cours presque normal. Nous retournerons à notre quotidien et à la routine et c'est une bonne chose. Même la douleur s'efface avec le temps et par la grâce de Dieu. Mais notre volonté ne fléchira pas. Chacun d'entre nous se souviendra de ce qui s'est passé ce jour-là et de ceux qui en ont payé le prix. Certains garderont en tête l'image d'un incendie ou le récit d'un sauvetage. Certains se souviendront d'un visage et d'une voix à jamais disparus.*
>
> *J'en garderai ceci : c'est le badge d'un policier nommé George Howard, mort dans les décombres du World Trade Center en essayant de sauver des vies. Il m'a été offert par sa mère, Arlene, en souvenir de son fils. Il me rappelle les vies qui se sont éteintes et une mission qui n'a pas trouvé de fin.*
>
> *Je n'oublierai pas la blessure faite à notre pays, ni ceux qui la lui ont infligée. Je ne céderai pas ; je ne me reposerai pas ; je ne faiblirai pas dans cette lutte pour la liberté et la sécurité du peuple américain.*

Le lendemain, 21 septembre, je me plongeai dans les préparatifs de guerre. Je n'avais encore jamais eu affaire aux militaires en tant que chef des armées. Sur leurs uniformes, les généraux arboraient une collection de rubans et de médailles, témoins d'une expérience bien supérieure à la mienne.

Sept mois auparavant, Laura et moi avions donné un dîner à la Maison-Blanche avec les chefs militaires et leurs femmes. J'espérais rompre un peu avec les formalités et apprendre à connaître ces généraux et ces amiraux plus personnellement afin qu'ils se sentent libres de me faire part de leurs opinions en toute honnêteté et de pouvoir les leur demander quand je le souhaitais.

Je fis la connaissance du général Tommy Franks, qui était venu avec sa femme, Cathy. Tommy avait la poitrine recouverte de médailles, dont un certain nombre de Bronze Stars et de Purple Hearts obtenus pendant la guerre du Vietnam. Général de brigade, il avait exercé un commandement pendant la guerre du Golfe. En 2000, il avait été nommé à la tête du Commandement Centre, chargé d'une vaste zone allant de la Corne de l'Afrique à l'Asie centrale, en passant par l'Afghanistan.

« Général, il paraît que vous venez de Midland, au Texas, lui dis-je.

– C'est exact, monsieur le président, me répondit-il avec un large sourire et l'accent traînant de l'ouest du Texas.

– On m'a dit que aviez été à la même école que Laura, poursuivis-je.

– Oui, monsieur le président. J'ai été diplômé un an avant elle, acquieça-t-il. Mais ne vous inquiétez pas, nous ne sommes jamais sortis ensemble. »

J'éclatai de rire. C'était une façon intéressante de se présenter à son nouveau commandant en chef. J'eus immédiatement le sentiment que nous nous entendrions très bien ensemble.

Tommy m'expliqua clairement que notre mission en Afghanistan ne serait pas facile. Tout dans ce pays promettait d'être compliqué. Isolé, montagneux et primitif, l'Afghanistan était peuplé par de multiples ethnies : Tadjiks, Ouzbeks, Hazaras, Turcs et autres dans la moitié nord du pays, majorité pachtoune dans le sud. Ici, les rivalités tribales, ethniques et religieuses remontaient à plusieurs siècles. Et pourtant, en dépit de toutes ces différences, les Afghans avaient l'art de faire front ensemble contre les étrangers. Ils avaient chassé les Britanniques au xixe siècle, puis les Soviétiques au xxe. Alexandre le Grand lui-même n'était pas parvenu à conquérir ce pays, surnommé le « tombeau des Empires ».

Le plan de Tommy, qui reçut ensuite le nom de code Opération Enduring Freedom, comportait quatre phases. La première consistait à conjuguer les efforts des Forces spéciales et des agents de la CIA afin de préparer le terrain avant l'arrivée des forces conventionnelles. Nous devions ensuite procéder à une vaste campagne aérienne afin de détruire les infrastructures d'Al-Qaïda et des talibans et de mener des opérations de largage de colis humanitaires à destination de la population. La troisième étape prévoyait l'envoi sur le terrain des forces américaines et de la coalition pour chasser les derniers talibans et combattants d'Al-Qaïda. Enfin, nous pourrions stabiliser le pays et aider les Afghans à bâtir une société libre.

J'estimais que mon devoir était de veiller à ce que ce plan soit complet et conforme à notre vision stratégique, à savoir le départ des talibans, la disparition du sanctuaire pour Al-Qaïda et notre contribution à l'émergence d'un gouvernement démocratique. Je posai une multitude de questions à Tommy : de combiens d'hommes aurait-on besoin ? Quelles bases pourrions-nous occuper ? Combien de temps faudrait-il avant de démarrer les opérations ? A quel niveau de résistance fallait-il s'attendre chez l'ennemi ?

Je n'essayai pas de m'occuper des questions logistiques ou tactiques, mon instinct me disant de me fier à l'état-major. Ces hommes étaient des professionnels expérimentés, je n'étais qu'un commandant en chef débutant. Il me revint en mémoire des photos de l'époque de la guerre du Vietnam montrant le président Lyndon Johnson et son secrétaire à la Défense, Robert McNamara, occupés à montrer sur des cartes les objectifs de diverses missions de routine. Leur gestion de la guerre en petit comité avait eu des répercussions sur toute la chaîne de commandement. Lorsque j'étais à l'école de pilotage, un de mes instructeurs, vétéran du Vietnam, s'était lamenté de ce que l'US Air Force était tellement limitée que l'ennemi n'avait aucun mal à deviner quand et où elle comptait frapper. La faute, selon lui, « aux politiciens qui ne veulent pas se mettre les gens à dos ».

Un des domaines où Tommy eut besoin d'aide concernait la coopération des pays voisins de l'Afghanistan. Sans le soutien logistique de l'Ouzbékistan et du Tadjikistan, nous ne pourrions pas faire entrer nos troupes en Afghanistan. Je ne connaissais pas les chefs de ces anciennes républiques soviétiques mais la Russie exerçait encore une forte influence dans cette région, et je connaissais Vladimir Poutine.

Poutine et moi nous étions rencontrés pour la première fois en juin dans un palais de Slovénie autrefois utilisé par le dirigeant communiste Tito. Mon objectif lors de cette réunion avait été d'évacuer toute tension et d'établir un lien solide avec Poutine. J'accordais une importance considérable à la diplomatie personnelle. Le fait de connaître la personnalité, le caractère et les préoccupations d'un autre dirigeant international permettait de trouver un terrain d'entente et de régler certains problèmes plus facilement. C'est une leçon que j'avais apprise de mon père, grand spécialiste de la diplomatie personnelle. J'en avais retenu une autre d'Abraham Lincoln : « Si tu veux gagner un homme à ta cause, convaincs-le d'abord que tu es son ami. »

Nous avions débuté par un entretien en petit comité, uniquement avec Vladimir et moi, nos conseillers pour la sécurité nationale et nos interprètes. Poutine avait l'air légèrement tendu. Il commença à parler en lisant des notes. Nous avons dû démarrer avec la dette de la Russie héritée de l'époque soviétique.

Au bout de quelques minutes, je l'ai interrompu en lui demandant : « Est-il vrai que votre mère vous a offert une croix que vous avez fait bénir à Jérusalem ? »

La stupéfaction se lut sur le visage de Poutine alors que Peter, son interprète, lui traduisait ma question. Je lui expliquai alors que j'avais été frappé par cette anecdote aperçue au détour d'une lecture – je ne précisai pas qu'il s'agissait d'un rapport des services de renseignements – et que j'étais curieux d'en savoir plus. Se remettant rapidement de sa surprise, Poutine me raconta l'histoire. Son visage et sa voix s'adoucirent lorsqu'il m'expliqua qu'il avait accroché la croix dans sa datcha, peu de temps avant que ne s'y déclare un incendie. A l'arrivée des pompiers, il leur avait dit que cette croix était le seul objet auquel il tenait. Reconstituant cette scène dramatique, il répéta le geste du pompier ouvrant sa main pour dévoiler la croix sauvée des flammes. « Comme si c'était écrit », dit-il.

« Vladimir, lui dis-je, c'est l'histoire de la croix. Certaines choses sont déjà écrites. » Je sentis l'atmosphère se détendre dans la pièce.

Après cet entretien, un journaliste me demanda si Poutine était « un homme en qui l'Amérique pouvait avoir confiance ». Je répondis que oui. Je repensais à l'émotion dans la voix de Vladimir lorsqu'il m'avait raconté l'histoire de la croix. « J'ai regardé cet homme dans les yeux, poursuivis-je. J'ai vu son âme. » Quelques années plus tard, Poutine devait me donner des raisons de réviser mon jugement.

Trois mois après cette rencontre en Slovénie, Vladimir Poutine fut le premier chef d'Etat étranger à appeler la Maison-Blanche après les attentats du 11 Septembre. Ne parvenant pas à me joindre alors que j'étais à bord d'Air Force One, il s'entretint avec Condi depuis le PEOC (Presidential Emergency Operations Center). Il l'assura que la Russie ne relèverait pas son niveau d'alerte militaire après notre passage à DefCon 3, ainsi que l'aurait immanquablement fait l'Union soviétique en son temps. Lorsque je parlai à Vladimir Poutine le lendemain, il me dit qu'il venait de signer un décret déclarant une minute de silence en signe de solidarité avec les Etats-Unis. Il conclut par ces mots : « Le bien triomphera du mal. Je veux que vous sachiez que nous serons à vos côtés dans cette lutte. »

Le 22 septembre, j'appelai Poutine depuis Camp David. Après un long entretien, il accepta d'ouvrir son espace aérien aux avions militaires américains et d'user de son influence auprès des anciennes républiques soviétiques pour nous aider à faire entrer nos troupes en Afghanistan. Je pensais que l'idée de laisser la Russie se faire encercler ne lui plairait guère, mais il était davantage préoccupé par les terroristes à sa frontière. Il ordonna même aux généraux russes de faire bénéficier leurs homologues américains de leur expérience en Afghanistan acquise lors de l'invasion des années 80.

Ce fut une conversation incroyable. Je dis à Vladimir combien j'appréciais sa volonté de dépasser les méfiances du passé. Peu de temps après, nous avions nos autorisations des anciennes républiques soviétiques.

A la fin du mois de septembre, George Tenet m'informa que nos premiers agents de la CIA étaient arrivés en Afghanistan et avaient pris contact avec l'Alliance du Nord. Tommy Franks m'indiqua qu'il serait bientôt prêt à déployer les Forces spéciales. J'en profitai pour poser une question qui me taraudait : « Alors, qui va prendre la place des talibans ? »

Il y eut un moment de silence.

Je voulais m'assurer que nous avions pensé à la stratégie d'après guerre. J'étais convaincu que le peuple afghan devrait pouvoir choisir son futur dirigeant. Les Afghans avaient trop souffert et les Américains prenaient trop de risques pour laisser le pays retomber dans la tyrannie. Je demandai à Colin de préparer un plan de transition vers la démocratie.

Le vendredi 5 octobre, le général Dick Myers m'informa que l'armée était prête à lancer l'offensive. Moi aussi j'étais prêt. Nous avions laissé plus de deux semaines aux talibans pour répondre à notre ultimatum. Ils ne s'étaient pas conformés à nos exigences. Leur heure avait sonné.

Donald Rumsfeld achevait une tournée au Moyen-Orient et en Asie centrale où il était parti négocier plusieurs accords importants pour le stationnement de nos troupes. J'attendais qu'il revienne pour donner officiellement l'ordre d'attaquer. Le samedi 6 octobre, je discutai avec Don et Dick Myers par vidéoconférence sécurisée depuis Camp David. Je leur demandai une dernière fois s'ils avaient tout ce dont ils avaient besoin. Ils me dirent que oui.

« Allons-y, leur dis-je. C'est la bonne décision. »

Au fond de moi, je savais que lutter contre Al-Qaïda, chasser les talibans et libérer le malheureux peuple afghan était une chose à la fois juste et nécessaire. Je m'inquiétais toutefois de tout ce qui pouvait mal tourner. Les militaires m'en avaient fait une liste : disette générale, guerre civile, effondrement du gouvernement pakistanais, révolte des musulmans du monde entier et – ce que je craignais par-dessus tout – représailles sur le territoire américain.

Lorsque je montai à bord de Marine One le lendemain matin pour retourner à Washington, Laura et une poignée de conseillers étaient à peu près les seules personnes à savoir que j'avais donné mon feu vert à l'offensive. Afin de garantir le secret de cette opération, j'avais maintenu mon programme de la journée prévoyant une cérémonie au Monument national des pompiers à Emmitsburg, dans le Maryland. Je parlai des 343 pompiers de New York qui avaient péri en ce jour qui restera de loin comme la pire journée de l'histoire des soldats du feu. Les victimes allaient du chef de la caserne, Pete Ganci, aux jeunes recrues arrivées moins d'un mois auparavant.

Le mémorial me rappelait les raisons pour lesquelles nous serions bientôt en guerre. Les militaires comprenaient cela, eux aussi. A plus de 10 000 kilomètres de là, les premières bombes commençaient à tomber. Sur plusieurs d'entre elles, les soldats avaient écrit les lettres FDNY (Fire Department City of New York).

Les premières nouvelles du front étaient bonnes. En deux heures de bombardement, nous étions parvenus avec nos alliés britanniques à réduire en miettes la faible défense antiaérienne des talibans ainsi que plusieurs camps d'entraînement d'Al-Qaïda. Après les bombes, nous avions largué plus de 37 000 rations d'aide et de colis alimentaires pour la population afghane, soit l'opération d'aide humanitaire la plus rapide de l'histoire en temps de guerre.

Au bout de quelques jours apparut un premier problème. Les frappes aériennes avaient détruit la plupart des infrastructures d'Al-Qaïda et des talibans, mais les Forces spéciales avaient du mal à arriver. Séparés de leur zone d'atterrissage par des montagnes de plus de 4 500 mètres d'altitude, les hommes étaient bloqués dans une ancienne base aérienne soviétique, en Ouzbékistan, exposés à des températures glaciales ainsi qu'à de puissantes tempêtes de neige.

J'ordonnai de presser le mouvement et Don et Tommy m'assurèrent qu'ils faisaient tout leur possible. Mais à mesure que les jours passaient, ma frustration augmentait. Notre réaction ressemblait trop aux frappes aériennes inefficaces que les Etats-Unis avaient déjà menées par le passé. Je craignais de ne pas envoyer le bon message à notre ennemi et au peuple américain. Plus tard, Tommy Franks qualifia cette période d'« infernale ». C'était exactement mon sentiment.

Douze jours après le début de l'offensive, les premiers éléments des Forces spéciales débarquaient enfin en Afghanistan. Au nord, nos hommes établirent le contact avec les agents de la CIA et les combattants de l'Alliance du Nord. Au sud, une petite unité des Forces spéciales lança une opération commando contre le quartier général du mollah Omar, un chef taliban basé à Kandahar.

Quelques mois plus tard, je me rendis à Fort Bragg, en Caroline du Nord, où je rencontrai plusieurs membres de cette unité qui avait mené l'assaut. Ils m'offrirent un morceau de mur de l'ancien repaire du mollah Omar. Je le conservai dans mon étude privée à côté du Bureau Ovale en l'honneur des Américains qui se battaient sur le terrain, des hommes courageux et expérimentés.

Le déploiement de nos troupes en Afghanistan n'apaisa pas les esprits à domicile. Le 25 octobre, Condi m'informa que la lenteur des opérations – vivement critiquée dans les médias – commençait à poser problème au niveau des responsables de la sécurité nationale. Nous n'étions en guerre que depuis dix-huit jours et certains parlaient déjà de changer de stratégie.

En période d'incertitude, si le président laisse entrevoir le moindre doute, c'est l'effet domino immanquable. Le lendemain matin, lors de la réunion du Conseil de sécurité nationale, je déclarai : « Je voudrais m'assurer que chacun d'entre nous est bien d'accord avec ce plan. » Je fis le tour de la table en posant la question à chaque membre de l'équipe. Tous répondirent par l'affirmative.

Je leur garantis ensuite que notre stratégie était la bonne. Notre plan avait été bien préparé. Notre armée était puissante. Notre cause était juste. Nous ne devions pas nous laisser envahir par le doute ou laisser les médias nous faire paniquer. « Nous allons rester calmes, patients et confiants », déclarai-je.

Je sentis une vague de soulagement envahir la pièce. Cette expérience me rappela que même les hommes les plus puissants et les plus expérimentés avaient parfois besoin d'être rassurés. Ainsi que je l'expliquai par la suite lors d'un entretien avec le journaliste Bob Woodward, le président doit agir comme « le calcium dans la colonne vertébrale ».

J'étais heureux que nous nous soyons repris lorsque j'ouvris le *New York Times* le 31 octobre. On pouvait y lire un article signé Johnny Apple et intitulé « Souvenir d'un bourbier : l'Afghanistan, un nouveau Vietnam ». Le journaliste écrivait en guise d'introduction : « Tel le spectre oublié d'un passé regrettable, le mot " bourbier " recommence à hanter les conversations des responsables gouvernementaux et des spécialistes des affaires internationales, ici et à l'étranger. »

Le coup était d'une certaine manière prévisible. Les journalistes de ma génération ont tendance à tout observer à travers le prisme du Watergate ou du Vietnam. Mais j'étais quand même stupéfait de voir que le *New York Times* n'avait même pas attendu un mois pour qualifier l'Afghanistan de nouveau Vietnam.

Les différences entre les deux conflits étaient pourtant frappantes. Dans le cas de l'Afghanistan, l'ennemi venait tout juste de faire près de trois mille victimes innocentes sur le territoire américain. A ce moment, la présence de nos forces conventionnelles en Afghanistan était quasiment nulle comparée aux centaines de milliers de soldats envoyés au Vietnam. Le peuple américain était uni derrière nos soldats et leur mission, et nous étions entourés d'alliés au sein d'une coalition de plus en plus large.

Pour les médias, cela n'avait pas la moindre importance. La polémique autour de ce prétendu bourbier se poursuivit dans les pages éditoriales et sur les chaînes câblées. Je la balayai d'un revers de la main. Je savais que la plupart des Américains se montreraient patients et confiants tant que nous aurions des résultats à leur montrer.

Les premiers résultats arrivèrent au début du mois de novembre. Soutenus par la CIA et les Forces spéciales, les généraux de l'Alliance du Nord s'étaient rapprochés des positions des talibans. Les Afghans menaient les attaques au sol tandis que nos Forces spéciales utilisaient leurs unités GPS et leurs systèmes de guidage laser pour diriger les frappes aériennes. Les combattants de l'Alliance du Nord et les Forces spéciales lancèrent une charge de cavalerie et libérèrent la ville de Mazar-e-Charif. Les habitants envahirent les rues de la ville pour fêter l'événement. L'armée la plus moderne du XXIe siècle, alliée à une charge de cavalerie digne du XIXe siècle, avait chassé les talibans de leur bastion du nord.

Je poussai un soupir de soulagement. J'avais beau avoir confiance en notre stratégie et ne pas prêter attention aux discours défaitistes, j'avais eu quelques inquiétudes. Il n'y avait aucun moyen d'être absolument sûrs de la réussite de notre entreprise. La prise de Mazar me rassura sur ce point. « Ce régime pourrait bien s'effondrer comme un château de cartes », confiai-je alors à Vladimir Poutine.

De fait, il se désagrégea rapidement. En l'espace de quelques jours, presque toutes les grandes villes du Nord étaient passées sous notre contrôle. Les talibans s'enfuirent de Kaboul pour trouver refuge dans les montagnes de l'Est et du Sud. Les femmes purent sortir de leur maison et les enfants faire voler leurs cerfs-volants. Les hommes se rasèrent la barbe et dansaient dans les rues. L'oreille collée contre le poste, un homme écoutait de la musique – interdite sous les talibans –, en criant : « Nous sommes libres ! » De son côté, une maîtresse d'école confiait : « Je suis heureuse car je pense que les filles vont pouvoir aller à l'école maintenant. »

J'étais enchanté par le spectacle de la libération. Laura aussi. Le samedi suivant la chute de Kaboul, ce fut elle qui présenta le bulletin présidentiel hebdomadaire à la radio, une première dans l'histoire des Premières dames. Le régime des talibans « bat en retraite dans l'essentiel du pays et le peuple afghan – notamment les femmes – est dans l'allégresse. Les femmes afghanes savent, par leur douloureuse expérience, ce que le reste du monde est en train de découvrir. [...] La lutte contre le terrorisme est aussi une lutte pour les droits et la dignité des femmes. »

Le discours de Laura fut salué dans le monde entier. La réaction la plus touchante fut celle des femmes afghanes. Après cela, le combat pour faire de l'Afghanistan un pays d'avenir, notamment pour les femmes et les filles, devint un véritable sacerdoce pour Laura. Dans les années qui suivirent, elles rencontra des professeurs et des entrepreneurs afghans et œuvra pour l'envoi de manuels scolaires et de médicaments ; elle apporta également son soutien à la création de l'US-Afghan Women's Council qui rassembla plus de 70 millions de dollars de fonds privés, et se rendit trois fois en Afghanistan. Alors que je me sentais de plus en plus à l'aise dans mon rôle de commandant en chef, Laura renfonçait son image de Première dame.

Une fois le nord du pays libéré des talibans, notre attention se tourna vers le sud. George Tenet déclara qu'un mouvement anti-taliban était en train de se former autour d'un chef pachtoune du nom de Hamid Karzai. Karzai n'était pas un chef militaire ordinaire. Après une enfance passée non loin de Kandahar, il était sorti diplômé d'une université indienne, parlait quatre langues et avait été membre du gouvernement afghan avant l'arrivée des talibans.

Deux jours après le début des bombardements, Karzai avait sauté sur une moto au Pakistan, franchi la frontière et rallié plusieurs centaines d'hommes pour prendre Tarin Kot, petite localité située à proximité de Kandahar. Ayant été informés de sa présence, les talibans avaient envoyé des combattants pour l'assassiner. Alors qu'il était sur le point de perdre sa position, la CIA avait envoyé un hélicoptère pour le récupérer. Peu de temps après, Karzai prenait la tête de la résistance. Il fut rejoint par un contingent de Marines à la fin du mois de novembre. Les derniers chefs talibans s'enfuirent de Kandahar et la ville tomba le 7 décembre 2001, soixante ans jour pour jour après l'attaque de Pearl Harbor et deux mois après mon discours du Salon des Traités.

Chassés de leurs bastions, les derniers talibans et combattants d'Al-Qaïda se réfugièrent dans les montagnes de l'Est, à la frontière avec le Pakistan. Au début de l'année 2002, le général Tommy Franks organisa une vaste offensive baptisée Opération Anaconda. Nos troupes, alliées à nos partenaires de la coalition et aux soldats afghans, pourchassèrent les derniers membres d'Al-Qaïda et des talibans dans l'est de l'Afghanistan. La CIA et les Forces spéciales explorèrent les grottes, réclamant des frappes aériennes contre les bases terroristes. Les éléments armés d'Al-Qaïda en sortirent sérieusement affaiblis.

J'attendais le coup de téléphone qui m'informerait que l'on avait découvert Oussama ben Laden au milieu des morts ou des prisonniers. Nous le traquions sans relâche et recevions régulièrement des informations – parfois contradictoires – sur le lieu où il se cachait. Certaines sources le disaient à Jalalabad, d'autres à Peshawar, ou bien près d'un lac près de Kandahar, ou encore dans le dédale de grottes de Tora Bora. Nos hommes n'écartèrent aucune piste. Plusieurs fois, nous eûmes l'impression de le rater de peu. Mais nos renseignements n'étaient jamais les bons.

Quelques années plus tard, certains nous accusèrent d'avoir laissé Ben Laden nous filer entre les doigts à Tora Bora. Ce n'était clairement pas ma vision des choses. J'interrogeais régulièrement les généraux et les responsables de la CIA à propos de Ben Laden. Ils passaient leurs journées à essayer de le localiser et ils m'assuraient qu'ils avaient le nombre d'hommes et les ressources nécessaires. Si nous avions su avec certitude où il se trouvait, nous aurions déplacé des montagnes pour le traduire en justice.

L'Opération Anaconda marqua la fin de la première phase de notre offensive. Comme dans toutes les guerres, tout ne s'était pas passé comme prévu dans cette campagne. Reste qu'en l'espace de six mois, nous étions parvenus à chasser les talibans du pouvoir, à détruire les camps d'entraînement d'Al-Qaïda et à libérer plus de 26 millions de personnes souffrant de violences indicibles. Les petites filles afghanes allaient pouvoir retourner à l'école et les fondements d'une future société démocratique étaient posés. Il n'y avait eu ni disette, ni guerre civile, ni effondrement du gouvernement pakistanais, ni soulèvement des musulmans du monde entier, ni représailles sur notre territoire.

Cette victoire avait toutefois été chèrement acquise. Entre le début de l'offensive et l'Opération Anaconda, vingt-sept valeureux soldats américains avaient trouvé la mort. Je lisais tous leurs noms, généralement dans mes premiers rapports du matin, assis derrière le bureau Resolute. Je m'imaginais la douleur des familles lorsqu'un officier militaire se présentait à leur porte. Je priais Dieu de leur venir en aide dans leur détresse.

Très rapidement après le début de la guerre, j'avais décidé d'écrire aux familles des soldats tombés au front. Je voulais faire honneur à leur sacrifice et exprimer mon chagrin ainsi que ma gratitude au nom de la nation. Alors que je m'installais à mon bureau le 29 novembre 2001, je me souvins d'une lettre écrite par Abraham Lincoln en 1864 à l'attention de Lydia Bixby, une habitante du Massachusetts qui aurait perdu cinq de ses fils pendant la guerre de Sécession.

« J'imagine combien serait vain et inutile le moindre mot de ma part pour essayer de vous distraire du chagrin causé par une aussi terrible perte. Je ne peux toutefois m'empêcher de vous rappeler la consolation que vous pourrez trouver dans la gratitude de la République pour laquelle ils sont morts. Je prie pour que Notre Père qui est aux cieux apaise la douleur de votre affliction et vous laisse seulement le tendre souvenir de vos chers disparus et la fierté bien fondée et solennelle d'avoir offert un précieux sacrifice sur l'autel de la Liberté. »

Ma lettre était adressée à Shannon Spann, épouse de Mike Spann, agent de la CIA tué lors de la révolte de la prison de Mazar-e-Charif. Il était la première victime américaine de cette guerre :

> *Chère Shannon,*
>
> *Au nom de la nation reconnaissante, Laura et moi vous exprimons notre plus grande sympathie à vous et à votre famille pour la perte de Mike. Je sais que votre cœur saigne. Toutes nos prières vous accompagnent.*
>
> *Mike est mort dans un combat contre le mal. Il a donné sa vie pour une noble cause, la liberté. Vos enfants doivent savoir qu'il a servi notre nation avec courage et comme un héros.*
>
> *Que Dieu vous bénisse, Shannon, vos enfants et tous ceux qui pleurent la disparition d'un homme brave et courageux.*
>
> *Bien à vous,*
> *George W. Bush*

J'écrivis à toutes les familles de tous les hommes et de toutes les femmes qui avaient sacrifié leur vie dans la guerre contre le terrorisme. A la fin de mon second mandat, j'avais écrit près de 5 000 lettres.

En plus de leur envoyer des lettres, je rencontrais régulièrement les familles des soldats morts au champ d'honneur. J'estimais qu'il était de mon devoir de réconforter ceux qui avaient perdu un être cher. Lorsque je me rendis à Fort Bragg en mars 2002, je rencontrai les familles de plusieurs hommes tués lors de l'Opération Anaconda. J'appréhendais ce moment. Seraient-elles en colère ? Pleines d'amertume ? J'étais prêt à partager leur chagrin, à les écouter, à parler, à faire tout ce qui était en mon pouvoir pour apaiser leur douleur.

Je fis la connaissance de Valerie Chapman, veuve de John Chapman, sergent de l'Armée de l'Air. Son mari avait courageusement attaqué deux bunkers d'Al-Qaïda situés dans des montagnes isolées pendant une embuscade ennemie. Il avait donné sa vie pour sauver ses camarades. Valerie m'expliqua que John était passionné par l'Air Force. Il s'était engagé à l'âge de dix-neuf ans et avait servi pendant dix-sept ans.

Je m'accroupis pour regarder dans les yeux les deux petites filles de John et Valerie : Madison, cinq ans, et Brianna, trois ans. Je m'imaginais mes propres filles à cet âge. Je sentis mon cœur se serrer à l'idée que celles-ci grandissent sans leur père. Je leur dis que c'était un homme bon et qu'il avait courageusement accompli son devoir. Je retenais mes larmes. Si ces deux petites filles devaient se souvenir de cet entretien, je voulais qu'elles en gardent l'image du respect que je vouais à leur père et non celle d'un commandant en chef pleurnichard.

Alors que notre entretien touchait à sa fin, Valerie me tendit une copie de l'avis de décès de son mari. « Si un jour quelqu'un vous dit que tout ceci est une erreur, lisez ça », me dit-elle, l'air grave. Elle avait ajouté une note : « John a fait son devoir, maintenant c'est à vous de faire le vôtre. »

Je repensais à ces mots, et à bien d'autres du même genre, chaque fois que j'eus à prendre une décision à propos de la guerre.

Avec le temps, l'euphorie de la libération céda la place à un sentiment de vertige face à l'ampleur de la tâche qui nous restait à accomplir pour aider les Afghans à reconstruire – ou plutôt à construire – leur pays à partir de rien. En 2001, l'Afghanistan était le troisième pays le plus pauvre de la planète. Moins de 10 % de la population avait accès à des soins médicaux. Plus de quatre femmes sur cinq étaient analphabètes. Alors que le pays avait une superficie et une population similaires à celles du Texas, sa production économique annuelle se rapprochait davantage de celle de Billings, dans le Montana. L'espérance de vie ne dépassait pas les quarante-six ans.

Dans les années qui suivirent, l'Afghanistan fut souvent comparé à l'Irak. Les deux pays partaient pourtant de situations complètement différentes. Au moment de sa libération, l'Afghanistan affichait un PIB par habitant représentant moins d'un tiers de celui de l'Irak. La mortalité infantile était deux fois plus élevée en Afghanistan. De toute évidence, aider le peuple afghan à rejoindre le monde moderne promettait d'être une entreprise longue et difficile.

Lorsque j'avais présenté ma candidature à la présidence des Etats-Unis, je n'avais pas songé un seul instant que je devrais me lancer dans une telle aventure. A l'automne 2000, Al Gore et moi parlions des problèmes les plus pressants de l'Amérique. Pas une seule fois, nous n'avons cité le nom de l'Afghanistan, de Ben Laden ou d'Al-Qaïda. Nous avions effectivement parlé du renforcement de certains Etats. « Le vice-président et moi ne sommes pas d'accord sur l'emploi de nos troupes, avais-je déclaré lors du premier débat pour les présidentielles. Je serais extrêmement prudent en ce qui concerne l'utilisation de nos troupes pour des opérations de renforcement d'un Etat. »

A l'époque, j'étais plutôt réticent à l'idée de multiplier les opérations de maintien de la paix comme celles que nous menions en

Bosnie et en Somalie. Les attentats du 11 Septembre me firent changer d'avis. L'Afghanistan était l'exemple ultime de renforcement d'un Etat. Nous avions libéré le pays d'une dictature brutale et nous avions le devoir moral d'y instaurer un meilleur système. Nous avions également tout intérêt à aider les Afghans à bâtir une société libre. Les terroristes se réfugiaient là où régnaient le chaos, le désespoir et la répression. Un Afghanistan démocratique constituerait une alternative positive à la vision des fondamentalistes.

La première étape consistait à faire émerger un dirigeant légitime. Colin Powell travailla avec des responsables des Nations unies afin que les Afghans puissent se choisir un gouvernement intérimaire. Ils décidèrent de réunir le conseil traditionnel afghan appelé *loya jirga* ou grand conseil. L'Afghanistan n'étant pas encore suffisamment sûr pour organiser ce conseil, le chancelier allemand, Gerhard Schroeder, proposa généreusement de le tenir à Bonn.

Après neuf jours de délibération, les délégués décidèrent de placer Hamid Karzai à la tête du pouvoir intérimaire. Lorsque Karzai arriva à Kaboul pour son intronisation, le 22 décembre, – 102 jours après le 11 Septembre –, il fut accueilli à l'aéroport par plusieurs chefs de l'Alliance du Nord accompagnés de leurs gardes du corps. Alors que Karzai s'avançait seul sur le tarmac, un seigneur de la guerre tadjik lui demanda, l'air surpris, où étaient tous ses hommes. « Pourquoi cette question, général ? lui répondit Karzai. Vous êtes mes hommes. Tous les Afghans sont mes hommes. »

Cinq semaines plus tard, je rencontrai Hamid Karzai pour la première fois. A quarante-quatre ans, avec son visage aux traits saillants et sa barbe poivre et sel, Karzai était un personnage singulier. Il portait un manteau vert chatoyant par-dessus une tunique grise et était coiffé d'un bonnet pointu en peau de chèvre, le chapeau traditionnel de sa tribu du sud de l'Afghanistan.

« Monsieur le président, bienvenue en Amérique et bienvenue dans le Bureau Ovale », lui dis-je à son arrivée. J'ai vécu plusieurs moments forts dans ce bureau au cours de mes deux mandats. Accueillir le dirigeant d'un Afghanistan libre quatre mois après les attentats du 11 Septembre en faisait partie.

« Au nom du peuple afghan, je vous remercie, monsieur le président, me répondit-il. Les Etats-Unis ont libéré l'Afghanistan des Soviétiques dans les années 80. Et aujourd'hui vous nous avez de nouveau libérés des talibans et d'Al-Qaïda. Nous sommes un peuple indépendant et nous saurons nous tenir debout, mais nous avons besoin de votre aide. La question que me posent le plus souvent mes ministres et d'autres en Afghanistan est de savoir si les Etats-Unis continueront à travailler avec nous. »

J'assurai Karzai qu'il pouvait compter sur le soutien de l'Amérique et que nous n'abandonnerions pas son pays cette fois-ci. Nous avons ensuite parlé de la traque des derniers talibans et membres d'Al-Qaïda, de la nécessité de former une armée et une police afghanes ainsi que de l'importance de construire des routes, des hôpitaux et des écoles.

Le lendemain soir, nous nous revîmes à la Chambre des Représentants où je devais prononcer mon discours sur l'état de l'Union. Laura était assise à côté de lui. Juste un rang derrière se trouvait la vice-présidente de Karzai et nouvelle ministre de la Condition féminine, Sima Samar.

La première chose à faire pour Karzai était de montrer que la vie serait désormais plus facile sans les talibans. Pour l'aider dans cette tâche, je lui envoyai Zalmay Khalilzad, Américain d'origine afghane et membre émérite du Conseil de sécurité nationale (NSC), en tant qu'envoyé spécial et plus tard ambassadeur des Etats-Unis. Zal et Hamid Karzai consacrèrent des centaines de millions de dollars d'aide américaine pour construire des infrastructures, payer des professeurs, imprimer des manuels scolaires, étendre le réseau électrique et amener l'eau potable aux populations rurales d'Afghanistan. Un des programmes financés par l'USAID (US Agency for International Development) permit à plus de trois millions d'enfants afghans de retourner à l'école, soit trois fois plus que sous les talibans. Parmi ces nouveaux écoliers, près d'un million étaient des filles.

Dès le début, nous nous sommes efforcés d'impliquer le plus de nations possibles dans ces opérations de reconstruction. L'approche multilatérale permettait d'alléger la charge financière de cette entreprise et d'impliquer d'autres pays dans la guerre idéologique contre les extrémistes. En janvier 2002, le Premier ministre japonais, Junichiro Koizumi, organisa à Tokyo une conférence internationale de bailleurs de fonds qui récolta près de 4,5 milliards de dollars de promesses de don. Les Etats-Unis et plusieurs de leurs principaux alliés décidèrent de se répartir le travail pour reconstruire la société civile afghane. Nous devions nous charger de former une nouvelle armée nationale afghane. L'Allemagne s'occuperait des forces de police. Le Royaume-Uni se chargerait de la lutte contre le trafic de stupéfiants et l'Italie de la refonte du système judiciaire. Enfin, le Japon devrait mettre en place un plan de désarmement et de démobilisation des seigneurs de la guerre et de leurs milices.

Il était nécessaire de pouvoir assurer un minimum de sécurité avant de progresser aux plans politiques et économiques. Dans le cadre du processus de Bonn, il fut donc décidé de créer l'International Security Assistance Force (ISAF) sous l'égide des Nations unies. A l'automne 2002, l'OTAN accepta d'assumer le commandement de l'ISAF, forte de près de 5 000 soldats originaires de 22 pays. Nous disposions également de 8 000 hommes placés sous le commandement du général Tommy Franks et chargés de former les forces de sécurité afghanes ainsi que de mener diverses opérations contre les derniers talibans et membres d'Al-Qaïda.

A ce moment, 13 000 hommes semblait un chiffre suffisant. Nous avions chassé les talibans avec bien moins de soldats et l'ennemi paraissait en pleine débandade. J'étais d'accord avec nos généraux : nous n'avions pas besoin d'envoyer plus de troupes. Nous redoutions tous de faire la même erreur que les Britanniques et les Soviétiques qui avaient fini par être perçus comme des forces d'occupation.

Notre stratégie donna de bons résultats au début. Rétrospectivement néanmoins, force est de constater que nos premiers succès – obtenus rapidement et avec peu de troupes – avaient créé un sentiment illusoire de sécurité et que notre volonté de maintenir le niveau des troupes à son minimum nous priva ensuite des ressources dont nous avions besoin. Il faudrait toutefois attendre plusieurs années avant que ces erreurs nous apparaissent clairement.

En juin 2002, les Afghans réunirent une deuxième *loya jirga* afin de désigner un gouvernement intérimaire. Cette fois-ci, la capitale était suffisamment sûre pour accueillir l'événement. Les délégués choisirent Hamid Karzai comme chef du nouveau gouvernement et celui-ci nomma des ministres issus de diverses ethnies et courants religieux. Je me faisais un devoir d'être en contact régulier avec Karzai. Je savais qu'il avait une tâche herculéenne à accomplir et je tenais à l'encourager et à l'assurer de notre soutien. Je lui donnais des conseils et formulais des demandes mais je veillais à ne jamais lui donner d'ordre. La meilleure façon de l'aider à devenir un chef d'Etat était encore de le traiter comme tel.

Le nouveau gouvernement faisait des progrès. En septembre 2003, le président Karzai m'informa que le salaire de l'Afghan moyen était passé de un à trois dollars par jour, soit une nette amélioration. Ce chiffre me rappelait toutefois aussi combien la situation restait difficile dans ce pays. La principale réussite du gouvernement fut de rédiger une nouvelle Constitution, laquelle fut ratifiée par une troisième *loya jirga* en janvier 2004. Ce pays qui, trois ans auparavant, obligeait les femmes à peindre les fenêtres de leur maison en noir, garantissait aujourd'hui le respect de droits tels que la liberté de parole et la liberté d'assemblée. La Constitution établissait également un système judiciaire indépendant et confiait le pouvoir législatif à deux assemblées, parmi lesquelles 25 % de la Chambre du Peuple devraient être des femmes.

L'étape suivante consistait à procéder à la première élection présidentielle libre de l'histoire de l'Afghanistan, fixée au 9 octobre 2004. Les électeurs, les candidats et les organisateurs du scrutin reçurent des menaces de mort de la part des talibans et des membres d'Al-Qaïda. Les Etats-Unis, l'OTAN et les Nations unies proposèrent leur aide pour former le personnel chargé du scrutin et assurer la sécurité dans les bureaux de vote. J'espérais que les Afghans profiteraient de ces élections pour exprimer leur désir de liberté. En réalité, personne ne savait à quoi s'attendre.

A l'aube, un spectacle extraordinaire s'offrit aux yeux du monde entier. Dans tout le pays, les Afghans s'étaient massés devant les bureaux de vote pendant la nuit et faisaient la queue, impatients de pouvoir voter. A l'entrée du premier bureau de vote qui ouvrit ses portes se trouvait une jeune fille de dix-neuf ans. « Je ne trouve pas les mots pour dire ce que je ressens, combien je suis heureuse, dit-elle. Je n'aurais jamais cru pouvoir voter pour ces élections. »

Dans tout le pays, plus de huit millions d'électeurs se déplacèrent jusqu'aux urnes, soit presque 80 % de la population en âge de voter. Toutes les principales communautés ethniques et religieuses participèrent au scrutin, de même que des millions de femmes. Les bureaux de vote restèrent ouverts deux heures au-delà de l'horaire prévu pour permettre à l'immense foule des électeurs de s'exprimer.

Condi m'annonça la nouvelle tôt le matin, au lendemain de mon débat avec John Kerry dans le Missouri. J'étais satisfait des résultats mais pas surpris. Je crois que le désir de liberté est un sentiment universel. L'histoire montre que, lorsqu'ils le peuvent, les hommes de toute race et de toute religion sont capables de prendre des risques extraordinaires au nom de la liberté. « C'est comme le jour de l'indépendance ou le jour de la liberté. Nous restaurerons la paix et la sécurité dans ce pays », déclara un homme édenté et coiffé d'un turban noir dans un village.

Une fois le décompte des voix terminé, Hamid Karzai devint le premier président démocratiquement élu d'Afghanistan. Les souvenirs tendent à s'effacer avec le temps mais je me souviendrai toute ma vie de la joie et de la fierté que je ressentis ce jour-là, lorsque le peuple d'Afghanistan – où avaient été conçus les attentats du 11 Septembre – vota pour la première fois pour un avenir de liberté.

En septembre 2005, les Afghans furent de nouveau appelés aux urnes, cette fois-ci pour élire une assemblée nationale. Plus de 2 700 candidats se présentèrent pour 249 sièges. Près de sept millions d'électeurs participèrent au vote en dépit des menaces des talibans et de leurs appels au boycott. La nouvelle assemblée nationale comptait 68 femmes et des représentants de presque toutes les minorités ethniques.

Dick Cheney représentait les Etats-Unis lors de la cérémonie d'inauguration de l'assemblée qui eut lieu en décembre 2005. La cérémonie s'ouvrit par un discours émouvant de l'ancien roi d'Afghanistan, Zahir Shah, âgé de quatre-vingt-onze ans. « Je remercie Dieu d'assister aujourd'hui à une cérémonie marquant le début de la reconstruction de l'Afghanistan après des décennies de combat, déclara-t-il. Le peuple afghan réussira. »

Je partageais son optimisme. Quatre ans après la chute des talibans, le pays avait élu un président et un Parlement. Mais je savais que ces élections n'étaient qu'une première étape. L'instauration d'une démocratie est un processus long exigeant la création d'institutions administratives telles que des tribunaux, des forces de sécurité, un système d'enseignement, une presse libre et une société civile active. L'Afghanistan avait fait des progrès prometteurs. Près de cinq millions d'enfants, dont 1,5 million de filles, avaient retrouvé les bancs de l'école. La croissance économique atteignait une moyenne annuelle de plus de 15 % du PIB. L'autoroute tant attendue reliant Kaboul à Kandahar venait d'être achevée. Quatre millions de réfugiés sur sept avaient retrouvé leur foyer.

A première vue, la situation semblait s'améliorer, mais des nuages s'amoncelaient au loin. En juin 2005, un commando de quatre hommes des Navy SEALs fut pris en embuscade par des talibans dans une région de haute montagne. Le chef de l'unité, le lieutenant Michael Murphy, trouva une position à découvert pour appeler des secours pour ses trois camarades blessés. Il parvint à rester en ligne suffisamment longtemps pour communiquer sa position avant d'être mortellement blessé. Lorsque l'hélicoptère des Forces spéciales arriva sur place pour récupérer les soldats, il fut abattu par les talibans. Dix-neuf soldats américains furent tués en ce jour qui restera comme le plus meurtrier de la guerre d'Afghanistan et la pire journée des SEALs depuis la Seconde Guerre mondiale. Un survivant de l'attaque, le quartier maître de première classe Marcus Luttrell, raconte son histoire dans un livre captivant intitulé *Lone Survivor* (« Seul survivant »).

Deux ans plus tard, j'offrais la médaille d'Honneur aux parents du lieutenant Murphy dans le Salon Est de la Maison-Blanche. Ils me parlèrent de leur fils, grand sportif, diplômé avec les honneurs de l'université de l'Etat de Pennsylvanie qui ne s'était emporté qu'une seule fois à l'école en s'interposant pour prendre la défense d'un camarade handicapé. Lorsque je reçus ses parents avant la cérémonie, ils m'offrirent une plaque d'identité militaire en or avec la photo de Mike, son nom et son rang gravés dessus. Je la passai autour de mon cou et la portai sous ma chemise pendant toute la cérémonie.

Alors qu'un officier lisait l'ordre d'attribution de la médaille d'Honneur, je parcourus l'assemblée du regard. Je repérai un groupe de Navy SEALs dans leur uniforme bleu. Ces soldats endurcis au combat avaient les joues baignées de larmes. Ainsi que je le confiai ensuite à Daniel et Maureen Murphy, le fait de porter un souvenir de Mike près de mon cœur me redonna du courage.

Cette terrible attaque contre les SEALs était le signe annonciateur de nouvelles difficultés. Entre 2005 et 2006, les talibans tuèrent des ouvriers construisant des routes, brûlèrent des écoles et assassinèrent des professeurs d'école dans les provinces frontalières du Pakistan. En septembre 2006, le gouverneur de la province de Paktia fut tué dans un attentat suicide commis par un taliban à proximité de son bureau à Gardez. Le lendemain, un nouvel attentat suicide coûtait la vie à six personnes venues assister aux funérailles du gouverneur.

Chaque jour les comptes rendus de l'armée et de la CIA étaient un peu plus inquiétants. Le problème était parfaitement résumé par une série de cartes d'Afghanistan que je contemplais en novembre 2006 : plus les zones colorées étaient sombres, plus il s'y était produit d'attaques. En 2004, la carte n'était que légèrement colorée. En 2005, des contours plus sombres étaient apparus dans les régions du Sud et de l'Est. En 2006, la totalité du quart sud-est du pays était noire. En seulement un an, le nombre d'attentats à la bombe déclenchés à distance avait été multiplié par deux. Le nombre d'attaques armées avait triplé et celui des attentats suicide avait plus que quadruplé.

Il était clair que nous devions réviser notre stratégie. La méthode multilatérale – saluée par tant de pays sur la scène internationale – ne fonctionnait pas. Il y avait un grave manque de coordination entre les pays et aucun ne consacrait suffisamment de moyens à sa mission. Les Allemands n'avaient pas réussi à former une nouvelle force de police. Les Italiens avaient échoué à réformer le système judiciaire. La campagne antidrogue menée par les Britanniques avait donné des résultats dans certaines régions mais la production de drogue avait explosé dans les terres fertiles des provinces du Sud comme le Helmand. L'Armée nationale afghane, formée par les conseillers américains, était en progrès mais par crainte de grever le budget du gouvernement afghan, nous avions trop limité ses effectifs.

La force multinationale en Afghanistan fut également une source de déception. Chaque pays membre de l'OTAN avait envoyé des hommes et plus d'une dizaine d'autres nations en avaient fait autant. Toutefois, bon nombre de Parlements nationaux avaient imposé de lourdes conditions – appelées restrictions nationales – concernant les activités autorisées à leurs soldats. Certains n'avaient pas le droit de patrouiller la nuit, d'autres ne pouvaient pas participer à des combats. Résultat, nous nous retrouvions avec une force militaire désorganisée et inefficace, constituée de soldats ne se battant pas selon les mêmes règles, quand ils avaient le droit de se battre.

Les erreurs du gouvernement afghan aggravèrent la situation. Certes, j'aimais et je respectais le président Karzai, mais il y avait trop de corruption dans le pays. Les seigneurs de la guerre détournaient une partie importante des revenus qui auraient dû parvenir à Kaboul. D'autres prélevaient un pourcentage sur les profits liés au trafic de drogue. Conséquence, les Afghans perdirent toute confiance dans leur gouvernement. N'ayant personne d'autre vers qui se tourner, un grand nombre d'entre eux rejoignirent les talibans ainsi que certains chefs extrémistes violents comme Gulbuddin Hekmatyar et Jalaluddin Haqqani. Dans un rapport de la CIA, un Afghan déclarait : « Peu importe qui est au pouvoir, du moment qu'ils assurent la sécurité. C'est tout ce qui compte. »

L'enjeu était trop grand pour laisser l'Afghanistan retomber entre les mains des extrémistes. Je décidai que les Etats-Unis devaient assumer davantage de responsabilités en Afghanistan, ce alors même que nous étions sur le point de lancer une offensive majeure en Irak.

« Bon sang, nous sommes capables de faire plus d'une chose à la fois, m'exclamai-je devant les conseillers à la sécurité nationale. Nous ne pouvons pas perdre en Afghanistan. »

A l'automne 2006, j'ordonnai l'envoi de troupes afin de faire passer notre présence militaire de 21 000 à 31 000 hommes sur deux ans. Je baptisai cette augmentation de 50 % le « renfort silencieux[1] ». Afin d'aider le gouvernement afghan à accroître son autorité et son efficacité, nous avons plus que doublé le montant de notre aide à la reconstruction. Nous avons augmenté le nombre des équipes de reconstruction provinciales dont les personnels civils et miliaires étaient chargés de veiller à ce que l'amélioration des conditions de sécurité se ressente dans le quotidien des Afghans. Nous avons également augmenté les effectifs de l'armée nationale afghane, renforcé notre campagne de lutte contre la drogue, amélioré nos activités de renseignements le long de la frontière pakistanaise et dépêché plusieurs experts civils du gouvernement américain afin d'aider les ministres afghans à renforcer leur autorité et à lutter contre la corruption.

Je pressai nos alliés de l'OTAN de s'investir autant que nous en abandonnant leurs restrictions nationales et en envoyant des ren-

---

1. Les renforts en Irak attirèrent beaucoup plus l'attention. (NdA)

forts. Plusieurs chefs d'Etat et de gouvernement ont répondu à mon appel, notamment Stephen Harper au Canada, Anders Fogh Rasmussen au Danemark et Nicolas Sarkozy en France. Les soldats britanniques et canadiens se sont battus vaillamment et ont subi de lourdes pertes. Les Etats-Unis ont eu de la chance de les avoir à leurs côtés et nous respectons leurs sacrifices autant que les nôtres.

Certains dirigeants me dirent tout net que leur Parlement n'accepterait jamais de s'impliquer davantage. Cela me rendait fou. L'Afghanistan était censé être une guerre dont le monde entier avait reconnu la légitimité et la nécessité. Et pourtant, bon nombre de pays envoyaient des troupes au champ d'action tellement réduit que nos généraux se plaignaient qu'elles ne faisaient que prendre de la place. L'OTAN était devenue une alliance à deux vitesses avec certains pays prêts à se battre et beaucoup d'autres non.

L'ajustement de notre stratégie nous permit de mieux lutter contre les insurgés. Pourtant les violences se poursuivaient. L'origine des troubles ne se trouvait ni en Afghanistan, ni en Irak – contrairement à ce que certains affirmèrent – mais au Pakistan.

Pendant l'essentiel de ma présidence, le Pakistan a été dirigé par le général Pervez Musharraf. J'admirais sa décision de se rallier à l'Amérique après les attentats du 11 Septembre. Il avait organisé des élections législatives en 2002, remportées par son parti, et présenté son concept de « modération éclairée » comme alternative au fondamentalisme islamique. Il a pris de sérieux risques en s'engageant contre Al-Qaïda et a été victime d'au moins quatre tentatives d'assassinat.

Pendant les mois suivant la libération de l'Afghanistan, j'ai expliqué à Musharraf que j'étais troublé par les informations selon lesquelles les combattants talibans et les membres d'Al-Qaïda avaient trouvé refuge dans les zones tribales du Pakistan. Peu contrôlées, ces régions étaient souvent comparées à l'Ouest sauvage. « J'aimerais beaucoup envoyer nos Forces spéciales à la frontière afin de nettoyer la zone », lui dis-je.

Il me répondit que l'envoi de troupes de combat américaines de l'autre côté de la frontière serait perçu comme une violation de la souveraineté du Pakistan. Il y avait de quoi provoquer une révolte populaire et la chute de son gouvernement. Les extrémistes auraient alors le champ libre pour prendre le contrôle du pays, ainsi que de son arsenal nucléaire.

Dans ce cas, lui dis-je, les soldats pakistanais devaient prendre l'initiative. Cet arrangement fonctionna pendant plusieurs années. Les forces pakistanaises capturèrent des centaines de terroristes, dont plusieurs chefs d'Al-Qaïda tels que Khalid Cheikh Mohammed,

Abu Zubaydah et Abu Faraj al-Libbi. Musharraf fit également arrêter le Dr Khan, père de la bombe atomique pakistanaise, pour avoir clandestinement vendu des éléments du programme nucléaire national. Ainsi que Musharraf me le rappelait régulièrement, les forces pakistanaises payaient un lourd tribut dans leur combat contre les extrémistes. Plus de 1 400 soldats Pakistanais ont été tués dans la guerre contre le terrorisme.

En échange de cette coopération, nous décidâmes de lever les sanctions contre le Pakistan, de le reconnaître comme un de nos alliés majeurs hors de l'OTAN et de l'aider à financer ses opérations antiterroristes. Nous avons également travaillé avec le Congrès afin de négocier une aide économique de 3 milliards de dollars et d'ouvrir un peu plus le marché américain aux biens et services pakistanais.

Avec le temps, il devint toutefois clair que le général Musharraf n'avait pas l'intention, ou les moyens, de respecter ses engagements. Lors de presque toutes nos conversations, Musharraf pointait un doigt accusateur en direction de l'Inde. Quatre jours après les attentats du 11 Septembre, il me dit que les Indiens « essayaient de faire passer [les Pakistanais] pour des terroristes et d'influencer les esprits américains ». Résultat, l'armée pakistanaise consacrait l'essentiel de ses ressources à se préparer à une guerre contre l'Inde. Ses troupes étaient entraînées à une guerre conventionnelle avec le pays voisin, pas à des opérations antiterroristes dans les zones tribales. La lutte contre les extrémistes passait après.

Conséquence, les forces pakistanaises traquaient les talibans avec beaucoup moins de zèle que les combattants d'Al-Qaïda. Certains membres des services de renseignements, l'ISI, conservaient des liens étroits avec les responsables talibans. D'autres exigeaient des garanties au cas où l'Amérique abandonnerait l'Afghanistan et où l'Inde tenterait d'y renforcer son influence. Quoi qu'il en soit, les combattants talibans fuyant l'Afghanistan trouvèrent refuge dans les zones tribales du Pakistan ainsi que dans certaines grandes villes comme Peshawar ou Quetta. Entre 2005 et 2006, ces deux bases contribuèrent à la montée de l'insurrection.

En mars 2006, je rendis visite à Musharraf à Islamabad après une étape en Inde où le Premier ministre, Mammohan Singh, et moi-même avions signé un accord de coopération nucléaire entre nos deux pays. Cet accord était l'aboutissement d'un processus de rapprochement entre la plus vieille démocratie au monde et la plus grande démocratie au monde. J'étais convaincu que l'Inde, forte de près d'un milliard d'habitants et d'une classe moyenne éduquée, pourrait devenir l'un des plus proches partenaires de l'Amérique. Cet accord nucléaire était une étape historique marquant le nouveau rôle de ce pays sur la scène internationale.

Naturellement, cet accord suscita des craintes au Pakistan. Notre ambassadeur, Ryan Crocker, grand vétéran des Affaires étrangères, insista lourdement pour que nous passions la nuit à Islamabad en signe de respect. Cela n'était pas arrivé depuis la visite de Richard Nixon trente-sept ans auparavant. Les agents des Services secrets étaient nerveux, surtout après l'explosion d'une bombe non loin du consulat américain à Karachi, la veille de mon arrivée. Mais la diplomatie est aussi affaire de symbole et je tenais à montrer combien je tenais à notre relation avec le Pakistan. A notre arrivée à l'aéroport, un cortège de motards devant faire diversion se mit en route pour l'ambassade presque vide. Mon chef de protocole, l'ambassadeur Don Ensenat, prit place dans la limousine présidentielle tandis que Laura et moi embarquions discrètement à bord d'un hélicoptère Black Hawk.

Le président Musharraf avait préparé une visite agréable et détendue contrastant avec les strictes consignes de sécurité. Il nous accueillit avec sa femme dans l'équivalent pakistanais de la Maison-Blanche, le Aiwan-e-Sadr. Nous rencontrâmes des survivants du séisme de magnitude 7,6 sur l'échelle de Richter qui avait secoué le nord du Pakistan au mois d'octobre et fait plus de 73 000 victimes. Les Etats-Unis avaient envoyé 500 millions de dollars d'aide à cette occasion. Nos hélicoptères Chinook avaient été rebaptisés « les anges gardiens ». Cette expérience me rappela qu'une des formes de diplomatie les plus efficaces était de montrer la générosité des Américains au reste du monde.

Plus tard dans la journée, je me rendis dans la cour de l'ambassade pour assister à un match de cricket, le sport national au Pakistan. Je fis la connaissance du capitaine de l'équipe nationale, Inzamam-ul-Haq, équivalent pakistanais de Michael Jordan. Pour la plus grande joie des enfants présents dans la cour, je me saisis d'une batte pour effectuer quelques passes. Je ne maîtrisais pas toutes les subtilités du jeu mais en retins quelques formules. Lors de l'élégant dîner qu'on nous servit le soir, je commençai mon toast en déclarant : « Je me suis fait avoir par un *googly*[1], sinon j'aurais été un meilleur batteur. »

Mes entretiens avec le président Musharraf portaient essentiellement sur deux questions prioritaires. L'une concernait son obstination à vouloir exercer à la fois les pouvoirs de président et de général en chef, en violation de la Constitution pakistanaise. Je l'incitai à renoncer à son autorité militaire pour gouverner en tant que civil. Il s'engagea à le faire. Mais il n'était pas pressé.

---

1. Lancer en tire-bouchon difficile à rattraper, semblable à une *screwball,* une balle avec effet au baseball. (NdA)

J'insistai également sur l'importance de la lutte contre les extrémistes. « Nous devons empêcher ces gens d'aller et venir entre votre pays et l'Afghanistan, déclarai-je.

– Je peux vous assurer de notre coopération contre le terrorisme, me répondit-il. Nous sommes entièrement avec vous. »

Pendant ce temps, les violences ne cessaient de s'aggraver. Alors que les insurgés gagnaient du terrain, Hamid Karzai s'en prit brutalement à Musharraf qu'il accusa de déstabiliser l'Afghanistan. Musharraf se sentit insulté par ces allégations. A l'automne 2006, c'est à peine si les deux hommes s'adressaient encore la parole. Je décidai d'intervenir avec une grande opération de diplomatie personnelle. En septembre 2006, j'invitai Karzai et Musharraf à un dîner à la Maison-Blanche. Lorsque je les accueillis dans la Roseraie, ils refusèrent de se serrer la main et même de se regarder en face. L'atmosphère ne se réchauffa guère une fois installés à la table de la Salle à manger familiale. Dick Cheney, Condi Rice, Steve Hadley et moi-même assistions à leur passe d'armes. A un moment donné, Karzai accusa Musharraf de donner asile aux talibans.

« Dites-moi où ils sont ! lui répondit vivement le président pakistanais.

– Vous savez très bien où ils sont ! répliqua Karzai.

– Si je le savais, je les capturerais, lança Musharraf.

– Alors allez-y ! », persista Karzai.

Je commençais à me demander si ce dîner était vraiment une bonne idée.

J'intervins en leur disant que les enjeux étaient trop importants pour se laisser aller à des querelles personnelles. Le dîner dura encore deux heures et demie durant lesquelles je tentai de les aider à trouver un terrain d'entente. Au bout d'un moment, les deux hommes retrouvèrent leur calme et la discussion prit un tour plus productif. Les deux dirigeants acceptèrent de partager davantage d'informations, de rencontrer les tribus des deux côtés de la frontière pour les inciter à la paix et d'arrêter de s'insulter en public.

Afin de limiter l'afflux de combattants talibans, Musharraf nous informa qu'il avait récemment conclu plusieurs accords avec les tribus des régions frontalières. Selon les termes de ces accords, les forces pakistanaises devaient se retirer de ces zones tandis que les chefs de tribu s'engageaient à empêcher les talibans de recruter des agents et de passer en Afghanistan.

Bien qu'elle partît de bonnes intentions, cette stratégie échoua. Les tribus ne pouvaient ou ne voulaient pas contrôler les extrémistes. Selon certaines estimations, le nombre de combattants talibans arrivant en Afghanistan fut multiplié par quatre.

Musharraf nous promit à Karzai et à moi – tous deux sceptiques quant à sa stratégie – qu'il renverrait ses troupes dans les zones tribales si les accords échouaient. Toutefois, au lieu de se concentrer sur ce problème, Musharraf et ses chefs militaires étaient de plus en plus préoccupés par une crise politique. En mars 2007, Musharraf suspendit le président de la Cour Suprême qui menaçait de déclarer illégal le cumul des pouvoirs de président et de chef des armées. Les avocats et les défenseurs de la démocratie descendirent dans la rue. Musharraf répliqua en déclarant l'état d'urgence, en suspendant la Constitution, en limogeant davantage de juges et en arrêtant des milliers d'opposants politiques.

On me pressait de plus en plus instamment de rompre avec Musharraf. Je craignais qu'en l'abandonnant ma décision ne fasse qu'ajouter au chaos. J'eus plusieurs conversations très franches avec lui pendant l'automne 2007. « Vue de chez nous, la situation n'est pas belle à voir. L'impression dominante est que les avocats se font réprimer et envoyer en prison, lui expliquai-je. Ce qui me trouble c'est qu'il n'y ait pas d'issue visible. » Je lui en conseillai vivement une : prévoir une date pour des élections libres, démissionner de son poste de l'armée et lever l'état d'urgence.

Musharraf s'engagea sur ces trois points et il tint promesse. Lorsqu'il annonça la tenue d'élections parlementaires, l'ancien Premier ministre, Benazir Bhutto, revint d'exil pour présenter sa candidature. Elle défendait un projet démocratique, ce qui la désignait comme cible aux yeux des terroristes. Elle fut assassinée le 27 décembre 2007 lors d'un rassemblement politique à Rawalpindi. En février 2008, ses partisans obtenaient une solide majorité aux élections. Ils formèrent un gouvernement et Musharraf se retira pacifiquement, remplacé par Asif Ali Zardari, veuf de Benazir Bhutto. La démocratie pakistanaise avait survécu à cette crise.

Avec le temps, le gouvernement pakistanais a retenu la leçon de l'assassinat de Benazir Bhutto. Les soldats pakistanais ont repris le combat dans les zones tribales, cette fois-ci pas seulement contre Al-Qaïda mais également contre les talibans et les autres extrémistes. Il n'empêche, tout occupé à gérer cette crise politique intérieure, l'Etat pakistanais avait perdu plus d'un an et demi. Les talibans et les extrémistes profitèrent de l'occasion pour accélérer le rythme de leurs opérations en Afghanistan. L'augmentation des violences qui en découla poussa bon nombre d'Afghans à se détourner de leur gouvernement et de notre coalition. Nous devions impérativement reprendre l'initiative.

Au milieu de l'année 2008, j'étais fatigué de lire des rapports faisant état de sanctuaires extrémistes au Pakistan. Je repensais à une de mes rencontres avec les Forces spéciales en Afghanistan en 2006.

« Est-ce que vous avez tout ce dont vous avez besoin, les gars ? avais-je demandé aux hommes.

– Non, monsieur », avait répondu un SEAL en levant la main.

Je me demandai quel pouvait être son problème.

« Monsieur le président, dit-il, nous avons besoin de votre permission pour aller botter quelques fesses au Pakistan. »

Je comprenais l'urgence de la situation et je voulais vraiment faire quelque chose pour ces hommes. Mais en la matière, la décision du général Musharraf était légitime. Un jour que nos soldats avaient rencontré une résistance inattendue, ils avaient été entraînés dans des combats qui avaient fait la une des médias internationaux. « Des commandos américains violent la souveraineté du Pakistan », proclama un journal pakistanais. Islamabad grondait d'indignation. Les deux chambres du Parlement votèrent à l'unanimité des résolutions condamnant nos actes. Aucune démocratie ne peut tolérer une violation de sa souveraineté.

Je cherchai d'autres moyens d'atteindre les zones tribales. Le Predator était un avion sans pilote capable d'effectuer des missions de vidéosurveillance et de larguer des bombes à guidage laser. J'autorisai les services de renseignements à faire monter la pression sur les extrémistes. Une bonne partie des détails de nos opérations est encore classé confidentiel. Peu de temps après que j'eus donné cet ordre, la presse commença à parler de plus en plus souvent des frappes menées par des drones Predator. Le numéro quatre d'Al-Qaïda, Khalid al-Habib, fut tué lors d'une de ces opérations, de même que plusieurs chefs d'Al-Qaïda responsables de la propagande, du recrutement, des affaires religieuse et des projets d'attaques à l'étranger. L'un des derniers rapports que je reçus disait les combattants d'Al-Qaïda « cernés et en perte de vitesse » dans les régions frontalières.

Nous avons également renforcé notre aide au gouvernement démocratique du Pakistan. Nous avons envoyé des fonds, des conseillers, des équipements et proposé des opérations conjointes, le tout afin de renforcer l'efficacité de l'Etat pakistanais. Lorsque la crise financière éclata à l'automne 2008, nous avons pris des mesures afin que le Pakistan reçoive toute l'aide nécessaire pour absorber le choc de la récession et rester concentré sur la lutte contre les extrémistes.

La révision de notre stratégie en Afghanistan constituait l'une des dernières missions de mes conseillers à la sécurité nationale. Le projet était mené par Doug Lute, brillant général de corps d'armée, chargé de la coordination au jour le jour de nos opérations en Irak et en Afghanistan. Son rapport préconisait le renforcement de nos efforts dans la lutte contre l'insurrection, notamment par l'envoi de renforts civils et militaires en Afghanistan et une coopération accrue avec le Pakistan contre les extrémistes. Nous nous sommes posé la question de savoir s'il était utile de publier ces conclusions à quelques semaines de la fin de mon second mandat. Steve Hadley interrogea les responsables de la future administration, qui nous demandèrent de leur transmettre le rapport discrètement. Je jugeai que la nouvelle stratégie aurait davantage de chance de réussir si nous permettions à nos successeurs de la modifier à leur gré pour se l'approprier.

En décembre 2008, j'effectuai une visite d'adieu en Afghanistan. Air Force One atterrit sur la base aérienne de Bagram vers 5 heures du matin, juste avant l'aube. « J'ai un message pour vous et pour tous ceux qui servent leur pays, déclarai-je devant une foule de soldats assemblés sous un hangar. Merci d'avoir fait le noble choix de servir et de protéger vos compatriotes américains. Ce que vous faites en Afghanistan est important, c'est quelque chose de courageux et de généreux. C'est digne de ce que les soldats américains ont fait en Normandie, à Iwo Jima et en Corée. Votre génération est tout aussi brave que celles de vos aînés. Et le travail que vous accomplissez chaque jour contribue à écrire l'histoire des générations à venir. »

Je serrai quelques mains et embarquai à bord d'un hélicoptère Black Hawk pour atterrir quarante minutes plus tard à Kaboul. L'Afghanistan fait partie de ces pays où il faut se rendre au moins une fois pour les comprendre. Les montagnes y sont gigantesques et abruptes, la terre est dure et nue, le paysage hostile et désolé. Comme bon nombre d'Américains, je me demandais comment quiconque avait pu échapper à nos soldats pendant sept ans. Après avoir jeté un œil à la topographie des lieux, cela était plus facile à comprendre.

Alors que nous approchions de Kaboul, je sentis une odeur âcre. Je me rendis compte qu'elle provenait de pneus en feu. C'était, hélas, une méthode afghane de chauffage. La qualité de l'air n'était pas meilleure au sol. Je toussai pendant une semaine après mon retour, un bon moyen de me rappeler le chemin que l'Afghanistan avait encore à parcourir.

A notre atterrissage devant le palais présidentiel, le président Karzai vint à notre rencontre. Il portait son manteau et son chapeau traditionnels. Il me présenta à ses ministres et me conduisit jusqu'à un vaste salon pour prendre le thé. Comme d'habitude, ses manières étaient énergiques et exubérantes. Son visage resplendit de fierté lorsqu'il me montra des photos de son jeune fils, Mirwais, son unique enfant. Il me parla de ses projets pour augmenter les récoltes agricoles et stimuler certains secteurs de l'économie comme les télécommunications. Après ces entretiens, il me conduisit dehors dans une cour poussiéreuse. Nous nous quittâmes après nous être serré la main et donné l'accolade. Certes, cet homme avait commis des erreurs, mais en dépit de toutes les forces travaillant contre lui, il n'avait jamais baissé les bras et était toujours déterminé à conduire son pays vers des jours meilleurs. Karzaï contribuait à redonner espoir au peuple afghan, quelque chose dont il avait été privé pendant de longues années. Pour cela, il aura toujours mon respect et ma gratitude.

Alors que je montais à bord de l'hélicoptère, je repensai à cet après-midi d'octobre 2001 où j'avais annoncé le début de la guerre depuis le Salon des Traités. Un pays autrefois soumis à l'un des régimes les plus brutaux de l'histoire était à présent gouverné par des dirigeants démocratiquement élus. Des femmes qui avaient été retenues prisonnières dans leur propre maison étaient aujourd'hui membres du Parlement. Bien que toujours dangereuse, l'organisation d'Al-Qaïda avait perdu ses camps où s'étaient entraînés jusqu'à 10 000 terroristes et où avaient été conçus les attentats du 11 Septembre. Les Afghans avaient pu s'exprimer lors de plusieurs élections libres et disposaient d'une armée de plus en plus efficace de 79 000 hommes. La taille de l'économie afghane avait doublé. Le nombre d'enfants inscrits à l'école était passé de 900 000 à plus de 6 millions, dont plus de 2 millions de filles. La part de la population ayant accès à des soins médicaux était passée de 8 % à 80 %. En 2010, le Pentagone révéla que des géologues avaient découvert des réserves de minéraux représentant près de 1 000 milliards de dollars, une source de richesse potentielle pour le peuple afghan que les talibans n'auraient jamais mise au jour.

Je savais aussi que je partais alors que le travail n'était pas terminé. Je voulais absolument faire comparaître Oussama ben Laden devant un tribunal. Cet échec faisait partie de mes plus grands regrets. Ce n'avait pourtant pas été faute d'essayer. Pendant sept ans, nous n'avons jamais relâché la pression. Si nous n'avons jamais pu mettre la main sur le chef d'Al-Qaïda, nous l'avons néanmoins forcé à changer sa façon de se déplacer, de communiquer et de donner ses ordres. Cela nous a permis de l'empêcher de réaliser son plus grand rêve après les attentats du 11 Septembre : frapper une deuxième fois les Etats-Unis sur leur sol.

A l'heure où j'écris ces lignes, en 2010, la guerre en Afghanistan n'est pas terminée. Les talibans sont toujours actifs et le gouvernement afghan lutte pour étendre son autorité sur la totalité du territoire. Depuis le début, je savais qu'il faudrait du temps pour aider les Afghans à construire une démocratie opérationnelle et conforme à leur culture et à leurs traditions. Cette tâche se révéla encore plus difficile que je ne l'avais imaginé. Notre gouvernement n'était pas prêt à construire et à consolider un Etat. Au fil du temps, nous avons adapté notre stratégie et nos moyens. Reste que la pauvreté et le manque d'infrastructure sont encore tels en Afghanistan qu'il faudra plusieurs années pour achever ce travail.

Je suis fermement convaincu que le jeu en vaut la chandelle. Par bonheur, je ne suis pas le seul de cet avis. A l'automne 2009, le président Obama résista aux critiques en envoyant de nouveaux renforts en Afghanistan et en annonçant le redoublement de nos efforts dans la lutte contre l'insurrection. Il augmenta également les pressions sur le Pakistan pour lutter contre les extrémistes dans les zones tribales.

Au bout du compte, le seul moyen pour les talibans et Al-Qaïda de reprendre le contrôle de l'Afghanistan serait que l'Amérique abandonne le pays. En laissant les extrémistes reprendre le pouvoir, nous obligerions les femmes afghanes à retourner à leur asservissement et les petites filles à quitter les bancs des écoles. Nous trahirions tout ce que nous avons accompli au cours des neuf dernières années. Cela mettrait également en péril notre propre sécurité. Après la guerre froide, les Etats-Unis avaient abandonné l'Afghanistan. Il en était résulté le chaos, la guerre civile, l'arrivée des talibans, le sanctuaire pour Al-Qaïda et la tragédie du 11 Septembre. Oublier cette leçon serait une terrible erreur.

Avant de m'envoler de la base aérienne de Bagram pour rentrer aux Etats-Unis en décembre 2008, je retournai dans le hangar pour la dernière rencontre de mon ultime voyage en tant que président des Etats-Unis. Sous ce hangar, se trouvaient un groupe des Forces spéciales. Bon nombre de ces hommes avaient fait plusieurs séjours en Afghanistan, ils avaient traqué les terroristes et les talibans dans des montagnes glaciales. Leur travail était l'un des plus difficiles et les plus dangereux au monde. Je leur serrai la main et leur dis combien je leur étais reconnaissant.

Puis un petit groupe de soldats du 75e régiment de Rangers fit son entrée. Leur chef de peloton, le capitaine Ramon Ramos, me demanda si j'accepterais de participer à une courte cérémonie. Il sortit un grand drapeau américain et leva la main droite. Plusieurs de ses camarades firent de même. Il prononça un serment que les hommes répétèrent. « Je jure solennellement de soutenir et de défendre la Constitution et la loi des Etats-Unis d'Amérique contre tout ennemi, qu'il vienne de l'extérieur ou de l'intérieur... »

Ici, dans ce hangar isolé, dans le pays où avaient été conçus les attentats du 11 Septembre, après huit ans de guerre pour protéger l'Amérique, ces hommes avaient décidé de se rengager.

8

Irak

Le mercredi 19 mars 2003, j'assistai à une réunion que j'avais espéré pouvoir éviter.

Le Conseil de sécurité nationale (NSC) s'était réuni à la Maison-Blanche dans la Situation Room, sorte de centre nerveux plein d'équipements de télécommunication et d'officiers de service, situé au rez-de-chaussée de l'aile Ouest. En haut, au milieu de l'écran de vidéoconférence, apparaissait le visage du général Tommy Franks, entouré de ses principaux adjoints sur la base aérienne de Prince Sultan, en Arabie Saoudite. Les cinq autres fenêtres étaient occupées par les chefs de l'armée, de la Navy, du corps des Marines, de l'Armée de l'Air ainsi que par plusieurs commandants des Opérations spéciales. Leurs homologues des forces armées britanniques et des forces de défense australiennes étaient également présents.

A chaque homme, je posai deux questions : Avez-vous tout ce qu'il vous faut ? Etes-vous en accord avec la stratégie ?

Chacun me répondit par l'affirmative.

Tommy fut le dernier à parler : « Monsieur le président, dit le général en chef, les hommes sont prêts. »

Je me tournai vers Don Rumsfeld : « Monsieur le secrétaire, déclarai-je, au nom de la paix dans le monde et pour le bien et la liberté du peuple irakien, je vous ordonne d'exécuter l'Opération Liberté en Irak. Que Dieu bénisse nos troupes. »

Tommy m'adressa immédiatement un salut militaire. « Monsieur le président, dit-il, que Dieu bénisse l'Amérique. »

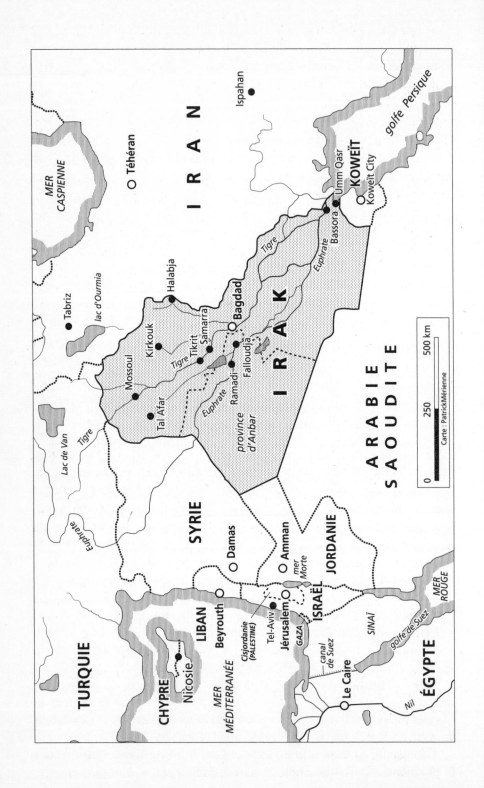

Alors que je lui rendais son salut, je compris toute la gravité de ce moment. Cela faisait plus de un an que j'essayais de régler la question irakienne sans faire la guerre. Nous avions rassemblé une coalition internationale pour faire pression sur Saddam Hussein et l'obliger à rendre des comptes sur ses programmes de développement d'armes de destruction massive. Nous avions obtenu l'adoption à l'unanimité d'une résolution par le Conseil de sécurité de l'ONU prévoyant clairement que son attitude de défi pourrait avoir de lourdes conséquences. Nous avions discuté avec plusieurs nations arabes à propos d'un éventuel exil de Saddam. J'avais laissé quarante-huit heures à Saddam et à ses fils pour éviter une guerre. Le dictateur n'avait rien cédé. La seule conclusion logique était qu'il nous cachait quelque chose, quelque chose de tellement important qu'il était prêt à faire la guerre pour garder son secret.

J'étais conscient des conséquences de cet ordre. J'avais pleuré avec les veuves des soldats morts en Afghanistan. J'avais embrassé des enfants qui n'avaient plus de mère ou plus de père. Je ne voulais pas renvoyer des Américains à la guerre. Mais après le cauchemar du 11 Septembre, je m'étais juré de faire tout ce qui serait nécessaire pour protéger le pays. Je ne pouvais pas me permettre de laisser un ennemi juré des Etats-Unis refuser de rendre des comptes sur ses armes de destruction massive.

J'avais besoin d'un moment pour me remettre de cette émotion. Je quittai la Situation Room, montai quelques marches, traversai le Bureau Ovale et me promenai lentement, en silence, sur la grande pelouse Sud. Je priais pour nos soldats, pour la sécurité du pays et pour avoir la force d'affronter les prochains jours. Spot, notre springer anglais, jaillit de la Maison-Blanche et courut dans ma direction. J'étais content de voir un ami. Sa joie contrastait avec le poids que j'avais sur le cœur.

Un seul homme pouvait comprendre ce que je ressentais à cet instant. Je m'installai à mon bureau dans le Salon des Traités et écrivis une lettre :

Cher Papa,
Vers 9 h 30 ce matin, j'ai donné l'ordre au SecDef [Secrétaire à la Défense] *de lancer l'Opération Liberté en Irak. Même si je m'étais déjà préparé il y a plusieurs mois à utiliser la force, si c'était nécessaire, pour libérer l'Irak et débarrasser le pays de ses armes de destruction massive, la décision n'a pas été facile à prendre.* [...]
Je sais que j'ai pris la bonne décision et je prie pour qu'il y ait peu de victimes. L'Irak sera libre et le monde plus sûr. L'émotion du moment

est passée et j'attends maintenant des nouvelles des opérations secrètes qui se déroulent en ce moment.

Je comprends ce que tu as vécu.

Tendrement,
George

Quelques heures plus tard, la réponse arrivait par fax.

Cher George,

Ta petite note écrite, que je viens de recevoir, m'a touché droit au cœur. Tu as fait le bon choix. La décision que tu viens de prendre est la plus difficile que tu aies jamais eu à prendre jusqu'à présent. Mais tu l'as prise avec courage et compassion. Tu as raison de craindre pour la vie d'innocents, qu'ils soient irakiens ou américains. Mais tu as fait ce que tu avais à faire.

Si cela peut te réconforter un minimum, sache qu'alors que tu affrontes la situation la plus difficile qu'ait jamais connue un président américain depuis Lincoln, tu t'acquittes de ta tâche avec courage et élégance. [...]

Souviens-toi des mots de Robin : « Je t'aime plus que des mots ne peuvent l'exprimer. »

C'est le cas pour moi.

Tendrement,
Papa

Les bombes qui tombèrent cette nuit-là sur Bagdad marquèrent le début de la libération de l'Irak. Ce n'était toutefois pas la première frappe aérienne dirigée contre ce pays sous ma présidence.

En février 2001, j'avais rendu visite au président Vicente Fox à San Cristóbal au Mexique. Mon premier déplacement à l'étranger en tant que président des Etats-Unis devait servir à réaffirmer notre engagement en faveur de la démocratie et des échanges commerciaux en Amérique latine. L'Irak avait joué les invités sur-prise. Alors que nous admirions le paisible paysage depuis le ranch de Vicente, des bombardiers américains frappaient le système de défense antiaérien de l'Irak. Il s'agissait d'une mission de routine visant à faire respecter les zones d'exclusion aérienne instaurées après le massacre de milliers de Kurdes et de chiites innocents, ordonné par Saddam après la guerre du Golfe [1].

Saddam ordonna un tir de barrage qui enflamma le ciel de Bagdad et attira l'attention des caméras de CNN. Alors que je sortais de la

---

1. Les chiites forment une secte musulmane et représentent près de 60 % de la popula-tion irakienne. Les Kurdes, qui sont majoritairement musulmans mais s'identifient d'abord par leur origine ethnique, représentent environ 20 % de la population. Les Arabes sunnites, privilégiés par Saddam, représentent 15 % de la population. Le reste est constitué de chrétiens, de yézidis, de mandéens, de juifs et autres. (NdA)

maison avec Vicente pour une conférence de presse, un journaliste mexicain me demanda : « J'ai une question pour le président Bush. Est-ce le début d'une nouvelle guerre ? »

L'incident me rappela à quel point la situation s'était détériorée en Irak. Un peu plus de dix ans auparavant, en août 1990, les chars de Saddam Hussein avaient traversé la frontière du Koweït. Papa avait déclaré qu'il n'accepterait pas cette agression non provoquée et avait lancé un ultimatum à Saddam afin qu'il se retire du Koweït. Lorsque le dictateur avait refusé de se plier à ses demandes, Papa avait rallié une coalition de 33 pays, dont plusieurs nations arabes, afin de l'y contraindre.

La décision d'envoyer des soldats américains au Koweït avait été terriblement difficile à prendre et sa mise en œuvre particulièrement frustrante pour Papa. Le Sénat avait autorisé l'usage de la force militaire à une courte majorité de 52 voix contre 47. Un groupe de parlementaires avait présenté une lettre à Papa estimant entre 10 000 et 50 000 le nombre de morts du côté américain. L'ancien président Carter avait pressé les membres du Conseil de sécurité de s'opposer à cette guerre, mais l'ONU avait tout de même donné son soutien.

L'opération Tempête du Désert avait été un incroyable succès. Les forces de la coalition avaient repoussé l'armée irakienne hors du Koweït en moins de cent heures. En fin de compte, le bilan des victimes était de 149 soldats américains morts au combat. J'étais fier de Papa et de sa force de décision. Je me demandais s'il enverrait ses troupes jusqu'à Bagdad. Il avait l'occasion de débarrasser le monde de Saddam Hussein une bonne fois pour toutes. Il s'arrêta pourtant à la libération du Koweït. C'était ce qu'il s'était assigné pour mission. C'est ce pour quoi le Congrès avait donné son accord ainsi que les membres de la coalition. Je comprenais parfaitement son raisonnement.

La résolution 687 des Nations unies exigeait, comme condition pour la fin des combats, que Saddam Hussein détruise son arsenal d'armes de destruction massive ainsi que tous ses missiles d'une portée supérieure à 140 kilomètres. La résolution interdisait également à l'Irak de se doter d'armes biologiques, chimiques ou nucléaires ou des moyens d'en fabriquer. Afin de vérifier le respect de ces conditions, Saddam devait se soumettre à un programme de surveillance et de vérification des Nations unies.

Au début, Saddam affirma qu'il n'avait qu'un nombre limité d'armes chimiques et de missiles Scud. Par la suite néanmoins, les inspecteurs des Nations unies découvrirent un puissant arsenal. Saddam possédait des milliers de bombes, d'obus et d'ogives remplies d'agents chimiques. Il avait un programme d'armement nucléaire en mesure de produire une bombe dans les deux ans à venir, soit beaucoup plus vite que les huit à dix ans prévus par les estimations de la CIA avant la guerre. Lorsque son gendre s'était exilé en 1995, Saddam avait reconnu avoir dissimulé un programme de développement d'armes biologiques utilisant notamment de l'anthrax et la toxine botulique.

Afin de pouvoir garder Saddam sous contrôle, les Nations unies avaient imposé un strict régime de sanctions sur le pays. Mais alors que l'indignation suscitée par l'invasion irakienne du Koweït se dissipait, le point de mire de la communauté internationale se déplaça. Saddam avait détourné près de 2 milliards de dollars distribués dans le cadre du programme pétrole contre nourriture – mis en place par les Nations unies pour fournir un minimum d'aide humanitaire aux Irakiens innocents – pour enrichir ses fidèles et reconstituer ses ressources militaires, dont plusieurs programmes liés au développement d'armes de destruction massive. Alors que des enfants mouraient de faim, il lança une campagne de propagande condamnant les souffrances imposées par les sanctions internationales.

En 1998, Saddam avait persuadé plusieurs partenaires importants comme la Russie et la France de plaider devant l'ONU pour un assouplissement des sanctions. Il avait ensuite forcé les inspecteurs de l'ONU à quitter le pays. Le problème était clair : Saddam n'avait jamais justifié de la destruction de tout son arsenal après la guerre du Golfe. Une fois les inspecteurs partis, le monde n'avait plus rien su de l'état de ses programmes.

Le gouvernement Clinton avait réagi en lançant l'opération Renard du Désert, une campagne de bombardement de quatre jours menée en collaboration avec le Royaume-Uni et visant à réduire les capacités de production d'armes de destruction massive de Saddam. Lors d'une intervention diffusée en prime time depuis le Bureau Ovale en décembre 1998, le président Clinton avait déclaré :

> *Le fait est que tant que Saddam Hussein sera au pouvoir, il constituera un risque pour le bien-être de son peuple, pour la paix dans la région et pour la sécurité du monde entier. La meilleure façon de mettre un terme à cette menace une bonne fois pour toutes est de changer le gouvernement irakien [pour le remplacer par] un gouvernement prêt à vivre en paix avec ses voisins, un gouvernement qui respecte les droits de son peuple...*
>
> *Aussi lourd soit-il, le prix de l'action doit être comparé à celui de l'inaction. Si Saddam défie le monde et que nous ne réagissons pas, nous serons confrontés à une menace bien plus grave à l'avenir. Saddam s'en prendra de nouveau à ses voisins. Il fera la guerre à son propre peuple. Et tenez-vous le pour dit, il se dotera d'armes de destruction massive. Il les déploiera et il s'en servira.*

La même année, le Congrès adopta à une large majorité l'Irak Liberation Act promulgué par le président Clinton. Le texte définissait une nouvelle politique des Etats-Unis ayant pour objectif de « soutenir les efforts visant à renverser le régime de Saddam Hussein en Irak et à promouvoir l'émergence d'un gouvernement démocratique ».

Au début de l'année 2001, Saddam Hussein menait une guerre de faible intensité contre les Etats-Unis. Entre 1999 et 2000, ses soldats avaient ouvert le feu près de sept cents fois contre nos pilotes chargés de patrouiller les zones d'exclusion aérienne.

Pendant les huit premiers mois de ma présidence, je m'efforçai de renforcer les sanctions ou, pour reprendre la formule de Colin Powell, de veiller à garder Saddam enfermé dans sa boîte. Il y eut ensuite les attentats du 11 Septembre, ce qui nous força à reconsidérer toutes les menaces extérieures. Il y avait les Etats qui soutenaient le terrorisme. Il y avait les ennemis jurés de l'Amérique. Il y avait les gouvernements hostiles qui menaçaient leurs voisins. Il y avait les pays qui ne respectaient pas les exigences internationales. Et il y avait les régimes qui cherchaient à se doter d'armes de destruction massive. L'Irak était une combinaison de toutes ces menaces.

Saddam Hussein n'avait pas seulement des sympathies pour les terroristes. Il avait payé les familles de Palestiniens commettant des attentats suicide. Il avait donné asile à des terroristes comme Abou Nidal, responsable de la mort de dix-neuf personnes lors d'attaques aux comptoirs d'une compagnie aérienne israélienne à Rome et à Vienne, ainsi qu'Abou Abbas, auteur du détournement du paquebot italien *Achille Lauro*, et assassin d'un citoyen américain âgé et se déplaçant en fauteuil roulant.

Saddam Hussein n'était pas seulement un ennemi juré de l'Amérique. Il avait fait ouvrir le feu contre nos avions, salué les attaques du 11 Septembre et tenté d'assassiner un ancien président des Etats-Unis, mon père.

Saddam Hussein ne se contentait pas de menacer ses voisins. Il en avait déjà envahi deux : l'Iran dans les années 80 et le Koweït dans les années 90.

Saddam Hussein ne violait pas seulement les exigences internationales. Il avait bafoué six résolutions de l'ONU depuis la guerre du Golfe.

Saddam Hussein n'était pas seulement un dirigeant brutal. Ses complices et lui avaient torturé des innocents, violé des opposants politiques sous les yeux de leur famille, brûlé des dissidents à l'acide et jeté des dizaines de milliers d'Irakiens dans des fosses communes. En 2000, le gouvernement de Saddam avait décrété que toute personne osant critiquer le président ou un membre de sa famille aurait la langue coupée. Plus tard dans le courant de l'année, une obstétricienne irakienne accusée de prostitution fut décapitée. Le véritable crime de cette femme était d'avoir dénoncé la corruption du ministère irakien de la Santé.

Saddam Hussein ne cherchait pas seulement à se doter d'armes de destruction massive. Il les utilisait. Il avait employé du gaz moutarde et des gaz neurotoxiques contre les soldats iraniens et avait massacré plus de 5 000 civils innocents lors d'une attaque à l'arme chimique contre le village kurde de Halabja, en 1988. Personne ne savait ce que Saddam avait fait de ses stocks d'armes chimiques et biologiques, surtout après le renvoi des inspecteurs de l'ONU. Mais après avoir étudié toutes leurs informations, presque tous les grands services de renseignements au monde parvenaient à la même conclusion : Saddam possédait des armes de destruction massive et il avait les moyens d'en produire davantage. Un rapport des services de renseignements résumait bien la situation : « Depuis la fin des inspections en 1998, Saddam a maintenu son programme d'armement chimique, relancé sa production de missiles, investi en masse dans les armes biologiques et il commence à s'intéresser au nucléaire. »

Avant le 11 Septembre, Saddam représentait un risque que les Etats-Unis auraient peut-être pu accepter. Après le 11 Septembre, ma vision du monde avait changé. Je venais de voir de mes propres yeux les dommages que pouvaient infliger dix-neuf fanatiques armés de cutters. Je ne pouvais qu'imaginer leur potentiel destructeur si un dictateur ennemi mettait ses armes de destruction massive entre les mains de terroristes. A l'heure où le Bureau Ovale était débordé chaque jour par de nouvelles menaces – en bonne partie liées à des armes chimiques, biologiques ou nucléaires –, cette éventualité paraissait terriblement réaliste. L'enjeu était trop important pour faire confiance au dictateur alors que les preuves s'accumulaient et qu'un consensus international émergeait. Le 11 Septembre nous avait montré que si nous attendions qu'une menace se réalise pour agir, il serait trop tard. Je pris donc ma décision : nous allions nous occuper de l'Irak, d'une façon ou d'une autre.

Mon premier choix avait été le recours à la diplomatie. Notre bilan en la matière n'était malheureusement guère encourageant avec l'Irak. Nous avions maintenu une relation bilatérale avec Bagdad pendant les années 80. Nous avions obtenu une résolution du Conseil de sécurité de l'ONU dans les années 90. Mais malgré notre engagement, Saddam se montrait de plus en plus belliqueux.

Pour obtenir une victoire diplomatique, nous devions radicalement changer de tactique. Nous pensions que la faiblesse de Saddam était son obsession du pouvoir et nous pensions qu'il ferait tout pour le garder. Si nous arrivions à le convaincre du sérieux de nos menaces contre son régime, il était possible qu'il accepte de renoncer à ses armes de destruction massive, qu'il arrête de soutenir les terroristes et de menacer ses voisins et, avec le temps, qu'il respecte les droits les plus élémentaires de son peuple. Nos chances de réussite étaient minces. Mais compte tenu de la situation, cela valait le coup d'essayer. On appelait cela la diplomatie coercitive.

Notre nouvelle approche en Irak était constituée de deux volets : l'un consistait à rassembler une coalition de pays afin de faire comprendre à Saddam que son attitude de défi n'était pas tolérable aux yeux de la communauté internationale. L'autre consistait à préparer une solution militaire crédible et pouvant être mise en œuvre si le dictateur refusait d'obtempérer. Ces deux options seraient d'abord développées en parallèle. A mesure que la solution militaire deviendrait de plus en plus concrète, les deux voies devaient commencer à converger. Nous atteindrions notre potentiel de pression maximal lorsqu'elles s'entrecroiseraient. Il serait alors temps de prendre une décision. Et, au bout du compte, ce serait à Saddam de la prendre.

En février 2001, le Premier ministre britannique, Tony Blair, et sa femme, Cherie, vinrent nous rendre visite à Camp David. Tony était le premier dirigeant étranger que nous invitions en signe de respect pour la relation particulière unissant le Royaume-Uni aux Etats-Unis.

Je ne savais pas très bien à quoi m'attendre avec Tony. Je savais que c'était un Premier ministre travailliste de centre-gauche et un proche de Bill Clinton. Je découvris rapidement que c'était un homme spontané, amical et sympathique. Tony et Cherie n'étaient nullement guindés. Après le dîner, nous avons décidé de regarder un film. Lorsque leur choix s'arrêta sur *Meet the Parents*, une comédie avec Robert de Niro et Ben Stiller, Laura et moi avons compris que les Blair et les Bush allaient bien s'entendre.

Tony et moi avons parlé des grandes questions du moment. Il me fit un point sur la politique européenne. Nous avons discuté de nos objectifs communs : comment promouvoir le libéralisme économique, alléger les souffrances de l'Afrique et répondre aux violences en Terre sainte. Nous n'avons pas beaucoup parlé des questions sociales. C'était Cherie qui devait s'en charger.

A l'été 2001, les Blair nous invitèrent aux Chequers, la résidence secondaire officielle du Premier ministre britannique. Il s'agissait d'une vaste demeure ancienne remplie de mobilier rustique et confortable ainsi que des portraits d'anciens Premiers ministres. Au lieu d'une réception solennelle, les Blair avaient organisé un dîner en famille avec leurs quatre enfants, dont le petit Leo alors âgé de quatorze mois.

Vers le milieu du dîner, il fut question de la peine de mort. Cherie fit clairement comprendre qu'elle ne partageait pas mes opinions en la matière. Tony semblait légèrement embarrassé. J'écoutai ses arguments puis je défendis les miens. Je lui expliquai que, de mon point de vue, la peine capitale – lorsqu'elle était correctement appliquée – pouvait sauver des vies en décourageant la criminalité. Avec ses talents d'avocate – que j'ai appris à respecter –, Cherie réfuta tous mes arguments. A un moment de la discussion, Laura et moi entendîmes la voix d'Euan, garçon de dix-sept ans à l'esprit vif : « Maman, fiche-lui la paix. »

Plus nous passions de temps ensemble, plus je respectais Tony. Avec le temps, il allait devenir mon meilleur allié et ami sur la scène internationale. Il est venu plus de trente fois aux Etats-Unis pendant ma présidence. Laura et moi lui avons rendu visite en Irlande du Nord, en Ecosse et à Londres. En novembre 2003, Tony et Cherie nous ont invités dans leur résidence de Trimdon Colliery, une ancienne région minière. Ils nous offrirent le thé dans leur maison victorienne en brique rouge et nous emmenèrent dans un pub de la ville, le Dun Cow Inn. Nous avons mangé des fish and chips avec de la purée de haricots, que je rinçai avec une bière sans alcool Bitburger. Après le déjeuner, nous sommes passés dans une école et avons assisté à un match de ce que nos hôtes appelaient du football. Les habitants étaient polis et chaleureux, à l'exception d'un manifestant arborant une pancarte : « maladie de la vache folle ».

Tony avait le rire et la repartie faciles. Après notre première rencontre, un journaliste britannique nous demanda ce que nous avions en commun. « Nous utilisons tous les deux le même dentifrice Colgate », répondis-je. Tony répliqua du tac au tac : « Ils vont se demander comment vous savez ça, George. » Lorsqu'il s'adressa au Congrès réuni en session conjointe en 2003, il aborda la question de la guerre de 1812, quand les troupes britanniques avaient mis le feu à la Maison-Blanche : « Je sais que c'est un peu tard mais… pardon », a-il dit.

Contrairement à nombre de dirigeants politiques, Tony était un fin stratège capable de se projeter au-delà de l'horizon immédiat. Comme j'allais le découvrir par la suite, lui et moi partagions une même foi dans le pouvoir de transformation de la liberté. Lors de ma dernière semaine à la Maison-Blanche, je fus fier de lui remettre la médaille présidentielle de la Liberté[1], une distinction rarement accordée à un dirigeant étranger.

Tony Blair était avant tout un homme courageux. L'Irak en était la meilleure preuve. Comme moi, Tony estimait que Saddam

---

1. Lors de cette même cérémonie, je décernai la médaille de la Liberté au Premier ministre australien, John Howard, que je surnommai « l'homme de fer », ainsi qu'au courageux président colombien, Alvaro Uribe. (NdA)

constituait une menace que le monde ne pouvait pas tolérer après les attentats du 11 Septembre. Les Britanniques étaient des cibles pour les extrémistes. Ils possédaient de nombreux renseignements sur Saddam. Ils comprenaient aussi très directement le genre de menace que celui-ci représentait. Après tout, Saddam faisait aussi tirer sur leurs pilotes.

Si nous devions chasser Saddam du pouvoir, Tony et moi étions également dans l'obligation d'aider le peuple irakien à remplacer le régime tyrannique de Saddam par une démocratie. Cette transformation aurait des conséquences au-delà des frontières de l'Irak. Le Moyen-Orient était le centre d'une bataille idéologique mondiale. D'un côté, il y avait des hommes honnêtes voulant simplement vivre en paix et dans la dignité ; de l'autre, il y avait des extrémistes désireux d'imposer leurs opinions radicales par la violence et l'intimidation. Ils profitaient du désespoir et de la répression pour recruter et diffuser leurs idées. La meilleure façon de protéger nos pays à long terme était de contrer cette vision sombre de l'avenir par un autre projet plus attractif.

La solution, c'était la liberté. Des citoyens libres d'élire leurs dirigeants avaient moins de chance de recourir à la violence. Des jeunes grandissant avec foi en leur avenir ne se chercheraient pas une raison d'exister dans l'idéologie de la terreur. Une fois que la liberté aurait pris racine dans une société, elle pourrait étendre ses ramifications au-delà des frontières.

En avril 2002, Tony et Cherie vinrent nous rendre visite dans notre ranch de Crawford. Tony et moi avons parlé de la diplomatie coercitive comme moyen de régler le problème irakien. Tony suggéra de demander une résolution du Conseil de sécurité de l'ONU en lançant un ultimatum clair à Saddam : qu'il autorise le retour des inspecteurs en Irak ou qu'il s'apprête à subir de graves conséquences. Je ne croyais guère à l'ONU. Le Conseil de sécurité avait déjà adopté six résolutions contre Saddam, en vain. J'acceptai néanmoins de réfléchir à sa proposition.

Au cours de l'année 2002, j'abordai le problème de l'Irak avec d'autres dirigeants internationaux. Bon nombre d'entre eux partageaient mon point de vue, notamment John Howard en Australie, José Maria Aznar en Espagne, Junichiro Koizumi au Japon, Jan Peter Balkenende aux Pays-Bas, Anders Fogh Rasmussen au Danemark, Aleksander Kwasniewski en Pologne et la plupart des autres dirigeants d'Europe centrale et orientale. Il était frappant de voir que certains des pays les plus déterminés à s'opposer à Saddam étaient également ceux où le souvenir de la tyrannie était le plus frais. « A la fin des années 30, les démocraties occidentales avaient hésité face au danger, me dit Siim Kallas, Premier ministre d'Estonie, une ancienne république soviétique. La conséquence de cela a été l'émergence de dictatures et la mort de nombreuses personnes. Il est parfois nécessaire d'agir. »

D'autres dirigeants n'étaient pas de cet avis. Vladimir Poutine ne considérait pas Saddam Hussein comme une menace. Il me sembla que c'était en partie parce que Poutine ne voulait pas mettre en péril ses juteux accords pétroliers. La France possédait également d'importants intérêts économiques en Irak. Je ne fus pas surpris lorsque Jacques Chirac me dit qu'il soutiendrait la tenue d'inspections approfondies, mais qu'il nous mettait en garde contre l'option militaire. Le problème de son raisonnement était que, sans menace militaire crédible, la diplomatie serait encore une fois impuissante.

Le chancelier allemand, Gerhard Schroeder, fut l'un des dirigeants les plus difficiles à cerner. Je le rencontrai à cinq reprises au cours de l'année 2001. Il était détendu, affable et désireux de renforcer la relation bilatérale entre nos deux pays. J'appréciai son engagement en Afghanistan, notamment son offre d'accueillir la *loya jirga* à Bonn.

J'abordai la question de l'Irak avec Gerhard lors d'une de ses visites à la Maison-Blanche, le 31 janvier 2002. Deux jours auparavant, j'avais insisté sur les menaces que représentaient l'Irak, l'Iran et la Corée du Nord dans mon discours sur l'état de l'Union. « Les Etats comme ceux-là, et leurs alliés terroristes, constituent un axe du mal qui s'arme pour menacer la paix dans le monde », avais-je déclaré. Les médias se sont focalisés sur la formule « axe du mal », l'interprétant comme si je voulais dire que ces trois pays formaient une alliance. Ce n'était pas la question. L'axe auquel je me référais était le lien unissant des gouvernements cherchant à se doter d'armes de destruction massive et les terroristes susceptibles d'en faire usage. Mon discours était également porteur d'un autre message plus important et que personne ne pouvait rater : j'étais sérieux en ce qui concernait l'Irak.

Lors d'une réunion en petit comité dans le Bureau Ovale avec Condi Rice et Andy Card, j'expliquai au chancelier allemand que j'étais déterminé à trouver une solution diplomatique au problème.

Je comptais sur son aide. Je l'assurai que nous tiendrions nos promesses. L'option militaire était notre dernier recours mais je n'hésiterais pas à l'employer si nécessaire.

« Ce qui est vrai pour l'Afghanistan, l'est aussi pour l'Irak, dit-il. Les pays soutenant les terroristes doivent assumer les conséquences de leurs actes. Si vous agissez vite et efficacement, je suis avec vous. »

Je pris ces propos comme une déclaration de soutien. Toutefois, lorsque se profilèrent les élections en Allemagne quelques mois plus tard, Schroeder avait changé d'avis. Il refusait désormais de faire usage de la force en l'Irak. Son ministre de la Justice déclara : « Bush cherche à faire diversion à cause de ses problèmes sur le plan intérieur. [...] Hitler avait fait la même chose. » J'étais choqué et furieux. Il était difficile d'imaginer quelque chose de plus insultant que d'être comparé à Hitler par un représentant allemand. Je continuai à travailler avec Gerhard Schroeder sur d'autres domaines d'intérêt commun, mais mon attachement à la diplomatie personnelle me poussait à accorder une grande importance à la confiance. Une fois cette confiance trahie, il était difficile de repartir dans une relation constructive.

Deux mois après le 11 Septembre, j'avais demandé à Donald Rumsfeld de reprendre le plan de bataille pour l'Irak. Nous devions développer l'axe coercitif de la diplomatie coercitive.

Don chargea le général Tommy Franks de mettre à jour notre stratégie. Juste après Noël 2001, Tommy me rejoignit à Crawford pour faire le point sur l'Irak. Le plan à l'étude exigeait six mois de préparation et la mobilisation de 400 000 hommes. Le souvenir de l'Afghanistan était encore très présent dans nos esprits. Grâce aux nouvelles technologies et à une préparation innovante, nous avions détruit les talibans et fait fermer les camps d'Al-Qaïda avec beaucoup moins d'hommes. Nous n'étions pas considérés comme des occupants par le peuple afghan.

Tommy expliqua à mes conseillers à la sécurité nationale qu'il s'efforçait d'appliquer le même principe en Irak en envoyant un minimum de soldats. Son idée : une invasion rapide au sud par le Koweït, à l'ouest par l'Arabie Saoudite et la Jordanie et au nord par la Turquie. « Si nous envoyons suffisamment de spécialistes de haut niveau des Forces des Opérations spéciales pour identifier les cibles pour nos armes à guidage précis, nous limitons nos besoins en forces conventionnelles au sol, expliqua-t-il. C'est une des grandes leçons de l'Afghanistan. »

Je me posais beaucoup de questions. Je voulais savoir à quelle vitesse nos troupes pouvaient se déplacer et quels seraient nos besoins en termes de bases de stationnement. Comme pour l'Afghanistan, j'étais inquiet des risques de famine pour la population locale et demandai ce que nous pouvions faire pour protéger des vies innocentes. Je craignais que Saddam ne sabote les puits de pétrole ou qu'il n'envoie des missiles contre Israël. Ma plus grande crainte était néanmoins qu'il utilise des armes chimiques ou biologiques contre nos troupes, nos alliés ou les civils irakiens.

J'ordonnai à mon équipe de continuer à travailler sur cette stratégie. « Nous devons garder l'espoir que la diplomatie et les pressions internationales parviendront à désarmer le régime, déclarai-je à la fin de notre réunion. Mais nous ne pouvons pas laisser des armes de destruction massive atterrir entre les mains de terroristes. Je ne laisserai pas une telle chose se produire. »

Entre décembre 2001 et août 2002, je rencontrai ou discutai avec le général Franks plus d'une dizaine de fois. Notre stratégie prenait forme mais je n'étais pas satisfait. Je voulais m'assurer que nous avions bien paré au maximum d'éventualités. Je posai beaucoup de question à Donald et Tommy commençant par « et si Saddam décidait de… ? ». L'un des scénarios que je ramenai régulièrement sur le tapis était celui d'une concentration des troupes de Saddam à Bagdad et du début d'une sanglante guérilla urbaine. Je me rappelais la Somalie en 1993 et n'avais pas l'intention de voir ce scénario se répéter en Irak. Tommy et son équipe ne pouvaient pas toujours répondre immédiatement à mes questions, ce qui était parfaitement normal. Mais ils travaillaient d'arrache-pied pour affiner notre stratégie et chaque modification était une amélioration par rapport à la version précédente.

Le nouveau plan que le général Franks nous présenta dans la Situation Room le 5 août 2002 apportait une réponse à plusieurs problèmes majeurs. Nous avions négocié des autorisations de survol et de stationnement auprès des chefs d'Etat du Golfe. Tommy avait mis au point un plan pour que les hommes des Forces des Opérations spéciales puissent sécuriser les sites soupçonnés d'abriter des armes de destruction massive, ainsi que les champs pétrolifères du sud du pays et les sites de lancement des missiles Scud. Il avait également prévu une campagne intensive de frappes aériennes afin de décourager la Garde républicaine de Saddam de rester à Bagdad et ainsi réduire le risque de devoir affronter une capitale-forteresse. « Monsieur le président, me dit Tommy avec son accent traînant du Texas, ça va être le choc et la stupeur. »

Il restait encore une multitude de problèmes à régler. Nous redoutions tous que Saddam n'utilise des armes chimiques ou biologiques contre nos soldats, aussi l'armée était-elle en train de se procurer des combinaisons NBC (combinaisons étanches protégeant de substances dangereuses). Nous avions progressivement augmenté notre présence en hommes et en équipement au Koweït sous le couvert de divers entraînements et exercices de routine, ce qui nous permettrait de commencer les combats rapidement si j'en donnais l'ordre. Le général Dick Myers, président du Comité des chefs d'états-majors interarmées, souligna combien il était important de convaincre la Turquie d'ouvrir sa frontière afin que nous puissions établir une ligne de front dans le nord de l'Irak. George Tenet fit part de ses inquiétudes concernant les possibilités d'une guerre régionale avec une attaque de la Syrie contre Israël ou le risque d'une déstabilisation de la région orchestrée par l'Iran avec l'aide de ses alliés terroristes du Hezbollah. Donald Rumsfeld souligna que la guerre pouvait déstabiliser la Jordanie ou l'Arabie Saoudite, que les Etats-Unis pouvaient s'enliser dans une chasse à l'homme contre Saddam et que l'Irak pouvait se couper en deux après la libération.

Autant de scénarios possibles qui donnaient à réfléchir. Les rapports que nous recevions sur l'Irak avaient d'ailleurs le même effet. « L'Irak est parvenu à maintenir, et dans certains cas à améliorer, ses infrastructures ainsi que son savoir-faire nécessaires à la production d'armes de destruction massive », pouvait-on lire dans un rapport de juillet. Un autre nous avertissait que le régime de Saddam était « très certainement en train de travailler à la production de l'agent pathogène de l'anthrax, de la toxine botulique, de l'aflatoxine et de la ricine. [...] L'utilisation de drones offre à Bagdad un moyen plus dangereux de disperser des armes biologiques. [...] L'expérience montre que Saddam produit des armes de destruction massive pour s'en servir et non à des seules fins d'intimidation. »

Durant l'été 2002, je reçus une nouvelle stupéfiante. Abou Moussab al-Zarqaoui, terroriste proche d'Al-Qaïda ayant travaillé sur des armes biologiques en Afghanistan, possédait un laboratoire dans le nord-est de l'Irak. « Les installations suspectes repérées dans cette zone produisent peut-être des poisons et des agents toxiques pour les terroristes, disait le rapport. Al-Zarqaoui est un agent actif, responsable de plusieurs projets d'attentat contre des intérêts américains et israéliens. Selon une source d'information sensible et [confidentielle], al-Zarqaoui chercherait à faire entrer clandestinement une substance chimique non identifiée venant du nord de l'Irak vers les Etats-Unis. »

Nous ne pouvions pas affirmer avec certitude que Saddam était au courant de la présence de Zarqaoui en Irak. Nous savions que Zarqaoui avait passé deux mois à Bagdad où il avait reçu des soins médicaux et que d'autres responsables d'Al-Qaïda étaient arrivés en Irak. La CIA avait travaillé avec un grand service de renseignements arabe pour obtenir de Saddam la capture et l'extradition de Zarqaoui. Saddam avait toutefois refusé.

La question durant l'été 2002 était de savoir si, oui ou non, nous devions bombarder ce laboratoire toxique. Nous avons abordé le problème au cours de plusieurs réunions du NSC. Le général Dick Myers nous présenta les différentes options possibles : missiles Tomahawk, frappes de bombardiers B-2 ou opération secrète au sol. Pour Dick Cheney et Donald Rumsfeld, Zarqaoui représentait clairement une menace. En le supprimant, nous ne ferions que réaffirmer notre doctrine de tolérance zéro pour les sanctuaires terroristes.

Colin et Condi étaient d'avis qu'une frappe contre ce laboratoire risquerait de créer un incident sur la scène internationale, nuisant ainsi à nos efforts pour constituer une coalition contre Saddam. Cela menaçait de nous compliquer particulièrement la tâche avec la Turquie, très sensible à toute activité dans le nord-est de l'Irak. « Cela serait perçu comme une déclaration de guerre unilatérale contre l'Irak », déclara Colin.

J'étais face à un dilemme. Si les Etats-Unis étaient frappés par une arme biologique venue d'Irak, je serais responsable de ne pas avoir éliminé la menace quand j'en avais les moyens. D'un autre côté, le bombardement de ce site risquait de saper nos efforts diplomatiques et de provoquer un conflit militaire.

Je demandai aux services de renseignements de surveiller de près les activités de ce laboratoire et décidai de poursuivre, pour le moment, l'option diplomatique. Une chose me paraissait sûre néanmoins : l'Irak représentait une menace chaque jour de plus en plus sérieuse.

Je passai une bonne partie du mois d'août 2002 à Crawford, un endroit propice à la réflexion pour songer à la prochaine étape : comment se rapprocher d'une solution diplomatique ?

Une option consistait à demander une résolution de l'ONU exigeant de Saddam le retour des inspecteurs en Irak. Une autre était de lui lancer un ultimatum exigeant le désarmement du pays et, si besoin était, de rallier une coalition afin de le chasser du pouvoir s'il refusait d'obtempérer.

D'un point de vue juridique, la résolution des Nations unies n'était pas nécessaire. Trois ans plus tôt, le président Clinton et nos alliés de l'OTAN avaient chassé le dictateur Slobodan Milosevic de Serbie sans mandat explicite de l'ONU. Pour Dick et Don, nous n'en avions pas besoin non plus pour aller en Irak. Après tout, il y avait déjà eu seize résolutions. Selon eux, si nous passions par l'ONU, nous nous engagions dans un long processus bureaucratique qui permettrait à Saddam de mieux se préparer.

Je partageais leur inquiétude. D'un autre côté, presque tous les alliés que j'avais consultés – y compris les plus fervents partisans d'une offensive comme le Premier ministre australien, John Howard – m'avaient dit qu'une résolution de l'ONU était nécessaire pour s'assurer du soutien de l'opinion publique dans leurs pays.

Colin était également de cet avis. La veille de mon départ pour Crawford, je demandai à le voir en privé dans le Salon des Traités. Colin se montra plus enflammé que dans aucune autre réunion du NSC. Il me dit que le seul moyen d'obtenir le soutien du reste du monde était d'avoir une résolution de l'ONU. Il poursuivit en me disant que si nous parvenions à chasser Saddam, l'aspect militaire serait la partie la moins difficile de notre statégie. Les Etats-Unis pourraient « disposer » de l'Irak, dit-il. Nous aurions la charge de reconstruire un pays divisé. Je prêtai une oreille attentive aux inquiétudes de Colin, que je partageais. Ces propos étaient une raison supplémentaire de prier pour une solution diplomatique à ce problème.

Cet été-là, l'éventualité de la guerre défraya la chronique à Washington. Les journalistes me demandaient régulièrement si j'avais un plan d'invasion sur mon bureau.

Le 15 août, j'ouvris le *Wall Street Journal* pour y découvrir une tribune de Brent Scowcroft, conseiller à la sécurité nationale de Papa. Le titre de son article : « N'attaquez pas Saddam ». Selon lui, la guerre en Irak risquait de détourner notre attention de la guerre contre le terrorisme et pouvait provoquer un « Armageddon au Moyen-Orient ». Il concluait que nous « devrions faire pression sur le Conseil de sécurité des Nations unies pour obtenir la mise en place d'un régime d'inspections sans avertissement en Irak ».

C'était un bon conseil mais j'étais irrité de voir que Brent avait préféré le publier dans un journal plutôt que de venir m'en faire part. J'appelai Papa. « Fils, Brent est un ami », m'assura-t-il. C'était peut-être vrai mais je savais que les critiques n'hésiteraient pas à se servir de cet article si l'option diplomatique n'aboutissait pas.

Certains à Washington émirent l'idée que cette tribune de Brent était une façon pour Papa de m'envoyer un message à propos de l'Irak. C'était ridicule. Papa comprenait les enjeux de la situation mieux que personne. S'il pensait que je me trompais sur l'Irak, il me l'aurait bien fait comprendre lui-même.

Le samedi 7 septembre 2002, je réunis mes conseillers à la sécurité nationale à Camp David afin de finaliser notre décision concernant la résolution de l'ONU. Cinquante et une semaines auparavant, nous nous étions réunis dans la Laurel Lodge pour préparer la guerre en Afghanistan. Nous nous retrouvions aujourd'hui dans la même pièce pour essayer de trouver un moyen d'écarter la menace de l'Irak, sans entrer en guerre.

Je laissai chaque participant exprimer son point de vue. Dick Cheney proposa de reformuler nos demandes auprès de Saddam, de lui accorder 30 à 60 jours pour rendre des comptes et de le désarmer par la force s'il refusait de coopérer. « Il est temps d'agir, expliqua Dick. Nous ne pouvons pas attendre un an de plus… Les inspections ne résoudront pas notre problème. »

Colin Powell plaida pour une résolution de l'ONU. « Si nous présentons le problème devant l'ONU, nous pourrons compter sur des alliés. Sans cela, il sera difficile d'agir de manière unilatérale. Nous n'aurons pas le soutien international dont nous avons besoin pour mettre en œuvre notre stratégie militaire. »

Après avoir écouté une dernière fois toutes les options possibles, je pris ma décision : nous allions demander une résolution de l'ONU. « La communauté internationale est hésitante à propos de Saddam Hussein et nous devons lever ces ambiguïtés, déclarai-je. Soit il se met en règle à propos de son arsenal, soit c'est la guerre. »

Je prévins mon équipe que c'était ce message que je comptais envoyer dans mon discours à l'ONU la semaine suivante. Je rappellerais à cette institution que les bravades de Saddam portaient atteinte à sa crédibilité. La parole du Conseil de sécurité devait être respectée, sans cela les Nations unies n'étaient qu'une assemblée mondiale aussi inutile que la Société des Nations.

Tony Blair vint dîner à Camp David ce soir-là. Il fut satisfait de mon intention de demander une résolution de l'ONU. « Bon nombre d'ennemis aimeraient que nous agissions de manière strictement unilatérale, comme ça ils pourraient se plaindre, dit-il. Mais là, vous les mettez au pied du mur. »

Nous comprenions tous les deux ce que cette décision signifiait. Une fois notre position présentée aux Nations unies, nous devrions nous y tenir et assumer les conséquences. Si la diplomatie échouait, il ne resterait plus qu'une solution. « Je n'ai pas envie de faire la guerre, confiai-je à Tony, mais je n'hésiterai pas à la faire. »

Tony acquiesça. Après notre entretien, je glissai à Alastair Campbell, un des proches conseillers de Tony : « Votre homme a des *cojones*. » J'ignore comment cela fut traduit pour les oreilles raffinées du 10 Downing Street, mais en tout cas, au Texas, la formule ne laisse place à aucune ambiguïté.

« Le monde entier est aujourd'hui confronté à un défi, déclarai-je devant les délégués des Nations unies le 12 septembre 2002, et les Nations unies se trouvent à un moment difficile et décisif. Les résolutions du Conseil de sécurité seront-elles respectées et appliquées ou ignorées sans conséquence ? Les Nations unies resteront-elles fidèles à leur raison d'être ou deviendront-elles une institution inutile ? »

Ce discours fut une expérience surréaliste. Assis en silence, les délégués semblaient pétrifiés. J'avais l'impression de parler dans un musée de cire.

Les réactions à l'extérieur de l'assemblée furent encourageantes. Nos alliés me remercièrent d'avoir respecté l'ONU et de m'être plié à leur avis concernant la résolution. Bon nombre d'Américains apprécièrent mon défi lancé à l'ONU. Un éditorial du *Washington*

Post proclama : « Si l'ONU reste passive face aux violations flagrantes et répétées de son autorité sur une question liée à des armes de destruction massive, elle risque fort de perdre toute crédibilité, ainsi que l'en a avertie M. Bush. »

Une fois le débat lancé devant les Nations unies, nous nous sommes chargés d'obtenir une autre résolution : l'autorisation du Congrès pour faire la guerre. Dans le cadre de leur débat, les représentants du Capitole demandèrent aux services de renseignements de leur préparer un National Intelligence Estimate (NIE), une analyse portant sur les programmes d'armes de destruction massive de Saddam. Pour ce faire, la CIA compila une bonne partie des informations qui m'avaient été présentées au cours des dix-huit derniers mois. Dans une phrase de conclusion déclassifiée, le NIE affirmait : « Bagdad possède des armes chimiques et biologiques ainsi que des missiles d'une portée supérieure au plafond fixé par les Nations unies. Si le régime n'est pas tenu à rendre des comptes, il est probable qu'il se dotera d'une arme nucléaire au cours de cette décennie. »

Ce rapport produisit une forte impression sur les membres du Congrès. Le sénateur John Kerry déclara : « Si je vote pour donner au président des Etats-Unis l'autorisation d'utiliser la force, si nécessaire, pour désarmer Saddam Hussein, c'est parce que je suis convaincu qu'un homme tel que lui possédant un puissant arsenal d'armes de destruction massive constitue une menace, et une menace grave. »

Le sénateur démocrate, Jay Rockefeller, membre respecté de la Commission du renseignement, ajouta : « Les capacités de production d'armes biologiques et chimiques actuellement en possession de Saddam Hussein menacent sérieusement les Etats-Unis aujourd'hui et demain. [...] Il pourrait mettre ces armes à disposition de nombreux groupes terroristes ou d'intermédiaires en contact avec son gouvernement. Ces groupes pourraient faire entrer ces armes aux Etats-Unis et mener une attaque dévastatrice contre les Américains. C'est ce que je redoute. »

Chuck Hagel, sénateur républicain du Nebraska, exprima son soutien en ces termes : « Le risque de l'inaction est trop grand. Nous sommes élus pour résoudre les problèmes et pas seulement pour en débattre. Il est temps de changer de tactique en Irak et au Moyen-Orient. »

Le 11 octobre 2002, le Congrès adoptait notre résolution par 77 voix contre 23 au Sénat et 296 contre 133 à la Chambre des Représentants. Dans les deux assemblées, l'écart de voix en notre faveur était supérieur à celui lors du vote pour la guerre du Golfe.

Nous avions obtenu le soutien de plusieurs grandes personnalités démocrates, comme Dick Gephardt, chef de la minorité à la Chambre des Représentants, Tom Daschle, chef de la majorité au Sénat, ainsi que des sénateurs Hillary Clinton, Joe Biden, John Kerry, John Edwards et Harry Reid.

Certains membres du Congrès expliqueront par la suite qu'ils n'avaient pas voté pour la guerre mais pour la poursuite de la solution diplomatique. Ils n'avaient pas dû bien lire le texte de la résolution. Le message était pourtant clair : « Le président est autorisé à faire usage des forces armées des Etats-Unis ainsi qu'il le jugera nécessaire et approprié afin de défendre la sécurité nationale des Etats-Unis face à la menace persistante du régime irakien ainsi que pour faire appliquer toute résolution du Conseil de sécurité des Nations unies concernant l'Irak. »

Le vote décisif des Nations unies eut lieu le 8 novembre. Colin Powell avait négocié sur des questions mineures mais restait inflexible sur les conditions visant à faire rendre des comptes à Saddam. Restait à savoir si la résolution serait votée. Nous avions besoin de 9 voix sur 15 au Conseil de sécurité, sans veto de la part de la France, de la Russie ou de la Chine. Nous avions passé des heures au téléphone pour convaincre tout le monde du bien-fondé de notre action. Peu après le vote du Conseil de sécurité, le téléphone du Bureau Ovale sonna : « Hé boss, c'est bon », me dit Colin.

La résolution avait été adoptée à l'unanimité, 15 voix contre 0. Non seulement la France avait voté oui, mais aussi la Russie, la Chine et la Syrie. La communauté internationale était désormais sur la même ligne : Saddam avait « une dernière chance de se conformer » à ses obligations en matière de désarmement et de transparence. S'il ne s'y pliait pas, il devrait en assumer les « graves conséquences ».

Selon les termes de la résolution 1441 du Conseil de sécurité de l'ONU, l'Irak avait à présent trente jours pour présenter un « état définitif, exhaustif et complet de tous les aspects de ses programmes de mise au point d'armes de destruction massive ». La résolution plaçait clairement la charge de la preuve du côté de Saddam. Ce n'était pas aux inspecteurs de prouver qu'il possédait des armes mais à Saddam Hussein de démontrer qu'il n'en avait pas.

Le 7 décembre, à échéance du délai, Saddam remit son rapport. Je pris ce geste comme un test crucial. S'il reconnaissait certaines choses en toute honnêteté, ce serait un geste montrant qu'il avait compris le message envoyé par la communauté internationale. Au lieu de cela, il nous remit une masse de documents inutiles visant manifestement à nous tromper. Hans Blix, diplomate suédois modéré à la tête des inspecteurs de l'ONU, déclara plus tard que le rapport était « très volumineux mais pauvre en informations ». Joe Lieberman fut plus direct en qualifiant ce rapport de « 1 200 pages et 45 kg de mensonges ».

Si Saddam s'obstinait à vouloir tromper la communauté internationale, le seul moyen de maintenir nos pressions sur l'Irak était de présenter nous-mêmes des preuves de sa culpabilité. Je demandai à George Tenet et à son adjoint, le très capable John McLaughlin, de me dire quels renseignements pourraient être déclassifiés afin de mieux présenter les programmes d'armes de destruction massive de l'Irak.

Quelques jours après Noël, John me présenta leurs premières propositions. Je n'étais guère convaincu. Je repensais aux rapports de la CIA que j'avais reçus, le NIE disait clairement dans sa conclusion que Saddam possédait des armes chimiques et biologiques. Même chose pour les renseignements que la CIA m'avait transmis pour mon discours de septembre devant l'ONU. « Nous devons sûrement faire mieux pour présenter les preuves que nous avons contre Saddam », déclarai-je. George Tenet acquiesça.

« C'est un coup imparable », me dit-il.

Je le croyais. Cela faisait près de deux ans que je recevais des rapports secrets sur l'Irak. Il était presque unanimement admis que Saddam Hussein possédait des armes de destruction massive. Mon prédécesseur en était convaincu. Les parlementaires démocrates et républicains au Capitole en étaient convaincus. Les services de renseignements allemands, français, britanniques, russes, chinois et égyptiens en étaient convaincus. Ainsi que le déclara plus tard l'ambassadeur allemand aux Etats-Unis, pourtant hostile à la guerre : « Je pense que tous nos gouvernements sont convaincus que l'Irak a produit des armes de destruction massive et nous devons partir du principe qu'il possède toujours […] des armes de destruction massive. » En réalité, nous avions surtout peur que la CIA n'ait sous-estimé les ressources de Saddam, comme avant la guerre du Golfe.

Rétrospectivement bien sûr, nous aurions tous dû approfondir nos renseignements et revoir notre jugement. Mais à l'époque, les preuves et la simple logique pointaient toutes dans la même direction. *Si Saddam ne possède vraiment pas d'armes de destruction massive, pourquoi diable irait-il courir le risque d'une guerre qu'il est à peu près certain de perdre ?* me demandais-je.

Chaque année pendant ma présidence, Laura et moi avons invité la famille au sens large à venir passer Noël à Camp David. Nous étions heureux de maintenir une tradition héritée de mes parents. Nous profitions de ce moment pour nous détendre ensemble avec la mère de Laura, Barbara et Jenna ainsi que mes frères et sœurs et leur famille. Nous adorions regarder la procession des enfants dans la chapelle de Camp David et chanter des chants de Noël avec le personnel militaire et leur famille. L'un des moments les plus attendus de la soirée était l'échange de cadeaux dont nous ne voulions pas, au cours duquel mes neveux et mes nièces n'hésitaient pas à voler le dernier iPod ou autre bien convoité de la poche du président des Etats-Unis. Quelques années plus tard, nous avons instauré une autre tradition : faire des dons au nom d'un autre membre de la famille. Jeb et Doro ont donné des livres à la bibliothèque de l'*USS George H.W. Bush.* Marvin et sa femme, Margaret, ont offert un ciboire à la chapelle de Camp David en notre nom à Laura et moi. Et nous avons fait un don au Dorothy Walker Bush Pavilion du Southern Maine Medical Center au nom de mes parents.

Au milieu des réjouissances de Noël 2002, Papa et moi avons parlé de l'Irak. La plupart du temps, je ne demandais pas conseil à mon père concernant les grandes décisions de ma présidence. Nous savions tous les deux parfaitement que j'étais mieux renseigné que lui. Nos conversations avaient souvent pour but, pour moi de le rassurer et de lui dire que tout allait bien, et pour lui de me dire tout l'amour et la confiance qu'il avait en moi.

L'Irak faisait partie des rares sujets où je voulais avoir son opinion. Je lui dis que je priais pour que nous trouvions une solution pacifique avec Saddam mais que je me préparais à une autre option. Je lui présentai notre stratégie diplomatique, le soutien de Tony Blair, de John Howard, de José Maria Aznar ; les incertitudes de Chirac et de Schroeder et tous les efforts que je faisais pour rallier les Saoudiens, les Jordaniens, les Turcs et d'autres pays du Moyen-Orient à notre cause.

Papa aussi espérait une victoire de la diplomatie. « Tu sais combien il est difficile de mener une guerre, mon fils. Tu dois tout faire pour éviter la guerre, me dit-il. Mais si [Saddam] n'obéit pas, tu n'as pas d'autre choix. »

Peu de temps après le nouvel an, j'écrivis une lettre à Barbara et Jenna à l'université. « Je travaille dur pour maintenir la paix et éviter la guerre. J'espère que le maître de l'Irak déposera les armes pacifiquement. Nous faisons monter la pression sur lui pour ça et la plupart du reste du monde est avec nous. »

Début 2003, il devint de plus en plus clair que mes prières ne seraient pas exaucées. Le 27 janvier, Hans Blix remit son rapport formel aux Nations unies. Son équipe d'inspecteurs avait découvert des armes que Saddam n'avait ni déclarées ni détruites, ainsi que des indices sur la présence d'un puissant gaz neurotoxique, le gaz VX, et des précurseurs chimiques du gaz moutarde. A cela s'ajoutait le rejet des inspections par le régime irakien. Le pouvoir avait violé la résolution 1441 en bloquant le passage d'avions U2 et en cachant près de 3 000 documents au domicile d'un représentant irakien responsable des questions nucléaires. « L'Irak ne semble pas avoir totalement accepté, même aujourd'hui, le désarmement qu'on exige de lui », déclara Hans Blix.

Je voyais très bien ce qui était en train de se passer : Saddam essayait de déplacer la charge de la preuve de notre côté. Je rappelai à nos partenaires que la résolution de l'ONU stipulait clairement que c'était à Saddam de répondre à nos exigences. Ainsi que le résuma Mohamed el-Baradei, directeur de l'AIEA (Agence Internationale de l'Energie Atomique), à la fin de mois de janvier : « La balle est entièrement dans le camp de l'Irak. […] Le régime doit prouver qu'il est innocent. […] Il doit tout faire pour démontrer par n'importe quel moyen possible qu'il ne possède pas d'arme de destruction massive. »

A la fin du mois de janvier, Tony Blair vint à Washington pour assister à une réunion stratégique. Nous avions tous reconnu que Saddam avait violé la résolution 1441 du Conseil de sécurité de l'ONU en nous soumettant une fausse déclaration. Nous avions largement assez d'éléments justifiant l'application de « graves conséquences ». Mais Tony voulait retourner devant l'ONU pour obtenir une seconde résolution établissant que l'Irak « n'avait pas saisi la dernière chance qui lui avait été offerte ».

« Non pas que nous en ayons besoin, précisa-t-il. Mais une seconde résolution nous mettra à l'abri politiquement et militairement. »

Je frissonnais rien qu'à l'idée de replonger dans les arcanes des Nations unies. Dick, Don et Condi étaient opposés à cette idée. Colin me dit que nous n'avions pas besoin d'une seconde résolution et que nous ne l'obtiendrions probablement pas. Mais si Tony voulait une seconde résolution, nous allions essayer de l'avoir. « Tel que je le vois, cette histoire de seconde résolution sert à aider nos amis », déclarai-je.

La meilleure façon d'obtenir une seconde résolution était de présenter les preuves que nous avions contre Saddam. Je demandai à Colin de plaider notre cause devant les Nations unies. Diplomate respecté et opposant réputé à la guerre, il avait toute la crédibilité nécessaire. Je savais qu'il ferait un bon travail, précis et complet. Au début de mois de février, Colin resta quatre jours et quatre nuits à la CIA, passant personnellement en revue tous les renseignements dont il se servirait dans son intervention afin de vérifier qu'il assumait chaque mot de son discours. Le 5 février 2003, il se présenta à la tribune du Conseil de sécurité.

« Les faits concernant le comportement de l'Irak montrent que Saddam Hussein et son régime n'ont pas fait le moindre effort – pas le moindre – pour répondre aux demandes de désarmement de la communauté internationale. En réalité, les faits et le comportement de l'Irak montrent que Saddam Hussein et son régime dissimulent leurs activités visant à mettre au point davantage d'armes de destruction massive. »

L'intervention de Colin fut complète, éloquente et convaincante. Après le défi de Saddam lancé aux inspecteurs de l'ONU, le discours de Colin eut de profondes répercussions dans le débat public. Par la suite, bon nombre de ces affirmations allaient être démenties, mais à l'époque, elles reflétaient l'opinion des services de renseignements américains et du reste du monde.

« Nous sommes tous les deux des hommes moraux, me dit Jacques Chirac après l'intervention de Colin. Mais en l'occurrence, nous n'avons pas la même conception morale. » Je répondis poliment mais pensai en moi-même : *Si un dictateur capable de torturer et de gazer son propre peuple n'est pas une chose immorale, alors qu'est-ce qui peut l'être ?*

Trois jours plus tard, Jacques Chirac se présentait devant les caméras pour déclarer : « Rien ne justifie une guerre aujourd'hui. » Lui, Gerhard Schroeder et Vladimir Poutine ont alors publié une déclaration conjointe contre la guerre. Tous les trois étaient membres du Conseil de sécurité. Nos chances d'obtenir une seconde résolution de l'ONU paraissaient plus que minces.

Tony insista pour que nous continuions d'avancer. « L'enjeu est beaucoup plus important à présent, m'écrivit-il le 19 février. Il me paraît évident depuis le sommet européen que la France veut transformer cette question en un test décisif pour l'Europe : l'Europe est-elle un allié des Etats-Unis ou un rival ? » Il me rappela que nous bénéficiions du soutien d'une large coalition européenne comprenant l'Espagne, l'Italie, le Danemark, les Pays-Bas, le Portugal et toute l'Europe de l'Est. Dans un récent vote de l'OTAN, quinze membres de l'alliance s'étaient déclarés favorables à une action militaire en Irak, seuls la Belgique et le Luxembourg s'alignant sur les positions de l'Allemagne et de la France. Le Premier ministre portugais, José Manuel Barroso, parlait pour bon nombre de dirigeants européens lorsqu'il demanda, l'air incrédule : « Nous avons le choix entre les Etats-Unis et l'Irak, va-t-on vraiment choisir l'Irak ? »

Tony et moi étions convenus d'une stratégie : nous allions présenter notre seconde résolution à l'ONU avec un Premier ministre visionnaire, l'Espagnol José Maria Aznar. Si nous parvenions à rassembler suffisamment de oui, nous pourrions peut-être convaincre la France et la Russie de s'abstenir plutôt que d'opposer leur veto. Dans le cas contraire, nous retirerions notre résolution et il serait clair que ces deux pays seraient responsables de l'impasse diplomatique.

Cette seconde résolution, présentée le 24 février 2003, était importante pour une autre raison. Tony subissait de fortes pressions au plan national sur la question de l'Irak et il était important pour lui de montrer qu'il avait épuisé toutes ses options en dehors de la solution militaire. Des factions du parti travailliste s'étaient soulevées contre lui. Au début du mois de mars, il n'était pas certain que son gouvernement survive.

J'appelai Tony pour lui faire part de mon inquiétude. Je lui expliquai que je préférais qu'il sorte de la coalition et reste au gouvernement plutôt qu'il n'essaie de rester avec nous et perde sa place.

« Je vous ai dit que je serais avec vous », me répondit Tony.

Je lui réexpliquai mon point de vue.

« Je comprends et je vous remercie de cette pensée, répondit-il. Mais je crois profondément en cette décision et je m'y tiendrai jusqu'à la fin. »

Dans la voix de mon ami résonnaient les échos de Winston Churchill. Le souvenir de ce moment de courage restera à jamais gravé dans ma mémoire.

A la demande de Tony, je fis un dernier effort pour essayer de convaincre le Mexique et le Chili, deux membres hésitants du Conseil de sécurité, de soutenir notre seconde résolution. J'appelai d'abord mon ami Vicente Fox. La conversation commença mal. Lorsque j'expliquai à Vicente que j'appelais à propos de la résolution de l'ONU, il me demanda de laquelle je voulais parler. « Si je peux vous donner un conseil, lui dis-je, vous feriez mieux de ne pas choisir le camp français. » Il me dit qu'il allait y réfléchir et qu'il me rappellerait. Une heure passa. Puis Condi reçut des nouvelles de l'ambassade. Vicente venait d'être admis à l'hôpital pour une opération urgente du dos. Je ne reçus jamais sa réponse.

Ma conversation avec le président chilien, Ricardo Lagos, ne se déroula pas mieux. Ricardo Lagos était un homme distingué, instruit et un dirigeant efficace. Nous avions négocié un accord de libre-échange dont j'espérais qu'il recevrait bientôt l'approbation du Congrès. Mais l'opinion publique chilienne était contre l'éventualité d'une guerre et Ricardo se montrait réticent vis-à-vis de la résolution. Il suggéra de laisser à Saddam une ou deux semaines supplémentaires. Je lui répondis que quelques semaines de plus ne changeraient rien à l'affaire. Saddam avait déjà eu des années pour se conformer aux exigences internationales. « Il est triste de devoir en arriver là », dis-je, avant de lui demander une dernière fois quelles étaient ses intentions. Sa réponse était non.

Alors que le processus diplomatique s'éternisait, la pression montait pour passer à l'action. Au début de l'année 2003, le président de la Réserve fédérale américaine, Alan Greespan, m'expliqua combien l'incertitude nuisait à notre économie. Le prince Bandar d'Arabie Saoudite, ambassadeur de longue date à Washington et ami de la famille depuis la présidence de Papa, se présenta un jour au Bureau Ovale pour me dire que nos alliés du Moyen-Orient demandaient une décision.

Chaque fois que j'entendais quelqu'un nous accuser de nous être précipités dans la guerre, je repensais à cette période. Cela faisait plus de dix ans que les résolutions de la guerre du Golfe exigeaient le désarmement de l'Irak, cela faisait plus de quatre ans que Saddam avait expulsé les inspecteurs des Nations unies, cela faisait six mois que j'avais lancé mon ultimatum aux Nations unies et quatre mois que la résolution 1441 avait offert une « dernière chance » à Saddam. Enfin cela faisait trois mois que le dernier délai de l'ONU était dépassé. Nous n'avions pas précipité le processus diplomatique. J'avais plutôt l'impression que cela n'en finissait pas.

Pendant ce temps, la menace persistait. Le président égyptien, Hosni Moubarak, avait informé le général Tommy Franks que l'Irak possédait des armes biologiques et ne manquerait pas de s'en servir contre nos troupes. Il refusait toutefois de tenir ces propos en public de crainte d'enflammer l'opinion publique arabe. Reste que les renseignements fournis par un dirigeant du Moyen-Orient connaissant bien Saddam Hussein ne pouvaient pas me laisser indifférent. Le passage à l'action comportait autant de risques que l'inaction. Les armes biologiques de Saddam Hussein représentaient un grave danger pour nous tous.

Durant l'hiver 2003, je demandai leur opinion sur l'Irak à toute une série de personnes. Je consultai des spécialistes, des dissidents irakiens en exil ainsi que d'autres sources en dehors du gouvernement. L'un des personnages les plus fascinants que j'aie rencontrés à cette occasion fut Elie Wiesel, survivant de l'Holocauste, écrivain et lauréat d'un prix Nobel de la paix mérité. Elie était un homme simple et poli, mais ses yeux de soixante-quatorze ans s'enflammèrent lorsqu'il compara la brutalité du régime de Saddam au génocide nazi. « Monsieur le président, vous avez le devoir moral d'agir contre le mal », me dit-il. Sa force de conviction m'impressionna profondément. Voilà un homme qui avait consacré sa vie à la paix et qui me pressait d'intervenir en Irak. Ainsi qu'il l'expliqua par la suite dans une tribune : « Bien que je sois opposé à la guerre, je suis favorable à une intervention quand il ne reste aucune autre solution, comme c'est le cas aujourd'hui à cause des manœuvres et des atermoiements de Saddam Hussein. »

Je me suis toujours demandé pourquoi tant de critiques ne reconnaissaient pas l'argument moral avancé par des hommes comme

Elie Wiesel. Bon nombre des opposants qui manifestaient contre la guerre étaient de fervents défenseurs des droits de l'homme. Et pourtant, ils me reprochaient de faire usage de la force pour chasser un homme qui avait gazé les Kurdes, fait mitrailler des chiites par hélicoptère, massacré les Arabes madans et envoyé des dizaines de milliers de personnes dans des fosses communes. Je comprenais que certains ne soient pas d'accord avec nous sur la menace que représentait Saddam pour les Etats-Unis. Mais je ne voyais pas comment quiconque pouvait nier que la libération de l'Irak serait un progrès pour la cause des droits de l'homme.

Alors que la diplomatie piétinait, nos réunions de préparation militaire se concentraient de plus en plus sur l'après-Saddam. Quelques années plus tard, certains critiques nous accuseraient de ne pas avoir pensé à l'après-guerre. Ce n'est clairement pas ce dont je me souviens.

A partir de l'automne 2002, un groupe mené par le conseiller adjoint à la sécurité nationale, Steve Hadley, travailla sur des scénarios détaillés pour l'Irak après Saddam. Parmi nos préoccupations principales figuraient le risque de famine et le sort des réfugiés. 60 % de la population irakienne dépendait du gouvernement pour son accès à la nourriture. On estimait à près de deux millions le nombre de personnes risquant d'être déplacées à cause de la guerre.

Le 15 janvier, Elliott Abrams, haut responsable du NSC, me fit une présentation détaillée de l'avancée de nos préparatifs. Nous avions prévu des livraisons de nourriture, de couvertures, de médicaments, de tentes et autres équipements de survie. Nous avions établi des cartes indiquant des lieux d'accueil possible pour les réfugiés. Nous avions mobilisé des spécialistes chevronnés des secours humanitaires pour entrer en Irak en même temps que nos soldats. Nous avions déterminé la localisation de la plupart des 55 000 points de distribution de nourriture dans le pays et nous nous étions arrangés avec les organisations internationales – dont le Programme Alimentaire Mondial (PAM) – afin qu'ils disposent de stocks de nourriture suffisants.

Nous avions également défini un plan de reconstruction à long terme. Nous devions nous concentrer sur dix domaines : l'éducation, la santé, l'accès à l'eau et son traitement, l'accès à l'électricité, le logement, les transports, la gouvernance et l'Etat de droit, l'agriculture, les communications et la politique économique. Dans chacun de ces domaines, nous avons rassemblé des informations, mis au point une stratégie et fixé des objectifs précis. Par exemple, l'USAID établit que l'Irak possédait 250 hôpitaux civils, 20 hôpitaux militaires, 5 hôpitaux universitaires et 995 centres de soins publics. Notre plan prévoyait d'augmenter les équipements médicaux du pays, de recruter des médecins et des infirmières irakiens vivant à l'étranger pour leur permettre de rentrer en Irak, et de former de nouveaux personnels médicaux. Le tout devait ensuite être placé sous l'autorité du nouveau ministère irakien de la Santé.

L'un des principaux problèmes concernait l'avenir du système politique après Saddam. Certains membres du gouvernement suggérèrent de donner immédiatement le pouvoir à un groupe d'exilés irakiens. Cette idée ne me plaisait pas. Si les exilés étaient proches de Washington, j'étais néanmoins convaincu que le futur dirigeant de l'Irak devrait être choisi par le peuple irakien. Je gardais en tête l'expérience britannique dans l'Irak des années 20. Le Royaume-Uni avait imposé un roi, Fayçal, qui n'était pas irakien et dont l'autorité était perçue comme illégitime et fut source de mécontentement et d'instabilité. Nous n'allions pas commettre cette erreur.

L'autre grand défi était d'assurer la sécurité dans le pays après le départ de Saddam. Certaines sources des renseignements affirmaient que la plupart des soldats et des policiers du régime changeraient de camp une fois que Saddam serait parti. Les hauts responsables de l'ancien régime – qui avaient le sang d'innocents sur les mains – ne seraient pas invités à participer. Mais nous pourrions compter sur le reste des forces de Saddam pour former la base d'une nouvelle armée et d'une nouvelle police irakiennes.

En janvier 2003, je publiai une directive présidentielle, NSDP 24, instituant un nouvel Office of Reconstruction and Humanitarian Assistance. L'ORHA avait pour mission de traduire notre stratégie en actes concrets sur le terrain. Ce bureau fut installé au Pentagone, de manière que nos efforts civils en Irak passent par la même chaîne de commandement que nos opérations militaires. A sa tête, Donald Rumsfeld nomma Jay Garner, général à la retraite responsable de la coordination des renforts militaires dans le nord de l'Irak en 1991. Celui-ci s'entoura d'experts civils du gouvernement prêts à partir à Bagdad.

Le fait de disposer d'une stratégie et des hommes nécessaires avant la guerre me donna le sentiment que nous étions bien préparés. Nous étions toutefois conscients de nos limites. Nos capacités en matière de renforcement de l'Etat n'étaient pas infinies et personne ne pouvait savoir avec certitude ce dont nous allions avoir besoin. Il existe un vieil adage dans l'armée : « Aucun plan de bataille ne survit au-delà du premier contact avec l'ennemi. » Ainsi que nous allions le découvrir avec l'Irak, cela valait doublement pour les plans d'après guerre.

En mars 2003, notre plan de bataille était prêt. Après plus d'un an de tâtonnements et d'interrogations, Tommy Franks et son équipe avaient mis au point une opération dont j'étais certain qu'elle permettrait de chasser Saddam rapidement et définitivement tout en limitant les pertes tant du côté américain qu'irakien. Une seule incertitude demeurait : la Turquie. Cela faisait des mois que nous demandions au gouvernement turc de nous laisser entrer sur son territoire afin que nous puissions faire passer 15 000 hommes de la quatrième division d'infanterie dans le nord de l'Irak. Nous avions offert notre aide économique et militaire, promis d'aider la Turquie à bénéficier d'importants programmes du FMI et de réaffirmer notre soutien à son admission au sein de l'Union européenne.

A un moment, nous avons cru que nous aurions la permission d'Ankara. Le gouvernement du Premier ministre Abdullah Gül avait approuvé notre requête. Mais lorsque le Parlement turc se prononça lors d'un vote final le 1er mars, notre demande fut rejetée de peu. J'étais à la fois déçu et en colère. La Turquie, notre alliée de l'OTAN, avait rejeté l'une des requêtes les plus importantes que nous lui ayons jamais présentées.

Donald et Tommy décidèrent de maintenir la quatrième division d'infanterie dans l'est de la mer Méditerranée, où elle pourrait se déployer en passant par la Turquie – si le gouvernement changeait d'avis – ou rejoindre l'invasion par le Koweït. Nous avions également prévu de déployer un millier de parachutistes de la 173e brigade aéroportée dans la région kurde du nord de l'Irak. Ce n'était pas notre premier choix mais cela nous permettait d'être présents au nord.

Dans le sud du pays, nous avions plus de 150 000 soldats massés à la frontière irakienne et près de 90 000 autres stationnés dans la région du Golfe. J'avais clairement fait comprendre que nous n'hésiterions pas à nous servir de ces troupes si besoin était. Nous avions poussé la diplomatie coercitive à son maximum de pression. Les options militaire et diplomatique convergeaient pleinement. Entre la guerre et la paix, c'était à Saddam de choisir.

Pendant des mois, le NSC s'était réuni presque quotidiennement pour parler de l'Irak. Je connaissais l'opinion de tous mes conseillers. Dick Cheney s'inquiétait de la lenteur du processus diplomatique. Il nous mettait en garde contre le risque que Saddam Hussein profite de ce temps pour produire des armes, les cacher ou préparer une attaque. Cet hiver-là, lors d'un de nos déjeuners hebdomadaires, Dick me posa la question directement : « Est-ce que vous allez vous occuper de ce type, oui ou non ? » C'était sa façon à lui de me dire que la diplomatie avait suffisamment duré. J'appréciai la franchise de son conseil mais je lui dis que je n'étais pas encore prêt à passer à l'action. « OK, monsieur le président, c'est vous qui décidez », répondit-il. Il prononça ensuite l'une des ses phrases favorites : « C'est pour ça qu'on vous paie », dit-il en souriant.

Donald Rumsfeld n'était pas aussi catégorique. Il m'assura que l'armée serait prête si je donnais l'ordre d'attaquer. Il me rappela également que nous ne pouvions pas laisser éternellement 150 000 hommes à la frontière irakienne. Les contraintes logistiques pour maintenir une force de cette importance étaient considérables. Il arriverait un moment où la préparation à la guerre perdrait tout caractère coercitif car Saddam ne prendrait plus nos menaces d'invasion au sérieux.

Condoleeza Rice veillait à rester neutre durant les réunions du NSC, mais elle me donnait son opinion en privé. Elle avait vivement défendu le régime des inspections en Irak mais après avoir rencontré Hans Blix et ses collaborateurs, elle était parvenue à la conclusion que Saddam ne ferait que de l'obstruction. A contrecœur, elle avait reconnu que le seul moyen de faire appliquer la résolution de l'ONU était d'utiliser la force.

Colin était le plus dubitatif sur la question de la guerre. Lors d'un tête-à-tête au début de l'année 2003, il s'était dit convaincu qu'il était possible de trouver une solution diplomatique avec l'Irak. Il me dit également qu'il n'était pas entièrement à l'aise avec notre plan de bataille. Cela ne me surprenait pas. L'opération mise au point par le général Franks prévoyait de mobiliser à peine un tiers des moyens mis en œuvre lors de la guerre du Golfe. Cette stratégie rompait avec l'idée que les Etats-Unis ne pouvaient remporter une guerre que par un déploiement massif de troupes, ce qu'on appelait la doctrine Powell.

Je fus heureux d'apprendre que Colin avait fait part de ses inquiétudes à Tommy. Colin avait été président du Comité des chefs d'états-majors interarmées durant l'opération Tempête du Désert et j'étais certain que Tommy l'écouterait avec attention. Alors que je priais toujours pour une solution diplomatique, je déclarai à Colin qu'il était possible que nous arrivions à un point où nous n'aurions plus d'autre solution que la guerre. Aucun de nous ne voulait cela mais je lui demandai s'il soutiendrait une action militaire en dernier recours. « Si c'est ce que vous devez faire, dit-il, je suis avec vous, monsieur le président. »

Au matin du dimanche 16 mars, j'embarquai à bord d'Air Force One, direction les Açores, un territoire portugais situé à environ deux tiers du chemin entre Washington et Lisbonne. Je me dirigeais vers un sommet de dernière minute pour parler de notre stratégie diplomatique avec Tony Blair, José Maria Aznar et le Premier ministre portugais, José Manuel Barroso. A l'heure où les Français, les Allemands et les Russes bloquaient une seconde résolution à l'ONU et où les Mexicains et les Chiliens préféraient s'abstenir, nous étions tous d'accord pour dire que la solution diplomatique avait échoué. Nous décidâmes de retirer notre projet de seconde résolution à l'ONU dès le lendemain matin. Le soir même, je devais donner à Saddam Hussein et à ses fils quarante-huit heures pour quitter le pays, une ultime chance d'éviter la guerre.

Les élections législatives, décisives pour Tony, devaient avoir lieu le mardi. S'il perdait le scrutin, il m'annonça qu'il démissionnerait, ce qui signifiait que le Royaume-Uni se retirerait de notre coalition militaire. Je n'aurais jamais cru que je m'intéresserais un jour de si près à des élections parlementaires britanniques, encore moins en croisant les doigts pour un Premier ministre travailliste. Au moment de quitter les Açores, je serrai la main de mon ami et de ses collaborateurs. « J'espère que ce n'est pas la dernière fois qu'on les voit », me dit Condi en se dirigeant vers Air Force One.

Le vol du retour fut long et calme. Après tant d'attente et de préparation, le moment était enfin venu. A moins que Saddam ne s'enfuie, nous serions en guerre dans moins de trois jours. J'étais profondément déçu que la diplomatie n'ait pas marché. Mais j'avais promis au peuple américain, à nos alliés et au monde entier que nous ferions respecter les résolutions de l'ONU. J'étais décidé à tenir parole.

Pendant des mois, j'avais sollicité des conseils, écouté diverses opinions et considéré des contre-arguments. Certains pensaient que nous pouvions contrôler Saddam en laissant les inspecteurs en Irak. Mais je ne voyais pas comment. Si nous disions à Saddam que nous lui laissions une dernière chance – après lui avoir dit que la précédente était précisément la dernière – nous n'aurions plus aucune crédibilité et cela ne pourrait que l'encourager à nous défier.

D'autres pensaient que la menace n'était pas aussi grave que ce que nous pensions. Voilà qui était facile à dire pour eux. Ils n'étaient pas responsables de la protection du pays. Je me rappelais le terrible choc des attentats du 11 Septembre, une attaque surprise qui n'avait été précédée d'aucun avertissement. Cette fois-ci, les avertissements étaient plus forts que les sirènes de pompiers. Tous les renseignements accumulés au cours de plusieurs années portaient à croire que Saddam possédait des armes de destruction massive. Il en avait déjà fait usage par le passé. Il n'avait pas répondu aux exigences demandant la preuve de leur destruction. Il avait refusé de coopérer avec les inspecteurs, alors même qu'une armée menaçait de l'envahir à ses frontières. La seule conclusion logique était qu'il cachait des armes de destruction massive. Compte tenu de ses sympathies pour les terroristes et de sa haine de l'Amérique, il était absolument impossible de savoir ce qui pourrait advenir de ces armes.

Certains affirmèrent que la véritable intention des Etats-Unis était de prendre le contrôle des réserves de pétrole irakien ou de faire plaisir à Israël. Ces deux théories étaient fausses. J'envoyais nos soldats au combat pour protéger le peuple américain.

Je savais qu'il y aurait un lourd tribut à payer. Mais l'inaction aussi pouvait nous coûter cher. Sachant tout ce que nous savions, laisser Saddam au pouvoir aurait été comme jouer à la roulette russe. J'aurais dû faire le pari que la totalité des grands services de renseignements de ce monde se trompaient et que Saddam Hussein allait changer d'avis. Après avoir été témoin des horreurs du 11 Septembre, je ne pouvais pas prendre un tel risque. La solution militaire était notre dernier recours. Mais elle me paraissait nécessaire.

Le lundi 17 mars 2003, notre ambassadeur John Negroponte retira notre projet de seconde résolution à l'ONU. Ce soir-là, je m'adressai à la nation depuis le Cross Hall de la Maison-Blanche. « Le Conseil de sécurité des Nations unies ne s'est pas montré à la hauteur de ses responsabilités, il est donc temps que nous assumions les nôtres, déclarai-je. [...] Saddam Hussein et ses fils devront avoir quitté l'Irak d'ici quarante-huit heures. Leur refus d'obtempérer débouchera sur un conflit militaire qui commencera au moment que nous choisirons. »

Les deux jours suivant me parurent des semaines. Nous reçûmes une bonne nouvelle le mardi : Tony Blair avait remporté ses élections avec une marge confortable. Le Royaume-Uni serait à nos côtés.

George Tenet et Colin Powell me tenaient régulièrement informé de l'évolution de la situation en Irak. Notre dernier espoir était que Saddam accepte de s'exiler. Il fut un moment question d'envoyer Saddam en Biélorussie avec un ou deux milliards de dollars en poche, ainsi que le suggéra un gouvernement du Moyen-Orient. Pendant ce temps, l'une des dernières décisions de Saddam au pouvoir fut de condamner un dissident à avoir la langue coupée et à le laisser se vider de son sang. Le dictateur avait fait son choix. Il avait choisi la guerre.

Le mercredi matin, je convoquai l'ensemble du NSC dans la Situation Room où je donnai l'ordre de lancer l'Opération Liberté en Irak. Six heures plus tard, je reçus un appel inattendu de Donald Rumsfeld. Il avait quelque chose d'important à me dire. Il était en route pour le Bureau Ovale, accompagné de George Tenet.

« Qu'est-ce qui se passe ? demandai-je.

– Monsieur le président, je pense que nous pouvons tuer Saddam Hussein », dit George.

S'ensuivit l'un des entretiens les plus extraordinaires de ma présidence. Tous les conseillers à la sécurité nationale étaient réunis dans le Bureau Ovale, des conseillers allaient et venaient avec les dernières nouvelles du front. Plusieurs sources des services de renseignements indiquaient que Saddam et une partie de sa famille allaient probablement passer la nuit sur un site appelé Dora Farms, en dehors de Bagdad. Si nous bombardions à cet endroit, nous pouvions décapiter le régime.

J'étais sceptique. Si j'autorisais ce bombardement, cela signifiait que nous nous écartions de notre plan bien préparé, qui prévoyait deux jours d'opérations secrètes avant le début de la campagne aérienne. Je pensais à tout ce qui pouvait mal tourner. Deux chasseurs-bombardiers F-117 devraient voler sans escorte jusqu'à une ville puissamment fortifiée. Je craignais surtout que ces renseignements ne soient un piège. Et si ce n'était pas Saddam qui se dirigeait vers Dora Farms mais un car d'écoliers ? Les premières images de la guerre seraient celles d'innocents enfants irakiens morts sous nos bombes.

Le plus sûr était de nous en tenir à notre plan. Une pensée m'obsédait néanmoins : en tuant le dictateur, nous pouvions arrêter la guerre avant même qu'elle ne commence et épargner des vies. Je me sentis obligé de saisir cette occasion. Le général Myers m'informa que les avions étaient prêts et les missiles Tomahawk programmés. Je me tournai vers mes conseillers dans le Bureau Ovale et dis : « Allons-y. » Tout juste quarante-huit heures après expiration du délai, les bombardements commencèrent.

Condi appela tôt le lendemain matin. Un témoin avait vu un homme ressemblant à Saddam Hussein être retiré des décombres de Dora Farms. Au fil des jours néanmoins, le contenu des rapports changea. Cette opération préfigurait bien des événements à venir. Notre intention était la bonne, les pilotes avaient courageusement accompli leur mission mais nos renseignements étaient faux.

Le lendemain du bombardement de Dora Farms, une série d'opérations militaires commença. Depuis la frontière sud de l'Irak avec le Koweït, le Ve Corps et le Ier Corps expéditionnaire des Marines donnèrent simultanément l'assaut contre Bagdad. Pendant ce temps, nos forces aériennes bombardaient la capitale. Au cours de la première vague de frappes, plus de 300 missiles de croisière – suivis de bombardiers furtifs – détruisirent l'essentiel du centre de commandement et de gouvernement de Saddam. Contrairement aux bombardements de Dresde, aux bombes atomiques de Hiroshima et de Nagasaki, ou aux largages de napalm au-dessus du Vietnam, nos frappes épargnèrent largement la population civile de Bagdad ainsi que ses infrastructures. Ce n'était pas seulement le choc et la stupeur mais l'un des raids aériens les plus précis de l'histoire.

Dans le sud de l'Irak, des Marines furent déployés afin de protéger les puits de pétrole. Les Forces spéciales polonaises et les US Navy SEALs sécurisèrent les plates-formes offshore. Une division blindée britannique libéra la ville de Bassora, dans le Sud, ainsi que l'important port d'Umm Qasr. Les incendies de puits de pétrole et les opérations de sabotage que nous redoutions tant n'étaient pas devenus réalité et nous avions ouvert la voie aux convois d'aide humanitaire.

Dans le nord de l'Irak, des parachutistes prirent le contrôle de points de transit importants et mirent en place un pont aérien pour transporter le ravitaillement et l'aide humanitaire. Avec le soutien des forces kurdes, le camp de Zarqaoui fut détruit. Dans l'ouest de l'Irak, les Forces spéciales américaines, britanniques et australiennes patrouillaient dans le désert à la recherche de missiles Scud et s'assurèrent que Saddam ne puisse pas attaquer l'Arabie Saoudite, la Jordanie, Israël ni aucun autre de nos alliés dans la région.

A la fin de la deuxième semaine, nos troupes avaient atteint les faubourgs de Bagdad. Elles avaient affronté les violentes tempêtes de sable et la chaleur étouffante, le tout dans leurs combinaisons NBC, qu'elles portaient en cas d'attaque chimique ou biologique. Elles rencontrèrent une résistance acharnée de la part des combattants les plus fidèles du régime, qui attaquaient avec des véhicules civils et se cachaient derrière des boucliers humains. Nos soldats remportèrent malgré tout la victoire la plus rapide de l'histoire militaire. Sur leur chemin, ils distribuaient des bonbons et des médicaments aux enfants et risquaient leur vie pour protéger des civils irakiens.

Le 4 avril 2003, le sergent Paul Ray Smith et ses hommes sécurisaient une cour derrière l'aéroport de Bagdad lorsque des membres de la Garde républicaine de Saddam les prirent en embuscade. Plusieurs soldats furent blessés. Sous le feu ennemi, le sergent Smith continua à tirer au fusil-mitrailleur avant de recevoir une blessure mortelle. Le rapport de l'armée révéla qu'il avait tué cinquante combattants ennemis et sauvé près d'une centaine de soldats américains. Pour son acte de courage, le sergent Paul Ray Smith fut le premier soldat à être décoré de la médaille d'Honneur dans la guerre contre le terrorisme. En avril 2005, j'offrais sa médaille à sa veuve, Birgit, et à son jeune fils à la Maison-Blanche.

Le lendemain du sacrifice du sergent Smith, la troisième division d'infanterie pénétrait dans Bagdad. La première division de Marines arriva deux jours plus tard. Lors de la réunion du NSC au matin du 9 avril, Tommy Franks déclara que la capitale irakienne était sur le point de tomber. Je devais ensuite rencontrer le président slovaque, Rudolf Schuster. La Slovaquie, une jeune démocratie comptant parmi les quarante-huit pays qui s'étaient engagés à nous fournir une assistance militaire ou logistique en Irak, avait déployé une unité spécialisée dans la réaction aux attaques d'armes de destruction massive. Le président Schuster avait les larmes aux yeux au moment d'exprimer avec quelle fierté son pays participait à la libération de l'Irak. Je gardais ce souvenir en tête lorsque des adversaires nous reprochaient d'avoir agi de manière unilatérale. Ces accusations mensongères dénigraient le courage de nos alliés et me gonflaient sévèrement.

Après cet entretien, Dan Bartlett me dit de jeter un œil à la télévision. N'ayant pas de poste dans le Bureau Ovale, je me rendis dans la salle à côté où se trouvaient mes assistants personnels. Je vis une foule d'Irakiens hurlant de joie sur la place Firdos de Bagdad tandis qu'un véhicule des Marines traînait la statue de douze mètres de long à l'effigie de Saddam.

Pendant vingt jours, j'avais vécu dans l'angoisse. A présent, j'étais submergé par la fierté et le soulagement. Je restais conscient du travail qui nous attendait. Les forces de Saddam contrôlaient encore certaines zones du nord de l'Irak, notamment sa ville natale de Tikrit. Les redoutables militants baasistes, les Fedayin de Saddam, formaient des poches de résistance. Sans oublier que Saddam et ses fils couraient toujours. Ainsi que je le dis à José Maria Aznar lorsque je l'appelai pour lui dire la nouvelle : « Vous ne nous verrez pas danser la danse de la victoire. »

J'aurais dû suivre mon propre conseil. Tommy Franks pensait qu'il était important de montrer que la guerre était entrée dans une nouvelle phase. Pour ce faire, je décidai de prononcer un discours depuis l'*USS Abraham Lincoln* de retour après dix mois en mer. Les 5 000 marins et membres des forces aériennes et de la marine qui se trouvaient à bord avaient participé à des opérations à la fois en Irak et en Afghanistan.

Le 1er mai 2003, je me réinstallai aux commandes d'un avion militaire pour la première fois depuis plus de trente ans. Le pilote, Scott Zellem, *alias* Z-man, nous rappela les consignes de sécurité de la base aéronavale de North Island à San Diego. Le commandant John « Skip » Lussier, pilote émérite ayant plus 500 atterrissages sur porte-avions à son actif, fit décoller notre S-3B Viking. Un peu plus tard, il me confia les commandes et je pus piloter l'appareil pendant quelques minutes au-dessus de l'océan Pacifique. J'étais un peu rouillé mais après quelques hésitations, je parvins à maintenir mon cap. Le commandant eut la sagesse de reprendre les commandes à l'approche du porte-avions. Il guida l'appareil jusqu'au pont, sa crosse d'appontage accrochant le brin d'arrêt.

Une fois à bord du *Lincoln*, je me promenai avec l'équipage, m'émerveillai des manœuvres de décollage et d'atterrissage dans la zone de catapultage et cassai la croûte avec les marins et les Marines. « Mes chers compatriotes, déclarai-je dans mon discours. Les opérations majeures de combat en Irak sont terminées. [...] La transition de la dictature vers la démocratie prendra du temps mais elle mérite tous les efforts. Notre coalition restera jusqu'à ce que notre travail soit terminé. Ensuite nous partirons, et nous laisserons derrière nous un Irak libre. »

Je n'avais pas remarqué la grande bannière installée sur le pont par mes adjoints pour les caméras de télévision. Elle proclamait : « Mission accomplie. » Elle était destinée aux membres d'équipage de l'*USS Abraham Lincoln* qui venaient de boucler la plus longue mission jamais effectuée par un porte-avions de cette catégorie. Dans les faits, cela donnait l'impression que j'étais en train de danser la danse de la victoire contre laquelle j'avais si bien mis en garde. La formule « mission accomplie » est depuis devenue un raccourci pour critiquer tout ce qui a mal tourné par la suite en Irak. Je disais clairement dans mon discours que notre travail était loin d'être terminé. Mais toutes les explications du monde ne pouvaient pas lutter contre une impression. Notre mise en scène nous avait échappé. C'était une grave erreur.

Une fois Saddam écarté du pouvoir, notre principale mission fut d'aider les Irakiens à bâtir une démocratie capable de se gouverner, de se maintenir et de se défendre elle-même tout en nous aidant dans la guerre contre le terrorisme. C'était un projet ambitieux mais j'étais optimiste. Bien des sombres contingences que nous redoutions tant avant le début de l'offensive ne s'étaient pas concrétisées. Bagdad ne s'était pas transformée en ville-forteresse, il n'y avait pas eu d'incendie massif de puits de pétrole, pas de famine généralisée, pas de massacre de civils par Saddam, pas d'attaque aux armes de destruction massive contre nos troupes et pas d'attentat contre les Etats-Unis ou leurs alliés.

Il y avait toutefois une éventualité à laquelle nous n'étions pas suffisamment préparés. Quelques semaines après la libération, Bagdad était devenue une zone de non-droit. J'étais horrifié de voir des pillards voler de précieux artefacts du Musée national irakien et de lire tous les comptes rendus faisant état d'enlèvements, de meurtres et de viols. Cette situation était en partie due à la libération, ordonnée par Saddam juste avant la guerre, de dizaines de milliers de criminels. Mais le problème était plus grave que cela.

Les Irakiens avaient été tellement maltraités par Saddam que nous n'arrivions pas complètement à comprendre leur mentalité. La peur et la méfiance qu'il avait implantées dans les esprits pendant des décennies étaient en train de remonter à la surface.

« Bon sang, mais qu'est-ce qui se passe ? demandai-je lors d'une réunion du NSC à la fin du mois d'avril. Pourquoi personne n'arrête ces pillards ? » En bref, la réponse était que l'on manquait de bras à Bagdad. La police irakienne s'était effondrée en même temps que le régime. L'armée s'était dispersée. A cause de la décision de la Turquie, beaucoup des soldats qui avaient libéré Bagdad avaient été obligés de continuer vers le nord pour libérer le reste du pays. Les erreurs commises lors de ces premiers jours devaient être à l'origine de problèmes qui allaient persister pendant des années. Les Irakiens cherchaient quelqu'un pour les protéger. En échouant à sécuriser Bagdad, nous avions raté notre première chance de montrer que nous pouvions le faire.

L'insécurité se doublait d'un vide politique. Je décidai de nommer un administrateur américain chargé de maintenir l'ordre pendant que nous étudiions le moyen de faire émerger un gouvernement légitime. Ainsi naquit l'Autorité provisoire de la coalition (CPA), approuvée par une résolution des Nations unies et placée sous l'autorité de l'ambassadeur L. Paul « Jerry » Bremer, membre distingué du bureau des Affaires étrangères et spécialiste de la lutte contre le terrorisme.

Jerry m'impressionna dès le début. C'était un homme de tête combatif, aussi convaincu que moi que les Irakiens étaient capables d'adopter un régime démocratique. Il savait qu'il leur faudrait du temps pour rédiger une constitution et organiser des élections. Lors d'un de nos premiers entretiens, il me dit qu'il avait lu une étude sur de précédentes opérations après guerre et pensait que nous avions besoin de davantage de soldats sur le terrain.

J'abordai la question avec Donald Rumsfeld et l'état-major. Ils m'assurèrent que nous avions suffisamment de soldats. Ils comptaient sur l'envoi de troupes de nos partenaires de la coalition et pensaient que nous pouvions former une armée et une police irakiennes assez rapidement. Ils craignaient également de réveiller un sentiment nationaliste et d'inciter une partie de la population à la violence en passant pour une armée d'occupation.

Je me pliai à l'avis de Donald et de l'état-major. Le chaos et les violences dont nous étions témoins avaient de quoi nous alarmer mais il était encore tôt. La situation me rappelait l'Afghanistan où nous avions eu des premiers jours difficiles. Je décidai de nous en tenir à notre plan car celui-ci avait une chance de fonctionner.

Bremer arriva en Irak le 12 mai 2003. L'une de ses premières missions était de rassembler un conseil de gouvernement irakien capable d'assumer la charge des principaux ministères et de préparer un retour officiel de souveraineté. Les tractations entre les clans tribaux, religieux et ethniques constituant le paysage politique irakien représentaient un travail particulièrement compliqué. Mais Jerry et son équipe s'en sortirent avec brio. Le Conseil de gouvernement entra en fonction en juillet, soit tout juste quatre mois après la libération. Il était composé de 25 Irakiens d'origines différentes. L'Irak avait encore beaucoup de chemin à faire mais il avait fait ses premiers pas vers une forme de gouvernement représentatif.

La formation du Conseil de gouvernement était un signal important visant à montrer que la tyrannie de Saddam était définitivement enterrée. Gardant cela à l'esprit, Jerry donna deux ordres peu de temps après son arrivée à Bagdad. Le premier interdisait à certains membres du parti Baas de Saddam d'exercer une fonction dans le nouveau gouvernement irakien. Le second proclamait officiellement la démobilisation des forces armées irakiennes, déjà largement en fuite.

D'une certaine manière, ces deux décisions eurent l'effet escompté. Les chiites et les Kurdes – représentant la majorité de la population – saluèrent cette rupture avec le régime de Saddam. Mais ces ordres eurent aussi un impact psychologique sur la population que je n'avais pas anticipé. Bon nombre de sunnites en tirèrent la conclusion qu'ils n'avaient pas leur place dans le futur Irak. Cette idée était particulièrement dangereuse dans le cas de l'armée. Des milliers d'hommes venaient de s'entendre dire que leur présence n'était pas souhaitée. Au lieu de rejoindre la nouvelle armée, bon nombre d'entre eux grossirent les rangs de l'insurrection.

Rétrospectivement, je me dis qu'il aurait fallu débattre plus longuement des propositions de Jerry, et notamment réfléchir davantage au message que l'on envoyait en démobilisant l'armée et à l'effet de la dé-baasification du pays pour de nombreux sunnites. Placé sous l'égide d'Ahmed Chalabi, exilé de longue date, le programme de dé-baasification alla beaucoup plus loin que ce que nous pensions, frappant de petits membres du parti comme les professeurs. Peut-être aurions-nous tout de même donné ces ordres. Nous prenions des décisions difficiles et toute autre solution aurait entraîné son lot de problèmes. Si les chiites ne nous avaient pas pris au sérieux quant à la fin du pouvoir du parti Baas, ils se seraient peut-être retournés contre la coalition, auraient rejeté l'objectif d'une démocratie irakienne unifiée et se seraient peut-être alignés sur l'Iran. Il est impossible de savoir avec certitude ce qui ce serait passé, mais une discussion nous aurait mieux préparés à ce qui allait suivre.

La situation continua à se détériorer pendant l'été. L'Irak attirait de plus en plus d'extrémistes : insurgés du parti Baas, Fedayin de

Saddam, terroristes étrangers affiliés à Al-Qaïda, et plus tard, militants chiites et agents iraniens. Tous ces groupes défendaient une idéologie différente mais partageaient un objectif commun et immédiat : chasser les Etats-Unis d'Irak. Conscients qu'ils n'avaient aucune chance de l'emporter dans un combat direct avec nos troupes, ils se mirent à poser des bombes le long des routes et attaquèrent des cibles non militaires, comme l'ambassade de Jordanie et l'immeuble des Nations unies à Bagdad. Une autre tactique consistait à enlever des employés sur un chantier de reconstruction et à filmer leur exécution pour poster de sinistres vidéos sur Internet. Leur but était de présenter l'Irak comme le théâtre d'une bataille désespérée où la victoire était impossible afin de retourner l'opinion publique américaine et nous forcer à nous retirer comme au Vietnam.

Dans une certaine mesure, ils réussirent. Il était difficile pour l'Américain moyen de faire la différence entre les terroristes fanatiques et les millions d'Irakiens ordinaires et reconnaissants. Nous avons essayé de diffuser les bonnes nouvelles du front : le calme relatif dans les provinces kurdes du Nord et chiites du Sud, la reconstruction des écoles et des hôpitaux et la formation d'une nouvelle armée irakienne. Mais aux yeux des médias – et donc de l'opinion publique – aucun de ces discrets succès ne pouvait faire oublier les attentats à la bombe et les décapitations.

Au début du mois de juillet, un journaliste m'interrogea à propos des attaques contre nos soldats : « Certains pensent que s'ils nous attaquent, nous partirons peut-être plus vite que prévu, déclarai-je. Je réponds : qu'ils y viennent ! »

Chaque fois que je parlais de l'Irak, je m'adressais à des publics différents. Il y avait quatre catégories d'audience.

La première catégorie était le peuple américain. Son soutien était essentiel pour financer et poursuivre la guerre. Je pensais que la plupart des Américains souhaitaient notre victoire en Irak. Mais si le coût de cette guerre paraissait trop élevé ou la victoire trop lointaine, leur patience finirait par s'émousser. Je devais réaffirmer l'importance de notre mission ainsi que notre détermination à l'emporter.

Le deuxième groupe était constitué par nos soldats. Ils s'étaient portés candidats pour servir dans l'armée et risquaient leur vie loin de chez eux. Ils avaient besoin, ainsi que leurs familles, de savoir que je croyais en eux, que je soutenais sans faille leur mission et que je ne prendrais aucune décision militaire en fonction d'intérêts politiques.

Le troisième groupe était le peuple irakien. Certains voulaient que nous partions mais j'étais convaincu qu'une vaste majorité d'entre eux voulaient que nous restions assez longtemps pour les aider à faire émerger une société démocratique. Je devais insister sur mon engagement à finir le travail que nous avions commencé. Si les Irakiens craignaient d'être abandonnés par les Etats-Unis, ils demanderaient protection à quelqu'un d'autre.

Enfin, le dernier groupe était celui de nos ennemis. Ils pensaient que leurs actes de barbarie pouvaient affecter nos décisions. Je devais m'assurer que cela ne serait jamais le cas.

Mon « qu'ils y viennent » visait à montrer la confiance que j'avais dans nos troupes et à faire comprendre à l'ennemi que rien ne pourrait ébranler notre volonté. L'avalanche de critiques qui s'abattit sur nous me montra toutefois que je n'avais pas toujours été bien compris. Dans les années qui suivirent, j'ai appris à être plus attentif à ma façon de m'exprimer en fonction de l'assistance que j'avais en face de moi.

A l'automne 2003, la coalition internationale en Irak rassemblait des unités issues de trente pays, dont deux divisions multinationales placées sous le commandement du Royaume-Uni et de la Pologne, et bénéficiait du soutien logistique de nombreux autres pays. Les forces de la coalition avaient découvert des cellules de torture, des chambres de viol et des charniers remplis de milliers de cadavres. Elles découvrirent un site contenant des combinaisons NBC dernier cri et des seringues remplies d'antidote pour le gaz neurotoxique VX. Mais elles n'avaient pas découvert les stocks d'armes biologiques et chimiques que tous les grands services de renseignements du monde soupçonnaient Saddam de posséder.

J'avais été soulagé de voir que Saddam n'avait pas déployé d'armes de destruction massive contre nos soldats. J'avais ensuite été surpris d'apprendre que nous n'en avions trouvé aucune trace après la chute de Bagdad. Je commençais à être très inquiet lorsque l'été passa sans la moindre découverte d'arme de destruction massive. Les médias n'arrêtaient pas de demander : « Où sont les armes de destruction massive ? »

C'était exactement la question que je posais à mes conseillers. L'armée et les services de renseignements m'assuraient que leurs recherches se poursuivaient sans interruption. Ils fouillaient des sites secrets que Saddam avait utilisés pendant la guerre du Golfe. Ils rassemblaient des informations et réagissaient à d'autres. Un jour, la CIA apprit que de grands conteneurs métalliques avaient été aperçus depuis un pont de l'Euphrate. Des plongeurs de la Navy se déployèrent sur les lieux. Ils ne trouvèrent rien. Un haut responsable des Emirats arabes unis nous apporta des schémas de tunnels où il pensait que Saddam aurait pu cacher des armes. Nos soldats creusèrent. Aucune preuve ne se matérialisa.

George Tenet recruta David Kay, ancien chef des inspecteurs de l'ONU en Irak en 1991, afin de reprendre la direction des inspections. Kay mena des fouilles approfondies dans tout le pays et mit au jour des preuves irréfutables que Saddam avait menti à la communauté internationale et violé la résolution 1441. « Les programmes irakiens de mise au point d'armes de destruction massive se sont étendus sur plus de vingt ans, avec la participation de milliers de personnes et des milliards de dollars. Ils étaient protégés par des mesures de sécurité sophistiquées et diverses opérations de diversion qui se sont poursuivies même après la fin de l'Opération Liberté en Irak », a-t-il déclaré devant le Congrès en octobre 2003. Il n'y avait qu'une chose que Kay ne trouvait pas : les stocks d'armes de destruction massive que tout le monde attendait.

La gauche se trouva alors un nouveau slogan : « Bush lied, people died » (« Bush a menti, des gens ont péri »). L'accusation n'avait pas de sens. Si j'avais menti pour déclencher cette guerre, pourquoi aurais-je choisi une accusation qui devait à coup sûr se révéler fausse peu de temps après notre invasion du pays ? Ces accusations étaient également malhonnêtes. Certains membres de l'administration précédente, John Kerry, John Edwards et la grande majorité du Congrès, avaient tous eu accès aux mêmes renseignements que moi et étaient arrivés aux mêmes conclusions que moi sur l'Irak et les armes de destruction massive. C'était le même raisonnement que celui de tous les services de renseignements du monde entier. Personne n'avait menti. Nous nous étions tous trompés. L'absence d'armes de destruction massive ne changeait rien au fait que Saddam représentait une menace. En janvier 2004, David Kay déclara : « Il était raisonnable de conclure que l'Irak constituait un danger immédiat. Après ce que nous avons découvert en Irak, nous pouvons dire que le pays était potentiellement encore plus dangereux que ce que nous pensions avant la guerre. »

Il n'empêche, je savais que l'absence d'armes de destruction massive allait faire changer le regard de l'opinion publique sur la guerre. S'il ne faisait aucun doute que le monde était plus sûr sans Saddam, le fait est que j'avais envoyé des soldats américains au combat en me basant en bonne partie sur des informations qui se révélèrent fausses. C'était un rude coup porté à notre crédibilité – à ma crédibilité – et qui allait affecter la confiance du peuple américain.

Personne n'aurait pu être plus surpris ou irrité que moi en apprenant que nous n'avions pas trouvé les armes de destruction massive. Le simple fait d'y penser me rendait malade. C'est encore vrai aujourd'hui.

Si les combats en Irak se révélaient plus durs que ce que j'avais anticipé, je restais néanmoins optimiste. Je me sentais inspiré par le courage de la centaine de milliers d'Irakiens qui s'étaient portés volontaires pour rejoindre les forces de sécurité, par les responsables qui remplaçaient les membres du Conseil de gouvernement assassinés et par les citoyens ordinaires qui aspiraient tant à la liberté.

Rien ne me redonnait plus confiance que nos propres soldats. Grâce à eux, la plupart des hauts responsables du régime de Saddam avaient été tués ou capturés à la fin de l'année 2003. En juillet, nous avons appris que les deux fils de Saddam se trouvaient dans la région de Mossoul, dans le nord de l'Irak. Avec l'appui des Forces spéciales, des hommes de la 101ᵉ division aéroportée placée sous le commandement du général David Petraeus, donnèrent l'assaut contre le bâtiment où les deux fils de Saddam, Oudaï et Qoussaï, avaient trouvé refuge. Après six heures de combat, tous les deux étaient morts. Nous apprîmes par la suite que Saddam avait réclamé la mort de Barbara et Jenna pour prix de la mort de ses fils.

Deux jours après la chute de Bagdad, Laura et moi visitions le Walter Reed Army Medical Center à Washington et le National Naval Medical Center de Bethesda. Nous avons rencontré une centaine de soldats blessés au combat ainsi que des membres de leur famille. Certains revenaient d'Afghanistan, d'autres d'Irak. C'était une expérience déchirante de voir sur un lit d'hôpital les conséquences d'une déclaration de guerre. Il était au moins réconfortant de savoir que ces hommes bénéficiaient d'excellents soins dispensés par des professionnels compétents et attentionnés du système médical militaire.

A Walter Reed, je fis la connaissance d'un membre de la Delta Team, une de nos unités d'élite des Forces spéciales. Pour des raisons de confidentialité, je ne suis pas autorisé à donner son nom ici. Il avait perdu la moitié d'une jambe.

« J'apprécie votre sacrifice, lui dis-je en lui serrant la main. Je suis désolé que vous ayez été blessé.

– Ne soyez pas désolé pour moi, monsieur le président, me répondit-il. Donnez-moi seulement une nouvelle jambe pour que je puisse y retourner. »

Au National Naval Medical Center, je rencontrai le Marine Guadalupe Denogean, sergent artilleur, âgé de quarante-deux ans. Il avait été blessé quelques semaines auparavant lorsqu'une roquette avait atteint son véhicule. Il avait eu une partie de la tête arrachée ainsi que la main droite ; des débris de shrapnel s'étaient enfoncés dans ses jambes et le bas de son dos et ses tympans avaient explosé.

Lorsque je lui demandai s'il avait une requête, Guadalupe me répondit qu'il en avait deux. Il me demanda une promotion pour le caporal qui lui avait sauvé la vie. Et il voulait devenir citoyen américain. Après le 11 Septembre, j'avais signé un ordre exécutif permettant à tout étranger s'engageant dans l'armée d'être immédiatement éligible à la citoyenneté américaine.

Guadalupe était parti du Mexique quand il était enfant. Arrivé aux Etats-Unis, il avait commencé par ramasser des fruits pour aider sa famille à joindre les deux bouts avant de s'engager pour les Marines à l'âge de dix-sept ans. Après vingt-cinq ans de service dont deux ans en Irak, il voulait que le drapeau sur son uniforme soit également celui de sa patrie. Ce jour-là à l'hôpital, Laura et moi avons assisté à la cérémonie de naturalisation de Guadalupe conduite par Eduardo Aguirre, directeur des Services de citoyenneté et d'immigration (USCIS). Guadalupe leva la main droite, couverte de bandages, et prononça le serment d'allégeance.

Quelques minutes plus tard, c'était au tour du caporal des Marines O.J. Santamaria, natif des Philippines. Agé de vingt et un ans, il avait été grièvement blessé en Irak. Il était relié à une potence de transfusion sanguine. Au milieu de la cérémonie, il fondit en larmes. A grand-peine, il termina de prononcer le serment d'allégeance. J'étais fier de l'appeler « mon cher compatriote ».

A l'automne 2003, Andy Card vint me proposer quelque chose. Cela m'intéresserait-il de faire un tour en Irak pour remercier les troupes ? Et comment !

L'affaire était risquée. Toutefois, Joe Hagin, secrétaire général adjoint de la Maison-Blanche, travaillant en lien avec les Services secrets et le White House Military Office, trouva une solution. A l'approche des congés de Thanksgiving, je me rendrais à Crawford et dirais à la presse mon intention d'y passer la semaine. Dans la nuit du mercredi, je sortirais discrètement du ranch pour m'envoler pour Bagdad.

J'avais prévenu Laura plusieurs semaines auparavant. Elle fut rassurée de m'entendre dire que tout serait annulé en cas de fuite. Je prévins Barbara et Jenna environ une demi-heure avant de partir. « J'ai peur, Papa, me dit Barbara. Fais attention. Rentre bien à la maison. »

Accompagné de Condi, je montai à bord d'une Suburban non immatriculée, la visière de ma casquette baissée, direction l'aéroport. Par mesure de discrétion, nous n'avions pas notre escorte de motards. J'avais presque oublié ce qu'était un embouteillage, mais le fait d'emprunter la I-35 à la veille de Thanksgiving me rappela des souvenirs. Nous progressions lentement, doublant parfois un véhicule plein d'agents de protection, pour arriver à l'heure prévue devant Air Force One. La ponctualité devait être respectée. Nous devions impérativement atterrir au coucher du soleil à Bagdad.

Du Texas, nous avons mis le cap sur la base aérienne d'Andrews, où nous avons changé d'appareil pour le frère jumeau d'Air Force One, direction l'Irak. A bord se trouvaient un équipage réduit au minimum, des responsables militaires et des Services secrets ainsi qu'un contingent de journalistes tenus dans la confidentialité. Je dormis un peu pendant les dix heures et demie que dura le vol. Alors que nous approchions de Bagdad, je pris une douche, me rasai et me dirigeai vers le cockpit pour l'atterrissage. Le colonel Mark Tillman était aux commandes de l'appareil. Je lui faisais entièrement confiance. Laura disait toujours : « Ce Mark s'y connaît en atterrissage. »

Alors que le soleil se couchait à l'horizon, je pouvais deviner les contours des minarets au-dessus de Bagdad. Vue d'en haut, la ville paraissait tellement tranquille. Nous craignions pourtant la présence de missiles surface-air au sol. Joe Hagin eut beau nous assurer que l'armée avait sécurisé un vaste périmètre autour de l'aéroport international de Bagdad, l'ambiance à bord était tendue. Alors que nous entamions notre descente en spirale, volets baissés, plusieurs hommes se mirent à prier. Au dernier moment, le colonel Tillman releva le nez de l'appareil et aborda tranquillement la piste.

Jerry Bremer et le général Ricardo Sanchez, commandant en chef des forces terrestres en Irak, m'attendaient à l'aéroport. « Bienvenue dans un Irak libre », me lança Jerry.

Nous nous rendîmes à la cantine où 600 soldats étaient rassemblés pour le repas de Thanksgiving. Jerry était censé être l'invité d'honneur. Il dit aux hommes qu'il leur apportait un message du président. « Voyons si nous n'avons pas quelqu'un de plus important ici… », lança-t-il.

C'était mon signal d'entrée. J'ouvris le rideau pour monter sur la tribune devant une salle bondée. Stupéfaits, beaucoup d'hommes hésitèrent l'espace d'une seconde avant de faire entendre un tonnerre de cris et d'applaudissements. Certains avaient le visage baigné de larmes. J'étais submergé par l'émotion. J'avais devant moi les hommes qui, sur mes ordres, avaient libéré l'Irak tout juste huit mois auparavant. Beaucoup avaient pris part à des combats. Certains avaient vu des amis mourir sous leurs yeux. Je pris une profonde inspiration et dis : « Je vous apporte un message au nom des Etats-Unis. Nous vous remercions de votre travail, nous sommes fiers de vous, l'Amérique se tient solidement à vos côtés. »

Après le discours, je dînai avec les soldats avant de m'isoler dans une pièce à l'écart avec quatre membres du Conseil de gouvernement irakien, le maire de Bagdad ainsi que plusieurs membres du conseil de la ville. La directrice du service maternité d'un hôpital m'expliqua que les femmes avaient aujourd'hui plus d'opportunités qu'elles n'auraient jamais pu en rêver sous le régime de Saddam. Je savais que l'Irak avait encore de graves problèmes à régler mais ce voyage me renforça dans ma conviction que toutes ces difficultés pouvaient être surmontées.

Le plus dangereux à présent était de quitter Bagdad. Nous avions reçu l'ordre de laisser toutes les lumières éteintes et de ne pas utiliser les téléphones tant que nous ne serions pas à plus de 3 000 mètres d'altitude. J'étais encore sous le coup de l'émotion. Mais cette euphorie céda la place à un étrange sentiment d'incertitude lorsque notre avion décolla et s'éleva silencieusement dans les airs au milieu de la nuit.

Après quelques minutes angoissées, nous atteignîmes une altitude suffisamment élevée. J'appelai un des opérateurs et lui demandai de me mettre en contact avec Laura. « Où es-tu ? me demanda-t-elle.

– Je rentre, lui répondis-je. Dis aux filles que tout va bien. »

Elle avait l'air soulagée. Il se trouve qu'elle s'était légèrement trompée dans les horaires. Elle ne se souvenait plus si je lui avais dit que je serais dans l'avion à 10 heures du matin ou à midi. A 10 h 15, elle avait appelé un agent des Services secrets du ranch pour lui demander s'il avait des nouvelles du président Bush. « Je vais vérifier », lui avait répondu l'agent.

Quelques secondes plus tard, il était revenu lui dire : « Oui, madame, ils seront là dans une heure et demie. »

Elle comprit alors qu'il parlait de mes parents qui étaient en route pour venir passer Thanksgiving avec nous. « Non, je veux dire George », corrigea-t-elle. L'agent resta silencieux. « Eh bien, madame, dit-il, nous supposons qu'il est à l'intérieur du ranch. »

Le secret avait été tellement bien gardé que même les agents du ranch ne savaient pas que je m'étais échappé pour faire le voyage le plus palpitant de ma présidence.

Le samedi 13 décembre, je reçus un coup de téléphone de Donald Rumsfeld. Il venait juste de parler avec le général John Abizaid, qui avait remplacé Tommy Franks après son départ à la retraite en juillet. John était un intellectuel, un général libanais américain qui parlait arabe et comprenait le Moyen-Orient. John pensait que nous avions capturé Saddam Hussein. Mais avant d'en faire l'annonce au monde entier, nous devions être sûrs de nous.

Le lendemain matin, Condi rappela pour confirmer l'information. C'était bien Saddam. Ses tatouages – trois points bleus près du poignet, symbole de sa tribu – en étaient la preuve irréfutable. J'étais aux anges. La capture de Saddam serait un énorme soulagement pour nos troupes et pour le peuple américain. Cela ferait également une différence dans l'esprit des Irakiens dont bon nombre crai-

gnaient encore son retour. A présent, c'était sûr : le règne du dictateur était fini.

Quelques mois plus tard, quatre hommes vinrent me voir à la
Maison-Blanche. Ils appartenaient à la Delta Team qui avait capturé
Saddam. Ils me firent le récit de leur traque. Une source les avait
dirigés vers une ferme près de Tikrit, ville natale de Saddam. Alors
qu'ils passaient la zone au peigne fin, l'un d'entre eux avait découvert un trou. Il était descendu au fond et en était ressorti avec un
homme hirsute et en colère.

« Je m'appelle Saddam Hussein. Je suis le président de l'Irak et je
veux négocier, avait dit l'homme.

– Vous avez le bonjour du président Bush », lui avait répondu le
soldat. Saddam avait alors trois armes sur lui dont un pistolet que les
soldats m'offrirent dans un coffret en verre. Je leur dis que je le
garderais dans mon étude privée du Bureau Ovale avant de l'exposer un jour dans ma bibliothèque présidentielle. Ce pistolet me
rappelait qu'un dictateur brutal, responsable de tant de morts et de
souffrances, s'était rendu à nos soldats alors qu'il se cachait dans
un trou.

Alors que j'écris tout cela, plus de sept ans après la libération de
l'Irak par nos troupes, je reste fermement convaincu que chasser
Saddam du pouvoir était la bonne décision. En dépit de tous les
problèmes qui ont suivi, l'Amérique est plus sûre sans ce dictateur
meurtrier qui cherchait à se doter d'armes de destruction massive et
soutenait les terroristes en plein cœur du Moyen-Orient. L'espoir est
revenu dans la région où une jeune démocratie montre la voie à
suivre. Et les Irakiens sont plus heureux avec un gouvernement qui
leur rend des comptes au lieu de les assassiner et de les torturer.

Ainsi que nous l'espérions, la libération de l'Irak eut un impact
au-delà de ses frontières. Six jours après la capture de Saddam, le
colonel Muammar Kadhafi, dirigeant de la Libye, vieil ennemi des
Etats-Unis et soutien des terroristes, reconnut publiquement que son
pays avait mis au point des armes chimiques et nucléaires. Il
s'engagea à démanteler ces programmes d'armes de destruction
massive, ainsi que les missiles associés, dans le cadre d'un système
de vérification international strict. Il s'agissait peut-être d'une coïncidence. Mais cela m'étonnerait.

La guerre a également eu des conséquences imprévues. Au fil des
ans, j'ai beaucoup réfléchi aux erreurs que nous avions commises en
Irak et pourquoi nous les avions commises. Je suis arrivé à la
conclusion que nous avions fait deux grandes erreurs, sources d'une
bonne partie de nos échecs par la suite.

La première fut de ne pas réagir assez vite ni assez vigoureusement lorsque les premiers problèmes de sécurité commencèrent à

apparaître après la chute de Saddam. Dans les dix mois suivant l'invasion, nous avons réduit notre présence militaire de 192 000 hommes à 109 000. Bon nombre de nos soldats travaillaient essentiellement à la formation de la police et de l'armée irakiennes et non à la protection de la population. Nous avions peur de créer du ressentiment en agissant comme des occupants. Nous pensions que nous pouvions former les forces de sécurité irakiennes pour s'occuper de ce problème. Et nous pensions que le développement de la démocratie représentative, permettant aux Irakiens de toutes les origines de participer à la vie du pays, était encore le meilleur moyen de garantir une sécurité durable.

Aussi logique ce raisonnement fût-il, le désir du peuple irakien en matière de sécurité était plus fort que son aversion pour des troupes d'occupation. C'est une des ironies de ce conflit : nous avons été vivement critiqués par la gauche et certains pays qui nous reprochaient de vouloir bâtir un empire en Irak. Cela n'a jamais été notre intention. En réalité, nous avions tellement peur de passer pour des impérialistes que nous nous sommes grandement compliqué la tâche. En réduisant le niveau des troupes et en donnant la priorité à la formation des forces irakiennes, nous avons involontairement laissé les insurgés reprendre du terrain. Les militants d'Al-Qaïda affluaient en Irak à la recherche d'un nouveau sanctuaire, ce qui rendait notre mission à la fois plus difficile et plus importante.

La réduction précipitée de nos troupes a été la plus grave erreur que nous ayons commise dans l'exécution de cette guerre. Nous avons finalement adapté notre stratégie et réglé ce problème, en dépit des pressions presque unanimes qui nous incitaient à quitter l'Irak. Cela nous a toutefois pris quatre longues et douloureuses années. A l'époque, les progrès nous paraissaient terriblement lents à venir. Le regard historique donne de la perspective. Si l'Irak est une démocratie fonctionnelle d'ici cinquante ans, ces quatre difficiles années nous apparaîtront sous un jour très différent.

Notre seconde erreur concernait les armes de destruction massive et nos mauvais renseignements. Presque dix ans après les faits, il est difficile de se rappeler le large consensus qui existait à l'époque à propos des armes de destruction massive de Saddam. Les partisans de la guerre croyaient que Saddam possédait ces armes, les opposants à la guerre aussi et même les membres du propre régime de Saddam. Nous savions tous que les renseignements ne sont jamais sûrs à 100 %, c'est une règle du secteur. Mais je croyais que ces informations étaient fiables. Si Saddam ne possédait pas ces armes, pourquoi n'acceptait-il pas simplement d'en donner la preuve aux inspecteurs de l'ONU ? Tous les profils psychologiques que j'avais pu lire sur Saddam le présentaient comme étant passé maître dans l'art de la survie. S'il tenait tant à rester au pouvoir, pourquoi mettait-il son régime en péril en prétendant posséder des armes de destruction massive ?

Ce mystère fut en partie levé lorsque Saddam fut capturé et interrogé par le FBI. Il expliqua qu'il craignait plus de paraître faible vis-à-vis de l'Iran que d'être renversé par la coalition. Il n'avait jamais cru que les Etats-Unis mettraient à exécution leur promesse de le désarmer par la force. Je ne sais pas ce que j'aurais pu faire de plus pour lui montrer que j'étais sérieux. Je l'avais désigné comme membre d'un axe du mal dans mon discours sur l'état de l'Union. Je m'étais adressé à l'assemblée des Nations unies et m'étais engagé à le désarmer par la force en cas d'échec de la diplomatie. Nous lui avions présenté des résolutions du Conseil de sécurité adoptées à l'unanimité. Nous avions reçu le soutien bipartite du Congrès américain. Nous avions déployé quelque 150 000 hommes à sa frontière. Je lui avais donné quarante-huit heures avant d'envahir le pays. Qu'est-ce que j'aurais pu faire de plus ?

Il est vrai que le message avait été quelque peu brouillé par la France, l'Allemagne, la Russie et les manifestations contre la guerre partout dans le monde. Cela ne nous avait pas aidés mais ce n'était pas non plus leur faute. Un homme était en mesure d'éviter la guerre et il avait choisi de ne pas le faire. Avec toutes ses manœuvres et tous ses mensonges, Saddam a fini par être la plus grande victime de ses propres tromperies.

J'avais décidé assez tôt que je ne jetterais pas la pierre aux patriotes de la CIA qui travaillaient dur mais m'avaient fourni de mauvais renseignements sur l'Irak. Je ne voulais pas lancer d'enquêtes accusatrices comme celles qui avaient fini par ronger la communauté du renseignement dans les années 70. Je tenais néanmoins à savoir pourquoi les renseignements qu'on m'avait donnés étaient faux et comment nous pouvions éviter ces erreurs à l'avenir. Je nommai une commission indépendante, coprésidée par le juge Larry Silberman et l'ancien sénateur démocrate, Chuck Robb, pour étudier la question. Leur enquête permit de formuler de précieuses recommandations – comme l'amélioration de la coordination entre les agences ou la publication de davantage d'opinions divergentes – qui permettront aux futurs présidents de disposer de renseignements plus fiables sans pour autant restreindre les moyens de nos agences de renseignements pour faire leur travail.

Par définition, l'histoire nous montre les conséquences de nos actions. Mais l'inaction aussi aurait eu des conséquences. Imaginez à quoi ressemblerait le monde aujourd'hui si Saddam était toujours maître de l'Irak. Il menacerait toujours ses voisins, il soutiendrait toujours les terroristes, et les cadavres continueraient à s'amonceler dans les fosses communes. L'augmentation du prix du pétrole – qui est passé d'un peu plus de 30 dollars le baril en 2003 à presque 140 dollars le baril cinq ans plus tard – aurait assuré la fortune de Saddam. Le régime de sanctions, déjà fragile, aurait certainement fini par disparaître. Saddam possédait toujours les infrastructures et le savoir-faire pour produire des armes de destruction massive. Ainsi que l'écrivait Charles Duelfer dans la conclusion du dernier rapport des inspecteurs de l'ONU : « Saddam voulait redonner à l'Irak les moyens de produire des armes de destruction massive [...] une fois que les sanctions auraient été levées et l'économie du pays stabilisée. »

Si Saddam avait pu réaliser son rêve, le monde aurait probablement assisté à une course à l'arme nucléaire entre l'Iran et l'Irak. Saddam aurait pu se tourner vers des groupes terroristes sunnites comme Al-Qaïda – un mariage de raison, non d'idéologie – pour s'en servir comme de marionnettes afin de rivaliser avec les terroristes chiites au service de l'Iran, tel le Hezbollah. Le risque de voir des armes biologiques, chimiques ou nucléaires atterrir entre les mains de terroristes aurait été accru. Nos alliés de la région – notamment Israël, le Koweït, l'Arabie Saoudite et les Emirats arabes unis – auraient été soumis à d'intenses pressions. Et le peuple américain serait beaucoup moins en sécurité aujourd'hui.

Au lieu de cela, notre action en Irak a permis de supprimer définitivement la menace que représentait l'un des ennemis les plus déterminés et les plus dangereux des Etats-Unis. La région la plus instable du monde a été débarrassée d'une de ses principales sources de trouble et de violence. Les nations hostiles du monde entier ont vu ce qu'il en coûtait de soutenir les terroristes et de développer des armes de destruction massive. En l'espace de neuf mois, 25 millions d'Irakiens sont passés d'une dictature de la peur à l'émergence d'une démocratie pacifique. En décembre 2003, tout ça n'était encore qu'un rêve lointain pour les Irakiens. Mais ils avaient la possibilité de le réaliser, et c'était déjà beaucoup plus que ce qu'ils avaient auparavant.

Le plus dur était encore à venir. En janvier 2004, nos troupes interceptèrent une lettre de Zarqaoui adressée aux principaux chefs d'Al-Qaïda. Il y faisait état de la pression croissante qu'il ressentait et exposait son plan de survie. « Nous devons impliquer les chiites dans la bataille car c'est le seul moyen de prolonger le combat entre nous et les infidèles », écrivait-il. Il fixait un nouvel objectif pour les djihadistes en Irak : déclencher « une guerre sectaire ».

9

Gouverner

« Ce soir, ici réunis, nous nous engageons à ne pas être le parti du repos mais celui de la réforme. Nous n'écrirons pas de notes de bas de page mais des chapitres de l'histoire américaine. Nous ajouterons le fruit de notre labeur à l'héritage de nos pères et de nos mères et nous laisserons derrière nous une nation plus grande que nous ne l'avons reçue. [...] Donnez-moi votre confiance, je m'en montrerai digne. Donnez-moi un mandat, je l'honorerai. Donnez-moi la chance de gouverner ce pays, je gouvernerai. »

Je croyais sincèrement aux mots que je prononçai lors de la Convention nationale républicaine de 2000. Lorsque j'ai commencé en politique, j'ai fait un choix : celui de régler les problèmes et non de les transmettre aux futures générations. J'admirais les présidents qui s'étaient servis de leur mandat pour changer la société. J'avais étudié Theodore Roosevelt, qui m'avait précédé à la Maison-Blanche de presque un siècle exactement. Il s'était attaqué aux trusts financiers, avait érigé une Navy puissante et lancé un mouvement de protection du patrimoine. J'avais également appris de Ronald Reagan, un homme à l'attitude optimiste, doté d'un grand sens moral et convaincu de la nécessité de réduire les impôts, de renforcer l'armée et de tenir tête à l'Union soviétique en dépit de critiques enflammées tout au long de sa présidence.

L'une des leçons que j'avais retenues de Roosevelt et de Reagan était qu'il fallait gouverner son pays et non suivre les sondages d'opinion. Je décidai d'engager de profondes réformes au lieu de

bricoler avec le *statu quo*. Comme je le disais à mes conseillers :
« Je n'ai pas accepté ce boulot pour faire petit jeu. »

Deux semaines après nous êtres installés à la Maison-Blanche,
Laura et moi organisions notre première soirée film dans le Family
Theater. Situé au rez-de-chaussée de la Maison-Blanche, ce cinéma
abrite 46 fauteuils confortables et un écran de 28 mètres carré. La
Motion Picture Association of America, dirigée pendant des années
par un homme fascinant, le Texan Jack Valenti, mettait généreusement des films à disposition de la famille du président. Nous ne
nous sommes jamais ennuyés devant l'écran.

Pour notre première séance, Laura et moi avions choisi *Thirteen
Days*, un film sur la gestion de la crise des missiles de Cuba par le
président Kennedy. C'était le film idéal à regarder en compagnie de
notre invité d'honneur, le sénateur du Massachusetts, Ted Kennedy.

A première vue, Ted et moi n'avions pas grand-chose en commun.
Il était libéral, j'étais conservateur. Il avait grandi à Cape Cod, moi
dans l'ouest du Texas. Il avait passé près de quarante ans au Capitole, j'étais plutôt nouveau dans le paysage.

Ted et moi avions toutefois en commun ce que Laura appelait une
affaire de famille. Mon grand-père, Prescott Bush, avait représenté
le Connecticut au Sénat à l'époque où John Fitzgerald Kennedy
représentait le Massachusetts. Laura et moi avons été enchantés de
faire la connaissance de Vicki, la femme de Ted, de leur fils, Patrick,
représentant de Rhode Island, et de leur nièce, Kathleen Kennedy
Townsend, lieutenant-gouverneur du Maryland, ainsi que de sa fille,
Kate.

Ted était un homme communicatif, élégant et plein de vie. Il avait
l'accent caractéristique de la famille Kennedy et la chaleur des
Irlandais. Son visage s'illuminait facilement d'un sourire, généralement annonciateur d'un grand éclat de rire. Je me sentais en prise
directe avec l'histoire alors que nous regardions ensemble un film
montrant comment ses frères avaient surmonté une crise depuis les
bureaux de l'Aile Ouest.

Si j'avais invité Ted, ce n'était pas seulement pour regarder un
film. Cet homme était le plus haut responsable démocrate de la
commission du Sénat chargée de la réforme de l'éducation. Il s'était
montré intéressé par mon projet de réforme de l'école baptisé *No
Child Left Behind*.

Ted et moi étions tous les deux effondrés par les résultats de nos
écoles publiques. Dans une économie mondialisée, les bons emplois
exigeaient un savoir-faire et des connaissances. Toutefois, les étudiants américains étaient souvent à la traîne par rapport au reste du
monde dans certains domaines essentiels. Dans une étude internatio-

nale comparant le niveau en mathématiques de vingt et un pays, les lycéens américains arrivaient seulement avant Chypre et l'Afrique du Sud.

Le problème tenait en partie au fait que des millions d'enfants passaient d'une classe à l'autre sans que personne leur demande jamais ce qu'ils avaient appris. Bon nombre d'entre eux étaient issus des minorités et des classes sociales pauvres. En 2000, près de 70 % des écoliers de CM1 issus de classes très défavorisées ne savaient pas lire des textes adaptés à leur niveau. Près de 40 % des écoliers issus des minorités n'arrivaient pas à finir le lycée sans redoubler. Comment une société promettant les mêmes opportunités à tous pouvait-elle abandonner ses citoyens les plus nécessiteux ? En entamant ma campagne électorale en 2000, j'avais désigné ce problème comme « le culte insidieux du manque d'ambition ». J'avais promis de m'attaquer aux graves problèmes de notre pays, celui-ci était clairement sur ma liste.

Ces dernières années, le débat national sur l'éducation s'était enlisé avec de vagues propositions sur le port de l'uniforme à l'école ou des appels irréalistes à la suspension du département de l'Education. Le succès d'une politique était souvent mesuré à l'aune des montants dépensés et non des résultats obtenus. Je venais d'un monde où rendre des comptes était une réalité quotidienne. Au baseball, par exemple, n'importe quel amateur peut ouvrir le journal, analyser votre performance au vu du score et réclamer tel ou tel changement. « Plus de lancers, Bush ! », était un refrain familier. L'éducation était bien plus importante qu'un match de baseball et pourtant, peu de gens connaissaient les performances de leurs écoles.

En tant que gouverneur, j'avais travaillé avec l'assemblée d'Etat sur un projet de loi visant à instituer un contrôle annuel obligatoire des connaissances de base ainsi que la publication des résultats de manière à permettre aux parents de retirer leurs enfants des écoles les moins bonnes. Entre 1994 et 1998, la part d'écoliers de CE2 réussissant ce test de niveau est passée de 58 % à 76 %. Les enfants issus des minorités enregistraient les progrès les plus importants et comblaient leur retard par rapport à leurs camarades blancs.

Lorsque je présentai ma candidature à la présidence, je décidai de proposer un projet de loi fédérale fixant des objectifs clairs : chaque enfant devait maîtriser les exercices de lecture et de calcul de son niveau. Je tenais également à ce que les écoles rendent désormais des comptes sur leurs progrès. Le projet *No Child Left Behind* prévoyait que chaque Etat teste tous les ans le niveau de lecture et de mathématiques des élèves entre le CE2 et la cinquième et une fois à l'entrée au lycée. Les écoles devraient publier les résultats des écoliers par minorité ethnique, niveau de revenus et autres critères. Ces

informations devaient permettre aux parents et aux personnes inté-
ressées d'évaluer la qualité des écoles, des professeurs et des programmes. Les écoles affichant des résultats inférieurs à la moyenne
recevraient d'abord des aides supplémentaires, notamment des fonds
pour accueillir les écoliers dans des classes de soutien – privées ou
publiques – après l'école. Si ces écoles n'enregistraient malgré cela
aucun progrès, il y aurait des conséquences. Les parents auraient le
droit de transférer leurs enfants vers de meilleures écoles publiques
ou vers des *charter schools*[*]. Le principe était simple : on ne peut
pas régler un problème sans poser de diagnostic. La transparence
des écoles devait être le catalyseur de la réforme.

Je présentai le projet *No Child Left Behind* à presque chaque réunion de campagne, y compris à la convention de la NAACP
(National Association for the Advancement of Colored People). Je
déclarai aux journalistes que j'aimerais qu'on se souvienne de moi
comme du « président de l'éducation ». Je tins le même discours à
Ted Kennedy le soir où nous regardâmes ensemble *Thirteen Days*.
« Je ne sais pas vous, mais moi j'aime bien surprendre les gens,
dis-je. Montrons-leur que Washington est toujours capable de faire
bouger les choses. »

Le lendemain matin, je recevais une lettre au Bureau Ovale.

> *Monsieur le président,*
> *Madame Bush et vous-même n'auriez pu être plus aimables et géné-*
> *reux pour Vicki, moi et les membres de notre famille hier soir ainsi que*
> *tous ces derniers jours. J'apprécie beaucoup votre considération.*
> *Comme vous, je suis bien décidé à faire bouger les choses, notamment*
> *en matière d'éducation et de santé. Nous aurons nos divergences d'opi-*
> *nion mais j'attends avec impatience la signature de quelque accord*
> *majeur dans la Roseraie.*
>
> *Bien à vous,*
> *Ted Kennedy*

J'étais ravi. *No Child Left Behind* avait bien plus de chance d'être
adopté avec le soutien du Lion du Sénat. C'était le début de mon
alliance la plus improbable à Washington.

Ted Kennedy ne fut pas le seul parlementaire que je courtisai. Au
cours de mes deux premières semaines en exercice, je rencontrai
plus de 150 membres du Congrès représentants des deux partis.
J'espérais créer des liens aussi constructifs que ceux que j'avais
établis avec Bob Bullock, Pete Laney et d'autres parlementaires
texans. Dans les médias, certains dirent : « Si les relations entre le

---

[*] Ecoles publiques indépendantes financées par l'Etat. (NdT)

Congrès et la Maison-Blanche tournent au vinaigre comme à l'accoutumée, ce ne sera pas la faute du président »; tandis que d'autres suggéraient que j'avais lancé « l'offensive de charme la plus ambitieuse jamais menée par un chef de l'exécutif moderne ».

Quoi qu'en pensent les médias, les deux chambres du Congrès adoptèrent rapidement mon programme *No Child Left Behind*. En mars, la commission sénatoriale sur l'éducation parachevait un projet de loi reprenant tous les principaux éléments de ma proposition. Le texte arriva ensuite à la Chambre des Représentants. John Boehner, efficace représentant républicain de l'Ohio et président de la Commission de la Chambre sur l'éducation, travailla à l'élaboration d'un projet de loi solide en compagnie de George Miller, représentant de la Californie figurant parmi les députés les plus à gauche de la Chambre. La Chambre adopta le texte par 384 voix contre 45.

Les projets de loi modifiés se succédèrent à la Chambre et au Sénat pendant tout l'été. Lorsque le Congrès revint de vacances au début du mois de septembre, je décidai de relancer le débat en organisant deux jours de visite dans des écoles de Floride. Laura accepta de prononcer son tout premier discours au Capitole. En tant que professeur et bibliothécaire, elle jouissait d'une grande crédibilité dans le monde de l'éducation. La date de sa prestation fut fixée au 11 septembre 2001.

Ce jour-là, je dus renoncer à devenir le « président de l'éducation ». J'allais être un président de guerre. Pendant tout l'automne, je pressai le Congrès de mettre la dernière main à la loi *No Child Left Behind*. Ted Kennedy prononça un discours courageux défendant le principe de transparence des écoles devant la National Education Association, une association de professeurs soutenant activement les démocrates et fermement opposés au projet de loi. Le sénateur Judd Gregg et le représentant Boehner, qui avait appelé à la suppression du ministère de l'Education, rallièrent des républicains inquiets de voir l'Etat fédéral s'immiscer dans les affaires de l'éducation. Comme moi, ils affirmaient que si nous devions dépenser de l'argent pour les écoles, nous devrions avoir le droit de connaître leurs résultats. Une semaine avant Noël, le Congrès adopta la loi *No Child Left Behind* à une écrasante majorité bipartite.

Au fil des ans, ce texte suscita de nombreuses polémiques. Les gouverneurs et les responsables régionaux de l'éducation dénonçaient un système bureaucratique rigide et se plaignaient que trop d'écoles soient jugées inférieures à la moyenne. Lorsque Margaret Spellings prit ses fonctions de secrétaire à l'Education en 2005, elle assouplit ces règles administratives et donna plus de flexibilité aux Etats. Nous insistâmes néanmoins tous les deux pour que les exigences de transparence demeurent inchangées. L'objectif de cette loi était de montrer la vérité, aussi déplaisante soit-elle.

Certains critiques trouvaient injuste de tester les écoliers chaque année. Pour moi, c'était l'inverse qui paraissait injuste. Le seul moyen de savoir quels écoliers avaient besoin d'aide était de tester leurs connaissances. D'autres dénoncèrent une dérive des « cours en fonction du test ». Pourtant, si le test était conçu correctement de manière à évaluer les connaissances des écoliers dans une matière, les écoles n'avaient qu'une chose à faire : enseigner cette matière.

Autre critique récurrente : le programme *No Child Left Behind* avait un budget trop limité. Voilà qui était difficile à croire sachant que les dépenses d'éducation de l'Etat fédéral ont augmenté de 39 % au cours de ma présidence, l'essentiel de ces fonds allant directement dans les caisses des écoles et des écoliers les plus pauvres [1].

Plus concrètement, tous ceux qui déploraient le manque de fonds du programme passaient à côté du principe de cette loi. Ce programme était fondé sur l'idée que le succès ne se mesurait pas à l'aune des montants dépensés mais des résultats obtenus.

Lorsque je quittai la Maison-Blanche, les écoliers de CM1 et de 4e n'avaient jamais été aussi bons en mathématiques. Même chose pour le niveau de lecture des écoliers de CM1. Les étudiants afro-américains et latinos avaient battu des records dans bien des matières. Les écarts se réduisaient, exactement comme nous le voulions. Tous les étudiants progressaient, mais surtout ceux issus des minorités.

En janvier 2008, je me rendis en visite à la Horace Greeley Elementary School de Chicago pour marquer le sixième anniversaire de la loi *No Child Left Behind*. Cette école, baptisée en l'honneur du partisan abolitionniste du xixe siècle, accueillait 70 % d'écoliers hispaniques et 92 % de pauvres. Ses résultats dépassaient ceux de la plupart des écoles publiques de la ville. La part des écoliers maîtrisant la lecture était passée de 51 % en 2003 à 76 % en 2007. En mathématiques, ce chiffre était passé de 59 % à 86 %.

Il était particulièrement encourageant de voir une école d'enfants pauvres et issus des minorités afficher de tels résultats. Une fillette de 6e, Yesenia Adame, m'expliqua combien elle aimait passer des tests. « Comme ça, les professeurs savent sur quoi nous aider », m'expliqua-t-elle. A la fin de ma visite, je déclarai aux écoliers, aux parents et à la presse quelque chose dont j'étais convaincu depuis

---

1. Les dépenses fédérales pour l'éducation ont augmenté de manière significative puisque mon budget limitait les dépenses discrétionnaires, hors sécurité, et finit par rester en dessous du taux d'inflation. Les Etats ont continué de financer l'essentiel des dépenses d'éducation – environ 92 % – et c'est très bien. (NdA)

longtemps : *No Child Left Behind* était une loi de défense des droits civiques.

J'avais coutume de dire en plaisantant que j'étais le produit d'un enseignement religieux. En 1986, la foi m'avait changé et j'avais arrêté de boire. Dix ans plus tard, je découvris la capacité des programmes basés sur la foi à faire changer une politique sociale.

En juin 1996, deux églises afro-américaines américaines de la ville de Greenville, au Texas, avaient été incendiées. Jusqu'en 1965 trônait dans la rue principale de la ville un panneau « le pays le plus noir, la population la plus blanche ». En tant que gouverneur, je craignais le retour d'un vieux sentiment raciste.

Je me rendis à Greenville pour condamner les incendies. Près de 4 000 personnes – Noirs et Blancs confondus – se rassemblèrent dans le stade de football. « Il arrive parfois que les Texans se vantent d'avoir un grand Etat, déclarai-je. Mais aussi grand soit-il, cet Etat ne laisse pas de place à la lâcheté, à la haine et au racisme. » Je passai ensuite le micro à Tony Evans, le dynamique pasteur africo-américain de l'Oaf Cliff Bible Fellowship, à Dallas. Il raconta l'histoire d'une maison où une fente était apparue sur un des murs. Le propriétaire avait appelé un plâtrier pour couvrir la fissure. Une semaine plus tard, la fente était réapparue. Le propriétaire avait fait venir un autre plâtrier. Une semaine plus tard, la fente était réapparue. Le propriétaire avait alors appelé un vieux peintre qui lui dit après avoir jeté un regard au mur : « Fiston, fais réparer les fondations d'abord et ensuite tu pourras t'occuper de cette fissure. »

La foule applaudit en hochant la tête. Puis Tony se tourna vers moi. « Monsieur le gouverneur, j'ai quelque chose à vous dire. »

Oh, oh, me dis-je, *où est-ce qu'on va, là ?*

« Nous devons réparer les fondations et vos vieux programmes gouvernementaux n'y suffiront pas », dit-il. Puis, il ajouta qu'il avait une meilleure solution. Il s'agissait du système d'Etat-Providence le plus efficace au monde. Il possédait des locaux à chaque coin de rue, un personnel motivé et tenait des rendez-vous réguliers pour étudier le meilleur livre pour sauver des vies.

Il parlait des lieux de culte. Et il avait raison. Les programmes basés sur la foi pouvaient changer la vie des gens mieux qu'aucun programme. « Le gouvernement peut donner de l'argent, dis-je, mais il ne peut pas redonner espoir à quelqu'un ou l'aider à trouver un sens à sa vie. »

Je cherchai des partenariats possibles entre le Texas et certaines organisations religieuses. Je rencontrai Chuck Colson, conseiller à la Maison-Blanche de Richard Nixon, qui avait passé quelque temps dans un pénitencier fédéral avant de trouver la voie du salut. Chuck avait fondé une organisation visant à diffuser la parole des Evangiles dans les prisons. Nous convînmes de lancer un programme basé sur la foi dans une aile d'une prison du Texas. Le programme de Chuck, InnerChange Freedom Initiative, consistait à envoyer des professeurs pour étudier la Bible et enseigner des leçons de vie. Ce programme fonctionnerait sur la base du volontariat et serait ouvert aux prisonniers en fin de peine. Chaque détenu participant serait en contact avec un mentor et accueilli au sein d'une congrégation après sa libération.

En octobre 1997, je visitai la prison Jester II près de Sugar Land, au Texas, où plusieurs dizaines de prisonniers s'étaient inscrits au programme InnerChange. A la fin de ma visite, un groupe d'hommes en combinaison blanche pénétra dans la cour. Ils formèrent un demi-cercle et entonnèrent *Amazing Grace*. Je me joignis à eux après quelques couplets.

Le lendemain matin, Karen Hughes m'apporta le *Houston Chronicle*. Sur la couverture figurait une photo de moi, au milieu de la chorale de la prison. L'article disait que l'homme à côté de moi, George Mason, avait reconnu avoir assassiné une femme douze ans auparavant. Ce jour-là, dans la cour de la prison, George Mason ressemblait à tout sauf à un meurtrier. Il avait des manières agréables et un sourire amical. Il ne faisait aucun doute qu'il avait été touché par la grâce.

En présentant ma candidature, je décidai de proposer un projet national basé sur la foi comme un élément central de ma campagne. Lors de mon premier grand discours, à Indianapolis, je déclarai : « Partout où mon administration verra le devoir d'aider des gens, nous nous tournerons en premier lieu vers les organisations religieuses, les associations caritatives et les communautés. »

Neuf jours après ma prise de fonctions, je signai l'ordre exécutif créant un Bureau des initiatives communautaires et religieuses à la Maison-Blanche ainsi que cinq ministères. Ces administrations modifièrent les règlements en vigueur et supprimèrent les obstacles empêchant les organisations religieuses de participer aux activités fédérales de solidarité. Afin de souligner le caractère non partisan de ce projet, je nommai d'abord des démocrates au poste de directeur : le créatif John Dilulio, professeur de l'université de Pennsylvanie, puis Jim Towey, un excellent homme, ancien responsable du bureau des services sociaux de Floride et avocat de Mère Teresa. J'avais l'habitude de dire à Towey que nous étions une société sacrément procédurière si même Mère Teresa avait besoin d'un conseiller juridique.

Certains arguèrent que cette approche religieuse brouillait la limite entre l'Eglise et l'Etat. J'écoutai attentivement leurs préoccupations. Un gouvernement ne devrait jamais imposer une religion. Chaque citoyen a le droit de vénérer le dieu qu'il souhaite ou aucun si c'est son désir. Je m'étais toujours méfié des gens qui utilisaient la religion comme arme politique, laissant entendre qu'ils seraient supérieurs à leurs adversaires. Mon verset préféré de la Bible concernant les politiciens est issu de l'Evangile selon saint Matthieu, 7, 3 : « Pourquoi vois-tu la paille qui est dans l'œil de ton frère, et n'aperçois-tu pas la poutre qui est dans ton œil ? »

En même temps, le gouvernement n'a rien à craindre de la religion. De mon point de vue, si les programmes d'entraide gérés par des personnes religieuses ne faisaient pas de prosélytisme ni de discrimination parmi les gens dans le besoin, ils méritaient d'être financés par l'argent des contribuables. Le gouvernement doit se demander quelle organisation produit les meilleurs résultats, sans tenir compte de la croix, du croissant ou de l'étoile de David représentés sur ses murs.

Le programme était financé par le gouvernement fédéral à hauteur de près de 20 milliards de dollars chaque année, à répartir entre divers organismes religieux. Bon nombre de ces organisations n'avaient jamais eu affaire au gouvernement. Nous avons donc organisé 40 conférences et proposé plus de 400 séminaires pour les aider à rédiger leur demande de financement. Au final, plus de 5 000 organisations religieuses et communautaires, la plupart des structures locales de petite taille, ont reçu des fonds fédéraux.

En janvier 2008, je visitai le Jericho Program de l'est de Baltimore. Géré par l'Episcopal Community Services du Maryland et financé par une bourse du secrétariat au Travail, ce programme proposait des services d'aide, d'assistance et de formation à des prisonniers récemment libérés. Les neuf représentants de Jericho étaient silencieux lorsque j'entrai dans la pièce. Je sentais un certain scepticisme. « A une époque de ma vie, je buvais trop, leur dis-je pour briser la glace. Aujourd'hui, je sais combien un changement intérieur peut vous aider à vous remettre d'une addiction. »

Mes interlocuteurs sortirent de leur mutisme et me racontèrent leur histoire. L'un d'entre eux avait été condamné pour trafic de drogue, un autre pour possession de cocaïne, un autre encore pour vol. Bon nombre d'entre eux avaient fait plusieurs séjours en prison et avaient perdu tout lien avec leur famille. Grâce aux services de Jericho, ils avaient commencé à trouver un sens à leur vie. Un des hommes m'expliqua, la gorge nouée, combien il était heureux d'avoir retrouvé ses trois sœurs. « Il y a six mois, j'étais un homme brisé, me dit-il. Aujourd'hui, je serre la main du président. » Un de ses compagnons me dit avec fierté qu'il avait reçu deux offres de travail. « Les drogues ont toujours été un problème dans ma vie,

jusqu'à maintenant. Grâce à Jericho, j'ai retrouvé des repères »,
dit-il.

Les membres du programme Jericho affichaient un taux de récidive de 22 %, soit moins de la moitié de celui valable pour
l'ensemble de Baltimore. Les hommes que je rencontrai ce jour-là
faisaient partie des 15 000 personnes ayant bénéficié de la Prisoner
Reentry Initiative lancée par mon gouvernement en 2004. Leur taux
de récidive était de 15 %, soit un tiers de la moyenne nationale.

Ma rencontre la plus extraordinaire en lien avec les initiatives
basées sur la foi se déroula juste en face du Bureau Ovale. En juin
2003, j'avais convié des responsables d'initiatives religieuses à participer à une table ronde. Chuck Colson ainsi que plusieurs membres
d'InnerChange étaient présents. Lorsque je pénétrai dans le Salon
Roosevelt, mon regard s'arrêta sur un Afro-Américain au visage
familier. Je me dirigeai vers lui et lui donnai une grande accolade.
« Je suis bien content que vous soyez là », lui dis-je.

Il s'agissait de George Mason, l'homme de la chorale de la prison
de Sugar Land. Après sa libération, il était devenu gardien pour son
église. Il animait également des lectures de la Bible et servait de
mentor à d'autres anciens détenus à leur sortie de prison. Quelle
preuve de la puissance rédemptrice du Christ : George Mason et
George W. Bush, ensemble à la Maison-Blanche.

Créé par le président Johnson en 1965, le plan Medicare avait
permis à d'innombrables personnes âgées de vivre en meilleure
santé. Mais alors que la médecine progressait, Medicare n'avait pas
changé. Les aides étaient toujours fixées par une bureaucratie administrative aussi dépassée que dispendieuse. Lorsque les assureurs
privés avaient commencé à couvrir les frais de mammographie pour
la prévention du cancer du sein, il avait fallu attendre dix ans et une
loi au Congrès pour que Medicare rattrape son retard.

Le pire archaïsme de Medicare était l'absence de remboursement
des médicaments délivrés sur ordonnance. Ce programme pouvait
rembourser 28 000 dollars de frais d'hospitalisation en cas l'ulcère,
mais il ne remboursait pas les 500 dollars annuels nécessaires pour
acheter des pilules prévenant l'apparition des ulcères.

J'étais bouleversé par les témoignages de personnes âgées obli-
gées de choisir entre leur liste de course et leur liste de médicaments. Une certaine Mary Jones, habitante de Virginie âgée de
soixante-neuf ans, devait travailler vingt heures par semaine uniquement pour pouvoir payer les 500 dollars de médicaments et les doses
d'insuline dont elle avait besoin chaque mois. Il lui arrivait d'utiliser
trois ou quatre fois la même seringue pour faire des économies.

Medicare n'était pas seulement dépassé, il courait à la faillite. La
hausse des dépenses de santé ajoutée à l'arrivée à l'âge de la retraite

de la génération du Baby Boom, avait créé un besoin de financement de 13 000 milliards de dollars. Ce serait aux générations
futures de régler l'addition.

Le déficit de Medicare affectait l'ensemble du système de santé.
La part des dépenses de santé aux Etats-Unis avait doublé, passant
de 7,5 % du PIB en 1972 à plus de 15 % en 2002. Cela tenait
en partie au coût des nouvelles techniques médicales. Certains
procès abusifs contribuaient également au phénomène. Toutefois, la
première cause du problème était une défaillance structurelle du
système : la plupart des gens n'avaient pas la moindre idée du montant de leurs dépenses de santé.

Les personnes âgées et les pauvres se faisaient rembourser par le
gouvernement grâce aux plans Medicare et Medicaid. La plupart des
Américains ayant un emploi étaient couverts par leur employeur et
s'adressaient à un tiers – une compagnie d'assurance – pour négocier les tarifs et fixer le montant des paiements liés à leurs soins.
Bon nombre d'Américains installés à leur compte n'avaient pas les
moyens de souscrire une assurance santé car la législation fiscale
les désavantageait et la loi interdisait aux petites entreprises de
mutualiser les risques par le biais de regroupement d'activités.

Ce qui manquait au système, c'était l'intervention des forces du
marché. Il n'y avait pas de raisonnement de consommateur, pas de
possibilité de chercher la meilleure affaire, pas de concurrence et
pas de transparence au niveau des prix ou de la qualité des services.
Résultat, les médecins et les patients ne voyaient aucun intérêt à
limiter leur consommation de services, alors que cela était crucial
pour limiter les coûts.

Pour moi, la réforme de Medicare était un moyen de résoudre
deux problèmes. Tout d'abord, le remboursement des médicaments
délivrés sur ordonnance permettrait de moderniser le système et
d'améliorer la qualité des soins offerts par le gouvernement aux
personnes âgées. Deuxièmement, en chargeant les assureurs privés
et concurrentiels de redistribuer les aides et les remboursements aux
personnes âgées, nous introduisions les forces du marché dans notre
système de sécurité sociale. La réforme de ce programme permettrait également d'étendre l'option Medicare Plus Choice, plus tard
rebaptisée Medicare Advantage, proposant des solutions d'assurance
privées, bon marché et flexibles pour tous les soins des personnes
âgées.

Je savais que la réforme de Medicare serait une bataille politique
difficile. L'introduction des forces du marché dans un programme
gouvernemental de santé ne pouvait qu'irriter la gauche. Quant au
remboursement des médicaments délivrés sur ordonnance, c'était
une mesure coûteuse, loin de plaire à la droite. Je décidai néanmoins
de relever ce défi.

Avec notre projet, les personnes âgées désirant se faire rembourser leurs médicaments sur ordonnance devraient choisir un plan d'assurance privé en lieu et place du Medicare gouvernemental. Nous voulions changer le mode de financement de Medicare, de manière à le mettre en concurrence avec les offres concurrentes du secteur privé. Les deux réformes permettaient d'introduire les forces du marché dans le système et de lutter contre la hausse des dépenses de santé.

Avant de présenter officiellement mon projet, je l'exposai aux chefs républicains de la Chambre des Représentants. Selon eux, celui-ci n'avait pas la moindre chance d'être voté. Les démocrates n'approuveraient jamais une loi obligeant les personnes âgées à abandonner le plan Medicare en échange du remboursement de leurs médicaments délivrés sur ordonnance. Certains républicains non plus d'ailleurs.

J'étais face à un choix difficile. Je pouvais défendre une cause perdue ou accepter de faire un compromis. Je décidai de proposer que le remboursement des médicaments sur ordonnance soit administré par des assureurs privés mais offert à tout le monde, y compris les personnes désirant garder leur couverture Medicare.

Mes collaborateurs[1] travaillèrent étroitement avec le chef de la majorité au Sénat, Bill Frist, ainsi que le président de la Commission des finances, Chuck Grassley, sénateur de l'Iowa. Chuck eut l'intelligence d'inviter deux homologues démocrates, Max Baucus, sénateur du Montana, et John Breaux, sénateur de Louisiane, à participer à l'élaboration du projet. Ensemble, ils rédigèrent un texte solide qui rassembla les suffrages de 35 démocrates. Le Sénat adopta la nouvelle loi en juin par 76 voix contre 21.

A la Chambre des Représentants, certains conservateurs s'offusquaient du coût du remboursement des médicaments sur ordonnance, estimé à 634 milliards de dollars sur dix ans. Le porte-parole de la Chambre, Denny Hastert, le chef de la majorité, Tom DeLay, et le président du Ways and Means Committee, Bill Thomas, rassemblèrent une fragile coalition et le texte fut voté par 216 voix contre 215. Seuls neuf représentants démocrates s'étaient prononcés en faveur d'une réforme qu'ils appelaient pourtant de leurs vœux depuis des années. Les autres votèrent contre. Lors des discussions au Congrès, aucun démocrate ne dénonça le coût exorbitant de Medicare. La plupart voulaient y injecter encore plus d'argent.

Le texte ayant été adopté d'extrême justesse par la Chambre des Représentants, il était à présent essentiel de l'adapter avec la version

---

1. Mon équipe était dirigée par Tommy Thompson, secrétaire à la Santé; Mark McClellan, commissaire à la Food and Drug Administration; Steve Friedman, Keith Hennessy, David Hobbs, Doug Badger et Jim Capretta, expert du Bureau de la gestion et du budget. (NdA)

du Sénat d'une façon qui nous permette de garder le soutien des républicains. Pour répondre aux craintes concernant le coût de la réforme, nous ajoutâmes une provision automatique qui serait utilisée si les dépenses de Medicare augmentaient plus que prévu. Si tel était le cas, le Congrès devrait alors engager des réformes pour régler le problème.

Nous avons également insisté sur la création des comptes épargne santé (HSA), un produit innovant offert par les assurances et proposé dans le projet de la Chambre des Représentants. Visant à permettre aux travailleurs indépendants et aux petites entreprises de souscrire une assurance bon marché, les HSA comprenaient des solutions d'assurance à prime réduite, hautement déductible en cas de maladie grave et basées sur la création de comptes non imposables destinés à payer les frais de santé ordinaires. Les employeurs et les particuliers étaient libres d'alimenter leur compte, qui était également nominatif et pouvait les suivre en cas de changement d'emploi. Comme les titulaires de HSA payaient de leur poche leurs dépenses de santé et gardaient pour eux les sommes non dépensées, ils étaient fortement incités à rester en bonne santé, à rechercher les meilleurs prix et à négocier les tarifs.

A la mi-novembre, l'AARP, puissant groupe de pression représentant les intérêts des seniors, apporta son soutien au texte de compromis. « Cette loi n'est pas parfaite, mais les Etats-Unis n'ont pas le temps d'attendre une loi parfaite », commenta le président Bill Novelli. Un commentaire qui lui attira les foudres des chefs démocrates, des syndicats et des journaux de gauche. Son opinion suffit à faire la différence pour les membres hésitants du Congrès.

Le vote décisif eut lieu le 21 novembre 2003. Laura et moi avions prévu de longue date de passer cette journée au Royaume-Uni pour ce qui devait être la première visite officielle d'un président américain depuis Woodrow Wilson. Certains me conseillèrent de repousser ce voyage. Je refusai. « Ils ont des téléphones à Londres, vous savez », leur rappelai-je.

Laura et moi aimions passer du temps avec la reine Elisabeth II, femme charmante, gracieuse et douée d'un irrésistible sens de l'humour. En 2007, Sa Majesté et le prince Philippe sont venus célébrer le 400ᵉ anniversaire de la signature de l'accord Jamestown. Alors que j'accueillais mes invités devant quelque 7 000 personnes sur la pelouse Sud, je remerciai la reine pour sa longue amitié avec notre pays. « Vous nous avez aidés à célébrer notre bicentenaire de 17… » Je m'interrompis net. L'année 1776 avait été difficile pour les relations anglo-américaines, et c'était un rappel maladroit de la longévité de la reine. La reine, âgée de quatre-vingt-un ans, me contempla avec un sourire moqueur. « Elle m'a regardé comme seule une mère peut regarder un enfant », expliquai-je. Lors d'un dîner à l'ambassade britannique le lendemain, Sa Majesté déclara : « Je me suis demandé si je devais commencer ce toast en disant : " Quand j'étais là en 1776... " »

La reine Elisabeth nous reçut merveilleusement bien à Buckingham Palace lors de notre visite officielle en 2003. Nous avions été salués par une salve de quarante et un coups de fusil, nous avons inspecté les troupes royales dans la cour et dormi dans la somptueuse Suite belge. Notre chambre avait été occupée par l'oncle de la reine Elisabeth, le roi Edouard VIII, avant qu'il ne renonce au trône en 1936 pour épouser une Américaine divorcée. La chambre comprenait un miroir vieux de trois cents ans, des antiquités d'une valeur de 10 millions de livres sterling – 15 millions de dollars – et une magnifique vue sur les jardins du palais. Alors que nous prenions le thé avec Sa Majesté et le prince Philip, j'interrogeai la reine à propos de ses chiens. Quelques minutes plus tard, un serviteur en livrée royale apparaissait avec ses fameux corgis. Les chiens étaient polis et amicaux. J'espérais seulement que si Barney rencontrait un jour la reine, il se comporterait aussi bien qu'eux et n'aboierait pas pour l'indépendance de l'Ecosse.

Ce soir-là, Sa Majesté et le prince Philip donnèrent un magnifique banquet en notre honneur. Nous étions pourvus de dix couverts d'argenterie et de sept verres en cristal. De toute évidence, les cuisines royales n'avaient pas été informées que je ne buvais plus d'alcool. Avant de me lever pour prononcer un toast en queue-de-pie et nœud papillon blanc, je lançai un regard en direction de Laura dans sa superbe robe mauve. Je me demandai si elle pensait la même chose que moi : *Nous en avons fait du chemin depuis ce barbecue dans le jardin à Midland.*

La solennité de Buckingham Palace contrastait violemment avec la situation qui m'attendait de retour aux Etats-Unis. Alors qu'Air Force One décollait, David Hobbs, chargé des affaires législatives, m'appela pour me donner le nom d'une dizaine de représentants hésitants à la Chambre, essentiellement des conservateurs. Je partis à la pêche aux voix par téléphone alors que nous survolions l'Atlantique. Plusieurs appels restèrent sans réponse. Un représentant junior me répondit toutefois :

« Je ne suis pas venu à Washington pour augmenter la taille de l'administration.

– Vous savez quoi, moi non plus, lui répondis-je. Je suis venu pour faire en sorte que l'administration travaille. Si nous devons avoir un programme Medicare, il doit être modernisé plutôt que cassé.

– Vous ne faites qu'ajouter une attribution au service dont l'importance ne fera qu'augmenter, avança-t-il.

– Alors, vous voulez abolir Medicare ? lui demandai-je. C'est l'occasion d'introduire de la compétitivité dans le système et de limiter les dépenses. Pour votre information, cette proposition est bien plus avantageuse que tout ce que vous pourrez obtenir de n'importe quel autre président. »

Il n'était pas convaincu. Une fois arrivé à Washington, j'entamai une nouvelle tournée d'appels téléphoniques. Nous avancions doucement mais la partie s'annonçait serrée. Lors du vote de la Chambre des Représentants à 3 heures du matin, le premier décompte nous donnait perdants. Le porte-parole, Denny Hastert, prit alors une décision assez rare et repoussa la clôture du vote dans l'espoir de pouvoir persuader certains parlementaires de changer d'avis. Juste avant 5 heures du matin, David Hobbs me réveilla avec des nouvelles du Capitole. « Il nous manque deux voix, dit-il. Vous voulez bien parler à quelques membres de plus ? »

Il passa son téléphone portable à plusieurs républicains susceptibles de changer d'avis. Je défendis mon projet du mieux que je pus malgré le décalage horaire. David me rappela un peu plus tard. Par miracle, la Chambre avait approuvé le texte par 220 voix contre 215. Le Sénat fit de même quelques jours plus tard. Je signai le Medicare Modernization Act de 2003 le 8 décembre, dans le Constitution Hall. Sur la tribune, derrière moi, se trouvait un groupe de personnes âgées qui allaient bénéficier de la nouvelle loi. Parmi elles, Mary Jane Jones, l'habitante de Virginie qui devait réutiliser plusieurs fois la même seringue pour pouvoir se payer ses doses d'insuline. Le remboursement de ses médicaments sur ordonnance devrait lui faire économiser quelque 2 700 dollars par an.

La nouvelle loi sur le remboursement des médicaments délivrés sur ordonnance devait entrer en vigueur le 1er janvier 2006. Les sceptiques affirmaient que les personnes âgées auraient du mal à choisir leur nouvelle solution d'assurance parmi toutes les offres privées. Je n'étais pas de cet avis. J'estimais que les personnes âgées étaient parfaitement capables de prendre les décisions les concernant et que le gouvernement devait leur faire confiance.

Mike Leavitt, efficace secrétaire à la Santé et aux Services sociaux, travailla avec Mark McClellan, administrateur de Medicare, et son équipe pour mettre en place une vaste campagne d'information. Leur action porta ses fruits. Plus de 22 millions de personnes âgées souscrivirent au remboursement des médicaments sur ordonnance au cours des cinq premiers mois. Selon une étude de 2008, 90 % des bénéficiaires de ce nouveau remboursement du programme Medicare – et 95 % des bénéficiaires à faibles revenus – se déclaraient satisfaits du système.

Au final, la modernisation de Medicare avait été un compromis. Nous avions créé un service nécessaire, mais il nous coûtait plus que ce que je voulais. Nous avions introduit la notion de compétitivité avec les solutions privées mais nous ne pouvions pas utiliser la réforme pour pousser les personnes âgées à troquer leur Medicare gouvernemental pour les plans Medicare Advantage. Nous avions créé des comptes épargne santé, mais nous n'avions pas réussi à convaincre le Congrès de mettre Medicare en concurrence avec les compagnies d'assurance privées.

Lorsque je quittai la Maison-Blanche, plus de 90 % des bénéficiaires de Medicare étaient remboursés pour leurs médicaments sur ordonnance. Dix millions avaient souscrit à des solutions privées par le biais de Medicare Advantage. Près de sept millions d'Américains possédaient des comptes épargne santé, parmi lesquels plus d'un tiers ne bénéficiaient auparavant d'aucune assurance.

Grâce à la concurrence entre offres privées, le montant de la prime d'assurance moyenne pour les médicaments sur ordonnance passa, selon les estimations, de 35 dollars à 23 dollars par mois au cours de la première année. En 2008, le chiffre initial de 634 milliards de dollars – l'estimation du montant des remboursements pour les médicaments sur ordonnance – était passé sous la barre des 400 milliards de dollars. Le remboursement des médicaments sur ordonnance fut l'un des rares programmes gouvernementaux dont le budget avait été largement surestimé. Les forces du marché avaient fait leur travail. Nous avions fait évoluer le système de santé américain dans la bonne direction : moins de contrôle gouvernemental pour plus de choix et de concurrence privée, ce qui est la meilleure manière de contrôler les dépenses à long terme.

« Je suis optimiste, disais-je à mon père alors que nous étions partis à la chasse à la caille, dans le sud du Texas, pour le nouvel an 2004. Ces élections seront gagnées par celui qui saura gouverner, celui qui s'occupera des grandes questions de société et celui qui parviendra à garantir la sécurité des Etats-Unis. »

Papa était inquiet. Tous les jours depuis des mois, il voyait les candidats démocrates à la présidentielle lancer des attaques contre moi. Ce matraquage commençait à faire effet. Ma cote de popularité avait atteint son plus haut niveau après les attentats du 11 Septembre, avec 90 % d'opinions favorables, puis après la libération de l'Irak, avec 75 % d'opinions favorables. A la fin de l'année 2003, ce chiffre tournait autour des 50 % dans certains sondages. Papa avait connu ça. Sa cote de popularité avait atteint des sommets en 1991 avant de s'effondrer juste avant les élections de 1992.

Je l'assurai que notre ami commun, Karl Rove, avait mis au point une solide stratégie de campagne. « Si nous jouons bien notre rôle, tout se passera bien, dis-je. Surtout s'ils désignent Howard Dean comme candidat. »

J'avais fait la connaissance du favori à la candidature démocrate, ancien gouverneur du Vermont, lors de diverses occasions dans les années 90. Dean était une grande gueule indisciplinée. Je croisais les doigts pour qu'il soit choisi candidat.

Malheureusement, Dean perdit son avantage avant même d'avoir gagné un seul délégué. John Kerry, sénateur du Massachusetts, remporta une victoire inattendue dans l'Iowa, remporta les primaires du New Hampshire et se dirigeait droit vers l'investiture. Vétéran du Vietnam, sénateur réélu à trois reprises, Kerry était un bûcheur, un rhétoricien accompli et un candidat sans pitié. C'était un formidable adversaire.

Kerry avait aussi ses faiblesses. Il avait la mentalité procédurière d'un vieil habitué du Congrès et le bilan de ses votes au Sénat le plaçait parmi les membres les plus à gauche. A l'automne 2003, il avait voté contre une loi de financement de 87 milliards de dollars à destination de nos troupes en Irak et en Afghanistan. Peu après sa nomination à la candidature démocrate, mon équipe de campagne rappela cet épisode. « En réalité, j'avais voté pour ces 87 milliards de dollars avant de voter contre », répondit le candidat démocrate.

Dès que j'entendis cela, je déclarai à Karl Rove : « C'est notre angle d'attaque. Le peuple américain attend de son président qu'il prenne des positions claires et les défende, surtout lorsqu'il s'agit de soutenir nos soldats au front. » Nous nous sommes emparés du thème de la « girouette » et l'avons développé pendant toute la campagne.

Le 10 mars 2004, je reçus une lettre de Jenna qui se trouvait alors en dernière année à l'université du Texas. En 2000, ni Jenna ni Barbara n'avaient participé au moindre événement de campagne. Elles nous avaient clairement fait comprendre qu'elles ne voulaient pas se mêler de politique. Je fus donc particulièrement surpris de lire la lettre de Jenna :

> *Cher Papa,*
> *J'ai fait un rêve horrible la nuit dernière, un rêve si horrible que je me suis réveillée en larmes. Même si je ne suis pas aussi spirituelle que toi, j'ai pris ce rêve comme un signe. Tu as travaillé toute ta vie pour nous donner, à Barbara et à moi, tout ce dont nous pouvions avoir envie ou besoin. Tu nous as donné ton amour, tes encouragements et je sais que tu as toujours pensé à nous avant de prendre la moindre décision.*
> *Toi et Maman, vous nous avez appris ce qu'est l'amour inconditionnel. J'ai vu ma Maman se dévouer pour mon Papa quand il souffrait. Je t'ai vu consacrer un an de ta vie à Grand-Pa; j'ai vu votre chagrin à tous les deux le soir de l'élection. A vingt-deux ans, je comprends enfin toutes les souffrances que tu as connues.*

Je déteste entendre des mensonges sur toi. Je déteste que les gens te critiquent. Je déteste le fait que tout le monde ne puisse pas voir la personne que j'aime et que je respecte, la personne à laquelle j'espère ressembler un jour.

C'est pour toutes ces raisons que j'ai décidé – si tu veux bien – de travailler à temps plein avec toi cet automne. Réfléchis à ma proposition, parles-en à Maman et tiens-moi au courant. J'ai arrêté de chercher du travail à New York pour le moment. Je sais que j'ai encore des choses à apprendre mais avec un bon entraînement, je pourrai aider les gens à voir le Papa que j'aime.

Cela ressemble peut-être à un coup de tête mais je n'arrête pas d'y penser. Je veux essayer de te donner quelque chose en échange des vingt-deux ans que tu m'as donnés.

Dans mon rêve, je ne t'aidais pas et quelqu'un d'autre remportait les élections alors qu'il ne devait pas. Et je pleurais, je pleurais pour toi, pour notre pays et par culpabilité. Je ne veux pas voir ce rêve se réaliser, donc si je peux faire quoi que ce soit pour t'aider, dis-le-moi. Nous pourrons en reparler à Pâques.

Je t'aime et je suis tellement fière de toi.

Bisous,
Jenna

J'ai toujours la gorge nouée lorsque je relis ces tendres mots, qui reflétaient aussi l'opinion de Barbara. J'étais enchanté à l'idée que mes filles veuillent participer à la campagne. Ma dernière campagne serait leur première.

Le premier rassemblement où je me rendis avec Barbara devait avoir lieu devant 11 000 personnes à Marquette, dans le Michigan, petite ville du nord de la péninsule qui n'avait pas reçu de visite présidentielle depuis la venue de William Howard Taft. Juste avant mon discours, Barbara s'installa au premier rang derrière le podium.

On m'annonça et la foule se mit à hurler. Alors que je m'approchais du micro, je lançai un regard en direction de Barbara. Elle avait le visage baigné de larmes. Après quatre ans passés sur un campus universitaire, elle était surprise et touchée de voir un tel enthousiasme en faveur de son père. Cela me rappela la première fois que j'avais entendu une foule acclamer mon père. La boucle était bouclée.

D'un côté, la campagne de 2004 était plus facile que celle de 2000. Je bénéficiais des prérogatives présidentielles, notamment Air Force One et Marine One. De l'autre, elle était plus difficile car j'étais à la fois candidat et président. Je devais trouver un équilibre entre ces deux statuts.

Je puisais mon énergie auprès de ceux qui m'entouraient, notamment Laura et les filles. J'ai adoré notre tournée en bus dans le

Midwest où des milliers de personnes nous accueillaient dans la rue principale des petites villes. Un jour, dans le Wisconsin, nous avons traversé la ville natale de Dick Tubb, docteur de l'Armée de l'Air aux multiples talents qui voyageait toujours avec moi. Je vis un panneau écrit à la main : « Bienvenue à la maison, Dr Tubb ! » En-dessous, l'auteur avait ajouté en plus petit : « Vous aussi, George W. »

Rien ne me remontait plus le moral que les partisans que nous rencontrions sur notre chemin. J'étais électrisé par leur enthousiasme, leur foi m'incitait à multiplier mes efforts afin de ne pas les décevoir. A Poplar Bluff, ville de 16 500 habitants dans le Missouri, près de 23 000 personnes assistèrent à mon discours. A West Chester, dans l'Ohio, 41 000 personnes vinrent s'entasser dans le Voice of America Park. Alors que je soulignais les positions changeantes de John Kerry, une forêt de bras tendus s'inclinaient de gauche à droite en chantant « flip-flop-flip-flop ». Certains venaient même déguisés en girouettes géantes. Je découvris de nouveaux groupes comme les Avocats pour Bush et les Jumeaux pour Bush, les préférés de Jenna et Barbara.

Je me sentais particulièrement encouragé par les panneaux « Dieu vous bénisse ». Alors que je serrais des mains et prenais la pose pour les photos, j'étais stupéfait du nombre de pancartes proclamant : « Je prie pour vous. » Je répondis à l'assistance que leurs prières étaient un merveilleux cadeau. Ils me donnaient de la force. Le fait de voir tous ces électeurs me redonna également l'espoir que certains de nos partisans qui avaient boudé les urnes à la suite de la révélation de ma conduite en état d'ivresse en 2000 iraient voter cette année.

John Kerry pouvait lui aussi compter sur le soutien de partisans motivés. Le réalisateur d'Hollywood, Michael Moore, sortit un prétendu documentaire qui n'était rien d'autre qu'un document de propagande. En échange, Kerry déclara qu'Hollywood représentait « le cœur et l'âme de notre pays ». De généreux donateurs comme le gourou de l'investissement, George Soros, lui donnèrent des sommes exorbitantes par le biais d'organismes 527s contrevenant aux lois sur le financement des campagnes que tant de démocrates avaient défendues [1]. Plusieurs renégats de la CIA firent sortir des informations visant à embarrasser le gouvernement. Leurs attaques culminèrent avec la sortie du reportage mensonger de Dan Rather, fondé sur des documents falsifiés, et affirmant que je n'avais pas

---

1. Les républicains se servirent également des organismes 527s mais les démocrates levèrent trois fois plus de fonds que nous avec 186,8 millions de dollars contre 61,5 millions de dollars. (NdA)

pleinement accompli mon service au sein de la Garde nationale aérienne du Texas.

Alors que les médias n'en finissaient pas de m'interroger sur mes états de service, leur curiosité s'était considérablement émoussée lorsque des questions surgirent à propos de la carrière de Kerry. En février 2004, j'acceptai un tête-à-tête d'une heure avec Tim Russert. Après m'avoir fait passer sur le grill à propos de l'Irak, il me demanda avec insistance si j'allais rendre publique la totalité de mes services militaires. Je m'y engageai. Peu après, je demandai au département de la Défense de publier tous les documents liés à mon service au sein de la Garde aérienne du Texas.

« Vous vous êtes rendu un fier service aujourd'hui, monsieur le président, me dit Tim après la fin de notre entretien.

– Merci Tim, répondis-je. J'espère que vous serez aussi dur avec John Kerry à propos de ses états de service.

– Oh, faites-moi confiance, nous y veillerons », dit-il.

Tim reçut John Kerry deux mois plus tard et l'interrogea effectivement sur ses états de service. Kerry promit de les rendre publics pendant sa campagne, ce qu'il ne fit jamais.

Lors de la Convention nationale démocrate à Boston, Kerry invita d'anciens frères d'armes et accepta son investiture avec une salve d'honneur. « John Kerry, au rapport », déclara-t-il en guise d'introduction. Dans son discours, il s'engageait à « dire toute la vérité au peuple américain » et à être « un commandant en chef qui ne mentirait pas à son pays pour l'engager dans une guerre ».

L'argumentaire de Kerry selon lequel j'avais menti au pays à propos de l'Irak ne tenait pas debout. En tant que membre du Sénat en 2002, il avait eu accès aux mêmes informations que moi et avait voté en faveur de la guerre.

Kerry s'emmêlait dans ses propres contradictions. « Mon adversaire n'a pas répondu à la question de savoir si – sachant ce que nous savons aujourd'hui – il aurait approuvé la guerre en Irak », déclarai-je lors d'une étape de campagne dans le New Hampshire. Quelques jours plus tard, au bord du Grand Canyon, Kerry mordit à l'hameçon et déclara : « Oui, j'aurais voté pour. »

C'était une confession ahurissante. Après m'avoir accusé depuis la grande scène de la Convention démocrate d'avoir menti à propos de la guerre – une des plus graves accusations que l'on puisse formuler contre un commandant en chef –, John Kerry affirmait qu'il approuverait de nouveau cette guerre si on le lui demandait.

Il était important de discréditer Kerry mais il était encore plus important de montrer aux électeurs que je continuerais à m'occuper des principaux problèmes du pays. J'avais vu des candidats sortants, comme Ann Richards, faire campagne sur leur bilan passé et j'étais décidé à ne pas faire la même erreur qu'eux. « La seule raison de regarder en arrière lors d'une campagne, c'est pour décider qui est le plus à même de nous pousser de l'avant, déclarai-je. Même si j'ai déjà fait beaucoup, je suis là pour vous dire qu'il y a encore beaucoup de choses à faire. »

Lors de la Convention nationale républicaine à New York ainsi que dans mes discours aux quatre coins des Etats-Unis, je présentai un programme ambitieux pour mon second mandat. Je m'engageai à moderniser le système de sécurité sociale, à réformer la politique d'immigration et à revoir la fiscalité tout en poursuivant le programme *No Child Left Behind* et les initiatives basées sur la foi, la réforme de Medicare et surtout la guerre contre le terrorisme.

Je sillonnai tout le pays pendant l'automne, ne m'interrompant que pour les trois débats. Le premier eut lieu à l'université de Miami. Le débat était un des points forts de John Kerry. Semblable à un boxeur professionnel, il sortait de son coin pour asséner des coups furieux après chaque question. La technique était efficace. Je passais trop de temps à faire le tri parmi ses attaques pour pouvoir répondre aux questions.

Je réussis néanmoins à placer un crochet. Lorsque Kerry proposa que chaque opération militaire américaine soit soumise à un « test mondial », je répondis : « Je ne vois pas bien ce que vous voulez dire par " test mondial ". […] Pour moi, une opération préventive sert à protéger le peuple américain. »

Dans la voiture qui me ramenait après le débat, je reçus un coup de téléphone de Karen Hughes. Elle m'expliqua que les chaînes de télévision avaient scindé leur écran en deux afin de montrer mes réactions lorsque Kerry prenait la parole. Apparemment, je n'avais guère réussi à cacher mes sentiments. De même que les soupirs d'Al Gore avaient dominé la couverture par les médias après le premier débat de 2000, mes grimaces d'exaspération firent la une du débat de 2004. Dans les deux cas, j'estimais que les médias avaient eu tort.

Une histoire encore plus étrange créa la polémique quelques jours plus tard avec la publication d'une photo du débat montrant un pli dans le dos de mon costume. Quelqu'un émit l'idée qu'il s'agissait en réalité d'une radio directement connectée à Karl Rove. La rumeur fut reprise sur Internet et fit sensation auprès des partisans de la théorie du complot. C'était un avant-goût d'un phénomène du XXIe siècle : les blogueurs politiques. Rétrospectivement, je me dis qu'il est bien dommage que je n'aie pas eu de radio cachée dans le dos, Karl aurait pu me dire d'arrêter de grimacer.

Le deuxième et le troisième débats se passèrent mieux. Je parvins à garder une expression neutre, mon costume était bien repassé et j'étais mieux préparé à parer les attaques de Kerry. Toutefois, comme souvent dans les débats présidentiels, je m'infligeai à moi-même le coup le plus dévastateur. Lors du dernier débat à Tempe, l'animateur Bob Schieffer aborda la question du mariage homosexuel et me demanda : « Pensez-vous que l'homosexualité est un choix ?

– Je ne sais pas, répondis-je. Je sais seulement que nous devons faire un choix en Amérique, celui de la tolérance, du respect et de la dignité. » J'expliquai ensuite que pour moi, un mariage devait unir un homme et une femme et déclarai que la loi devait être le reflet de cette vérité millénaire.

Kerry, qui était également opposé au mariage gay, commença sa réponse ainsi : « Nous sommes tous les enfants de Dieu, Bob, et je pense que si vous parliez un jour avec la fille de Dick Cheney, qui est lesbienne, celle-ci vous répondrait qu'elle est ce qu'elle est et qu'elle est née ainsi. »

Je jetai un œil à Laura, Barbara et Jenna assises au premier rang. Je pouvais lire le choc sur leurs visages. Karen Hughes me dit plus tard qu'elle avait distinctement entendu des murmures d'indignation. Il existe une règle non écrite en politique interdisant de s'en prendre aux enfants d'un candidat. Il était tout simplement honteux de la part de John Kerry de révéler lors d'un débat télévisé national la sexualité de la fille de mon vice-président.

Ce n'était pas la première fois que cela se produisait. Une semaine auparavant, lors d'un débat entre les candidats à la vice-présidence, le sénateur de Caroline du Nord, John Edwards, formant le ticket démocrate avec Kerry, avait également trouvé le moyen d'aborder le sujet. Une fois, cela pouvait passer pour un accident. Deux fois, cela relevait du complot. Kerry et Edwards espéraient récupérer les électeurs conservateurs condamnant les préférences sexuelles de la fille de Dick. En réalité, cet épisode les fit paraître sous un jour à la fois méchant et cynique. Lynne Cheney exprima le sentiment de bon nombre d'entre nous lorsqu'elle qualifia ce « coup bas » d'acte « mesquin et petit ».

En 2000, notre « surprise du mois d'octobre » avait pris la forme d'une condamnation pour conduite en état d'ivresse ; en 2004, elle se présenta sous les traits d'Oussama ben Laden. Le 29 octobre, le chef d'Al-Qaïda diffusa un message vidéo menaçant les Américains d'un « nouveau Manhattan » et se moquant de ma réaction le jour des attentats, lorsque je me trouvais dans une classe d'école en Floride. On aurait dit un plagiat de Michael Moore. « Les Américains ne se laisseront ni intimider ni influencer par aucun ennemi de notre pays », déclarai-je. John Kerry prit le même engagement.

Le 2 novembre 2004, jour scellant la fin de la dernière campagne de ma carrière politique, commença à bord de Marine One. L'hélicoptère nous ramenait en pleine nuit de Dallas vers notre ranch de Crawford. Nous sortions à peine d'un émouvant rassemblement avec 8 000 partisans réunis dans la Southern Methodist University, l'ancienne faculté de Laura. Cela avait été la septième étape d'une journée chargée où nous avions parcouru près de 4 000 kilomètres à travers le pays.

Le lendemain, Laura, Barbara, Jenna et moi étions debout à l'aube. Nous nous rendîmes immédiatement à la caserne de pompiers de Crawford pour voter : quatre votes francs et massifs pour le tandem Bush-Cheney. « Je fais confiance au bon sens du peuple américain, déclarai-je devant un groupe de journalistes. J'espère naturellement que nous connaîtrons le nom du vainqueur ce soir. »

Je demandai des nouvelles à mon frère Jeb. « La Floride se présente bien, George », me dit le gouverneur.

Je m'entretins ensuite avec Karl. Il était préoccupé par l'Ohio, nous sommes donc partis pour ma vingtième étape de campagne dans l'Etat du marronnier d'Inde. Après avoir remercié les bénévoles et le standard téléphonique de Columbus, nous repartîmes pour Washington DC.

Alors que nous entamions notre descente sur l'Andrews Air Force Base, Karl me rejoignit dans la cabine avant. Les premiers résultats du vote étaient tombés.

« Les chiffres sont très mauvais », dit-il.

Je reçus ces mots comme un coup de poing en pleine poitrine. J'avais plus de vingt points de retard dans l'Etat de Pennsylvanie. Des bastions républicains comme le Mississippi et la Caroline du Sud semblaient hésiter. Si ces chiffres étaient corrects, j'étais parti pour essuyer une défaite écrasante.

Je sortis de l'avion et me dirigeai vers Marine One dans un état second. Les dix minutes de vol jusqu'à la Maison-Blanche me parurent une éternité. L'hélicoptère se posa enfin sur la pelouse Sud. Une nuée de journalistes se précipita vers moi pour avoir des images pour le journal du soir. Karen Hughes était heureusement de bon conseil : « Tout le monde sourit ! »

Je grimpai les escaliers et me mis à tourner en rond dans le Salon des Traités. Je n'arrivais tout simplement pas à y croire. Après tout le travail de ces quatre dernières années et ces semaines épuisantes de campagne, j'allais devoir quitter la Maison-Blanche, comme ça. Je savais que la vie continuerait malgré tout, comme pour mon père. Mais cet échec allait faire mal.

Peu de temps après, je reçus un appel de Karl. Il avait fait ses calculs et était convaincu qu'il y avait une erreur dans les estimations. J'étais à la fois en colère et soulagé. Je craignais que les estimations erronées ne démoralisent nos partisans et ne découragent les électeurs conservateurs de se déplacer dans les Etats où les bureaux de vote étaient encore ouverts. Nous pensions tous la même chose : *Ça y est, c'est reparti.*

A 20 heures, les bureaux de vote de Floride fermèrent leurs portes. Conformément aux prédictions de Jeb ce matin, les premiers chiffres étaient prometteurs. Les premières hésitations matinales du Mississippi et de Caroline du Sud cédèrent rapidement la place à de solides victoires dans les deux Etats. Le reste de la Côte Est vota comme prévu. Les élections se joueraient sur quatre Etats : l'Iowa, le Nouveau-Mexique, le Nevada et l'Ohio. Ken Mehlman, mon brillant stratège, auteur d'une campagne historique, était certain que nous l'emporterions dans ces quatre Etats. Nous avions été donnés gagnants dans chacun d'eux par au moins une chaîne d'information spécialisée. Toutefois, après le fiasco de 2000, aucun média ne voulait être le premier à me déclarer vainqueur.

Tous les regards étaient maintenant tournés vers l'Ohio et ses vingt grands électeurs. J'y disposais d'une confortable avance de plus de 120 000 voix. L'horloge sonna minuit, puis 1 heure, puis 2 heures. Vers 2 h 45 du matin, je décrochai mon téléphone pour appeler Tony Blair. Il me dit qu'il s'était couché en pensant que j'avais perdu et se préparait à faire la connaissance du président Kerry.

« Vous n'avez pas seulement gagné, George, me dit-il. Vous avez obtenu plus de votes que n'importe quel autre président américain.

– Si seulement l'équipe de Kerry voulait bien le reconnaître, répondis-je. Je n'ai pas veillé aussi tard depuis la fac ! »

Vers 4 heures du matin, des rumeurs commencèrent à courir selon lesquelles Kerry et Edwards s'apprêtaient à contester le vote en Ohio. Comme en 2000, plusieurs conseillers me pressèrent de déclarer victoire même si les médias ne tranchaient pas et que mon adversaire n'avait pas reconnu sa défaite. Quatre ans auparavant, c'était Jeb qui m'avait – heureusement – conseillé de ne pas prononcer mon discours à Austin. Cette fois-ci, ce fut Laura. « George, tu ne peux pas aller là-bas, me dit-elle. Attends d'être déclaré vainqueur. »

A peu près au même moment, Dan Bartlett reçut une information intéressante. Nicolle Wallace, ma directrice de campagne pour les communications, avait mis Dan en relation avec Mike McCurry, conseiller de Kerry. McCurry lui aurait dit que le sénateur prendrait la bonne décision mais qu'il avait besoin de temps. « Ne le pressez pas », recommanda Dan.

Une fois de plus, une foule déçue attendit en vain un candidat qui n'arriva jamais. Je voulais tellement offrir à mes partisans la fête de la victoire dont nous avions été privés en 2000. Il était écrit que cela n'arriverait pas. Juste après 5 heures du matin, j'envoyai Andy Card à ma place. « Le président Bush a décidé, par respect pour le sénateur Kerry, de lui donner du temps pour réfléchir aux résultats de ces élections, déclara-t-il. Nous sommes convaincus que le président Bush est réélu avec au moins 286 grands électeurs. »

A 11 h 02, le lendemain matin, mon assistante personnelle, Ashley Kavanaugh, ouvrit la porte du Bureau Ovale. « Monsieur le président, le sénateur Kerry au téléphone. »

John Kerry se montra bon perdant. Je lui dis qu'il avait été un adversaire digne et qu'il avait mené une belle campagne. J'appelai Laura et embrassai un petit groupe de hauts conseillers réunis dans le Bureau Ovale. Je descendis jusqu'au bureau de Dick et lui donnai une franche poignée de main. Les accolades, ce n'était pas trop le genre de Dick.

Je finis par avoir Papa et Mère au téléphone. Après avoir veillé presque toute la nuit, ils avaient quitté la Maison-Blanche tôt ce matin et étaient rentrés à Houston sans connaître les résultats. « Félicitations, mon fils », me dit mon père. Il avait l'air moins heureux que soulagé. Nous n'en avions pas parlé mais 2000 n'était pas la seule élection que nous avions en tête. Nous nous rappelions tous les deux le douloureux échec de 1992. Je voyais qu'il était heureux que je ne connaisse pas ce qu'il avait dû endurer.

Après un début difficile, cette soirée électorale de 2004 s'achevait sur une grande victoire. J'étais le premier président à remporter une majorité de votes depuis mon père en 1988. Comme en 2002, les républicains progressèrent tant au Sénat qu'à la Chambre des Représentants.

Kerry ayant reconnu sa défaite, je donnai une conférence de presse le lendemain. L'un des journalistes me demanda si je me sentais « plus libre ».

Je pensai à l'ambitieux programme que j'avais présenté au cours de l'année passée. « Laissez-moi vous dire ceci : j'ai gagné du capital dans cette campagne, du capital politique. Je compte à présent le dépenser. »

Du plus loin qu'il m'en souvienne, la sécurité sociale avait toujours été un sujet délicat. Il était impossible de se saisir de cette question sans se brûler les doigts.

En 2005, je fis pourtant plus que l'effleurer, je l'empoignai fermement. Je le fis pour une raison : je ne trouvais pas juste de faire payer les jeunes générations pour un système allant droit à la faillite.

Créé par Franklin Roosevelt en 1935, le système de sécurité sociale américain fonctionne selon le principe du *pay-as-you-go* (régime par répartition). Les pensions des retraités sont financées par les impôts des actifs. Le système fonctionnait très bien lorsqu'il y avait quarante salariés pour chaque retraité, comme en 1935. Mais avec le temps, la démographie du pays avait changé. L'espérance de vie avait progressé. Le taux de natalité avait chuté. Résultat, en 2005, il n'y avait plus que trois salariés pour chaque inscrit à la sécurité sociale. Pour les jeunes entrant dans la vie active au cours de la première décennie du XXIe siècle, ce rapport ne sera plus que de deux pour un lorsqu'ils arriveraient à l'âge de la retraite.

Pour ne rien arranger, le Congrès avait décidé que les aides versées par la sécurité sociale devraient augmenter plus vite que l'inflation. D'après les estimations, le système allait être en déficit à partir de 2018. Le déficit se creuserait un peu plus tous les ans jusqu'à la faillite du système en 2042. Voilà qui semblait assez loin, jusqu'à ce que je fasse le calcul. 2042 serait à peu près l'année où mes filles, nées en 1981, approcheraient de la retraite.

Pour quelqu'un qui voulait s'occuper de problèmes sérieux, je ne pouvais guère trouver mieux que la réforme de la sécurité sociale. Fraîchement réélu, j'estimai qu'il n'y avait pas de meilleur moment pour commencer le travail.

Je commençai par poser trois principes à cette réforme. Tout d'abord, rien ne devait changer pour les personnes âgées ou les personnes proches de la retraite. Deuxièmement, je tâcherais de rééquilibrer les comptes du système sans augmenter les cotisations, qui étaient déjà passées de 2 % à 12 %. Troisièmement, les jeunes travailleurs devraient pouvoir choisir de bénéficier d'un meilleur retour sur investissement en plaçant une partie de leurs cotisations au titre de la sécurité sociale dans des comptes épargne retraite privés.

Les comptes épargne retraite privés seraient une nouveauté dans le système mais pas pour la plupart des Américains qui connaissaient déjà ce concept. A l'instar des comptes 401(k), l'argent déposé pourrait être investi dans diverses combinaisons d'actions et d'obligations peu risquées, dont le montant augmenterait au fil du temps et par l'accumulation d'intérêts. Les comptes seraient gérés par des institutions financières réputées et bon marché. Il serait interdit de vider ces comptes avant le départ en retraite. Même avec un taux de retour estimé à 3 %, le titulaire du compte pourrait doubler sa mise tous les 24 ans alors qu'il lui faudrait attendre 60 ans pour obtenir le même résultat avec le taux de 1,2 % de la sécurité sociale. Contrairement aux aides versées par la sécurité sociale, les comptes épargne retraite privés constitueraient un avoir pour les travailleurs – et non pour le gouvernement – et pourraient être transmis de génération en génération.

Au début de l'année 2005, je m'entretins avec les chefs républicains du Congrès pour discuter de notre stratégie législative. Je leur expliquai que la modernisation de la sécurité sociale serait ma grande priorité. Leur réaction fut pour le moins mitigée.

« Monsieur le président, me dit l'un d'entre eux. La sécurité sociale est un sujet difficile qui nous coûtera des sièges.

– Non, répliquai-je, c'est en ne nous en occupant pas que nous perdrons des sièges. »

Il était évident qu'ils pensaient aux élections qui se succèdent tous les deux ans au Capitole. Je pensais à la responsabilité qui m'incombait en tant que président de m'occuper des problèmes affectant l'évolution du pays à long terme. Je leur rappelai que j'avais mené deux campagnes sur ce thème et que le problème ne ferait que s'aggraver. Nous rendrions un fier service à notre pays en réglant cette question. Au bout du compte, une bonne politique est toujours une bonne politique.

« Si vous menez la charge, nous vous suivrons, mais de loin », déclara l'un des responsables de la Chambre.

Cette rencontre avec les républicains du Congrès m'avait montré l'ampleur de la tâche que je m'étais assignée. Je décidai d'avancer malgré tout. Je ne voulais pas, à l'heure du bilan, avoir à me dire que j'avais évité un problème important pendant ma présidence.

« La sécurité sociale a été une grande victoire morale au XXe siècle et nous devons faire honneur à ses ambitions en ce nouveau siècle, déclarai-je lors de mon discours sur l'état de l'Union en 2005. Le système, tel qu'il fonctionne actuellement, se dirige droit vers la faillite. Nous devons unir nos forces pour renforcer et sauver la sécurité sociale. »

Le lendemain, j'entamai une série de visites pour sensibiliser les Américains aux problèmes de notre système et faire émerger un consensus en faveur du changement. Je prononçai des discours, tins des conseils municipaux et participai même à un rassemblement avec ma retraitée préférée, Mère. « Je suis ici car je suis inquiète pour nos dix-sept petits-enfants et mon mari aussi, dit-elle. Ils n'auront pas de sécurité sociale. »

L'une de mes visites les plus marquantes fut celle que je fis à l'usine automobile de Nissan à Canton, dans le Mississippi. Mon assistance était essentiellement composée d'Afro-Américains. Je demandai combien de personnes avaient investi dans un compte 401(k). Presque toutes les mains se levèrent. J'aimais l'idée que des personnes n'ayant traditionnellement pas de capital puissent posséder quelque chose de bien à eux. Je pensais également à tout ce que l'on pouvait faire de plus. La sécurité sociale était particulièrement injuste pour les Afro-Américains. En raison d'une espérance de vie plus faible, les travailleurs noirs qui passaient leur vie à financer le système recevaient en moyenne 21 000 dollars de moins d'aides que les Blancs issus des mêmes catégories sociales. Les comptes privés, transmissibles entre générations, permettraient de réduire cette inégalité.

Le 28 avril, je convoquai une conférence de presse en prime time pour exposer les détails de ma proposition. Le plan que je défendais était celui d'un démocrate, Robert Pozen. Son projet, dit d'indexation progressive, visait à faire augmenter les aides plus vite pour les plus pauvres et plus lentement pour les plus riches, avec différents échelons pour les catégories intermédiaires. En modifiant le mode de calcul des aides, ce plan permettait de régler l'essentiel des problèmes du système. Sans compter que tous les Américains auraient désormais la possibilité d'augmenter leurs revenus potentiels par le biais des comptes épargne retraite privés.

J'espérais que mon projet serait approuvé par les deux partis. Les républicains devraient être satisfaits d'améliorer notre situation budgétaire sans augmenter les impôts et les démocrates devraient saluer une réforme qui sauvait la sécurité sociale, joyau de la couronne du New Deal, en offrant plus d'argent aux pauvres, aux minorités et aux classes populaires, toutes les catégories qu'ils prétendaient représenter.

Mes conseillers législatifs [1] défendirent vaillamment notre proposition mais celle-ci ne reçut pratiquement aucun soutien. Les chefs démocrates de la Chambre des Représentants et du Sénat m'accusaient de vouloir « privatiser » la sécurité sociale. La formule avait visiblement été bien pensée pour faire peur aux gens. Ils avaient tort. Mon projet visait à sauver la sécurité sociale, à moderniser le système et à permettre aux Américains de posséder une partie de leur sécurité sociale. Je ne privatisais pas le système. J'avais le sentiment que l'opposition des démocrates cachait quelque chose. Al Hubbard, directeur du Conseil national économique (National Economic Council), me parla d'un entretien qu'il avait eu au Capitole. « J'aimerais vous aider là-dessus, lui aurait dit un sénateur démocrate, mais nous avons reçu l'ordre explicite de ne pas coopérer. »

L'opposition aveugle des démocrates sur la réforme de la sécurité sociale contrastait vivement avec les pratiques bipartites que j'avais réussi à instaurer avec le projet *No Child Left Behind* lorsque j'étais gouverneur du Texas. J'étais déçu par ce changement et je me suis souvent demandé ce qui l'avait provoqué. Je pense que certains dans le camp d'en face ne s'étaient jamais remis de l'élection de 2000 et étaient décidés à ne pas coopérer avec moi. D'autres m'en voulaient d'avoir fait campagne contre des responsables démocrates sortants

---

1. Il s'agissait de John Snow, secrétaire au Trésor, et des conseillers à la Maison-Blanche, Andy Card, Karl Rove, Al Hubbard, Keith Hennessy et Chuck Blahous. (NdA)

en 2002 et en 2004, ce qui avait permis à des candidats républicains de prendre la place de personnalités démocrates comme Max Cleland, sénateur de Géorgie, et Tom Daschle, chef de la majorité au Sénat.

Je portais sans aucun doute une part de responsabilité. Je ne regrette pas d'avoir fait campagne pour des camarades républicains. Je n'ai jamais caché mes intentions d'augmenter l'influence de notre parti à Washington. Si j'étais prêt à modifier des projets de loi en fonction de certaines préoccupations des démocrates, je refusais toute compromission de mes principes, ce qui semblait être le prix demandé par certains en échange de leur coopération. A propos de la sécurité sociale, je me suis peut-être trompé en voulant régler un problème sur lequel il n'existait presque aucun consensus préalable. Quoi qu'il en soit, la fin de la collaboration entre les partis était une mauvaise chose pour mon gouvernement et pour le pays.

En l'absence de soutien démocrate, j'avais besoin d'une solide majorité républicaine pour faire passer la loi sur la sécurité sociale au Congrès. Je ne l'avais pas. Bon nombre de jeunes républicains, comme Paul Ryan, représentant du Wisconsin, étaient favorables à la réforme. Mais rares étaient ceux au Congrès qui étaient prêts à se saisir d'un problème aussi délicat.

L'échec de la réforme de la sécurité sociale est l'un des plus grands regrets de ma présidence. En dépit de tous nos efforts, le gouvernement finit par faire exactement ce que je craignais : nous avons passé le problème à la génération future. Rétrospectivement toutefois, je ne vois pas ce que j'aurais pu faire de mieux.

J'avais défendu la réforme avec autant d'énergie et de conviction que possible. J'avais tendu la main à l'opposition et fait d'un projet démocrate le cœur de ma proposition. L'échec de la réforme de la sécurité sociale montrait les limites du pouvoir présidentiel. Si le Congrès est déterminé à ne rien faire, le président ne peut rien y changer.

L'inaction avait un prix. Dans les cinq années suivantes, la crise de la sécurité sociale s'est profondément aggravée. La date de la faillite programmée est passée de 2042 à 2037. Le déficit du système – le coût d'une réforme – a dépassé la barre de deux trillions de dollars depuis que j'avais soulevé le problème en 2005. Cela représente plus que nos dépenses pour la guerre en Irak, la modernisation de Medicare et le Troubled Asset Relief Program cumulés. Pour ceux qui se préoccupent des déficits transmis aux générations futures, l'échec de la réforme de la sécurité sociale figure parmi les plus grandes occasions ratées des temps modernes.

Elle se tenait devant l'entrée, seule sous la pluie. Elle avait l'air fatiguée et effrayée. Quelques jours auparavant, Paula Rendon avait quitté sa famille au Mexique pour prendre un car, direction Houston. Elle était arrivée, sans argent, sans ami. Tout ce qu'elle avait, c'était une adresse – 5525 Briar Drive – et le nom de ses nouveaux patrons, George et Barbara Bush.

J'avais treize ans, ce soir de 1959, lorsque je lui ouvris la porte. Paula est rapidement devenue une seconde mère pour moi, mes frères et mes sœurs. Elle travaillait dur, veillant sur notre famille au Texas et sur la sienne au Mexique. Un jour, elle acheta une maison et fit venir sa famille à Houston. Elle disait toujours que sa plus grande fierté avait été de voir son petit-fils sortir diplômé de l'université. En tant que gouverneur et plus tard président, je pensais toujours à Paula quand je parlais de réformer notre politique d'immigration. « Les valeurs familiales ne s'arrêtent pas au Rio Grande », avais-je coutume de dire.

Comme Paula, la plupart de ceux qui quittaient le Mexique pour les Etats-Unis partaient pour nourrir leur famille. Bon nombre d'entre eux effectuaient les travaux les plus pénibles, faisant les récoltes dans les champs ou étalant du goudron sous le soleil texan. Certains, comme Paula, obtenaient des visas de travail permanents. D'autres venaient en tant que travailleurs saisonniers grâce au programme Bracero. D'autres enfin, passaient la frontière dans la clandestinité.

Au cours des quarante dernières années, la taille de l'économie américaine est passée de moins de 3 000 milliards de dollars à plus de 10 000 milliards de dollars. La demande en main-d'œuvre a littéralement explosé. Mais les lois sur le travail et l'immigration mettaient du temps à changer. Le programme Bracero a expiré en 1964 et n'a jamais été remplacé. Le nombre de visas de travail permanents ne suivait nullement l'augmentation de la demande en main-d'œuvre. N'ayant pratiquement aucun moyen d'entrer dans le pays légalement, le nombre d'immigrés clandestins augmenta.

Une économie souterraine de passeurs et de fabricants de faux papiers, surnommés les coyotes, apparut le long de la frontière. Ils entassaient des gens dans des coffres de voiture ou les abandonnaient à des kilomètres de marche dans le désert aride. Le nombre de morts était terrifiant. Malgré cela, les immigrés, souvent bien déterminés à nourrir leur famille, continuaient d'arriver.

Lorsque je présentai ma candidature à la présidentielle, l'immigration illégale était déjà un problème grave et de plus en plus préoccupant. Notre économie avait besoin de bras mais certains individus enfreignaient nos lois et bafouaient les droits de l'homme. Dans ma campagne de 2000, je décidai d'aborder ce problème. J'étais certain de pouvoir trouver une solution rationnelle qui servirait nos intérêts nationaux tout en respectant nos valeurs.

Mon premier partenaire sur l'immigration fut Vicente Fox, président du Mexique. Vicente et sa femme, Marta, furent conviés au tout premier dîner officiel que nous avons organisé, Laura et moi, le 5 septembre 2001. J'avais discuté de mon idée de créer un programme pour les travailleurs saisonniers afin de permettre aux Mexicains d'entrer légalement aux Etats-Unis pour un travail spécifique et pour une période donnée. Vicente était favorable à ce projet mais il voulait quelque chose de plus. Il voulait que les Etats-Unis fournissent également des papiers à tous les Mexicains présents aux Etats-Unis, une politique appelée régularisation. Je lui répondis clairement que ce n'était pas possible. J'estimais qu'une telle mesure d'amnistie – donner la citoyenneté à des immigrés illégaux – était contraire à l'Etat de droit et ne pourrait qu'encourager l'immigration clandestine.

Il y eut ensuite les attentats du 11 Septembre et mon principal souci devint le risque de voir des terroristes entrer clandestinement dans le pays. Je remis le programme des travailleurs saisonniers à plus tard et me concentrai sur la sécurité à nos frontières. Durant les quatre ans qui ont suivi le 11 Septembre, nous avons travaillé avec le Congrès pour augmenter de 60 % les fonds destinés à la surveillance des frontières. Nous avons recruté plus de 1 900 nouveaux agents de l'US Border Patrol et installé de nouveaux équipements, comme des caméras infrarouges.

En octobre 2005, je signai une loi sur la sécurité intérieure augmentant de 7,5 milliards de dollars le budget consacré à la surveillance des frontières. La loi renforçait notre investissement dans la technologie et les équipements de renseignements aux frontières. Elle prévoyait aussi le financement d'aménagements dans les centres de détention fédéraux afin que les agents ne soient plus contraints de libérer les immigrés clandestins par manque de place, une pratique aussi courante que frustrante appelée *catch and release*.

J'espérais que notre insistance sur les questions de sécurité montrerait clairement au peuple américain combien nous étions déterminés à lutter contre l'immigration clandestine. Les mesures défensives ne suffiraient pourtant pas à régler le problème. L'économie américaine agissait comme un aimant sur tous les pauvres et les désespérés. Le mur le plus haut et le plus long n'arrêterait pas des hommes déterminés à nourrir leur famille. Un programme pour travailleurs saisonniers était la seule solution. Si les immigrés venus pour travailler pouvaient entrer légalement dans le pays, ils n'auraient plus besoin de se cacher pour passer la frontière. L'économie pourrait compter sur une main-d'œuvre suffisante. Les coyotes et tous ceux qui bafouaient les droits de l'homme perdraient leur marché. La police à la frontière pourrait se concentrer sur les criminels, les trafiquants de drogue et les terroristes.

Le 15 mais 2006, je prononçai la première allocution présidentielle en prime time sur l'immigration. « Nous sommes un Etat de droit et nous devons faire respecter nos lois, déclarai-je. Nous sommes également un pays d'immigration et nous devons poursuivre cette tradition qui a renforcé notre pays de tant de façons. »

Je présentai ensuite un plan en cinq points pour réformer notre politique d'immigration. Le premier point prévoyait un fort renforcement de la sécurité à nos frontières avec, notamment le doublement du nombre d'agent de l'US Border Patrol avant la fin 2008 et le déploiement temporaire de 6 000 gardes nationaux en renfort. Le deuxième point était mon programme pour les travailleurs saisonniers qui prévoyait la délivrance de cartes d'identité infalsifiables. Le troisième visait à faire appliquer plus sévèrement la loi contre les entreprises employant des clandestins, cela afin de limiter les possibilités d'exploitation et de ralentir la demande en travailleurs clandestins. Le quatrième point consistait à promouvoir l'assimilation en obligeant les immigrés à maîtriser l'anglais. Enfin, je posais la question la plus épineuse du débat : que faire des quelque 12 millions d'immigrés clandestins vivant dans notre pays ?

« Certains dans ce pays, pensent que la solution est de déporter tous les immigrés clandestins et que toute autre suggestion n'est rien d'autre qu'une forme d'amnistie, dis-je. Je ne suis pas d'accord. […] Il existe une solution équilibrée entre la nationalisation automatique de tous les immigrés et la déportation de masse. »

Je poursuivis en soulignant la différence entre les clandestins qui franchissaient la frontière aujourd'hui et ceux qui travaillaient ici depuis des années et étaient désormais des membres respectables de la communauté. Je proposai que cette seconde catégorie d'immigrés aient le droit d'accéder à la citoyenneté s'ils remplissaient plusieurs conditions spécifiques, notamment le versement d'une amende, le rattrapage de leurs arriérés d'impôts, la maîtrise de la langue anglaise et la patience d'attendre que ceux qui n'ont pas enfreint la loi passent avant eux.

Dix jours après mon discours, le Sénat adoptait une loi présentée par Chuck Hagel, sénateur du Nebraska, et Mel Martinez, sénateur de Floride, reprenant l'essentiel de mes recommandations. Toutefois, la Chambre des Représentants, qui s'était concentrée sur la sécurité aux frontières, ne remit son projet de loi complet qu'à la veille des élections de mi-mandat, en novembre 2006, lesquelles redonnèrent la majorité aux démocrates au Congrès.

Peu de temps après les élections de 2006, j'invitai plusieurs personnalités du Congrès au Bureau Ovale. Après notre réunion, je pris Ted Kennedy à part. Notre relation s'était malheureusement détériorée depuis l'époque de *No Child Left Behind.* Je savais que Ted n'approuvait pas ma décision de renverser Saddam Hussein. J'avais néanmoins été déçu d'entendre ses discours acides dans lesquels il affirmait que j'avais « brisé le lien de confiance le plus fondamental avec le peuple américain », m'avait comparé à Richard Nixon et considérait l'Irak comme « le Vietnam de George Bush ».

Cette violence verbale contrastait tellement avec l'homme affable et poli que j'avais connu. J'étais d'autant plus surpris de sa réaction qu'il avait lui-même fait l'objet de nombreuses et vilaines attaques politiques au cours de sa carrière politique. Je regretterai toujours de n'avoir pas pu parler de la guerre un jour avec Ted. Je ne l'aurais pas fait changer d'avis mais c'était un homme honnête et une petite discussion l'aurait peut-être convaincu de calmer le jeu.

J'espérais que la réforme de la politique d'immigration serait l'occasion de reprendre notre collaboration. « Je pense qu'on peut y arriver, lui dis-je après les élections. Faisons mentir les sceptiques encore une fois. » Il acquiesça.

Durant le printemps 2007, Ted collabora avec les sénateurs républicains de l'Arizona, John McCain et Jon Kyl, sur un projet de loi pour le renforcement de la sécurité à nos frontières, la création d'un programme pour les travailleurs saisonniers et l'ouverture d'une procédure – sévère mais juste – d'accession à la nationalité pour les immigrés respectant la loi américaine et résidant sur le territoire depuis un certain nombre d'années.

Je vendais mon projet de loi dans tout le pays, insistant tout particulièrement sur la sécurité aux frontières et l'assimilation. Le débat s'enflamma dans les deux camps. Les immigrés prenaient des emplois dans tout le pays et leur présence mettait les écoles et les hôpitaux sous pression. Les résidents s'inquiétaient du changement dans leur quartier. A la radio et à la télévision, certains animateurs mettaient en garde contre « une invasion du tiers monde et la conquête de l'Amérique ». Dans le même temps, une foule de partisans de la régularisation défilait dans les grandes villes du pays, drapeau mexicain à la main, une provocation dont beaucoup d'Américains s'indignèrent.

Ces tensions se ressentaient à Washington. Certains parlementaires jurèrent que « l'Amérique ne se rendra[it] pas » et suggérèrent aux partisans de la réforme de porter la lettre rouge A pour « amnistie ». De l'autre côté, le président du parti démocrate comparait le programme pour les travailleurs saisonniers à une forme de « servitude légale ». La direction du plus grand syndicat américain qualifia le texte de mesure « antifamille et antitravailleur ».

Au milieu de toute cette effervescence, je reçus un appel de Ted Kennedy après un discours à l'Ecole de guerre navale de Newport, dans le Rhode Island. « Monsieur le président, commença-t-il, appelez Harry Reid et dites-lui de prolonger la session du Sénat sur le week-end. » Nous pensions qu'il nous manquait seulement un vote ou deux pour faire passer la totalité de la réforme mais le Sénat devait fermer pour les vacances du 4 juillet. Etant donné l'importance de cette loi, je pensais qu'il valait peut-être la peine de laisser un peu plus de temps aux sénateurs pour voter le texte. Harry Reid n'était visiblement pas de cet avis.

Si Ted Kennedy n'arrivait pas à convaincre le chef de sa propre majorité, mes chances de succès paraissaient minces. Je plaidai ma cause mais trop tard. Harry avait déjà pris sa décision. Il demanda un vote en fin de séance, qui fut négatif, et ajourna la session du Sénat. Les sénateurs rentrèrent chez eux écouter les plaintes d'électeurs échaudés par certains commentateurs bruyants des médias. Lorsqu'ils revinrent à Washington, la réforme de la politique d'immigration était enterrée. Résultat, les coyotes continuent leurs affaires, les immigrés continuent de passer la frontière clandestinement et ce grave problème n'est toujours pas résolu.

Si je suis déçu de ne pas avoir pu faire passer mes projets de loi, je ne regrette pas de m'être attaqué aux réformes de la sécurité sociale et de la politique d'immigration. Nos efforts ont sensibilisé le public à ces problèmes qui ne se régleront pas tout seuls. L'histoire nous apprend qu'il faut parfois plus d'un président, et parfois plus d'une génération, pour obtenir un changement majeur de la loi. Lyndon Johnson s'est appuyé sur les fondations d'Harry Truman pour créer Medicare. J'espère que notre travail sur la sécurité sociale et l'immigration servira de base à la réforme d'un futur président. J'avais au moins permis de déblayer le terrain.

Si c'était à refaire, je ferais de la réforme de l'immigration ma priorité de second mandat, avant celle de la sécurité sociale. Contrairement à la sécurité sociale, la réforme de l'immigration était soutenue par des membres des deux partis. L'opposition à la réforme qui s'est violemment exprimée en 2006 et 2007 aurait peut-être été moins importante en 2005. Sans compter que nous n'aurions pas souffert des tensions causées par l'aggravation de la situation en Irak et le passage de l'ouragan Katrina. Une fois la réforme de l'immigration votée, cela aurait créé une dynamique qui nous aurait facilité la tâche avec la sécurité sociale. Au lieu de cela, c'est l'inverse qui s'est produit. Une fois que la réforme de la sécurité sociale eut échoué, le fossé entre les deux partis s'est creusé, bloquant la réforme de l'immigration.

L'échec de la réforme de la politique d'immigration révèle des inquiétudes plus profondes sur l'évolution de la politique américaine. Le mélange d'isolationnisme, de protectionnisme et de nationalisme qu'a réveillé le débat sur l'immigration a conduit le Congrès à suspendre ses accords de libre-échange avec la Colombie, le Panama et la Corée du Sud. Je comprends l'angoisse que ressentent bien des gens face à la concurrence internationale. Mais notre économie, notre sécurité et notre culture sortiraient toutes affaiblies si nous essayions de nous enfermer dans une tour d'ivoire. Les Américains ne devraient jamais craindre la compétition. Notre pays a toujours prospéré lorsque nous sommes allés vers le reste du monde, confiants dans nos valeurs et dans nos capacités. Cela vaudra également pour le XXIe siècle.

L'un des moyens de réduire l'influence des idéologies extrêmes serait de changer notre façon d'élire les membres du Congrès. En 2006, seuls 45 sièges sur 435 furent sérieusement disputés. Depuis que les élus de prétendus bastions n'ont plus rien à craindre du parti adverse, leur plus grande crainte est de se faire doubler au sein de leur propre parti. Cela est particulièrement vrai à l'époque des blogueurs, qui prennent pour cibles les hommes politiques qu'ils jugent idéologiquement impurs. Résultat, afin de ne pas se faire déborder, les parlementaires des deux partis ont tendance à glisser vers les extrêmes.

Notre administration serait plus efficace – et notre scène politique plus civilisée – si les circonscriptions étaient représentées par des personnalités indépendantes et non des assemblées partisanes. Les élections parlementaires seraient plus disputées et le Congrès moins polarisé. Pour ce faire, les politiciens devraient renoncer à une partie de leur pouvoir, ce qui n'est jamais facile. Mais pour les futurs présidents désireux d'en découdre avec des problèmes sérieux, l'enjeu est à la hauteur de la tâche.

L'un des aspects les plus intéressants de mon travail en tant que président est qu'il m'a permis d'observer combien mes intentions pouvaient être interprétées différemment en fonction de l'assistance. Il était amusant de lire des journaux m'accusant d'être le président le plus conservateur de l'histoire alors que des voix à droite me reprochaient d'être un traître à leur cause. Mes détracteurs parlaient souvent de la même chose. J'étais un archi-conservateur borné lorsque je voulais introduire les forces du marché dans le système Medicare et un horrible gauchiste lorsque je plaidais pour le remboursement des médicaments délivrés sur ordonnance. J'étais un conservateur sans cœur lorsque je réclamais la publication des résultats des écoles et un gauchiste souffrant de sensiblerie lorsque je demandais plus d'argent pour les étudiants pauvres. Tout dépendait de la personne à qui vous posiez la question.

Je suis fier d'avoir signé la loi *No Child Left Behind* ainsi que la modernisation de Medicare, deux textes qui ont amélioré la qualité de vie de nos concitoyens et montré que les principes de transparence et de compétitivité produisaient des résultats. Je suis heureux que les initiatives basées sur la foi se poursuivent. Je suis certain que les réformes de la sécurité sociale et de la politique d'immigration auront lieu un jour. Quoi qu'il arrive, je suis heureux que nous ayons pris des initiatives sur ces questions capitales, sans jamais faire petit jeu.

10

Katrina

« Qui s'occupe de la sécurité à La Nouvelle-Orléans ? », lançai-je au milieu d'une discussion agitée.

Le silence se fit dans la salle de réunion d'Air Force One. Nous étions le vendredi 2 septembre 2005. « La gouverneur est responsable », répondit le maire Ray Nagin, en désignant Kathleen Blanco de l'autre côté de la table.

Toutes les têtes se tournèrent vers la gouverneur de Louisiane, qui se figea. Elle avait l'air agité et épuisé. « Je pense que c'est le maire », lâcha-t-elle sans conviction.

Quatre jours s'étaient écoulés depuis que l'ouragan Katrina avait dévasté la côte du golfe du Mexique. Des vents de plus de 200 km/h avaient balayé la côte du Mississippi et formé un véritable mur d'eau qui s'était effondré sur les digues de La Nouvelle-Orléans. La ville, où vivaient plus de 450 000 habitants, avait été inondée à 80 %. Les reportages sur les pillages et les violences qui avaient suivi faisaient la une de tous les journaux.

Selon la loi, c'était aux autorités locales et régionales de réagir en cas de catastrophe naturelle, le gouvernement fédéral ne jouant qu'un rôle d'assistance. Cette méthode avait fait ses preuves lors des huit ouragans, neuf tempêtes tropicales et plus de deux cents tornades, inondations, incendies et autres situations d'urgence que nous avions eu à gérer depuis 2001. Les équipes de secours locales et régionales étaient en charge de la situation en Alabama et dans le Mississippi où je m'étais rendu quelques heures plus tôt. En

Louisiane, toutefois, après quatre jours de chaos, il était évident que les autorités étaient dépassées.

A l'origine, il avait été prévu que j'atterrisse à l'aéroport de La Nouvelle-Orléans avant de retrouver la gouverneur, Kathleen Blanco, et le maire de La Nouvelle-Orléans, Ray Nagin, pour constater les dégâts par hélicoptère. Alors que je volais vers le Mississippi à bord de Marine One, nous avions reçu un message indiquant que la gouverneur, le maire et une délégation du parlement de Louisiane demandaient avant toute chose à me voir en privé à bord d'Air Force One.

La discussion avait été tendue dès le début et le ton était rapidement monté. La gouverneur et le maire se renvoyaient la balle. Tout le monde reprochait à la Federal Emergency Management Agency (FEMA) de ne pas répondre à leurs demandes. Le parlementaire, Bobby Jindal, souligna que la FEMA avait demandé aux gens d'envoyer leurs demandes par email alors qu'il n'y avait plus d'électricité en ville. Je secouai la tête. « Nous allons arranger ça », dis-je en regardant Mike Brown, directeur de la FEMA. La sénatrice Mary Landrieu ne cessait de nous interrompre par des exclamations aussi hystériques qu'inutiles. « Vous voulez bien arrêter ? » avais-je dû lui lancer à la fin.

Je demandai à parler à la gouverneur Blanco en privé. Nous sortîmes de la salle de conférence par un couloir étroit pour arriver jusqu'à une petite cabine à l'avant d'Air Force One. Les forces locales et régionales étaient manifestement débordées, lui dis-je. « Gouverneur, vous devez autoriser le gouvernement fédéral à prendre le contrôle de la situation. »

Elle me répondit qu'elle avait besoin de vingt-quatre heures pour y réfléchir.

« Nous n'avons pas vingt-quatre heures, répliquai-je vivement. Nous avons déjà trop attendu. »

Elle refusa de me donner une réponse.

Je demandai ensuite à parler en privé avec le maire Nagin. Cela faisait quatre jours, depuis le passage de Katrina, qu'il croupissait dans un hôtel du centre-ville. La douche et le petit déjeuner qu'il prit à bord d'Air Force One étaient les premiers depuis un long moment. Lors d'une émission radio la veille, il avait exprimé sa frustration et sa colère à l'encontre du gouvernement fédéral. « Bougez-vous les fesses et faites quelque chose. Réglons cette foutue crise qui est la plus importante de l'histoire de notre pays », avait-il dit avant de fondre en larmes. Lorsque je le rencontrai à bord de l'avion, Ray s'excusa de s'être emporté et m'expliqua qu'il était épuisé.

Je demandai au maire ce qu'il pensait d'une intervention du gouvernement fédéral dans cette crise. Il y était favorable. « Personne n'est responsable de rien. Nous avons besoin d'une hiérarchie claire », dit-il. Toutefois, seule la gouverneur pouvait demander au gouvernement fédéral de prendre le contrôle de la situation.

Le temps d'estimer la totalité des dégâts, l'ouragan Katrina figurait déjà parmi les catastrophes naturelles les plus coûteuses de l'histoire des Etats-Unis. En réalité, il ne s'agissait pas d'une catastrophe mais de trois : il y avait d'abord eu la tempête – qui s'était formée à plusieurs kilomètres de la côte –, puis l'inondation – due à la rupture des digues de La Nouvelle-Orléans et, enfin, les violences et l'anarchie dans la ville.

D'un certain point de vue, cette tragédie nous rappelait la vulnérabilité de l'être humain face aux forces déchaînées de la nature. Katrina était un ouragan extrêmement puissant et avait frappé une partie du pays largement située en dessous du niveau de la mer. Le meilleur plan de secours n'aurait pas pu éviter des dégâts catastrophiques.

Notre réaction face à la catastrophe ne laissait pas seulement à désirer, comme je le déclarai immédiatement, elle était inacceptable. Alors que certains s'étaient illustrés par leur bravoure, accomplissant des actes héroïques à la fois durant et après la catastrophe, le nom de Katrina évoquait un mélange de désordre, d'incompétence et un sentiment d'abandon des citoyens. Des erreurs graves avaient été commises à tous les niveaux, depuis l'évacuation trop tardive de La Nouvelle-Orléans à la désorganisation des forces de sécurité locales, en passant par le chaos des opérations de communication et de coordination. En tant que chef du gouvernement fédéral, j'aurais dû m'apercevoir de ces défaillances plus tôt et intervenir plus vite. Je me flattais de savoir prendre des décisions claires et efficaces. Ce ne fut pourtant pas le cas dans les jours qui ont suivi le passage de Katrina. Le problème n'est pas que j'avais pris des mauvaises décisions mais que je les avais prises trop tard.

Je commis une erreur supplémentaire en n'arrivant pas à exprimer correctement mon intérêt pour les victimes de Katrina. C'était un problème de perception et non un fait. J'avais le cœur brisé en voyant ces malheureux réfugiés attendant les secours sur les toits. J'étais indigné que le pays le plus puissant de la planète ne soit pas en mesure de fournir de l'eau à des mères restant avec leur bébé déshydratés sous un soleil de plomb. Au cours de mes treize visites à la ville meurtrie, j'ai exprimé toute ma sympathie aux habitants pour leurs souffrances ainsi que ma détermination à les aider à reconstruire leur ville. Pourtant, bon nombre d'habitants, notamment dans la communauté noire, se détournèrent, convaincus que leur président se désintéressait de leur sort.

Katrina était plus qu'un ouragan et son passage n'avait pas laissé que des destructions physiques. Katrina avait ébranlé la confiance des citoyens dans leur gouvernement. La catastrophe avait exacerbé les divisions au sein de notre société et dans le paysage politique. Enfin, elle avait jeté une ombre sur mon second mandat.

Peu de temps après l'ouragan, bon nombre de personnes se firent leur propre opinion sur ce qui s'était passé à La Nouvelle-Orléans et sur l'identité des responsables. Maintenant que le temps a passé et que les esprits se sont apaisés, notre pays peut déterminer objectivement les causes du désastre, les échecs et les succès des uns et des autres et, surtout, tirer les leçons de cette tragédie.

Je rejouais la scène dans mon esprit : l'ouragan avait causé des dégâts considérables. La gouverneur reprochait à Washington sa réponse trop lente et bureaucratique. Les médias pointaient un doigt accusateur vers la Maison-Blanche. Les hommes politiques, enfin, dénonçaient l'incurie du gouvernement fédéral.

C'était en 1992 et je voyais mon père aux prises avec la première catastrophe naturelle que notre famille aurait à gérer. Alors que les élections présidentielles approchaient, l'ouragan Andrew avait balayé la côte de la Floride. Le gouverneur démocrate, Lawton Chiles, et l'équipe de campagne de Bill Clinton avaient exploité la catastrophe pour dénoncer l'incompétence du gouvernement fédéral. Leurs critiques étaient injustes. Papa avait ordonné une réponse rapide face à la tempête. Il avait envoyé Andy Card, alors secrétaire aux Transports, vivre en Floride pour superviser les opérations de reconstruction. Mais une fois que l'opinion publique s'était persuadée que mon père se désintéressait de la question, il était difficile de combattre ce sentiment.

En tant que gouverneur du Texas, j'avais été amené à gérer de nombreuses catastrophes naturelles, depuis les incendies de Parker County aux inondations de Hill Country et Houston, en passant par une tornade qui avait dévasté la petite ville de Jarrell. Il n'y avait jamais eu le moindre doute sur la répartition des tâches. D'après le Stafford Act voté par le Congrès en 1988, les autorités locales et régionales étaient responsables de l'organisation des premiers secours. Le gouvernement fédéral pouvait intervenir plus tard, à la demande de l'Etat. En tant que gouverneur, cela me convenait parfaitement.

En tant que président, je passai de l'autre côté de l'alliance Etat-gouvernement fédéral. Je nommai Joe Allbaugh, mon chef de cabinet lorsque j'étais gouverneur, à la tête de la FEMA. Après les attentats du 11 Septembre, il avait envoyé 25 unités de secouristes à New York et au Pentagone, soit le plus grand déploiement de secouristes de l'histoire du pays. Joe avait travaillé efficacement avec Rudy Giuliani et George Pataki pour faire dégager les décombres, assister les forces de police et les pompiers locaux et réunir des milliards de dollars pour aider la ville à se relever.

Lorsque je travaillais avec le Congrès sur la réorganisation du gouvernement en 2002, la FEMA, agence indépendante depuis 1979, fut intégrée au sein du nouveau département à la Sécurité intérieure. Il me paraissait logique de regrouper les personnes responsables de la prévention des attaques terroristes avec celles responsables des premiers secours. Cette décision se traduisait néanmoins par une perte d'autonomie de la FEMA. J'ignore si c'était à cause de la réorganisation en cours ou par désir de rejoindre le secteur privé, mais Joe Allbaugh décida de donner sa démission. Il recommanda son adjoint, Michael Brown, pour lui succéder et je suivis son conseil.

La nouvelle organisation fut mise à l'épreuve en 2004 avec la saison des ouragans. En l'espace de six semaines, quatre puissants ouragans – Charley, Frances, Ivan et Jeanne – s'abattirent sur la Floride. Cela faisait presque cent vingt ans qu'un Etat n'avait pas connu autant d'ouragans. Je fis quatre fois le déplacement en Floride où je rencontrai des habitants qui avaient perdu leur maison à Pensacola, des producteurs de citron de Lake Wales dont les récoltes étaient perdues, ainsi que des travailleurs sociaux distribuant de l'aide à Port St. Lucie.

En tout, ces quatre ouragans causèrent plus de 20 milliards de dollars de dommages, privèrent plus de 2,3 millions d'habitants d'électricité et firent 128 victimes. Le bilan était lourd et pourtant il aurait pu y avoir beaucoup plus de morts. Le gouverneur de Floride était un meneur déterminé, conscient qu'il était du devoir des autorités locales et régionales de prendre la direction des opérations de secours. Mon frère, Jeb, avait déclaré l'état d'urgence, établi des canaux de communication distincts, et formulé des demandes précises auprès du gouvernement fédéral.

La FEMA avait réagi en déployant 11 000 hommes – la plus grande opération de son histoire – répartis entre la Floride et d'autres Etats touchés par l'ouragan. En Floride, la FEMA distribua 14 millions de repas, 40 millions de litres d'eau et près de 96 millions de kilos de glace. Mike Brown gagna toute ma confiance ainsi que celle de bien d'autres. Critique pourtant sévère, Jeb déclara plus tard que Mike avait fait du bon travail.

La gestion efficace des ouragans de 2004 avait permis de sauver des vies et aidé les victimes à reconstruire leur foyer. Notre système ayant fait ses preuves avec quatre puissants ouragans de suite, nous étions convaincus qu'il pouvait parer à toute éventualité.

Le 23 août 2005, Météorologie nationale repéra une tempête en formation au-dessus des Bahamas. D'abord appelée Dépression tropicale n° 12, celle-ci se renforça pour devenir une tempête tropicale et fut rebaptisée Katrina.

Le 25 août, Katrina était un ouragan de catégorie 1 se dirigeant vers le sud de la Floride. A 18 h 30, l'ouragan arrachait les toitures des maisons avec des vents proches de 130 km/h et déversait plus de 30 cm d'eau dans les rues. En dépit des consignes d'évacuation, certains imprudents bravèrent la tempête. On déplora quatorze victimes.

J'étais régulièrement informé de l'évolution de la situation depuis mon ranch de Crawford où Laura et moi avions passé une bonne partie du mois d'août. Pour la presse, mon absence de Washington signifiait que j'étais en vacances. Ce n'était pas vraiment le cas. Tous les jours, je recevais mes comptes rendus d'information dans la remorque sécurisée de l'autre côté de la rue, je consultais régulièrement mes conseillers et utilisais le ranch comme base pour recevoir des gens et organiser mes déplacements. Les responsabilités présidentielles me suivaient partout où j'allais. L'Aile Ouest de la Maison-Blanche s'était seulement déplacée de quelque 2 000 kilomètres à l'ouest.

Après avoir ravagé le sud de la Floride, Katrina traversa le golfe du Mexique vers l'Alabama, le Mississippi et la Louisiane. Mon plus haut conseiller à Crawford, le chef de cabinet adjoint, Joe Hagin, me tenait informé de l'évolution de la situation. Le samedi 27 août, Katrina était passé en catégorie 3. Le dimanche, c'était un ouragan de catégorie 4, puis 5, le niveau le plus élevé. Le National Hurricane Center avait également revu ses projections sur la direction de l'ouragan. Le dimanche matin, Katrina mettait le cap sur La Nouvelle-Orléans.

Je connaissais bien cette ville. La Nouvelle-Orléans se trouvait à environ six heures de route de Houston et j'avais souvent fait le voyage pendant ma jeunesse. J'aimais la cuisine, la culture et l'énergie de celle qu'on avait surnommée The Big Easy. J'avais également ressenti une peur latente, la peur de ce que les locaux appelaient « The Big One », la tempête qui pourrait submerger la ville et que tous redoutaient.

Tout ceux qui connaissaient La Nouvelle-Orléans comprenaient bien cette angoisse. La ville, située en dessous du niveau de la mer, ressemble à un bol en forme de croissant de lune. Un réseau de digues et de canaux – formant le bord du bol – constitue l'essentiel de la protection de la ville en cas d'inondations. Edifié par le corps des ingénieurs de l'armée, le système de digue de la ville avait connu une histoire mouvementée. Lorsque j'étais gouverneur, j'avais lu l'ouvrage fascinant de John Bary, *Rising Tide* (« Marée montante »), sur la grande crue du Mississippi de 1927. Après que des pluies torrentielles avaient fait monter le niveau du fleuve, des responsables de La Nouvelle-Orléans avaient convaincu le gouverneur de Louisiane de dynamiter une digue du sud afin d'épargner la ville. L'opération s'était soldée par la ruine de deux communautés rurales, Plaquemines et St. Bernard. Au fil du temps, les digues avaient été renforcées, notamment après le passage de l'ouragan Betsy en 1965. Elles avaient résisté à sept ouragans lors des quarante dernières années.

Une des leçons des ouragans de 2004 en Floride était qu'une bonne préparation avant la tempête était essentielle à une réaction efficace. Lorsque nous avons appris que Katrina se dirigeait vers La Nouvelle-Orléans, j'ai immédiatement placé la FEMA en état d'alerte maximale. Le gouvernement prépara des stocks de plus de 3,7 millions de litres d'eau, 2,7 millions de kilos de glace, 1,86 million de repas ainsi que 33 équipes médicales. Il s'agissait de la plus grande opération d'aide préventive de l'histoire de la FEMA.

L'armée se mobilisa également. L'amiral Tim Keating, responsable du nouveau Commandement Nord que nous avions créé après le 11 Septembre pour la sécurité intérieure, déploya des unités de secours sur la côte du golfe du Mexique. Les gardes-côtes avaient placé leurs hélicoptères en état d'alerte. Plus de 5 000 membres de la Garde nationale se tenaient prêts dans les Etats concernés. Les forces de la Garde nationale d'autres Etats étaient également prêtes à agir en cas de besoin. Contrairement à ce que certains affirmèrent par la suite, les secours n'ont jamais manqué de membres de la Garde nationale à cause de la guerre en Irak ou de toute autre raison.

Toutes ces mesures engagées au niveau fédéral visaient à venir en aide aux Etats et aux autorités locales. Mon équipe, dirigée par le secrétaire à la Sécurité intérieure, Mike Chertoff – un avocat brillant et un homme honnête qui avait démissionné de son poste de juge fédéral à vie pour répondre à mon offre – restait en contact avec les gouverneurs de Louisiane, du Mississippi, de l'Alabama et de Floride. La gouverneur Blanco demanda une déclaration d'urgence permettant à la Louisiane de faire appel au gouvernement fédéral pour participer au financement et aux préparatifs du dispositif d'alerte dans son Etat. Dans l'histoire récente, avant l'ouragan Floyd de 1999, seul un président avait accepté de signer une déclaration d'urgence avant même l'arrivée d'une tempête. Je signai la déclaration pour la Louisiane le samedi soir et celles pour le Mississippi et l'Alabama le lendemain.

Le dimanche matin, le National Hurricane Center ne présentait plus Katrina comme un ouragan « extrêmement puissant mais aussi

Sur la pelouse Sud,
après avoir donné l'ordre
aux troupes d'envahir l'Irak.
© Maison-Blanche/Eric Draper

Assis dans le cockpit d'Air Force One à l'approche de Bagdad, le jour de
Thanksgiving 2003. © Maison-Blanche/Tina Hager

Le sergent d'artillerie Guadalupe Denogean, blessé à la guerre, a fait part de deux requêtes : une promotion pour le Marine qui lui a sauvé la vie, et qu'on lui accorde la citoyenneté américaine.
© Maison-Blanche/Eric Draper

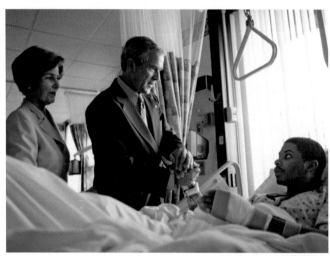

Rendre visite aux blessés était à la fois ce qu'il y avait de plus dur et de plus édifiant dans mon travail. Je me trouve ici en compagnie du sergent Patrick Hagood, au centre médical militaire Walter Reed.
© Maison-Blanche/Paul Morse

Dans le Bureau Ovale, un Irakien se sert de sa prothèse afin d'écrire « une prière pour que Dieu bénisse l'Amérique ».
© Maison-Blanche/Eric Draper

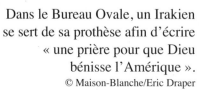

Mr President,
 Iraq is sovereign. Letter
was passed from Bremer at
10:26 AM Iraq time —
Let Freedom reign!
 Condi

Au sommet de l'OTAN en Turquie, Don Rumsfeld me fait passer le mot de Condi m'informant du transfert de souveraineté en Irak, ce dont je me suis félicité avec Tony Blair. © Maison-Blanche/Eric Draper

En compagnie du sénateur Ted Kennedy début 2001.
Même si nous étions en désaccord sur le déroulement de la guerre, nous avons travaillé ensemble sur les réformes d'éducation et d'immigration.
© Maison-Blanche/Eric Draper

A l'école primaire Horace Greeley de Chicago, un établissement où 92 % des élèves sont issus de foyers à faibles revenus et où les compétences en lecture et en mathématiques ont progressé grâce au programme *No Child Left Behind*. © Maison-Blanche/Joyce Boghosian

J'ai puisé des forces dans les foules que j'ai rencontrées lors de ma campagne de 2004. Ici dans la ville de Troy, dans l'Ohio. © Maison-Blanche/Paul Morse

Devant Marine One, le jour des élections de 2004. Nous venions de prendre connaissance des sondages qui me prédisaient une large défaite. © Maison-Blanche/Paul Morse

A la Maison-Blanche, le soir des élections de 2004, dans l'attente des résultats.
© Maison-Blanche/Eric Draper

Deux jours après Katrina, le panorama terrifiant de la Nouvelle-Orléans vu d'Air Force One. J'aurais dû atterrir à Baton Rouge, où j'aurais pu faire part de ma détresse sans nuire aux efforts de sauvetage.
© Maison-Blanche/Paul Morse

Quatre jours après la catastrophe, j'apporte mon réconfort aux victimes de Katrina. Les accusations de racisme, auxquelles mon gouvernement a dû faire face à l'époque, ont constitué une des pires périodes de ma présidence.
© Maison-Blanche/Eric Draper

Assis à côté d'un homme originaire de Biloxi, dans le Mississippi, sur ce qui fut le palier de sa maison. © Maison-Blanche/Eric Draper

A bord d'Air Force One, dans l'aéroport de la Nouvelle-Orléans, j'ai vivement conseillé aux représentants de la Louisiane de fédéraliser les aides face à Katrina, mais la gouverneur Blanco a refusé (autour de la table, *de gauche à droite* : le maire Ray Nagin, la sénatrice Mary Landrieu, le sénateur David Vitter, le secrétaire à la Sécurité intérieure Mike Chertoff, le député Bobby Jindal, le député William Jefferson et la gouverneure Kathleen Blanco). © Maison-Blanche/Eric Draper

Le gouverneur du Mississippi Haley Barbour a fait preuve d'un leadership efficace. « On a remonté les manches pour reconstruire le Mississippi », disait-il.
© Maison-Blanche/Eric Draper

Avec Baron Tantoh, de Cape Town, en Afrique du Sud, un petit né séronégatif grâce à notre programme d'aide aux femmes et aux enfants.
© Maison-Blanche/Eric Draper

Cinq ans après avoir rencontré Mohamad Kalyesubula à la clinique TASO en Ouganda, celui-ci s'est rendu dans la Salle Est pour assister à ma signature d'un projet de loi visant à doubler notre contribution au PEPFAR. © Maison-Blanche/Joyce Boghosian

En compagnie de la star du rock irlandais Bono. « Il était marié à Cher, non ? » ai-je demandé à Josh Bolten avant notre première rencontre.
© Maison-Blanche/Paul Morse

Distribution de moustiquaires à Arusha, en Tanzanie, dans notre programme de prévention contre le paludisme. © Maison-Blanche/Eric Draper

Un look intéressant à Dar es Salaam, en Tanzanie. Pour une raison ou pour une autre, cette mode ne s'est pas étendue aux Etats-Unis. © Maison-Blanche/Chris Greenberg

Les Irakiens ont défié les terroristes en votant trois fois au cours de l'année 2005. Quelques électeurs absents de leur pays sont venus dans le Bureau Ovale. © Maison-Blanche/Paul Morse

Au Brooke Army Medical Center, le sergent d'état-major Christian Bagge m'a confié qu'il comptait bien courir de nouveau un jour. « Appelez-moi quand vous serez prêt », lui ai-je dit. Six mois plus tard, il était sur la pelouse Sud pour un petit jogging. © Maison-Blanche/Eric Draper

2007, en visite à Anbar pour passer les troupes en revue. Etre leur commandant en chef a représenté mon plus grand honneur en tant que président. © Maison-Blanche/Eric Draper

Dans la province d'Anbar, avec les cheikhs sunnites qui avaient rallié leurs tribus contre Al-Qaïda. « Si jamais vous avez besoin de nous, nous sommes prêts à aller en Afghanistan ! » a lancé l'un d'eux. © Maison-Blanche/Eric Draper

En 2007, lors de la cérémonie d'adieu de Pete Pace, le président du Comité des chefs d'états-majors (*à gauche*). Sont également présents, son successeur, l'amiral Mike Mullen (*à droite*), et le secrétaire à la Défense Bob Gates.
© Maison-Blanche/David Bohrer

Après m'être discrètement envolé pour Bagdad en juin 2006, j'ai retrouvé le Premier ministre Nouri al Maliki (*à droite*) afin de convenir d'une réunion de sécurité nationale par vidéoconférence entre l'Irak et les Etats-Unis. L'ambassadeur des Etats-Unis Zal Khalilzad se trouve à ma gauche.
© Maison-Blanche/Eric Draper

La décision la plus difficile de ma présidence a porté sur les renforts de troupes en Irak. J'ai envoyé 30 000 soldats supplémentaires, selon une nouvelle stratégie de contre-insurrection instaurée par le général Petraeus (*à droite*) et l'ambassadeur Ryan Crocker. © Maison-Blanche/Eric Draper

Je mène Jenna à l'autel pour son mariage à Crawford en mai 2008.
© Maison-Blanche/Shealah Craighead

Lors d'une réception à la Maison-Blanche en l'honneur de Jenna et de son mari, Henry Hager.
© Maison-Blanche/Eric Draper

La famille Bush dans son intégralité, réunie en 2005 pour fêter le soixantième anniversaire de mariage de mes parents. Leur union a duré plus longtemps que celle de n'importe quel président et de sa première dame. © Maison-Blanche/Eric Draper

Discours de félicitations à la Roumanie pour son entrée à l'OTAN. Juste avant que je ne prenne la parole, un arc-en-ciel est apparu. « Aujourd'hui, Dieu nous sourit », ai-je dit.
© Maison-Blanche/Paul Morse

Mon père et le sien s'étaient battus durant la Seconde Guerre mondiale, mais le Premier ministre japonais Junichiro Koizumi et moi avons œuvré pour étendre la démocratie – et nous avons même visité la maison de son idole d'enfance, Elvis Presley.
© Maison-Blanche/Eric Draper

En virée autour du ranch avec le prince héritier d'Arabie Saoudite Abdullah. Lorsqu'une dinde est apparue au milieu de la route, il m'a agrippé le bras : « Mon frère, c'est un signe d'Allah. »
© Maison-Blanche/Eric Draper

Avec le Premier ministre israélien Ariel Sharon (*à gauche*) et le Premier ministre palestinien Mahmoud Abbas à Aqaba, en Jordanie, où ils ont accepté de réfléchir à un état démocratique palestinien. © Maison-Blanche/Eric Draper

Avec Jacques Chirac et Vladimir Poutine.

© Maison-Blanche/
Eric Draper

Discours de présentation du TARP avec le directeur de la Réserve fédérale Ben Bernanke (*à gauche*) et le secrétaire au Trésor Hank Paulson.

© Maison-Blanche/Eric Draper

En compagnie de John McCain, après sa nomination en 2008 par le parti républicain.
© Maison-Blanche/Eric Draper

2009, dans le Salon Bleu avec le président nouvellement élu Barack Obama et son épouse Michelle, le jour de son investiture.
© Maison-Blanche/Eric Draper

En discussion avec mon conseiller Ed Gillespie (*à gauche*) et le chef d'état-major Josh Bolten, deux amis fidèles, au cours des quelques derniers mois qui se sont révélés éprouvants. © Maison-Blanche/Eric Draper

Mon dernier départ du Bureau Ovale. © Maison-Blanche/Eric Draper

Meeting de bienvenue à Midland. « Laura et moi avons peut-être quitté le Texas, mais le Texas, lui, ne nous a jamais quittés. » © Eric Draper

exceptionnellement grand ». Le maire Nagin avait donné des instructions pour une évacuation volontaire. Je connaissais suffisamment La Nouvelle-Orléans pour savoir que cela ne suffirait pas. Ce n'était pas la première fois que les gens entendaient des prévisions apocalyptiques avant une tempête. Certains s'en servaient comme prétexte pour faire la fête dans Bourbon Street en signe de défiance face aux dieux de la tempête. D'autres n'avaient tout simplement pas les moyens de partir de chez eux. Il fallait donner l'ordre obligatoire d'évacuer et mettre à disposition des moyens spéciaux pour les personnes ayant besoin d'aide, notamment des bus pour ceux qui n'avaient pas de voiture. La mairie n'en fit rien, ce qui nous conduisit à assister à des scènes navrantes montrant des bus scolaires municipaux, vides et submergés dans un parking abandonné.

A 9 h 14 du matin, j'appelai la gouverneur Blanco.

« Qu'est-ce qui se passe à La Nouvelle-Orléans, demandai-je. Est-ce que Nagin a donné l'ordre d'évacuation ? »

Elle me répondit que non, malgré tous les avertissements qu'ils avaient reçus la veille de Max Mayfield, directeur du National Hurricane Center. Max m'expliqua ensuite que c'était seulement la deuxième fois au cours de ses trente-six ans de carrière qu'il avait été inquiet au point d'appeler en personne les élus locaux.

« Le maire doit ordonner à la population de quitter la ville. C'est le seul moyen, dis-je à la gouverneur Blanco. Appelez-le et dites-le-lui. Mes conseillers me disent que ça va être un terrible ouragan.

– Ils n'arriveront pas à évacuer tout le monde à temps », répondit-elle. Je savais qu'elle avait malheureusement raison mais mieux valait tard que jamais.

« De quoi avez-vous encore besoin du gouvernement fédéral ? », demandai-je à la gouverneur.

Elle m'assura qu'elle avait travaillé en étroite collaboration avec mon équipe et qu'elle avait tout ce qu'il lui fallait.

« Vous êtes sûre ? demandai-je.

– Oui, monsieur le président, nous avons le contrôle de la situation, répondit-elle.

– OK, tenez bon et appelez Ray pour lui dire de faire évacuer immédiatement. »

Une heure plus tard, le maire donnait le premier ordre d'évacuation obligatoire de l'histoire de la ville. « Nous n'avons jamais été confrontés à une menace de ce genre auparavant », dit-il. Katrina serait sur la ville dans moins de vingt-quatre heures.

J'appelai également Haley Barbour, gouverneur du Mississippi, Bob Riley, gouverneur de l'Alabama et mon frère Jeb en Floride. Je les assurai du soutien du gouvernement fédéral.

Peu avant 11 heures du matin, je participai à une vidéo conférence de la FEMA avec des responsables des Etats menacés par l'ouragan.

Il était rare qu'un président assiste à une réunion de travail comme celle-ci. Je surpris quelques regards étonnés sur l'écran lorsque mon visage apparut mais je tenais à montrer que tout le gouvernement prenait la situation très au sérieux.

Il fut question du risque d'inondation le long de la côte et des possibilités de débordement des eaux par-dessus les digues de La Nouvelle-Orléans. Personne toutefois n'avait envisagé leur rupture, ce qui constituait un problème autrement plus grave qu'un simple débordement.

« La direction prise par l'ouragan et nos prévisions indiquent un risque d'inondation mineur dans la ville elle-même, expliqua Max Mayfield. Mais nous savons que ces prévisions ne sont fiables qu'à environ 20 %. »

Quelques minutes plus tard, je me présentai devant les caméras. « L'ouragan Katrina est à présent un ouragan de catégorie 5, dis-je. Nous ne saurions trop insister sur le danger que représente cet ouragan pour les habitants de la côte du golfe du Mexique. Je demande à tous les citoyens de faire passer leur sécurité et celle de leur famille avant toute chose en se réfugiant dans un endroit sûr. Suivez attentivement les instructions des autorités locales et régionales. »

Lundi 29 août, à 6 h 10 du matin, l'ouragan Katrina atteignait la Louisiane. L'œil du cyclone passa sur Plaquemines, à la pointe sud-est de l'Etat, avant de remonter vers le nord le long du Mississippi jusqu'à environ 65 km à l'est de La Nouvelle-Orléans. « La partie la plus dangereuse de l'ouragan va en réalité éviter le centre de La Nouvelle-Orléans pour se diriger vers l'est, déclara Brian Williams pour la chaîne NBC News. Il ajouta que La Nouvelle-Orléans était confrontée « au moins pire du scénario catastrophe ». Plusieurs journalistes présents sur place déclarèrent que la ville l'avait « échappé belle ». La gouverneur Blanco confirma que si les digues avaient été débordées en certains endroits, il n'y avait aucune rupture à signaler. Ce soir-là, mes conseillers et moi-même nous couchâmes en pensant que les digues avaient tenu.

Dans le Mississippi, l'étendue des dégâts ne faisait aucun doute. Près de 130 kilomètres de côte avaient littéralement disparu. Le centre-ville de Gulfport était noyé sous trois mètres d'eau. Les casinos, les quais et les ponts étaient détruits. L'US-90, une des principales routes du sud du Mississippi, était impraticable. Dans la ville de Waveland, 95 % des infrastructures avaient été détruites ou gravement endommagées.

Mardi, tôt dans la matinée – deux jours après le passage de Katrina –, j'appris que les premiers comptes rendus de la situation étaient faux. Les digues de La Nouvelle-Orléans avaient rompu. L'eau du lac Pontchartrain avait commencé à inonder la ville et à remplir la cuvette. Entre 80 % et 90 % de la population avait été évacués, mais des dizaines de milliers de personnes étaient toujours là, notamment les personnes les plus pauvres et les plus vulnérables des quartiers défavorisés comme Lower Ninth Ward.

S'il était important de faire parvenir de l'aide aux habitants de la ville, notre priorité devait être de sauver des vies. Les hélicoptères des gardes-côtes prirent la direction des opérations. Alors que les pilotes évitaient les lignes électriques et les arbres, les sauveteurs descendaient en rappel pour récupérer des habitants rescapés sur leur toit. Lorsque j'entendis les critiques dire que le gouvernement fédéral avait trop tardé à réagir, je repensai à ces courageux gardes-côtes qui avaient organisé l'opération de sauvetage la plus rapide et la plus efficace de l'histoire du pays.

« Ce matin, nos pensées et nos prières vont vers nos compatriotes de la côte du Golfe du Mexique qui ont tant souffert de l'ouragan Katrina, déclarai-je à San Diego, où j'étais venu commémorer le 60ᵉ anniversaire de la victoire américaine dans le Pacifique lors de la Seconde Guerre mondiale. Les habitants de Louisiane, du Mississippi, de l'Alabama et d'autres régions touchées par l'ouragan vont avoir besoin de l'aide, de la compassion et des prières de leurs compatriotes. »

Après mon discours, je décidai de regagner Crawford et de préparer mes bagages pour être de retour à Washington mercredi matin. Joe Hagin avait parlé aux gouverneurs Blanco et Barbour à propos d'une éventuelle visite. Tous deux pensaient qu'il était encore trop tôt pour cela. Une visite présidentielle nécessitait la mobilisation de dizaines d'agents pour assurer la sécurité à l'aéroport, ainsi qu'une ambulance et du personnel médical de réserve, et bien d'autres ressources. Aucun des deux gouverneurs ne voulait réduire ses équipes de secours pour préparer mon arrivée. J'étais d'accord avec eux.

A bord d'Air Force One, j'appris que nous allions survoler certaines zones touchées par l'ouragan Katrina. Le pilote pouvait voler en basse altitude au-dessus de la côte pour me donner une meilleure vue. Puisque je n'allais pas atterrir tout de suite en zone sinistrée, je pourrais au moins me faire une idée de la situation vue d'en haut, pensai-je.

Face à un tel spectacle, je restai stupéfait. La Nouvelle-Orléans était presque entièrement sous les eaux. De certains quartiers, je ne voyais que les toits des maisons dépassant des flots. Le toit du Superdome avait été en partie arraché. Le pont de la route I-10 reliant La Nouvelle-Orléans à Slidell s'était effondré dans le lac Pontchartrain. Des voitures flottaient au milieu de rivières qui étaient auparavant des rues. La scène semblait tout droit sortie d'un film d'horreur.

Les dégâts dans le Mississippi étaient encore plus impressionnants. Sur des kilomètres et des kilomètres de côte, il ne restait pas le moindre bâtiment debout. Les pins étaient couchés, jonchant le sol comme des allumettes. Dans le golfe, plusieurs casinos géants construits sur des quais avaient disparu et partaient à la dérive en petits morceaux. Le pont de la baie de St. Louis n'existait plus. *Voilà à quoi doit ressembler une ville après une explosion atomique*, pensai-je.

Derrière mon hublot, toutes mes pensées se tournaient vers les gens en bas et ce qu'ils vivaient à ce moment-là. A quoi pense-t-on lorsqu'on voit sa ville totalement détruite ? Dresse-t-on un inventaire mental de tout ce qu'on a laissé derrière soi ? Je m'inquiétais surtout pour les personnes isolées. J'imaginais l'angoisse qu'ils avaient dû ressentir en grimpant sur leur toit pour échapper à la montée des eaux. Je priai pour eux en silence.

Un peu plus tard, des photographes furent autorisés à entrer dans la cabine. Je ne les remarquai pas tout de suite, je ne pouvais m'arracher à la contemplation des dégâts au sol. Lorsque les photos furent publiées, je compris que j'avais commis une grave erreur. Ces photos me montrant planant au-dessus des dégâts donnaient l'impression que je me détachais des souffrances un peu plus bas. Ce n'était pas du tout mon sentiment. Mais une fois que l'opinion publique s'était forgé cette image de moi, je ne pouvais plus la changer. Alors que j'avais tout fait pour éviter le problème de perception que mon père avait connu avec l'ouragan Andrew, voilà que je me retrouvais dans la même situation.

Je me suis souvent demandé ce que j'aurais dû faire différemment ce jour-là. Je pense que j'ai eu raison de ne pas aller à La Nouvelle-Orléans. Les secouristes auraient été détournés de leur mission et cela n'aurait pas été bien. Une meilleure solution aurait été de m'arrêter à Baton Rouge, la capitale de l'Etat. A un peu plus de cent kilomètres de la zone sinistrée, j'aurais pu parler stratégie avec le gouverneur et montrer aux victimes de Katrina que le pays était derrière elles.

M'arrêter à Baton Rouge n'aurait pas permis de sauver beaucoup de vies, mais cela aurait eu un intérêt en termes de relations publiques. Or les relations publiques sont importantes quand on est président, surtout lorsque des gens souffrent. Lorsque l'ouragan Betsy avait dévasté La Nouvelle-Orléans en 1965, le président Johnson était parti de Washington pour arriver sur les lieux de la catastrophe tard le soir. Il s'était rendu jusqu'à un refuge du Ninth Ward éclairé d'une lampe de poche. « Je suis votre président ! avait-il crié en arrivant dans la salle sombre et bondée. Je suis venu vous aider. » Je n'avais malheureusement pas suivi son exemple.

Lorsque j'atterris à la Maison-Blanche mercredi après-midi, je convoquai une réunion d'urgence dans la Cabinet Room afin d'élaborer un plan de secours. « Chaque agence doit participer, déclarai-je. Regardez l'état de vos ressources et débrouillez-vous pour en faire plus. »

Je fis ensuite une annonce dans la Roseraie pour exposer le plan du gouvernement. Le ministère des Transports avait envoyé des camions pour livrer des rations d'aide. Celui de la Santé et des Services sociaux fournit du personnel médical ainsi que des équipes de fossoyeurs. Le ministère de l'Energie ouvrit les réserves stratégiques de pétrole afin d'éviter une augmentation brutale du prix du pétrole. Le ministère de la Défense envoya l'*USS Bataan* pour mener des opérations de recherche et l'*USNS Comfort*, un navire-hôpital, pour fournir des soins aux victimes. La FEMA augmenta ses réserves d'aide dans les zones dévastées et ouvrit des centres d'accueil pour les réfugiés. Ce n'est que plus tard que nous avons été informés de problèmes d'organisation et de distribution, sources de retard ou blocage de l'aide.

Ces mesures logistiques étaient nécessaires, mais paraissaient insuffisantes par rapport aux images tragiques que les Américains voyaient sur leur poste de télévision. On voyait des victimes mendier de l'eau, des familles isolées sur des passerelles et des personnes debout sur des toits agitant des pancartes « A l'aide ! ». De nombreux Américains se disaient : « Je n'arrive pas à croire que cela se passe aux Etats-Unis. »

En plus de l'ouragan et de l'inondation, nous étions à présent confrontés à une troisième catastrophe : le chaos et la violence qui se répandaient dans La Nouvelle-Orléans. Les pillards brisaient les vitrines des magasins pour voler des armes, des vêtements et des bijoux. Les hélicoptères ne pouvaient pas atterrir à cause des coups de feu. Dans le centre-ville, des bâtiments brûlaient.

Les forces de police étaient incapables de ramener l'ordre. Alors que bon nombre d'agents accomplirent honorablement leur devoir, certains abandonnèrent leur poste pour s'occuper de leurs urgences personnelles. D'autres se joignirent aux criminels. J'étais indigné de voir des vidéos montrant des agents de police sortir d'un magasin avec des téléviseurs géants sur le dos. J'avais l'impression d'assister à l'exact opposé de ce que j'avais vu quatre ans auparavant à Manhattan. Au lieu de foncer dans des immeubles en feu pour sauver des vies, certains secouristes de La Nouvelle-Orléans cassaient les vitrines des magasins pour voler du matériel électronique.

Le Superdome, où des dizaines de milliers de personnes avaient trouvé refuge, était devenu le théâtre de scènes dramatiques. Au bout de trois jours, le toit avait commencé à fuir, l'air conditionné ne marchait plus et les sanitaires étaient hors d'usage. Les médias firent état de comportements particulièrement cruels, notamment des viols et des meurtres. Entre le chaos et les difficultés de communication, le gouvernement avait bien du mal à savoir ce qui se passait. Ce n'est qu'au bout de plusieurs jours que nous avons appris que des milliers de personnes étaient réfugiées dans le Centre des conventions sans eau ni nourriture.

La police n'ayant pas les moyens de maintenir l'ordre, la seule solution consistait à envoyer davantage de troupes. A partir du mercredi après-midi, La Nouvelle-Orléans comptait près de 4 000 gardes nationaux et des renforts étaient en route. La Garde nationale, placée sous le commandement de la gouverneur, paraissait toutefois dépassée par les événements. Une solution aurait été de déployer des soldats en service actif et de les placer avec la Garde nationale de Louisiane sous le commandement unifié du gouvernement fédéral.

Les hommes de la 82ᵉ division aéroportée n'attendaient que leur ordre de déploiement et j'étais prêt à le signer. Mais nous avions un problème. Selon le Posse Comitatus Act de 1878, les soldats en service actif n'avaient pas le droit de mener des opérations de maintien de l'ordre sur le territoire des Etats-Unis. Don Rumsfeld, exprimant le sentiment de bon nombre de militaires, se prononça donc contre l'envoi de la 82ᵉ division aéroportée.

Il existait une exception au Posse Comitatus. Si je déclarais la ville en état d'insurrection, je pouvais envoyer des troupes fédérales investies de l'autorité nécessaire au rétablissement de l'ordre. La dernière fois qu'un président avait invoqué l'Insurrection Act, c'était en 1992, lorsque mon père avait envoyé l'armée pour réprimer les émeutes de Los Angeles. A l'époque, le gouverneur de Californie, Pete Wilson, avait demandé l'intervention du gouvernement fédéral. L'Insurrection Act pouvait être invoqué en dépit des objections du gouverneur. L'exemple le plus connu remonte à l'époque de Dwight Eisenhower lorsque le président avait défié le gouverneur Orval Faubus en déployant la 101ᵉ division aéroportée à la Central High School de Little Rock, en Arkansas, pour faire respecter la décision de la Cour Suprême contre la ségrégation.

Jeudi, au quatrième jour après le passage de l'ouragan, Andy Card proposa officiellement à la gouverneur Blanco et à son équipe de placer le dispositif de secours sous commandement fédéral. La gouverneur refusait d'abandonner une partie de son autorité au gouvernement fédéral. Sa décision me plaçait dans une position délicate. Si j'invoquais l'Insurrection Act malgré son objection, je passerais aux yeux du monde pour le président, homme et républicain, qui usurpait l'autorité d'une femme, gouverneur et démocrate en déclarant l'état d'insurrection dans une ville essentiellement noire. N'importe où, une telle décision aurait fait polémique ; dans le sud profond des Etats-Unis, où les droits des Etats étaient un sujet délicat depuis des siècles, cela pouvait être cataclysmique. Il fallait à tout prix persuader la gouverneur de changer d'avis. Je décidai de plaider ma cause en personne le lendemain.

Jamais je ne m'étais senti aussi frustré de toute ma présidence. Mon instinct me disait clairement que nous devions envoyer les troupes fédérales à La Nouvelle-Orléans pour mettre un terme aux violences et accélérer les secours. Toutefois je devais composer avec une gouverneur têtue, un Pentagone réticent et une loi archaïque. J'avais envie de passer par-dessus tout le monde. Mais à l'époque, je craignais qu'une telle décision n'aboutisse à une crise constitutionnelle, voire une insurrection politique.

Vendredi matin, cinquième jour après l'ouragan, je convoquai une réunion à 7 heures dans la Situation Room avec tous les responsables du gouvernement impliqués dans la gestion de la catastrophe. « Je sais que vous faites tout ce que vous pouvez, déclarai-je, mais ça ne suffit pas. Nous devons rétablir l'ordre à La Nouvelle-Orléans aussi vite que possible. Nous ne pouvons pas laisser la situation échapper à tout contrôle. »

Alors que je me dirigeais avec Mike Chertoff vers Marine One pour partir vers la côte du golfe du Mexique, je délivrai le même message aux journalistes. « Les résultats ne sont pas acceptables. Je me rends immédiatement sur place », déclarai-je.

Nous arrivâmes à Mobile, dans l'Alabama, où je retrouvai les gouverneurs Bob Riley et Haley Barbour. Tous les deux étaient de grands meneurs qui avaient mis en place des plans d'évacuation efficaces, travaillé en étroite collaboration avec les autorités locales et lancé rapidement les opérations de secours.

Je demandai à Bob et Haley s'ils avaient tout le soutien dont ils avaient besoin de la part du gouvernement fédéral. Tous deux me répondirent que oui. « Ce Mike Brown fait un sacré boulot », me dit Bob. Je savais que Mike était sous pression et je voulais l'encourager. Lorsque je m'adressai à la presse quelques minutes plus tard, je répétai le compliment.

« Brownie, tu fais un sacré boulot », dis-je.

Je n'aurais jamais imaginé que ces mots entreraient au panthéon de l'infamie politique. Alors que le travail de Mike Brown était de plus en plus vilipendé, notamment à La Nouvelle-Orléans, les critiques me renvoyèrent violemment cette phrase comme un boomerang.

L'étape suivante était la ville de Biloxi, dans le Mississippi. J'avais survolé la zone deux jours auparavant, mais rien ne pouvait me préparer au spectacle de désolation que je découvris. Je marchais dans un désert. Le sol était jonché d'arbres déracinés et de débris éparpillés. Il n'y avait pratiquement plus aucun bâtiment debout. Un homme était assis sur un bloc de béton, deux blocs plus petits en face de lui. Je me rendis compte qu'il s'agissait des fondations de sa maison. Les deux petits blocs de béton étaient autrefois les marches de son entrée. Non loin de là se trouvait un appareil mutilé ressemblant à ce qui avait dû être un lave-vaisselle.

Je m'assis à côté de l'homme et lui demandai comment il tenait le coup. Je m'attendais qu'il me réponde qu'il avait tout perdu. Au lieu de cela, il me dit : « Je vais bien. [...] Je suis en vie et ma mère est en vie. »

J'étais stupéfait par sa réaction et sa capacité à relativiser. Je retrouvai cette attitude chez bien d'autres victimes. L'une des personnes les plus impressionnantes que je rencontrai ce jour-là fut A.J. Holloway, le maire de Biloxi. Surnommé « All the way Holloway », le maire était un ancien attaquant de l'équipe Ole Miss, championne nationale en 1960. Alors que Katrina avait détruit plus de 6 000 maisons et entreprises à Biloxi, le maire n'avait pas une once d'apitoiement pour lui-même. Il était décidé à reconstruire une ville plus belle. Le gouverneur Barbour résuma parfaitement l'esprit de l'Etat quand il déclara que les gens allaient « retrousser leurs manches et reconstruire le Mississippi ».

Notre dernière étape était La Nouvelle-Orléans où je plaidai ma cause devant la gouverneur Blanco à bord d'Air Force One. En dépit de mes demandes pressantes, elle me fit clairement comprendre qu'elle ne répondrait pas à ma proposition de placer le dispositif de secours sous commandement fédéral. Il n'y avait rien à faire, la gouverneur avait pris sa décision.

Après avoir survolé la ville inondée en hélicoptère, nous avons atterri sur la base des gardes-côtes, près des restes de la digue de la 17e rue. D'un côté de la digue se trouvait la ville de Metairie, relativement sèche. De l'autre se trouvait Orleans Parish, submergée aussi loin que le regard portait. Je contemplai la brèche de plus de 90 mètres de long, d'où était sortie une cascade dévastatrice. Contrairement à 1927, aucune digue n'avait été dynamitée en 2005. Mais les terribles conséquences étaient les mêmes pour les victimes de l'inondation.

Lorsque je rentrai à la Maison-Blanche ce soir-là, Andy Card me retrouva au Bureau Ovale. Lui et Harriet Miers, conseillère de la

Maison-Blanche, avaient passé toute la journée – et la nuit précédente – à réfléchir avec des juristes et le Pentagone au moyen d'envoyer les troupes fédérales en Louisiane. Ils avaient une solution intéressante à me proposer : un général trois étoiles prendrait le commandement de toutes les forces militaires présentes en Louisiane. Concernant les activités des soldats en service actif, il me rendrait des comptes à moi. Concernant les activités de la Garde nationale, il rendrait compte à la gouverneur Blanco. Cette double structure donnait au gouvernement fédéral ce dont il avait besoin – une chaîne de commandement claire et des soldats en service actif pour sécuriser le périmètre de la ville – tout en répondant aux préoccupations de la gouverneur Blanco. Andy lui envoya la proposition par fax juste avant minuit.

Le lendemain matin, sixième jour après la catastrophe, nous recevions un coup de téléphone de Baton Rouge. La gouverneur refusait notre proposition.

J'étais exaspéré. J'avais passé trois jours à essayer de convaincre la gouverneur. Tout cela avait été du temps perdu. A 10 heures le matin, je me présentai dans la Roseraie pour annoncer le déploiement de plus de 7 000 soldats en service actif à La Nouvelle-Orléans. Je les envoyais sans les doter de toutes les autorisations nécessaires pour faire respecter l'ordre. Cela me préoccupait. Si ces hommes se retrouvaient pris entre deux feux, ce serait ma faute. J'estimais néanmoins qu'il valait mieux envoyer des hommes aux pouvoirs limités que de ne pas en envoyer du tout.

Le commandant de la Joint Task Force Katrina était un homme mesurant près d'un mètre quatre-vingt-dix à qui on ne la faisait pas et qu'on surnommait le général Ragin' Cajun[*]. Descendant de Créoles du sud de la Louisiane, le général Russ Honoré avait vu passer plus d'un ouragan et connaissait bien les habitants de la côte.

Le général Honoré était exactement l'homme de la situation : plein de bon sens, ayant le goût de la communication et une capacité à prendre des décisions. Il gagna rapidement la confiance des élus, des chefs de la Garde nationale et des responsables locaux des forces de police. Lorsqu'une unité de la Garde nationale et des policiers tentèrent d'entrer, arme au poing, dans le Centre de convention pour apporter des colis de nourriture, des images montrèrent Honoré hurlant : « Baissez vos armes, bordel ! » Le général avait trouvé la formule parfaite pour décrire sa méthode : « Arrêtez d'être stupides. »

Tandis que la loi interdisait au gouvernement fédéral de prendre la tête des opérations, le général Honoré parvint à faire quelque chose grâce à sa force de volonté et à sa personnalité. Le maire Nagin le résuma en quelques mots : « Un type à la John Wayne […]

---

[*] Le Cajun enragé. (NdT)

descendu de ce bon sang d'hélicoptère, s'était mis à jurer de tous les côtés et les gens avaient commencé à bouger. »

Si j'avais su qu'il serait aussi efficace – bien que privé de l'autorité dont je pensais qu'il avait besoin –, j'aurais rapidement tranché le dilemme juridique et envoyé des troupes avec des pouvoirs limités plusieurs jours auparavant.

Le lundi 5 septembre, septième jour après la catastrophe, je me rendis une deuxième fois sur la côte du golfe du Mexique. Le général Honoré m'attendait à Baton Rouge et me fit le point de la situation. Les opérations de recherche et de sauvetage étaient presque complètement terminées. Le Superdome et le Centre des conventions avaient été évacués. L'eau commençait à être pompée hors de la ville. Mais, surtout, nos troupes avaient réussi à rétablir l'ordre sans tirer un seul coup de feu.

Laura et moi nous rendîmes dans un centre d'accueil pour réfugiés géré par l'église Bethany World Prayer Center. Des centaines de personnes, bon nombre venant du Superdome, étaient installées sur des matelas dans un gymnase. La plupart avaient l'air épuisées et sous le choc. « Je ne trouve pas ma maman », hurlait une petite fille. Mon ami T.D. Jakes, un pasteur de Dallas qui nous accompagnait pour la visite, pria pour la sécurité et le réconfort de ces victimes. T.D. était le genre d'homme à traduire sa foi en actes. Il me confia que les membres de son église avaient recueilli vingt victimes de Katrina chez eux.

Il y eut bien d'autres exemples de solidarité tout le long de la côte. En dépit de tous les aspects déprimants du passage de Katrina, ces histoires sont les meilleurs exemples de l'esprit américain. Des baptistes du Sud mirent en place une cuisine mobile pour nourrir des dizaines de milliers d'affamés. Des pompiers de New York arrivèrent dans un camion que leur avaient prêté leurs confrères de La Nouvelle-Orléans après le 11 Septembre. Des bénévoles de la Croix-Rouge et de l'Armée du salut ouvrirent des centres vingt-quatre heures sur vingt-quatre pour venir en aide aux victimes de la catastrophe. Chaque Etat accueillit un certain nombre de réfugiés. La ville de Houston en accueillit 250 000 à elle seule. Le mouvement d'aide aux victimes de Katrina fut le plus important de l'histoire du pays depuis le Dust Bowl des années 30 [*].

J'avais choisi un duo improbable pour mener notre campagne de solidarité : Papa et Bill Clinton. En réalité, ce n'était pas la première fois qu'ils travaillaient ensemble. Ils avaient déjà fait équipe, à ma demande, pour rassembler plus d'un milliard de dollars d'aide pour

---

[*] Série de tempêtes ayant frappé la région des Grandes plaines dans les années 30. (NdT)

les victimes d'un énorme tsunami qui avait frappé le Sud-Est asiatique en décembre 2004. Alors qu'ils parcouraient le monde ensemble, les deux anciens présidents – je les surnommais n° 41 et n° 42 – avaient créé des liens. Papa s'était remis de sa déception de 1992 et avait embrassé son ancien rival. J'appréciais le fait que Bill traite Papa avec respect et déférence et je me mis à l'apprécier lui-même. Lorsque je leur demandai de mener une nouvelle opération pour lever des fonds après Katrina, tous deux acceptèrent immédiatement. Mère m'appela un peu après : « Je vois que tu as réuni ton père et ton demi-frère », me lança-t-elle en plaisantant.

Tout le monde n'était malheureusement pas animé du même esprit de générosité. Lors d'un téléthon sur NBC organisé pour lever des fonds en faveur des victimes de Katrina, le rappeur Kanye West déclara en public et en prime time : « George Bush n'en a rien a faire des Noirs. » Jesse Jackson compara ensuite le Centre de convention de La Nouvelle-Orléans à « la cale d'un navire négrier ». Enfin, un membre du Congressional Black Caucus * affirma que si les victimes de l'ouragan avaient été des « Blancs de la classe moyenne », ils auraient reçu plus d'aide.

Cinq ans plus tard, j'ai du mal à écrire ces mots sans éprouver un sentiment de dégoût. Je me sens profondément insulté par les allégations selon lesquelles nous aurions laissé des citoyens américains souffrir parce qu'ils étaient noirs. Ainsi que je le déclarai devant les journalistes à l'époque : « La tempête n'a pas fait de discrimination, les secours n'en feront pas non plus. Lorsque les hélicoptères des gardes-côtes, qui furent souvent les premiers à arriver sur les lieux de la catastrophe, récupéraient des gens réfugiés sur leurs toits, ils ne vérifiaient pas la couleur de leur peau. »

Plus j'y pensais, plus j'étais en colère. J'avais grandi avec l'idée que le racisme était l'un des plus grands fléaux de la société. J'avais admiré le courage de Papa lorsqu'il avait tenu bon face à l'opposition quasi unanime de ses électeurs pour voter l'Open Housing Bill de 1968. J'étais fier d'avoir rassemblé plus de votes d'électeurs noirs que n'importe quel autre gouverneur républicain au Texas. J'avais nommé des Afro-Américains à des postes de haut rang au sein de mon administration, notamment la première femme noire conseillère à la sécurité nationale et les deux premiers secrétaires d'Etat noirs. J'avais le cœur brisé de voir les enfants issus des minorités abandonnés par le système scolaire et c'est pourquoi j'avais fondé mon projet de politique intérieure, *No Child Left Behind*, pour lutter contre le culte du manque d'ambition. J'avais lancé un programme de 15 milliards de dollars pour lutter contre le sida en Afrique. Dans le cadre du plan d'aide aux victimes de Katrina, mon gouvernement

---

* Organisation réservée aux parlementaires noirs. (NdT)

avait travaillé avec le Congrès pour fournir aux écoles et universités historiquement noires de la côte plus de 400 millions de dollars de prêt pour reconstruire leurs campus et reprendre les inscriptions.

Je reçus beaucoup de critiques en tant que président. Je n'aimais pas entendre dire que j'avais menti sur les armes de destruction massive de l'Irak ou réduit les impôts pour faire plaisir aux riches. Mais m'accuser d'être raciste à cause de Katrina était un coup particulièrement bas. A l'époque, j'avais dit à Laura que c'était le pire moment de ma présidence. Je suis toujours de cet avis aujourd'hui.

Lors de la deuxième semaine après le passage de Katrina, Mike Chertoff me conseilla de procéder à un changement de personnel. Les responsables locaux et régionaux s'étaient plaints de la lenteur de la FEMA et Chertoff me dit qu'il ne faisait plus confiance au directeur, Mike Brown. Il avait l'impression que le directeur de la FEMA était paralysé par la pression et commençait à faire preuve d'insubordination. Je suivis le conseil de Chertoff et nommai le vice-amiral Thad Allen, chef des gardes-côtes qui avait brillamment mené les opérations de recherche et de sauvetage, au poste de principal agent fédéral chargé de la coordination des opérations sur la côte du golfe du Mexique.

Ce dimanche-là, quatorze jours après Katrina, je me rendis une troisième fois sur la côte. J'arrivai en hélicoptère sur l'*USS Iwo Jima*, qui mouillait sur les rives du Mississippi. Deux ans plus tôt, j'avais envoyé l'*Iwo Jima* traquer le dictateur Charles Taylor du Liberia. C'était une expérience surréaliste que de me retrouver sur le pont d'un navire d'assaut amphibie face à une grande ville américaine victime d'un ouragan dévastateur.

Le lendemain matin, nous parcourûmes la ville de La Nouvelle-Orléans à bord de camions militaires. Les Services secrets étaient inquiets. Peu de présidents avaient circulé dans un véhicule ouvert à travers une grande métropole depuis l'assassinat du président Kennedy en 1963. Nous devions éviter les câbles électriques jonchant les rues et passer à travers de profonds trous d'eau. Presque toutes les maisons étaient encore abandonnées. Sur les murs de certaines la date où elles avaient été fouillées par les secouristes et le nombre de corps découverts à l'intérieur avaient été inscrits à la bombe. Je vis quelques personnes errant dans les rues, l'air hébété. Non loin de là, des chiens amaigris cherchaient de la nourriture, beaucoup portaient des marques de morsure. Cette scène reflétait vivement l'atmosphère de lutte et de jungle urbaine qui s'était emparée de la ville.

Le 15 septembre, dix-huit jours après la catastrophe, je retournai à La Nouvelle-Orléans pour une intervention en prime time adressée à la nation. Je décidai de prononcer mon discours depuis le Jackson

Square, baptisé en l'honneur du général Andrew Jackson, qui avait défendu La Nouvelle-Orléans contre les Anglais à la fin de la guerre de 1812. Le square du fameux quartier français avait relativement peu souffert de la tempête.

Ce discours était pour moi l'occasion d'expliquer ce qui n'avait pas marché, de m'engager à régler les problèmes et de présenter un projet pour aider le pays et la région à tourner la page. La ville déserte de La Nouvelle-Orléans était l'endroit le plus étrange où j'aie jamais prononcé un discours. A l'exception des générateurs, la ville était toujours privée d'électricité. Alors que nous nous trouvions dans l'une des villes les plus dynamiques du monde, les seules personnes autour de moi étaient des représentants du gouvernement des soldats de la 82ᵉ division aéroportée.

Illuminé par la lumière bleue de la cathédrale St. Louis derrière moi, je déclarai :

> *Bonsoir. Je vous parle depuis la ville de La Nouvelle-Orléans – presque déserte, encore partiellement sous les eaux, et attendant le retour de la vie et de l'espoir...*
>
> *Ce soir [...] je fais ce serment devant le peuple américain. Dans toute la zone frappée par l'ouragan, nous ferons ce qu'il faudra, nous resterons aussi longtemps qu'il le faudra, pour aider les citoyens à reconstruire leur communauté et leur vie. Tous ceux qui s'interrogent sur l'avenir de la ville n'ont qu'une chose à retenir : il est impossible d'imaginer l'Amérique sans La Nouvelle-Orléans, cette grande cité renaîtra de ses cendres.*

Je fis également une série de promesses spécifiques comme celle de garantir que les victimes reçoivent l'aide financière dont elles auraient besoin ; d'aider les gens à quitter les hôtels et les refuges pour des logements à plus long terme ; de consacrer des fonds fédéraux pour nettoyer la ville et reconstruire les routes, les ponts et les écoles ; de proposer des avantages fiscaux aux entreprises revenant s'installer et recrutant du personnel local ; et de renforcer les digues de La Nouvelle-Orléans pour résister à la prochaine grosse tempête.

Je poursuivis :

> *Quatre ans après la terrible épreuve du 11 Septembre, les Américains sont en droit d'attendre une meilleure réaction à ce genre de situation d'urgence. Lorsque le gouvernement fédéral faillit à ses obligations, en tant que président, je suis à la fois responsable du problème et de la solution. C'est pourquoi j'ai demandé à tous les secrétaires de cabinet de procéder à un examen complet des décisions prises par le gouvernement en réaction à cet ouragan. Ce gouvernement tirera les leçons de l'ouragan Katrina.*

Ces engagements étaient sérieux. Au cours des mois suivants, je travaillai avec le Congrès afin de dégager 126 milliards de dollars d'aide à la reconstruction, de loin le plan d'aide le plus important de l'histoire du pays après une catastrophe naturelle. Je décidai de créer un nouveau poste afin que quelqu'un puisse rendre compte de la coordination des opérations de reconstruction et de la bonne gestion des fonds. Ce fut d'abord Thad Allen qui s'acquitta de cette tâche. Plus tard, je le nommai commandant des gardes-côtes et je demandai à Don Powell, compatriote texan et ancien président de la Federal Deposit Insurance Commission, de prendre sa place.

Je déclarai à mon chef de cabinet Andy Card – et plus tard Josh Bolten – que j'attendais des comptes rendus réguliers sur l'avancée de nos travaux sur la côte. Des hauts représentants du gouvernement se réunissaient régulièrement dans le Salon Roosevelt pour parler en détail de questions telles que : combien de personnes avaient reçu un chèque d'indemnisation, combien d'écoles avaient rouvert leurs portes et quelle masse de débris avaient déjà été dégagés de la ville.

Je voulais que les habitants du golfe voient par eux-mêmes combien je me sentais concerné par la reconstruction, c'est pourquoi je me rendis dix-sept fois dans la région entre août 2005 et août 2008. Laura effectua vingt-quatre visites en tout. Nous en sommes tous les deux revenus impressionnés par la détermination et le courage des gens que nous avons rencontrés là-bas.

En mars 2006, je me rendis sur la digue de l'Industrial Canal, qui avait cédé et inondé le quartier de Lower Ninth Ward. Alors que nous roulions en direction du site, nous vîmes d'énormes tas de débris, signe de tout le travail qui restait encore à faire ici. Le maire Nagin et moi-même avons mis nos casques de protection, grimpé jusqu'en haut de la digue et regardé les foreuses enfouir des piliers à cinq mètres sous terre pour installer des fondation solides capables de résister à un ouragan de la puissance de Katrina. Rien n'était plus important que de rassurer les réfugiés de La Nouvelle-Orléans et de leur dire qu'ils pouvaient retourner en toute sécurité dans la ville qu'ils aimaient.

Lors du deuxième anniversaire de la catastrophe, Laura et moi nous sommes rendus à la Martin Luther King Jr, Charter School for Science and Technology. Deux ans auparavant, l'école s'était retrouvée sous 4,5 mètres d'eau. Grâce à la détermination de la directrice, Doris Hicks, l'école avait été la première à rouvrir ses portes dans le quartier de Lower Ninth Ward. En tant qu'ancienne bibliothécaire, Laura avait été très attristée par le nombre de livres détruits lors de la tempête. Elle avait lancé une campagne privée afin de collecter des fonds pour aider les écoles de La Nouvelle-Orléans à reconstituer leurs bibliothèques. Au fil des années, son initiative et la générosité du peuple américain ont permis d'envoyer des dizaines de milliers de livres aux écoles de la région.

L'exemple du Mississippi était au moins aussi encourageant. En août 2006, je retournai à Biloxi où j'étais passé quatre jours après la tempête. Les plages qui étaient couvertes de débris un an auparavant avaient retrouvé leur beau sable blanc. Sept casinos, employant des centaines de personnes, avaient rouvert leurs portes. Les communautés religieuses qui avaient été dispersées étaient de nouveau rassemblées. Peu de vies avaient changé autant que celle de Lynn Patterson. Lorsque je l'avais rencontré un an plus tôt, il désembourbait des voitures dans un quartier où toutes les maisons s'étaient envolées. Lorsque je revins à Biloxi, il nous fit faire le tour de sa nouvelle ville, reconstruite en partie grâce à l'argent des contribuables américains.

Après le passage de Katrina, je demandai à Fran Townsend – ancienne procureur de la ville de New York et conseillère à la sécurité intérieure de la Maison-Blanche – d'étudier par quels moyens nous pourrions mieux faire face à des catastrophes futures. Son rapport réaffirma le vieux principe selon lequel les autorités locales et régionales sont les mieux à même de superviser efficacement les opérations de secours. Il recommandait également de revoir l'approche du gouvernement fédéral. Nous avons réfléchi à de nouveaux moyens d'aider les autorités locales et régionales à procéder à des évacuations préventives, développer des systèmes de communication de secours, établir un Centre national d'opérations afin de diffuser des comptes rendus réguliers de la situation et mettre en place une procédure adaptée pour déployer les forces fédérales – y compris les soldats en service actif – en cas de débordement des secours locaux et régionaux.

Notre nouveau système d'urgence fut testé en août 2008 lorsque l'ouragan Gustav traversa le golfe du Mexique en direction de La Nouvelle-Orléans. Je participai à plusieurs vidéoconférences avec les responsables fédéraux, régionaux et locaux durant les jours précédant l'arrivée de la tempête. Mike Chertoff et le nouveau directeur de la FEMA, Dave Paulison, ancien responsable des pompiers du comté de Miami-Dade, s'installèrent à Baton Rouge pour superviser les opérations. Les refuges étaient prêts et bien fournis. Le gouverneur de Louisiane, Bobby Jindal, républicain talentueux élu en 2007, travailla en étroite collaboration avec le maire Nagin pour lancer l'ordre d'évacuation obligatoire. « Vous devez avoir peur et vous devez bouger vos fesses de La Nouvelle-Orléans immédiatement », déclara le maire.

Lorsque Gustav atteignit la côte, les premières informations indiquaient que La Nouvelle-Orléans n'avait pas été frappée de plein fouet. J'avais déjà entendu ça. Cette fois-ci pourtant, les digues avaient tenu et les dégâts dans la ville étaient minimes. Quelques semaines plus tard, l'ouragan frappait Galveston, au Texas. Les dégâts étaient importants – seuls Katrina et Andrew avaient été plus dévastateurs – mais grâce à une bonne préparation au niveau de l'Etat, de nombreuses vies purent être épargnées. En dépit de tous les dommages causés par l'ouragan Katrina, l'une de ses conséquences durables aura été d'améliorer la capacité du gouvernement fédéral à aider les autorités locales et régionales à affronter une catastrophe naturelle.

Même lorsque les quartiers de La Nouvelle-Orléans auront été reconstruits ainsi que toutes les maisons du Mississippi, aucune des victimes de Katrina ne se remettra complètement de cette tragédie. Cela vaut tout particulièrement pour les dizaines de milliers de personnes qui ont perdu leurs maisons et tous leurs biens et, pire encore, pour les familles des quelque 1 800 Américains qui ont péri pendant cette catastrophe.

D'une certaine manière, cela vaut également pour moi. En cas de catastrophe naturelle, le président est le premier à être accusé. Pendant des années, Katrina servit d'arme politique à certains de mes adversaires. Les conséquences de Katrina, ajoutées à l'échec de la réforme de la sécurité sociale et au regain de violence en Irak, firent de l'automne 2005 une période particulièrement difficile de ma présidence. Tout juste un an plus tôt, j'avais été réélu avec plus de voix que n'importe quel autre candidat dans l'histoire des Etats-Unis. A la fin de l'année 2005, l'essentiel de mon capital politique s'était envolé. Alors que ma cote de popularité s'effondrait, de nombreux démocrates – ainsi que certains républicains – crurent bon de s'opposer à moi plutôt que de travailler ensemble. Mon administration parvint à réaliser plusieurs projets importants, comme le renouvellement de notre plan contre le sida, la validation du financement complet de nos troupes, la confirmation de la nomination de Sam Alito à la Cour Suprême et la gestion de la crise financière. L'automne 2005 marqua néanmoins durablement tout le reste de mon mandat.

Je ne cherche pas à dire que je n'ai pas fait la moindre erreur pendant Katrina. J'aurais dû dire à la gouverneur Blanco et au maire Nagin de faire évacuer la ville plus tôt. J'aurais dû retourner à Washington dès le deuxième jour ou faire un arrêt à Baton Rouge le troisième jour. J'aurais dû davantage exprimer ma sympathie pour les victimes et ma détermination à les aider, ainsi que je l'avais fait dans les jours suivant le 11 Septembre.

Ma plus grande erreur fut de trop tarder à déployer des soldats en service actif sur les lieux. Dès le troisième jour, il était clair qu'il fallait envoyer les troupes fédérales pour rétablir l'ordre. Si c'était à refaire, j'enverrais la 82e division aéroportée immédiatement, même avec des pouvoirs limités. J'avais hésité à l'époque car je craignais d'envoyer des hommes avec des pouvoirs trop limités pour mettre un terme aux attaques de sniper et autres violences que nous voyions à la télévision. Nous apprîmes plus tard que ces informations étaient largement exagérées et le produit de journalistes zélés et sous pression pour alimenter les chaînes d'information en continu.

Au final, l'histoire de Katrina est celle de la tempête du siècle. Cet ouragan a dévasté une région de la taille du Royaume-Uni, causé près de neuf fois plus de dégâts que n'importe quelle autre tempête et fait plus de morts que n'importe quelle tempête ces soixante-quinze dernières années. Le bilan économique – 300 000 maisons détruites et 96 milliards de dollars de dommages – dépasse celui de tous les ouragans jamais vus.

La destruction et la mort n'eurent toutefois pas le dernier mot pour les habitants de la région. En août 2008, je me rendis à Gulfport, dans le Mississippi, ainsi qu'à Jackson Barracks, à La Nouvelle-Orléans, où se trouve la base de la Garde nationale de Louisiane qui avait été inondée après Katrina. Il était frappant de voir combien l'endroit avait changé en l'espace de trois ans.

Dans le Mississippi, les ouvriers avaient évacué plus de 35 millions de mètres cubes de débris, soit le double de ce que l'ouragan Andrew avait laissé derrière lui. Plus de 43 000 habitants avaient réparé ou reconstruit leur maison. Les voitures passaient sur les nouveaux ponts reliant la baie de Biloxi et celle de St. Louis. Les touristes et les employés étaient revenus dans les casinos et les hôtels de bord de mer. Enfin, il y avait un signe particulièrement encourageant : toutes les écoles endommagées par Katrina avaient rouvert leurs portes.

Alors que certains annonçaient que La Nouvelle-Orléans ne serait plus jamais une grande cité, 87 % des habitants étaient revenus. Le pont de la route I-10 reliant La Nouvelle-Orléans à Slidell avait rouvert. La ville comptait plus de restaurants qu'avant le passage de l'ouragan. Plus de 70 000 habitants avaient réparé ou reconstruit leur maison. Les digues et les protections autour de La Nouvelle-Orléans avaient été renforcées et les corps des ingénieurs de l'armée avait lancé un vaste projet pour protéger la ville contre « l'inondation du siècle ». Le Superdome où s'étaient réfugiées des milliers de victimes de Katrina était à présent fier d'accueillir l'équipe des New Orleans Saints, vainqueurs du Super Bowl en 2009.

Le changement le plus prometteur avait eu lieu dans les écoles. Les établissements délabrés d'avant l'ouragan avaient rouvert avec des équipements modernes, des nouveaux professeurs et des responsables favorables à la réforme et à la politique de résultat. Des dizaines d'écoles *charter* avaient essaimé à travers la ville, offrant aux parents plus de choix et plus de flexibilité. L'archidiocèse catholique, dirigé par l'archevêque Alfred Hughes, poursuivit sa longue tradition d'excellence dans l'enseignement en rouvrant ses écoles rapidement. Un an après Katrina, les résultats des écoliers de La Nouvelle-Orléans s'étaient améliorés. Ils firent encore mieux l'année suivante et celle d'après.

Pour mon discours d'adieu, prononcé depuis le Salon Est à la Maison-Blanche en janvier 2009, j'avais invité Tony Recasner, directeur de la Samuel J. Green Charter School à La Nouvelle-Orléans. Tony avait pris son poste dans cette école en juillet 2005 après que les mauvais résultats de l'institution eurent poussé l'Etat à en prendre la direction. Puis, il y avait eu Katrina.

Lorsque je lui avais rendu visite en 2007, Tony m'avait présenté ses méthodes d'enseignement innovantes, consistant notamment à laisser les élèves se concentrer sur un seul sujet à la fois pendant plusieurs semaines. Il m'avait également présenté ses résultats. Alors que ses élèves faisaient partie des catégories largement défavorisées, la part de ceux qui maîtrisaient les exercices de lecture et de calcul de leur niveau avait plus que triplé. « Cette école, qui ne servait pas bien sa communauté avant, est à présent un signe d'espoir », me dit-il.

Cet esprit de renouveau de la S.J. Green Charter School est présent sur toute la côte du golfe du Mexique. Avec des hommes comme Tony, la nouvelle génération pourra se construire un avenir meilleur. Le véritable héritage de Katrina pourrait ainsi être un signe d'espoir.

11

L'effet Lazare

Le 30 juillet 2008, Mohamad Kalyesubula s'assit au premier rang du Salon Est. C'était un Africain mince et de grande taille, au sourire éclatant. Il aurait dû être mort.

Cinq années plus tôt, Laura et moi avions fait la connaissance de Mohamad à Entebbe, en Ouganda, dans une clinique dirigée par la TASO (The AIDS Support Organization), une organisation de lutte contre le sida. La clinique, un bâtiment en briques de plain-pied, accueillait des milliers de patients atteints du virus. Comme la plupart des malades en stade avancé, Mohamad dépérissait à vue d'œil ; en proie à des fièvres constantes, il mangeait peu et ne quittait plus son lit depuis près de un an.

Je m'étais attendu à entrer dans un lieu dénué de tout espoir. Mais ce n'était pas le cas. Au-dessus de la porte, un panneau peint à la main indiquait : « Vivons positivement avec le VIH/sida ». Un chœur d'enfants, pour la plupart des orphelins dont les parents étaient morts du sida, chantait des hymnes d'espoir et de foi. Ils finirent sur une jolie interprétation de « America the Beautiful ». « J'ai un rêve, me souffla Mohamad, allongé sur son lit d'hôpital. Qu'un jour, je viendrai aux Etats-Unis. »

J'ai quitté la clinique, plein d'espoir. Les patients m'avaient rappelé que chaque vie était digne et précieuse, car elle porte la marque de notre Dieu tout-puissant. J'ai vu dans leurs souffrances un défi lancé aux paroles de l'Evangile : « A qui on aura donné beaucoup il sera beaucoup demandé. »

On a beaucoup donné à l'Amérique, et je comptais bien répondre à l'appel. Un peu plus tôt dans l'année, j'avais proposé une loi de 15 milliards de dollars pour lutter contre le VIH en Afrique, et le Congrès l'avait validée. Le President's Emergency Plan for AIDS Relief, ou PEPFAR, représentait la plus grande initiative d'envergure internationale pour combattre une maladie précise. J'espérais qu'elle agirait comme une version médicale du plan Marshall. « Ceci est une promesse lancée par mon pays aux peuples d'Afrique et d'Ouganda, ai-je dit à la clinique TASO. Vous n'êtes pas seuls dans cette guerre. L'Amérique a décidé d'agir. »

Trois mois plus tard, Mohamad recevait son premier traitement antirétroviral. Les médicaments lui insufflèrent de la force ; il finit par quitter son lit. A la clinique, on lui donna un travail qui lui permit de gagner suffisamment d'argent pour subvenir aux besoins de ses six enfants. Pendant l'été 2008, Mohamad fut invité à la Maison-Blanche pour assister à la signature d'un projet de loi visant à doubler notre investissement mondial afin de combattre le virus du sida. Je le reconnus à peine. Son corps flétri était devenu fort et robuste. De nouveau, la vie coulait dans ses veines.

Et ce n'était pas le seul. En cinq ans, le nombre d'Africains traités contre le sida passa de cinquante mille à près de trois millions – dont plus de deux millions avaient reçu l'aide du PEPFAR. Des personnes déjà tenues pour mortes recouvraient la santé et reprenaient une existence normale. En référence à Jésus, qui avait ramené son ami à la vie, les Africains avaient trouvé une expression adaptée à la situation. Ils l'appelèrent l'effet Lazare.

En 1990, Papa m'avait demandé de mener une délégation en Gambie, à l'occasion de ses vingt-cinq ans d'indépendance. Cette petite nation d'Afrique de l'Ouest, avec ses neuf cent mille habitants, était surtout connue aux Etats-Unis pour avoir donné naissance aux ancêtres d'Alex Haley, l'auteur du roman *Racines*, vainqueur du prix Pulitzer. Laura et moi avions dévoré ce livre, dans lequel Haley retraçait l'histoire de sa famille jusque dans les années 1700, où l'un d'eux avait été emmené par des marchands d'esclaves.

Malheureusement, la Gambie ne semblait pas avoir beaucoup évolué depuis cette époque. On nous avait emmenés faire le tour de Banjul, la capitale, dans une vieille Chevrolet prêtée par l'ambassade. La route principale était pavée ; ailleurs il n'y avait que des chemins de terre. La plupart des gens que nous croisions avançaient à pied, souvent bardés de lourds fardeaux. Le voyage avait culminé avec une cérémonie en l'honneur de l'indépendance de la Gambie. La célébration s'était déroulée dans le stade national, où la peinture s'écaillait et le béton s'effritait. Je me rappelle m'être dit qu'au

Texas les stades scolaires étaient bien plus modernes que celui-ci, qui était censé représenter tout un pays.

Huit ans plus tard, quand l'idée me prit de participer aux présidentielles, la Gambie me trottait dans la tête. Condi Rice et moi avions passé de longues heures à discuter des affaires étrangères, dans la véranda de la résidence du gouverneur. Un jour, notre conversation porta sur l'Afrique. Condi avait de fortes convictions sur ce sujet. Elle pensait que le continent africain avait beaucoup de potentiel, mais qu'on l'avait souvent négligé. Nous sommes tombés d'accord sur le fait que l'Afrique devrait tenir une place importante dans ma politique extérieure.

Je considérais l'Amérique comme une nation généreuse, et il me semblait que nous avions la responsabilité morale de réduire la pauvreté et le désespoir. Mais comment agir efficacement ? En Afrique, nos programmes d'aide avaient donné de mauvais résultats ; souvent, ils avaient été mis en place pendant la guerre froide pour soutenir les gouvernements anticommunistes. Si nos apports avaient contribué à maintenir des régimes alliés au pouvoir, le quotidien de ces peuples ne s'en était pas trouvé amélioré. En 2001, l'Afrique a reçu 14 milliards de dollars de la part de contrées étrangères, soit plus que n'importe quel autre continent ; malgré cela, la croissance économique par personne restait au point mort, et même inférieure à celle des années 1970.

Et puis, le modèle traditionnel d'aide financière était plutôt paternaliste : une nation riche signait un chèque, et expliquait au destinataire comment le dépenser. Je voulais adopter une nouvelle approche de l'Afrique et des autres pays en développement ; faire en sorte que nos relations soient basées sur le partenariat, pas sur le paternalisme. Confier à ces pays l'élaboration de leurs propres stratégies, afin qu'ils trouvent le moyen de dépenser efficacement l'argent des citoyens américains. En retour, ils devraient rendre compte des réalisations en cours. Grâce à cela, les pays concernés se sentiraient responsables de leur propre réussite, et les Américains verraient les conséquences directes de leur générosité.

Comme Condi l'avait dit lors de notre première discussion, en Afrique un problème dépassait tous les autres : la crise humanitaire du sida. Les statistiques étaient terrifiantes. Au sud du Sahara, cette maladie avait emporté dix millions de personnes. Dans certains pays, un adulte sur quatre était porteur du virus. En 2010, le nombre total d'infections devait excéder cent millions. Les Nations unies avaient prédit que le sida constituerait la pire épidémie depuis la peste bubonique du Moyen Age.

Quand je suis entré en fonctions, les Etats-Unis dépensaient à l'époque un peu plus de 500 millions de dollars par an pour lutter contre le sida dans le monde. Plus que n'importe quel autre pays. Mais comparé à l'étendue de la pandémie, c'était dérisoire. L'argent était distribué au hasard dans six organismes différents, dont les actions se recoupaient souvent, signe qu'il n'y avait pas de vraie stratégie.

Les contribuables américains méritaient – et la conscience exigeait – un projet qui serait plus efficace que ces efforts décousus. J'ai donc décidé de placer la lutte contre le sida en Afrique au centre de ma politique étrangère. En mars 2001, j'ai rencontré le secrétaire général des Nations unies – Kofi Annan, un diplomate à la voix douce originaire du Ghana. Si nous n'étions pas d'accord sur tout, nous avons néanmoins trouvé un terrain d'entente dans notre détermination à combattre la pandémie. Il suggéra de créer un Fonds global de lutte contre le sida, la tuberculose et le paludisme susceptible de mobiliser les ressources de différents pays.

J'ai écouté, sans m'engager. Je trouvais les Nations unies encombrantes, bureaucratiques, inefficaces. J'avais peur qu'un fonds mis en place par des pays aux intérêts divergents ne puisse pas distribuer cet argent de façon concentrée ou efficace.

Néanmoins, le secrétaire d'Etat Colin Powell et le secrétaire à la Santé Tommy Thompson me conseillèrent d'apporter mon soutien au Fonds global, avec une première promesse de 200 millions de dollars. Ils pensaient que cela renverrait une bonne image de notre pays si nous étions les premiers à contribuer. Leur insistance a eu raison de mon scepticisme. J'ai annoncé notre engagement le 11 mai 2001, face à Kofi et au président du Niger Olusegun Obasanjo, dans la Roseraie de la Maison-Blanche. « Je vous remercie, au nom de tous les malades du sida dans le monde, mais particulièrement au nom de ceux qui en souffrent en Afrique », déclara le président Obasanjo.

« Ce matin, nous avons amorcé quelque chose de grand », ai-je prononcé dans mon discours. Je n'ai pas précisé que je ne comptais pas m'en tenir là.

Quatre mois jour pour jour après avoir annoncé notre participation au Fonds global, le terrorisme s'abattait sur les Etats-Unis. Avant le 11 Septembre, je pensais que combattre la maladie et la pauvreté relevait d'une mission humanitaire ; mais après ces attaques, j'ai compris qu'il ne s'agissait pas uniquement de soulager sa conscience. La sécurité de notre nation était liée à la souffrance humaine. Les sociétés plongées dans la misère et la maladie donnent naissance au désespoir. Et c'est ce désespoir qui ouvre la porte aux terroristes et aux extrémistes. En se penchant sur les difficultés d'un pays comme l'Afrique, l'Amérique renforcerait l'âme et la sécurité du monde entier.

Au début de 2002, j'étais parvenu à la conclusion que le Fonds global n'était pas une réponse suffisante face à la crise du sida. Les Etats-Unis avaient donné jusqu'à 500 millions de dollars, mais le Fonds manquait toujours d'argent et tardait à passer à l'action. Pendant ce temps, le sida ne cessait d'emporter de plus en plus d'Africains. La plupart avaient entre quinze et quarante-neuf ans, l'âge démographique propice à la productivité d'une nation. Si on ne faisait rien pour empêcher sa propagation, l'épidémie tuerait soixante-huit millions de personnes d'ici 2020, soit plus de morts que la Seconde Guerre mondiale.

Je ne pouvais supporter l'idée que des innocents meurent pendant que la communauté internationale remettait les choses à plus tard. J'ai décidé que l'heure était venue pour l'Amérique de lancer notre propre initiative. Nous pourrions contrôler les financements, agir vite. Et nous insisterions pour avoir des résultats.

Josh Bolten constitua une équipe [1] pour dresser une liste de recommandations. En juin, on m'approcha avec une proposition visant une facette particulièrement dévastatrice de la crise du sida : ses conséquences sur les femmes et les enfants. A l'époque, 17,6 millions de femmes et 2,7 millions d'enfants étaient séropositifs ou atteints du sida. Toutes les quarante-cinq secondes, un bébé africain naissait avec le virus.

Récemment, des scientifiques ont fabriqué de nouveaux médicaments, notamment la Névirapine, qui permet de réduire de moitié le taux de transmission d'une mère à son enfant. Malheureusement, on ne trouve pas ce traitement facilement en Afrique, ni dans le reste du monde en voie de développement. L'équipe me proposa de dépenser 500 millions de dollars sur une période de cinq ans afin d'acheter des médicaments et de former les centres sanitaires des pays les plus touchés, en Afrique et dans les Caraïbes.

« Commençons sur-le-champ », ai-je lancé. Le projet était adapté à un aspect bien spécifique de l'épidémie, dans les pays les plus pauvres du monde. Il s'agissait de donner les rênes aux représentants politiques. Et son but était ambitieux, mais réaliste : traiter un million de mères, et sauver cent cinquante mille bébés par an sur cinq années.

Le 19 juin 2002, j'ai annoncé le lancement de l'International Mother and Child HIV Prevention Initiative dans la Roseraie de la

---

1. L'équipe comprenait le Dr Tony Fauci, directeur de l'Institut national de l'allergie et des maladies infectieuses, ainsi que son assistant, le Dr Mark Dybul ; Gary Edson, mon conseiller adjoint à la sécurité nationale et membre éminent du personnel au développement international ; Jay Lefkowitz, mon directeur adjoint de politique intérieure ; Robin Cleveland, du Bureau de la gestion et du budget ; Kristen Silverberg, adjointe de Josh ; et, plus tard, du Dr Joe O'Neill, directeur de la politique nationale de lutte contre le sida (NdA).

Maison-Blanche. En dix-sept mois, nous avions doublé l'apport financier des Etats-Unis dans la lutte contre le sida dans le monde.

Le matin où j'ai annoncé ce nouveau programme, j'ai demandé à Josh Bolten de me rejoindre dans le Bureau Ovale. « C'est un bon début, mais ce n'est pas suffisant, lui ai-je dit. Retour à la case départ. Essayez de voir encore plus grand. »

Quelques mois plus tard, son équipe élabora un programme à grande échelle axé sur le traitement et la prévention du sida, ainsi qu'une assistance aux personnes touchées – stratégie qui deviendrait celle du PEPFAR.

La première partie de cette proposition, le traitement, était aussi la plus révolutionnaire. En Afrique, on estimait que quatre millions de patients avaient besoin de médicaments antirétroviraux pour rester en vie ; mais ils étaient moins de cinquante mille à en bénéficier. Grâce aux avancées médicales, le schéma de traitement qui exigeait d'ingérer trente cachets par jour pouvait désormais être réduit à deux prises quotidiennes ; bientôt, une suffirait. Ces nouveaux médicaments étaient plus efficaces, avec moins d'effets indésirables. Et le prix était tombé de 12 000 dollars par an à moins de 300 dollars. Pour 25 dollars par mois, les Etats-Unis pouvaient allonger la vie d'un malade du sida de plusieurs années.

« Il faut absolument tirer parti de ces découvertes, ai-je dit à l'équipe. Mais comment faire parvenir ces médicaments aux patients ? »

Tony Fauci parla d'un programme en Ouganda mené par le Dr Peter Mugyenyi, un médecin novateur qui dirigeait une clinique de pointe et était l'une des premières personnes à avoir fait entrer les médicaments rétroviraux en Afrique. Lors d'une réunion dans le Bureau Ovale, Tony me montra des photos du personnel sanitaire de la TASO enfourchant des motos pour apporter les médicaments à des patients cloués au lit. Si les programmes de Mugyenyi et de la TASO étaient incomplets, ils montraient cependant ce qui pourrait être accompli avec plus de ressources.

En plus de cette démarche, l'Ouganda avait mis en place une campagne de prévention connue sous le nom de ABC : Abstinence, Be faithful, or else use a Condom (« Abstinence, rester fidèle ou utiliser un préservatif »). Cette approche avait eu des résultats : d'après des estimations, le taux d'infections avait chuté, passant de 15 % en 1991, à 5 % en 2001.

Le PEPFAR allait apporter un élément de plus : s'occuper des victimes occasionnées par le sida, notamment des orphelins. J'avais le cœur brisé de penser que quatorze millions d'enfants avaient perdu leurs parents à cause de cette maladie. Cela m'inquiétait. Une génération de jeunes gens déracinés, désespérés, vulnérables, prêts à être recrutés par des extrémistes.

J'ai voulu entrer dans les détails du projet : « Quels seront nos objectifs ? Que pourrons-nous accomplir ? »

Nous nous sommes fixé trois buts : soigner deux millions de malades du sida, prévenir sept millions de nouvelles infections, et prendre soin de dix millions de personnes affectées par le VIH. Nous allions nous associer aux gouvernements et aux peuples des pays désirant combattre cette maladie. Les chefs politiques développeraient les stratégies pour atteindre des buts spécifiques, et nous les aiderions à y parvenir.

La question suivante portait sur les pays concernés. J'ai décidé de mettre l'accent sur les nations les plus pauvres et les plus atteintes par le virus, douze en Afrique subsaharienne et deux dans les Caraïbes [1]. Ces quatorze pays représentaient 50 % des infections du VIH dans le monde ; si nous arrivions à enrayer la propagation de la maladie dès son épicentre, le Fonds global et d'autres pays pourraient suivre notre exemple.

Enfin, il s'agissait de déterminer la somme d'argent à injecter dans le projet. Le groupe de Josh avait recommandé le montant colossal de 15 milliards de dollars sur cinq ans. A la fin de 2002, l'économie américaine était en difficulté ; nos concitoyens risqueraient de ne pas comprendre pourquoi nous dépensions autant à l'étranger, alors que nos propres compatriotes luttaient au quotidien pour subsister.

Mais j'étais prêt à relever le défi. J'étais convaincu de pouvoir expliquer le fait que sauver des vies en Afrique servirait nos propres intérêts stratégiques et moraux. Des sociétés en meilleure santé seraient moins propices à pratiquer la terreur ou le génocide. Une fois remises à flot, elles seraient plus à même d'acheter nos biens et nos services. Ceux qui se méfiaient des actions américaines ne pourraient que constater notre générosité et notre compassion. Et j'étais convaincu que le peuple américain se montrerait plus coopératif s'il voyait que l'argent prélevé des impôts allait aider des gens en difficulté.

Plus tard, mes détracteurs diront que j'avais lancé le PEPFAR pour apaiser les tensions religieuses ou détourner l'attention de l'Irak. Ces accusations sont ridicules. J'ai proposé cette initiative pour sauver des vies. Mike Gerson, mon rédacteur de discours et fidèle conseiller, l'a exprimé on ne peut mieux lors d'une réu-

---

1. Le Botswana, la Côte-d'Ivoire, l'Ethiopie, la Guyane, Haïti, le Kenya, le Mozambique, la Namibie, le Niger, le Rwanda, l'Afrique du Sud, la Tanzanie, l'Ouganda, et la Zambie. Sur une demande du Congrès, nous avons ajouté une nation asiatique, le Vietnam (NdA).

nion en novembre 2002 : « Si on peut le faire et qu'on s'abstient, honte à nous. »

En décembre 2002, j'ai pris la décision d'instituer le PEPFAR. Seules quelques personnes étaient au courant de ce projet ; j'ai demandé aux membres de l'équipe de garder le silence. Si l'information filtrait, les organismes gouvernementaux se battraient pour diriger les opérations ; des membres du Congrès seraient tentés de diluer le programme en orientant une partie des fonds vers leurs propres fins. Je ne voulais pas que le PEPFAR finisse paralysé par la bureaucratie et des intérêts divergents.

« L'histoire a rarement offert une aussi belle opportunité d'en faire autant pour un si grand nombre, ai-je dit dans mon discours sur l'état de l'Union, le 28 janvier 2003. […] Ce soir, je propose un projet d'urgence de lutte contre le sida – une tentative, au-delà de tous les efforts internationaux en cours, de venir en aide aux peuples de l'Afrique. »

Des membres des deux partis se sont levés pour soutenir le projet. Debout à côté de Laura, dans la tribune de la Première dame, se tenait un homme dont le programme et le pays avaient servi d'inspiration pour le PEPFAR : le Dr ougandais Peter Mugyenyi.

J'avais voulu que cette annonce fasse forte impression, et ce fut le cas. Le chargé du dossier sida sous le président Clinton décrivit mon intervention comme « stimulante et venant du fond du cœur ». Le *Chicago Tribune* synthétisa les réactions de nombreux journaux : « " Surprenante " serait un faible mot pour décrire l'annonce du président Bush. »

Comme on aurait pu s'y attendre, il y eut des objections, notamment concernant la stratégie de prévention ABC. A gauche, on dénonça l'idée d'abstinence comme une « guerre aux préservatifs », principe idéologique trop peu réaliste pour être efficace. Je fis remarquer que l'abstinence marchait à tous les coups. A droite, certains protestèrent contre la distribution de préservatifs, qu'ils jugeaient susceptibles d'encourager la promiscuité sexuelle. Au moins, les membres du Congrès eurent l'intelligence de ne pas critiquer le point B – la fidélité au sein du mariage.

Comble de l'ironie, les deux camps m'accusèrent de vouloir imposer nos propres valeurs – celles du fondamentalisme religieux selon les uns, ou de la permissivité sexuelle pour les autres. Aucun de ces arguments ne me semblait pertinent, puisque la stratégie ABC avait été pensée et implantée en Afrique, où elle avait bien réussi.

Au printemps de 2003, le PEPFAR fut soumis à la Chambre des Représentants. Ce projet de loi était soutenu par le représentant républicain de l'Illinois Henry Hydé, ainsi que le député démocrate californien Tom Lantos, deux fervents partisans des droits de l'homme. En un bel exemple de coopération bipartite, ils aidèrent à faire valider le projet de loi par la Chambre, avec un vote de 375 voix contre 41.

Ce fut ensuite au tour du Sénat de s'intéresser au projet, qui reçut un grand soutien de la part du chef de la majorité Bill Frist, un médecin qui se rendait tous les ans en mission en Afrique, et du sénateur Dick Lugar de l'Indiana, président du Comité des relations étrangères. Bill et Dick rallièrent les voix d'un grand nombre de législateurs, des conservateurs comme Jesse Helms de Caroline du Nord, aux libéraux comme Joe Biden du Delaware et John Kerry du Massachussetts. J'ai confié à Bill que j'espérais ratifier la loi avant mon départ pour le sommet du G8 de 2003, dans la ville française d'Evian, afin d'avoir plus de poids quand je demanderais à nos alliés de se joindre à nous. Trois jours avant que je ne quitte le pays, le PEPFAR fut adopté.

Deux mois plus tard, Laura et moi atterrissions en Afrique subsaharienne. Premier arrêt : le Sénégal. Après une réunion matinale au palais présidentiel, le président Abdoulaye Wade et son épouse, Viviane, nous ont escortés dans un des lieux les plus obsédants qu'il m'ait jamais été donné de parcourir en tant que président : l'île de Gorée.

Notre visite a commencé dans un édifice de stuc rose, la Maison des esclaves. Le conservateur nous a guidés à travers les petites salles étouffantes. L'une d'elles contenait des balances pour peser les esclaves. Une autre était divisée en cellules destinées à séparer les hommes, les femmes et les enfants. Nous avons traversé un couloir étroit menant vers la porte du « voyage sans retour », qui marquait le point de départ pour l'atroce trajet vers le Nouveau Monde. Je me suis mis à imaginer la peur de ces âmes désespérées qu'on avait volées à leurs familles afin de les entasser dans des bateaux en route pour une terre inconnue. J'ai mis mon bras autour de Laura, et nous avons scruté le bleu de l'océan.

Derrière nous se tenaient Colin Powell et Condi Rice. J'ai pensé au contraste existant entre ce qu'avaient vécu leurs ancêtres, et ce que Colin et Condi avaient accompli. Après cette visite, j'ai donné un discours sur l'île :

En ce lieu, la liberté et la vie ont été volées, puis vendues. Des êtres humains ont été livrés, classés, pesés et frappés du sceau des entreprises, avant d'être embarqués comme cargaison pour un voyage sans retour. Ce fut là une des plus grandes migrations de l'histoire, mais aussi un des plus grands crimes de l'histoire [...]

Pendant deux cent cinquante ans, les captifs ont été blessés dans leur culture, dans leur dignité. En Amérique, l'âme des Africains ne s'est pas effondrée. Mais celle de leurs ravisseurs était corrompue [...] Une république établie sur l'égalité pour tous était devenue une prison pour des millions d'individus. Et malgré cela, comme le dit le proverbe africain : « Nul poing n'est assez grand pour cacher le ciel. » Toutes ces générations d'hommes opprimés par des lois humaines ne pouvaient écraser l'espoir de la liberté ni vaincre la volonté de Dieu [...]

Au fil des siècles, l'Amérique a appris que la liberté n'était pas le bien d'une race unique ; nous savons, avec autant de certitude, que la liberté n'appartient pas non plus à une nation unique. Cette foi en les droits naturels de l'homme, cette conviction que la justice devrait toucher chaque parcelle de terre bénie par les rayons du soleil, c'est cela qui guide l'Amérique dans le monde. Avec le pouvoir et les ressources qui nous ont été donnés, les Etats-Unis cherchent à apporter la paix là où le conflit fait rage, l'espoir là où frappe la souffrance, et la liberté là où règne la tyrannie.

Le PEPFAR ouvrait un nouveau chapitre en Afrique, un chapitre de liberté, de dignité et d'espoir. Dans chaque pays que je visitais, je promettais que l'Amérique serait fidèle à sa promesse. En Afrique du Sud, où près de cinq millions de personnes étaient atteintes du VIH, j'ai vivement conseillé au président Thabo Mbeki, qui se montrait réticent, de s'attaquer de front à la maladie. Au Botswana, un pays relativement prospère où 38 % de la population adulte était contaminée, le président Festus Mogae promit de se servir des fonds du PEPFAR afin de poursuivre les efforts impressionnants qu'il avait commencés. A l'hôpital national d'Abuja, au Niger, j'ai rencontré des femmes qui avaient bénéficié du programme visant les mères et leurs enfants ; avec des sourires épanouis, elles m'ont montré leurs enfants, qui respiraient la santé. Mais pour chaque nourrisson né sans infection, beaucoup d'autres commençaient leurs existences avec le fardeau du VIH.

La partie la plus mémorable du voyage fut notre visite à la clinique TASO, en Ouganda, où j'ai fait la connaissance de Mohamad Kalyesubula. Escortés par le président Yoweri Museveni et son épouse Janet, Laura et moi sommes passés de salle en salle pour serrer des patients dans nos bras. Beaucoup d'entre eux se sont confiés à nous, faisant part de leurs espoirs et de leurs peurs. Une infirmière appelée Agnes m'a raconté que son mari était mort du sida en 1992 ; en prenant le test, elle a découvert qu'elle aussi était séropositive. Elle faisait partie des chanceux qui avaient pu bénéficier du traitement antirétroviral. Elle m'a demandé d'envoyer plus de médicaments, le plus vite possible. Une fois qu'ils furent arrivés, Agnes aida à soigner de nombreux patients de la clinique. Mohamad était l'un d'eux. Quand il se rendit à la Maison-Blanche en 2008, Agnes l'accompagnait.

Le directeur de la TASO, un médecin du nom d'Alex Coutinho, déclara plus tard que j'étais le premier chef mondial qu'il avait vu prendre dans ses bras un Africain atteint du sida. J'étais surpris. Je me souvenais que Mère avait fait les gros titres de la presse internationale lorsqu'elle avait embrassé un bébé séropositif en 1989. Ce geste avait contribué à dissiper le mythe selon lequel la maladie était transmissible par le contact humain. J'étais fier de perpétuer cet héritage et de faire en sorte que le sida ne soit plus considéré comme une maladie honteuse. J'espérais, d'une certaine façon, rendre leur dignité à ces personnes en souffrance. Par-dessus tout, je voulais montrer que les Américains se sentaient concernés.

Un des temps forts de notre voyage en Afrique eut lieu lorsque notre fille Barbara nous rejoignit. Laura et moi sommes partis en safari avec elle dans la réserve naturelle de Mokolodi, au Botswana ; nous espérions nous détendre, respirer de l'air frais, et voir quelques animaux sauvages. Pour satisfaire l'appétit de la presse itinérante, le personnel de la Maison-Blanche décida d'organiser une séance photo.

Comme toujours, les préparatifs étaient des plus méticuleux. On gara un camion rempli de caméras et de journalistes dans une clairière ; lorsque notre véhicule apparaîtrait dans le virage, les cameramen seraient en position de prendre de magnifiques clichés de nous, observant les éléphants. Mais de toute évidence, les éléphants, eux, n'avaient pas reçu le script. Peu après notre arrivée, un mâle en chaleur monta sur une femelle de son espèce, en direct sur toutes les télévisions du monde. Notre équipe pâlit sous la chaleur du soleil africain. Laura, Barbara et moi avons éclaté de rire.

C'était la première fois que Barbara venait en Afrique, et ce pays la toucha profondément. Après avoir fini l'université et travaillé comme bénévole pour ma campagne présidentielle de 2004, elle est partie travailler dans une clinique pédiatrique d'Afrique du Sud spécialisée dans le traitement du sida, à l'hôpital de la Croix-Rouge de Cape Town. Enthousiasmée par cette expérience, elle a ensuite fondé un service de santé mondial à but non lucratif, le Global Health Corps. Basé sur un modèle similaire à celui de Teach for America, son organisation envoie de jeunes diplômés dans des cliniques de trois pays africains et deux villes américaines. Elle apporte des soins pour les malades du sida et d'autres infections, contribuant à renforcer le système de la santé et à aider les gens à vivre dans l'espoir et la dignité.

Jenna s'est aussi découvert une passion pour le travail avec les patients atteints du virus du sida. Elle a fait du bénévolat pour l'UNICEF dans plusieurs pays d'Amérique latine. Une fois rentrée, elle a écrit un livre magnifique, un best-seller intitulé *Ana's Story* (« L'histoire d'Ana »), qui parle d'une fille née séropositive.

Laura et moi sommes très fiers de nos filles. Elles ont choisi des parcours professionnels au service d'une grande cause. Elles font partie d'un grand mouvement d'Américains qui consacrent leur temps et leur argent à aider ceux qui sont moins fortunés qu'eux ; je les appelle les armées de la compassion. Beaucoup œuvrent dans des organisations confessionnelles, sans espoir de compensation. Leur récompense est autre.

Une des premières décisions d'importance concernant le PEPFAR était de savoir qui allait le diriger. Je voulais quelqu'un d'expérimenté, qui saurait comment structurer une organisation pour en tirer les meilleurs résultats. J'ai trouvé celui qu'il me fallait en la personne d'un homme d'affaires de l'Indiana, Randall Tobias, ancien P-DG du groupe pharmaceutique Eli Lilly.

Les premiers rapports de Randy avaient de quoi décourager. Un an après la mise en vigueur du PEPFAR, moins de cent mille patients avaient bénéficié d'un traitement antirétroviral. « C'est tout ? ai-je lancé d'un ton cassant. On est loin de deux millions. »

Randy m'assura que le PEPFAR était sur les rails. Au cours de cette première année, les tâches les plus difficiles étaient de trouver des pays partenaires pour élaborer des stratégies, se procurer de la main-d'œuvre, et commencer à mettre en place une infrastructure. Une fois ces bases jetées, le nombre de patients traités grimperait rapidement.

A l'automne 2005, on avait trouvé nos partenaires africains. Avec l'aide du PEPFAR, des groupes croyants et laïcs, à la fois africains et américains, aidaient le personnel des cliniques et faisaient passer des messages de prévention à des millions de personnes à travers le continent. Les orphelins et les mourants étaient pris sous notre aile. Notre but n'était plus si inatteignable.

Malheureusement, le sida n'était pas la seule maladie qui ravageait l'Afrique. En 2005, le paludisme tuait en moyenne un million d'habitants par an, des enfants de moins de cinq ans pour la majeure partie. Le paludisme, qui se transmet par les piqûres de moustiques, est à l'origine de 9 % des décès sur le continent africain, plus que le sida. Les économistes ont estimé que cette maladie coûtait 12 milliards de dollars par an à l'Afrique en dépenses médicales et pertes de productivité, un coup écrasant pour des économies déjà fragiles.

Chacune de ces morts aurait pu être épargnée. Le paludisme est soignable et évitable. Les Etats-Unis l'ont éradiqué dans les années 50, et il existe une stratégie simple pour combattre cette maladie : il s'agit d'une combinaison bien précise d'insecticides, de moustiquaires et de médicaments pour les patients déjà contaminés.

Ils n'étaient pas spécialement chers ; une moustiquaire devait coûter dans les 10 dollars, frais de port compris.

En juin 2005, j'ai annoncé un programme d'un milliard et demi de dollars pour financer sur cinq ans les efforts d'éradication du paludisme dans quinze pays. A l'instar du PEPFAR, la President's Malaria Initiative visait à permettre aux Africains d'élaborer des stratégies susceptibles de répondre à leurs besoins. Notre but était mesurable : réduire le taux de mortalité par le paludisme de 50 % sur les cinq prochaines années.

J'ai nommé le contre-amiral Tim Ziemer, un pilote retraité de la marine avec une expérience dans l'aide internationale, pour mener à bien cette organisation. Au cours de ses deux premières années, l'initiative a touché onze millions d'Africains ; elle a aussi généré une réaction passionnée chez les Américains. Clubs de jeunes, scouts et salles de classe donnèrent de l'argent sous forme de billets de 10 dollars afin d'acheter des moustiquaires pour les enfants d'Afrique. Des organisations confessionnelles et d'importantes sociétés, notamment celles qui travaillaient avec l'Afrique, se montrèrent très généreuses.

Avec l'aide de la Malaria Initiative, les taux de contamination dans les pays concernés se sont mis à baisser. L'impact le plus significatif a eu lieu à Zanzibar. Les services de santé y ont adopté une campagne dynamique de distribution d'insecticides, de moustiquaires et de médicaments pour les victimes du paludisme et les femmes enceintes. Sur une île de Zanzibar, le nombre de cas a chuté de plus de 90 % en une seule année.

Le 25 avril 2007, Laura et moi avons accueilli dans la Roseraie de la Maison-Blanche la toute première journée de sensibilisation au paludisme en Amérique. Nous y avons vu une opportunité pour promouvoir le progrès et montrer à nos concitoyens le résultat de leur générosité. A la fin de mes commentaires, la compagnie de danse KanKouran, d'Afrique de l'Ouest, a donné un spectacle des plus entraînants ; me laissant happer par les festivités, j'ai rejoint les danseurs sur scène. Mes pas de danse sont apparus au journal télévisé national, et ont fait sensation sur YouTube. Mes filles ont pris plaisir à se moquer de moi : « Je ne suis pas sûre que tu devrais t'inscrire à un concours de danse tout de suite, Papa.

– Je t'avais bien dit que je voulais éveiller les consciences », ai-je rétorqué.

En 2006, Mark Dybul prit la suite de Randy Tobias à la tête du PEPFAR. En tant que médecin et figure respectée au sein de la communauté du sida, Mark apporta une grande crédibilité au PEPFAR. De retour d'un de ses voyages en Afrique, il me rapporta que sur le continent on s'inquiétait de ce qui arriverait en 2008, après l'expiration des cinq ans de projet. Les gouvernements comptaient sur notre soutien, et les peuples aussi. Mark me relata qu'il avait demandé à un directeur de clinique en Ethiopie si quelqu'un savait ce que les initiales PEPFAR signifiaient. « Oui, a-t-il répondu. Le PEPFAR signifie que le peuple américain s'inquiète de notre sort. »

Mark pensait qu'il était de notre responsabilité de continuer le programme – et que ce serait aussi une chance pour nous de poursuivre les progrès. En doublant le niveau de financement initial du PEPFAR, nous pourrions traiter 2,5 millions de personnes, prévenir 12 millions de contaminations, et apporter de l'aide à 12 millions d'individus au cours des cinq prochaines années.

Doubler le financement représentait une belle somme ; mais l'initiative pour le sida fonctionnait, et j'ai décidé de continuer sur notre lancée. Le 30 mai 2007, je me suis rendu dans la Roseraie pour demander au Congrès d'autoriser à nouveau l'initiative, avec un nouvel apport de 30 milliards de dollars sur cinq ans.

Afin de mettre l'accent sur les progrès atteints, j'ai invité une femme sud-africaine qui s'appelait Kunene Tantoh. Laura l'avait rencontrée deux ans plus tôt, et m'avait raconté son histoire. Kunene était séropositive, mais grâce aux médicaments qu'elle avait reçus dans le cadre du programme ciblant les mères et leurs enfants, elle avait pu donner naissance à un petit garçon séronégatif. Après mon discours, j'ai pris le petit Baron dans mes bras, en souriant à la pensée que sa précieuse existence avait été sauvée par les contribuables américains. Il démontra sa santé et son énergie en se tortillant et en faisant des signes de la main aux caméras. Puis, il m'adressa ce regard particulier que l'on comprend dans toutes les langues : « Maintenant, ça suffit. Pose-moi par terre. »

L'étape suivante consistait à convaincre d'autres nations de se joindre à nous. Pendant l'été 2007, Laura et moi avons pris l'avion pour l'Allemagne, où allait se dérouler le sommet du G8 en présence de la chancelière Angela Merkel. Une de nos missions essentielles était de persuader les autres dirigeants de se joindre à nos efforts pour réduire le sida et le paludisme.

Angela m'avertit que le sujet principal de ce sommet serait le réchauffement climatique. J'étais tout disposé à en discuter. En 2006, lors de mon discours sur l'état de l'Union, j'avais déclaré que l'Amérique était « accro au pétrole » – une phrase que certains amis texans n'ont pas très bien prise. J'avais œuvré avec le Congrès pour présenter des alternatives au pétrole : biocarburants, véhicules hybrides et à l'hydrogène, gaz naturel, charbon propre, énergie nucléaire. J'avais aussi proposé un processus international qui, contrairement à l'imparfait protocole de Kyoto, rassemblerait les plus gros émetteurs – dont la Chine et l'Inde – et reposerait sur des technologies d'énergies propres pour réduire les émissions de gaz à effet de serre, sans pour autant étouffer la croissance économique nécessaire à la résolution du problème.

J'avais peur que le fait de se concentrer principalement sur le réchauffement climatique empêcherait les nations de voir les besoins immédiats des pays en développement. « Si les chefs d'Etat vont rester assis à discuter d'un sujet qui risque d'être un problème dans cinquante ans, ai-je dit à Angela, on ferait mieux de venir en aide à ceux qui sont en train de mourir du sida et du paludisme en ce moment même. »

Avec l'aide d'Angela, les autres dirigeants du G8 ont accepté de contribuer aux objectifs fixés par les Etats-Unis pour réduire le sida. Ensemble, nous pourrions apporter des médicaments à cinq millions de personnes, prévenir vingt-quatre millions de nouvelles contaminations, et venir en aide à vingt-quatre millions de personnes supplémentaires au cours des cinq prochaines années. Ils ont également consenti à financer notre initiative contre le paludisme. Ces apports historiques peuvent vraiment faire la différence dans les existences des habitants de l'Afrique et partout dans le monde. Il appartiendra aux futurs gouvernements de s'assurer que ces nations tiennent leurs promesses.

Les principes de responsabilité et de partenariat qui avaient guidé le PEPFAR motivèrent également notre nouvelle approche du développement économique, le Millenium Challenge Account. Les pays désirant bénéficier de ce fonds devaient répondre à trois critères clairement définis : un gouvernement libre de toute corruption, une politique économique de marché, et un investissement dans la santé et l'éducation. Ce changement d'approche serait spectaculaire : on considérait les aides économiques comme un investissement plutôt que comme un don. La réussite se mesurerait aux résultats atteints, non à l'argent dépensé.

Les personnes les plus inattendues ont accordé leur appui au MCA. Parmi elles se trouvait Bono, le chanteur du groupe irlandais U2. Josh et Condi, qui le connaissaient, m'avaient fait savoir que la star désirait visiter le Bureau Ovale. Ces célébrités qui paraissaient adopter la cause à la mode pour faire avancer leurs carrières me laissaient sceptique ; mais mes conseillers m'assurèrent que ce n'était pas le cas de Bono.

Sa visite était prévue pour le matin du jour où je devais annoncer le lancement du MCA, le 14 mars 2002. Josh me donna un rapide briefing des thèmes susceptibles d'être abordés. Consciencieux à son habitude, il eut une dernière question avant de faire entrer notre invité dans le Bureau Ovale :

« Monsieur le président, vous savez qui est Bono, n'est-ce pas ?

– Bien sûr, ai-je répondu. C'est une star du rock. »

Josh hocha la tête, et se tourna vers la porte. « Il était marié à Cher, non ? » ai-je ajouté. Josh vira sur les talons, l'air décontenancé. J'ai gardé mon sérieux aussi longtemps que je l'ai pu.

Bono bondit dans le Bureau Ovale, avec son exubérance et ses lunettes de marque. Visiblement, il n'était pas là pour faire de l'autopromotion. Il connaissait nos budgets, était au fait des réalités, et avait des opinions bien informées sur les défis à relever en Afrique. Il m'apporta un cadeau attentionné, une vieille bible irlandaise.

« Vous savez que 2 003 versets parlent des pauvres dans le monde ? avança-t-il. On pense souvent aux péchés évidents, comme l'infidélité dans le mariage ; mais parfois, on oublie les plus sérieux. Le seul endroit dans la Bible qui évoque clairement le jugement dernier est l'Evangile selon saint Matthieu, chapitre 25 : "Dans la mesure où vous l'avez fait à l'un de ces plus petits de mes frères, c'est à moi que vous l'avez fait."

– Vous avez raison, suis-je intervenu. Le péché d'omission est tout aussi sérieux que les autres. »

J'étais heureux de l'entendre exprimer son soutien au MCA, qui, selon lui, allait révolutionner la façon dont le monde se développait. J'ai écouté attentivement tandis qu'il m'encourageait à en faire plus pour le VIH/sida. « Quelques cachets suffisent à sauver des millions de vies. On ne pourrait rêver meilleure publicité pour les Etats-Unis. Vous devriez les peindre en rouge, blanc et bleu. »

Après notre rencontre, Bono s'est joint à moi et au cardinal Theodore McCarrick, un homme doux et empreint de spiritualité, dans la limousine qui nous emmenait à la banque interaméricaine de développement. Bono a participé à la manifestation, louant notre politique. Plus tard, j'ai appris qu'un de ses principaux donateurs, l'investisseur ultralibéral George Soros, l'avait fustigé pour m'avoir accompagné à ce discours sur le MCA sans exiger plus en retour. « Tu t'es vendu pour une assiette de lentilles », accusa-t-il le chanteur.

Au fil du temps, mon respect pour Bono n'a fait que grandir. Il était chaleureux avec Laura et les filles, envoyait souvent des mots de remerciement. C'est un homme de foi. Bono pouvait être irritable, mais jamais de façon cynique ou politique. Quand le PEPFAR s'est montré un peu lent au démarrage, il est venu me voir au Bureau Ovale. « C'est vous, le type aux résultats mesurables, a-t-il lancé. Alors ils sont où, les résultats ? » Je lui aurais bien répondu, mais il ne me laissait pas placer un mot. Une fois le programme bien mis en place, il est revenu me voir : « Je suis désolé d'avoir douté de vous. Au fait, vous saviez que les Etats-Unis sont maintenant les plus gros acheteurs de préservatifs au monde ? »

J'ai éclaté de rire. Bono avait un cœur gros comme ça, et il était rusé comme un renard. Sa seule motivation était sa passion pour cette cause que nous partagions. Laura, Barbara, Jenna et moi le considérons comme un ami.

Tout le monde n'était pas d'accord avec Bono. Trois mois après avoir annoncé le MCA, je me suis rendu au sommet du G8 de Kananaskis, au Canada. Jean Chrétien, le Premier ministre, a abordé le sujet de l'aide aux pays étrangers ; j'ai été l'un des premiers à prendre la parole. J'ai évoqué le MCA dont les principes, orientés sur les résultats, étaient en rupture totale avec la tradition du G8, qui tendait à mesurer la générosité d'un pays au pourcentage de PIB qu'il consacrait aux nations en difficulté.

A la fin de mon intervention, Jacques Chirac se pencha vers moi pour m'administrer une petite tape amicale sur le bras. « George, vous avez une vision trop unilatérale », lança-t-il, avant de révéler le fond de sa pensée : « Comment les Etats-Unis peuvent-ils poser une condition d'anticorruption ? Après tout, c'est le monde libre qui l'a engendrée, cette corruption ! » D'après lui, je n'avais rien compris à la culture africaine.

C'était ma première confrontation avec le président français. Cela ne m'amusait pas. Il semblait être prêt à condamner les pays en voie de développement à un statu quo de corruption, de pauvreté et de gouvernements irresponsables, tout cela parce qu'il se sentait coupable du comportement adopté par les nations comme la France à l'ère coloniale.

Une fois son sermon terminé, j'ai levé la main. Chrétien a secoué la tête ; il voulait laisser d'autres dirigeants s'exprimer. Mais je ne pouvais pas laisser la déclaration de Chirac sans réponse. Je me suis de nouveau immiscé dans la discussion : « L'Amérique n'a pas colonisé de nations africaines ; elle n'y a pas apporté la corruption. Et elle en a assez de voir de l'argent dépensé à mauvais escient, pendant que des gens continuent de souffrir. Oui, nous allons changer notre politique, que cela vous plaise ou non. »

Chirac avait laissé éclater sa colère. Moi aussi. La plupart des chefs d'Etat avaient l'air choqué. Mon ami, le Premier ministre japonais Koizumi, a eu un petit sourire et m'a adressé un léger signe de la tête en guise d'acquiescement.

Au cours des six années qui suivirent, le MCA investit 6,7 milliards de capital avec trente-cinq pays partenaires. Le Lesotho puisa

dans la convention du MCA pour améliorer son réseau hydrogra-
phique ; le Burkina Faso créa un système fiable de droit de propriété. De tels projets étaient des catalyseurs pour que d'autres pays
développent des marchés favorisant le secteur privé, attirent les
capitaux étrangers, et facilitent les échanges commerciaux – autre
point essentiel de mon programme de développement. Le libre-
échange et le commerce équitable profitent aux Etats-Unis, car ils
font naître de nouveaux acheteurs pour nos produits et offrent un
plus grand choix et de meilleurs prix à nos consommateurs. Le
commerce est aussi la meilleure façon d'aider les habitants des pays
en voie de développement à dynamiser leur économie et à s'extraire
de la misère. D'après une étude, les échanges commerciaux sont
quarante fois plus aptes à réduire la pauvreté que les aides émises de
pays étrangers.

A mon arrivée au pouvoir, l'Amérique avait mis en place des
accords de libre-échange avec trois pays : le Canada, le Mexique, et
Israël. A la fin de mon deuxième mandat, cette liste avait atteint
dix-sept nations, dont des pays en développement comme la Jordanie, le Maroc, l'Oman et les jeunes démocraties d'Amérique centrale. Afin de booster encore plus les économies africaines, nous
avons travaillé avec des partenaires du G8 pour annuler plus de
34 milliards de dollars de dettes chez les pays africains en difficulté.
Cette initiative ajoutait à l'allègement de dette avancé par le président Clinton. Un rapport de l'organisation DATA de Bono indiquait
que cet allègement avait permis aux nations africaines d'envoyer
quarante-deux millions d'enfants à l'école.

D'autre part, l'African Growth and Opportunity Act a permis
d'éliminer les droits de douane sur la plupart des exportations africaines acheminées vers les Etats-Unis. Cette loi avait été mise en
place par Clinton ; j'ai travaillé avec le Congrès pour la développer.
Et j'ai pu constater ses effets en rencontrant les entrepreneurs du
Ghana qui avaient exporté leurs produits aux Etats-Unis. Une femme
a lancé une entreprise qui s'appelle Global Mamas, spécialisée dans
l'aide aux femmes artisans, qu'on encourage à trouver de nouveaux
marchés pour vendre leurs articles, constitués de savons, de paniers
et de bijoux. En cinq ans, sa société est passée de sept employés à
environ trois cents. Une couturière du nom d'Esther m'a dit :
« J'aide d'autres femmes, et j'aide aussi ma famille. »

En février 2008, Laura et moi sommes retournés en Afrique subsaharienne. Ce voyage était mon deuxième, et elle son cinquième.
Pour nous, il s'agissait d'une occasion de mettre en avant les
meilleurs dirigeants du continent africain, ceux qui servaient leur
peuple avec intégrité et qui prenaient à bras-le-corps des problèmes

comme la pauvreté, la corruption et la maladie. Leur exemple contrastait fortement avec celui du leader africain qui faisait les gros titres à l'époque, le Zimbabwéen Robert Mugabe. Mugabe avait étranglé la démocratie, soumis son peuple à l'hyperinflation, et rendu son pays, ancien exportateur de denrées, majoritairement importateur. Ces scandaleux résultats étaient la preuve qu'un homme pouvait détruire un pays. Je voulais montrer au monde qu'une nation bien dirigée pouvait accomplir son potentiel.

Avec Laura, nous avons fait cinq escales [1]; chaque fois, les effets positifs de nos nouveaux partenariats avec l'Afrique nous ont sauté au visage. J'ai rencontré des écoliers au Bénin et au Liberia qui avaient des manuels scolaires, grâce à notre initiative pour l'éducation en Afrique. Au Rwanda, j'ai signé un traité d'investissement bilatéral visant à faciliter l'accès aux financements pour les entrepreneurs rwandais. Au Ghana, j'ai annoncé une nouvelle initiative pour lutter contre les maladies tropicales moins connues, comme l'ankylostomiase ou la bilharziose.

C'est en Tanzanie, nation de quarante-deux millions d'habitants sur la côte est de l'Afrique, que nous sommes restés le plus longtemps. Ce pays, dirigé par Jakaya Kikwete, avait pris part au PEPFAR, à la Malaria Initiative, et au MCA. Pendant qu'Air Force One amorçait sa descente sur Dar es Salaam, on m'a indiqué que je verrais peut-être un groupe de Tanzaniennes arborant des robes imprimées avec ma photographie. Quand j'ai descendu les marches de l'avion, un attroupement de femmes dansait au rythme des tambours. Lorsque l'une d'entre elles s'est retournée, j'ai vu que mon visage recouvrait son dos.

Comme beaucoup d'autres pays africains au sud du Sahara, l'économie de la Tanzanie avait été affaiblie par la crise du sida. Le président Kikwete tenait absolument à lutter contre cette maladie. Lui et sa femme, Salma, s'étaient soumis au test devant les caméras de la télévision nationale afin de montrer l'exemple au peuple tanzanien. Fait encore plus impressionnant, les Kikwete avaient adopté un orphelin dont les parents étaient morts du sida.

Le président Kikwete nous a emmenés dans une clinique spécialisée à l'hôpital d'Amana, qui avait ouvert ses portes en 2004 avec l'aide du PEPFAR. Pendant que le directeur de l'établissement nous faisait une visite guidée, Laura et moi avons remarqué une fille assise sur un banc dans la cour avec sa grand-mère. Elle avait neuf ans, et elle était séropositive. Le virus lui avait été transmis par sa mère, désormais décédée; le sida avait aussi emporté son père. Et

---

1. Nous avons visité le Bénin, dirigé par Yayi Boni; la Tanzanie, gérée par Jakaya Kikwete; le Rwanda, gouverné par Paul Kagame; le Ghana, mené par John Kufuor; et le Liberia, conduit par Ellen Johnson Sirleaf. (NdA)

pourtant, la fillette souriait. Sa grand-mère nous a expliqué que les services de secours catholiques avaient payé pour ses soins à la clinique PEPFAR. « En tant que musulmane, fit la vieille dame, je n'aurais jamais imaginé qu'un groupe catholique puisse m'aider ainsi. Je suis si reconnaissante envers le peuple américain. »

Lors d'une conférence de presse, j'ai réitéré mon appel au Congrès pour l'exhorter à autoriser de nouveau le PEPFAR et à le développer. Le président Kikwete est intervenu : « Si ce programme est interrompu ou arrêté, tellement de personnes perdront espoir ; et, certainement, mourront. Mon désir le plus cher est que le PEPFAR continue. » Un journaliste américain lui demanda si les Tanzaniens étaient enthousiastes à l'idée que Barack Obama puisse devenir président. La réponse de Kikwete me réchauffa le cœur : « Pour nous, dit-il, ce qui importe, c'est qu'il se montre un ami aussi fidèle que le président Bush l'a été. »

Dans l'avion qui nous ramenait à Washington, Laura et moi sommes convenus que ce voyage avait été le meilleur de toute ma présidence. L'Afrique était traversée d'un nouveau sentiment tangible d'énergie et d'espoir. L'amour que ce pays témoignait envers l'Amérique dépassait toute espérance. Chaque fois que j'entends un homme politique ou un commentateur américain évoquer la mauvaise image véhiculée par notre nation dans le monde, je pense aux dizaines de milliers d'Africains qui se sont alignés en bordure de route pour nous saluer et exprimer leur gratitude envers les Etats-Unis.

Quand j'ai quitté mes fonctions en janvier 2009, le PEPFAR avait aidé à soigner 2,1 millions de patients, et porté secours à plus de 10 millions de personnes. L'argent versé par les Américains avait contribué à protéger les mères et leurs bébés pendant plus de 16 millions de grossesses. Plus de 57 millions de personnes avaient bénéficié de tests de séropositivité et d'assistance psychologique.

Les résultats de la Malaria Initiative étaient tout aussi encourageants. Grâce à la distribution de moustiquaires traitées à l'insecticide, de pulvérisations intérieures et d'envois de médicaments pour les personnes contaminées et les femmes enceintes, cette opération a aidé à protéger 25 millions d'individus d'une mort évitable. Plusieurs pays, dont l'Ethiopie, le Rwanda, la Tanzanie et la Zambie, ont même réussi à atteindre l'objectif plus tôt que prévu, à savoir diviser par deux le taux de contamination.

Mais les besoins de l'Afrique sont encore immenses. Aujourd'hui, plus de 22 millions de personnes sont atteintes du virus du sida. Parmi celles qui nécessitent un traitement antirétroviral, certaines n'y ont toujours pas accès. Si le paludisme recule, des enfants continuent de mourir à cause de simples piqûres de moustiques. La misère est toujours présente. On manque d'infrastructures. Et le terrorisme et la brutalité n'ont pas disparu.

Certes, ce constat peut paraître décourageant ; mais les peuples africains ont de puissants partenaires à leurs côtés. Les Etats-Unis, le G8, les Nations unies, la communauté croyante, et le secteur privé sont tous beaucoup plus impliqués qu'avant. Les infrastructures sanitaires mises en place avec l'aide du PEPFAR et de la Malaria Initiative vont pouvoir toucher d'autres domaines de la vie africaine.

Mais peut-être que le changement le plus significatif accompli au cours de ces dernières années est la vision que les Africains ont d'eux-mêmes. De la même façon que le sida n'est plus considéré comme une condamnation à mort, les peuples africains ont gagné en optimisme : ils sont désormais convaincus qu'ils peuvent surmonter leurs problèmes, reconquérir leur dignité, et avancer avec espoir.

En voyage au Rwanda en 2008, Laura et moi avons visité une école où les adolescents – des orphelins pour la plupart – apprenaient des méthodes de prévention du sida. Une leçon portait sur la manière dont les filles pouvaient repousser les avances d'hommes plus âgés, ce qui entrait dans la logique de l'abstinence prônée par le PEPFAR.

En passant devant un groupe d'étudiants, j'ai lancé : « Dieu est bon. » Ils ont crié en chœur : « Tout le temps ! »

Ici au Rwanda, un pays qui a perdu des centaines de milliers d'habitants à cause du génocide et du sida, ces enfants ont le sentiment d'avoir de la chance. Ceux d'entre nous qui vivent dans des lieux aisés comme l'Amérique devraient en tirer des leçons. J'ai décidé de me répéter.

« Dieu est bon. »

Le chœur a répondu, encore plus fort : « Tout le temps ! »

12

Renforts militaires

En septembre 2006, à l'approche des élections de mi-mandat, mon ami Mitch McConnell est venu dans le Bureau Ovale. Le sénateur senior du Kentucky et chef des républicains au Sénat avait demandé à me voir seul à seul ; Mitch, qui avait le nez pour les affaires politiques, sentait les ennuis arriver.

« Monsieur le président, a-t-il commencé, votre impopularité va nous coûter le contrôle du Congrès. »

Mitch avait vu juste. De nombreux Américains en avaient assez de ma présidence. Mais ce n'était pas la seule raison pour laquelle notre parti était en péril. J'ai repensé aux députés républicains envoyés en prison pour avoir accepté des pots-de-vin, couverts de honte à cause de scandales sexuels, ou impliqués dans des affaires de lobbying. Et puis il y avait les dépenses excessives, les enveloppes réservées aux projets électoralistes, et notre échec à réformer la sécurité sociale en dépit d'une majorité au Congrès.

« Eh bien, Mitch, ai-je répondu, que voulez-vous que je fasse ?

– Monsieur le président, rapatriez quelques troupes d'Irak. »

Ce n'était pas le seul à être de cet avis. Avec l'escalade de la violence en Irak, des membres des deux partis avaient réclamé un retrait de l'armée.

« Mitch, ai-je dit, je pense que notre présence dans ce pays est nécessaire pour la protection des Etats-Unis, et je ne rapatrierai les troupes que si les conditions militaires le justifient. » Ce qui m'importait c'était de remporter la victoire en Irak, pas les élections.

Mais je ne lui ai pas dit que je commençais à considérer sérieusement le contraire de ce qu'il recommandait. Plutôt que de retirer les troupes, j'étais sur le point de prendre la décision la plus difficile et la moins populaire de ma présidence : déployer des dizaines de milliers d'autres soldats en Irak avec une nouvelle stratégie, un nouveau commandant, ainsi que la mission de protéger le peuple irakien et d'encourager la montée d'une démocratie au cœur du Moyen-Orient.

Ce pessimisme de septembre 2006 contrastait avec l'espoir qui avait germé lors de la libération de l'Irak. Dans l'année qui suivit l'entrée de nos troupes dans le pays, nous avons renversé le régime de Saddam Hussein, capturé le dictateur, reconstruit des écoles et des cliniques, et constitué un Conseil du gouvernement représentant les ethnies et confessions dominantes. Si l'anarchie et la violence dépassaient nos attentes, la plupart des Irakiens semblaient déterminés à construire une société libre. Le 8 mars 2004, le Conseil du gouvernement parvint à un accord sur la Loi administrative transitionnelle. Ce document historique stipulait un retour à la souveraineté en juin, suivie d'élections pour une assemblée nationale, de la rédaction d'une constitution, et d'une autre salve d'élections afin de choisir un gouvernement démocratique.

Pendant plus de trois ans, ce fut là notre feuille de route. Nous étions convaincus qu'aider les Irakiens à franchir ces étapes importantes était la meilleure façon de montrer aux chiites, aux sunnites et aux Kurdes qu'ils avaient intérêt à vivre dans un pays libre et en paix. Une fois que les Irakiens se seraient investis dans un processus de paix, nous espérions qu'ils réussiraient à résoudre leurs conflits aux urnes, et à marginaliser les ennemis d'un Irak libre. Pour faire court, nous pensions que les progrès politiques étaient la voie vers la sécurité – et, au bout du compte, ce qui allait nous permettre de rentrer chez nous.

Notre stratégie militaire portait essentiellement sur la poursuite des extrémistes et la formation des forces de sécurité irakiennes. Au fil du temps, nous avons cherché à nous faire plus discrets, afin d'effacer notre image d'occupants et de donner plus de légitimité aux chefs irakiens. J'ai résumé cette stratégie ainsi : « Pendant que les Irakiens se relèveront, nous nous ferons plus discrets. » Don Rumsfeld a proposé une analogie plus évocatrice : « Progressivement, nous lâcherons la selle du vélo. »

J'avais étudié l'histoire de l'après-guerre en Allemagne, au Japon et en Corée du Sud. Il avait fallu du temps – et la présence de militaires américains – pour réussir la transition entre les effets dévastateurs de la guerre, et l'avènement d'une démocratie stable.

Mais une fois cette étape accomplie, les conséquences en valaient largement la peine. L'Allemagne de l'Ouest est devenue le moteur de la prospérité européenne, et un modèle de liberté pendant la guerre froide. Le Japon est aujourd'hui la deuxième puissance économique mondiale, ainsi que le pilier de la sécurité dans le Pacifique. La Corée du Sud est un de nos principaux partenaires commerciaux, doublé d'un rempart stratégique contre ses voisins du Nord.

Les trois pays bénéficiaient de populations relativement homogènes et d'environnements post-guerre plutôt paisibles. En Irak, le parcours serait plus difficile ; les conflits ethniques et interconfessionnels tourmentaient le pays depuis sa création par les Britanniques sur les vestiges de l'empire ottoman. La peur et la méfiance qu'inspirait Saddam Hussein rendaient toute réconciliation nationale difficile. Les violentes attaques des extrémistes n'arrangeaient pas la situation.

Malgré les conflits, l'espoir demeurait. L'Irak avait une population jeune et éduquée, une culture dynamique, et des institutions gouvernementales efficaces. Grâce à ses ressources naturelles, son économie était en bonne santé. Ses citoyens faisaient des sacrifices pour maîtriser les insurrections et vivre libres. Avec du temps et un soutien ferme de la part des Américains, j'étais convaincu qu'en Irak la démocratie avait de beaux jours devant elle.

Mais cette certitude était ébranlée quotidiennement. Chaque matin, je recevais un résumé de la veille rédigé par la Situation Room de la Maison-Blanche, imprimé sur du papier bleu. Une partie du rapport présentait le nombre d'Américains décédés en Afghanistan et en Irak, ainsi que le lieu et la cause de leur mort.

Le bilan ne cessait de s'alourdir. Les Etats-Unis perdirent 52 soldats en mars 2004, 135 en avril, 80 en mai, 42 en juin, 54 en juillet, 66 en août, 80 en septembre, 64 en octobre et 137 en novembre, lorsque nos troupes ont lancé l'assaut contre des insurgés à Falloujah.

Cette mortalité croissante me plongeait dans l'angoisse. Quand je recevais une feuille bleue, j'entourais le nombre de victimes, et m'interrompais pour méditer sur chaque perte individuelle. J'apportais mon réconfort aux familles aussi souvent que je le pouvais. En août 2005, je me suis envolé pour l'Idaho, où devait avoir lieu une cérémonie en l'honneur des réservistes de la Garde nationale. Ensuite, j'ai rencontré Dawn Rowe, qui avait perdu son mari Alan en septembre 2004. Dawn me présenta à ses enfants, Blake, six ans, et Caitlin, quatre ans. Même si Alan était mort depuis plus d'un an, leur chagrin était immense. « Mon mari était fier d'être un Marine, me confia Dawn. S'il avait dû tout refaire, même en sachant qu'il allait mourir, il n'aurait pas hésité une seconde. » Je fis une promesse : le sacrifice d'Alan ne serait pas en vain.

Au cours de ma présidence, j'ai dû voir environ 550 familles de soldats morts. Ces rencontres furent à la fois les événements les plus douloureux et les plus euphorisants de mon rôle de commandant en chef. La grande majorité des personnes dont j'ai fait la connaissance avaient la même attitude que les Rowe : en dépit de leur chagrin dévastateur, elles étaient fières du service accompli par le défunt. Quelques familles ont réagi violemment. En juin 2004, quand j'ai visité Fort Lewis, dans l'Etat de Washington, j'ai rencontré une mère qui avait perdu son fils en Irak. Visiblement, elle était bouleversée ; j'ai tenté de la mettre à l'aise.

« Vous êtes autant un terroriste qu'Oussama ben Laden », m'a-t-elle accusé.

Que répondre ? Son fils était mort ; elle avait le droit de dire ce qu'elle pensait à l'homme qui l'avait envoyé sur le front. J'étais désolé que son chagrin lui ait inspiré tant d'amertume. Si exprimer sa colère pouvait l'aider à apaiser sa souffrance, cela ne me dérangeait pas.

Le même jour, j'ai retrouvé Patrick et Cindy Sheehan de Vacaville, en Californie. Leur fils défunt, le spécialiste Casey Sheehan, s'était porté volontaire pour cette mission, qui avait consisté en une courageuse tentative de sauver une équipe de soldats bloquée à Sadr City. Après la rencontre, Cindy a fait part à un journaliste de l'impression que je lui avais laissée : « Je sais qu'il est sincère quand il dit vouloir la liberté pour les Irakiens… Je sais qu'il est désolé, et qu'il souffre de savoir que nous avons perdu notre fils. Et je sais que c'est un homme de foi. »

L'été qui suivit, Cindy Sheehan était devenue une militante antiguerre. Avec le temps, son discours s'est fait plus rude, plus extrême. Elle est devenue le porte-parole de l'organisation antiguerre Code Pink ; elle s'est prononcée contre Israël, a plaidé en faveur du dictateur vénézuélien et antiaméricain Hugo Chavez, et a fini par se présenter aux élections du Congrès contre Nancy Pelosi, la présidente de la Chambre des Représentants. J'éprouve de la compassion envers Cindy Sheehan. C'est une mère qui aimait son fils. Son chagrin était si profond qu'il a dévoré sa vie. J'ai l'espoir qu'un jour elle et toutes les familles de nos troupes perdues se réconforteront en voyant un Irak libre et un monde moins violent, en hommage au sacrifice de leurs aimés.

En perdant leur refuge en Afghanistan, les terroristes d'Al-Qaïda se sont mis en quête d'une nouvelle terre d'asile. Lors du renversement de Saddam Hussein, en 2003, Ben Laden exhorta ses combattants à favoriser le djihad en Irak. Pour plusieurs raisons, l'Irak les attirait plus que l'Afghanistan ; son pétrole et ses racines arabes y étaient pour beaucoup. Avec le temps, le nombre d'extrémistes affiliés à Al-Qaïda en Afghanistan ne se comptait plus que par centaines, alors qu'en Irak on l'estimait à dix mille.

D'autres extrémistes peuplaient l'Irak : d'anciens partisans du Baas, des rebelles sunnites, et des intégristes chiites soutenus par l'Iran. Mais aucun d'eux n'avait la cruauté d'Al-Qaïda. Des détracteurs déclarèrent que la présence de ce groupuscule était la preuve que nous avions éveillé le terrorisme en libérant l'Irak. Je n'ai jamais accepté cette logique. Al-Qaïda existait déjà le 11 Septembre, alors qu'il n'y avait encore aucun soldat en Irak. Qui peut croire que ces hommes, capables de décapiter des captifs avec une scie ou de faire des attentats-suicide à la bombe sur des marchés, se seraient montrés doux comme des agneaux si seulement on avait laissé Saddam Hussein tranquille ? Si ces fanatiques n'avaient pas tenté de tuer des Américains en Irak, ils l'auraient fait ailleurs. Et si nous les avions laissés nous convaincre de partir, ils ne s'en seraient pas tenus là. Ils nous auraient suivis jusque chez nous.

Malgré ces vies qu'ils nous ont arrachées, nos ennemis ne nous ont pas empêchés d'atteindre nos objectifs stratégiques en Irak. Au printemps 2004, le terroriste Zarqaoui – qu'Oussama ben Laden a ensuite désigné comme « le prince d'Al-Qaïda en Irak » – menaça de perturber la passation de pouvoir prévue le 30 juin. En mai, le chef du Conseil du gouvernement, Ezzedine Salim, fut assassiné dans un attentat suicide. Quelques semaines plus tard, des attaques simultanées de la police irakienne et des bâtiments gouvernementaux tuèrent plus de cent personnes, dont trois soldats américains. Afin de déjouer d'autres attaques, nous avons décidé d'avancer la passation de pouvoir de deux jours.

Le 28 juin, j'étais au sommet de l'OTAN à Istanbul quand j'ai senti la main de Don Rumsfeld sur mon épaule. Il m'a glissé un bout de papier avec l'écriture de Condi : « Monsieur le président, l'Irak est un Etat souverain. Bremer a rendu le pouvoir à 10 h 26 ce matin, heure irakienne. »

J'ai gribouillé : « Vive la liberté ! » Puis j'ai serré la main du dirigeant sur ma droite. Le hasard, qui fait bien les choses, m'a permis de partager cet instant avec un homme qui n'a jamais failli dans son désir de liberté pour l'Irak, Tony Blair.

Sept mois plus tard, en janvier 2005, les Irakiens franchirent une nouvelle étape déterminante : l'élection d'une assemblée nationale transitoire. Une fois de plus, les terroristes avaient résolu d'empêcher ces avancées politiques. Zarqaoui déclara « une guerre totale contre cette doctrine malfaisante qu'est la démocratie », et jura de tuer tout Irakien impliqué dans ces élections.

Chez nous, la tension montait. Dans le *Los Angeles Times*, un lecteur traita ces élections d'« imposture », et proposa de les remettre à plus tard. Mais j'avais peur que cela n'enhardisse l'ennemi, et ne pousse les Irakiens à remettre en question notre intérêt pour la démocratie. Maintenir le vote leur montrerait que nous avions confiance en eux, et désignerait les rebelles comme des ennemis de la liberté. « Ces élections doivent avoir lieu comme prévu, ai-je dit aux services de sécurité nationale. Ce sera l'occasion d'adresser un message clair au monde. »

A 5 h 51 le 30 janvier 2005, j'ai appelé l'officier de permanence dans la Situation Room pour qu'il m'apporte le premier compte rendu. Il m'a informé que notre ambassade à Bagdad enregistrait un fort taux de participation – malgré un boycott de la part de nombreux sunnites. Tandis que des terroristes faisaient encore des leurs, les chaînes télévisées du monde entier montraient des Irakiens qui agitaient leurs doigts pleins d'encre[1] avec bonheur. Un journaliste aperçut une dame de quatre-vingt-dix ans se rendre au scrutin poussée dans une brouette. Un autre compte rendu décrivit un électeur qui avait perdu une jambe dans un attentat : « Je serais venu en rampant s'il l'avait fallu, dit-il. Aujourd'hui, je vote pour la paix. »

Les élections permirent de constituer une assemblée nationale, qui à son tour nomma un comité pour rédiger une constitution. En août, les Irakiens parvinrent à un accord sur la Constitution la plus progressiste du monde arabe – un document qui garantissait des droits égaux pour tous et protégeait les libertés de religion, de réunion et d'expression. Quand les électeurs se rendirent aux urnes le 15 octobre, le taux de participation était encore plus fort qu'en janvier. Les violences étaient moins nombreuses. Les sunnites vinrent voter plus nombreux. La Constitution fut ratifiée à 79 %.

La troisième élection de l'année, qui eut lieu en décembre, visait à remplacer l'assemblée transitoire par un corps législatif permanent. Cette fois encore, les Irakiens bravèrent les menaces terroristes. Près de douze millions de personnes – soit une participation de plus de 70 % – vinrent déposer leur bulletin de vote. La participation sunnite atteignit un record. Un électeur, levant son doigt taché d'encre, s'écria : « Ceci est une épine dans les yeux des terroristes. »

J'étais fier de mes soldats, heureux pour les Irakiens. Avec les trois élections de 2005, ils avaient franchi une étape essentielle sur le chemin de la démocratie. J'avais espoir que ces progrès politiques finiraient par isoler les rebelles et permettraient à nos troupes de

---

1. Pour empêcher les fraudes, les responsables demandaient à chaque électeur de tremper un doigt dans de l'encre violette. (NdA)

retrouver, un à un, chacun des combattants d'Al-Qaïda. Après tous ces chagrins et ces sacrifices, l'optimisme venait frapper à notre porte.

Le mausolée d'Askariya, dans la Mosquée d'Or de Samarra, est un des hauts lieux saints chiites. Il abrite les tombeaux de deux imams vénérés, le père et le grand-père de l'imam caché, que les chiites considéraient comme un sauveur censé apporter la justice à l'humanité.

Le 22 février 2006, deux bombes détruisirent la mosquée. Cet attentat était une immense provocation envers les chiites, comparable à une offensive sur la basilique Saint-Pierre ou le mur des lamentations. « C'est l'équivalent de votre 11 Septembre », m'a décrété le chef chiite Abdul Aziz al-Hakim.

J'ai repensé à la lettre écrite par Zarqaoui aux leaders d'Al-Qaïda, en 2004, dans laquelle il se proposait d'encourager une guerre entre les chiites et les sunnites irakiens. S'il y a eu quelques représailles, les violences n'ont pas dégénéré pour autant. J'étais soulagé. Les chiites ont fait preuve de retenue, et je les ai incités à continuer. Lors d'un discours le 13 mars, j'ai déclaré que les Irakiens avaient « regardé dans l'abîme, et [que] ce qu'ils y ont vu ne leur a pas plus ».

J'avais tort. Au début du mois d'avril, les violences interconfessionnelles avaient explosé. Des groupes itinérants de tueurs chiites kidnappaient et assassinaient d'innocents sunnites. Les sunnites ripostaient avec des attentats suicide en zones chiites. La crise était exacerbée par le manque d'un gouvernement irakien solide. Depuis les élections de décembre, les partis se disputaient le contrôle de l'Etat. C'était là une facette naturelle de la démocratie, mais avec l'escalade de la violence, l'Irak avait besoin d'un dirigeant qui avait de la poigne. J'ai donné l'ordre à Condi et à l'ambassadeur Zal Khalilzad – qui avait quitté Kaboul pour Bagdad – d'insister auprès des Irakiens afin de choisir un Premier ministre. Quatre mois après les élections, ils firent un choix surprenant : Nouri al-Maliki.

Maliki, un dissident condamné à mort par Saddam, avait vécu en exil en Syrie. Je l'ai appelé le jour même de sa nomination ; comme il n'avait pas de téléphone sûr, il était à l'ambassade américaine.

« Monsieur le président, je vous passe le nouveau Premier ministre, a fait Zal.

– Merci, ai-je répondu, mais restez un peu plus au bout du fil, pour que le Premier ministre sache à quel point nous sommes proches. »

« Félicitations, monsieur le Premier ministre, ai-je dit quand Maliki est venu au téléphone. Je voulais que vous sachiez que les

Etats-Unis sont des ardents défenseurs de la liberté en Irak. Nous travaillerons ensemble pour vaincre les terroristes et pour venir en aide au peuple irakien. Vous pouvez gouverner en toute confiance. »

Maliki s'est montré amical et sincère, mais il était nouveau dans le monde de la politique. J'ai clairement affirmé que je désirais entretenir avec lui une relation proche et personnelle ; il a fait écho à mes vœux. Dans les mois qui ont suivi, nous avons souvent discuté au téléphone et par vidéoconférence. Je faisais attention à ne pas avoir l'air de le brimer ou de le réprimander. Je voulais qu'il me considère comme un partenaire, peut-être même comme un mentor. Il allait subir suffisamment de pression ailleurs ; moi, je ne lui offrais que conseils et bienveillance. Une fois que j'aurais acquis sa confiance, je serais plus à même de l'aider dans ses décisions difficiles.

J'espérais que la formation du gouvernement de Maliki apaiserait les violences. Ce ne fut pas le cas. La liste de meurtres religieux ne cessait de s'allonger ; des escadrons de la mort effectuaient des kidnappings sans problème. L'Iran apportait aux insurgés des financements, des formations et des EFP (Explosively Formed Projectiles, des projectiles explosifs) afin de tuer nos soldats. Les Irakiens se sont réfugiés dans leurs terriers confessionnels, cherchant à se protéger par tous les moyens possibles.

Notre commandant au sol en Irak était le général George Casey, un officier quatre étoiles expérimenté qui avait dirigé des troupes en Bosnie et servi comme vice-chef d'état-major de l'armée. Lorsque le général Ricardo Sanchez s'était retiré en été 2004, Don Rumsfeld l'avait recommandé pour le poste de commandant en Irak.

Avant que George ne déploie ses troupes à Bagdad, Laura et moi l'avons invité avec sa femme, Sheila, pour dîner à la Maison-Blanche. Nous avons été rejoints par l'ambassadeur en Irak John Negroponte [1] – un diplomate expérimenté et doué qui s'était porté volontaire pour cette position – et son épouse, Diana. George m'a offert la biographie d'un entraîneur légendaire du football américain, Vince Lombardi ; lui-même avait travaillé comme préposé à l'équipement pour les Washington Redskins pendant la dernière saison de Lombardi. Ce cadeau en disait long sur l'homme qui l'offrait. A l'instar de ce coach qu'il admirait, George n'était ni exubérant ni provocateur. C'était un commandant solide et direct – un « bloc de granit », comme on l'a décrit un jour.

Le général Casey – tout comme le général Abizaid et Don Rumsfeld – était convaincu que la présence de nos troupes inspirait un

---

1. John a accepté quatre postes sous ma présidence – ambassadeur aux Nations unies, ambassadeur en Irak, directeur des services de renseignements nationaux, et ministre adjoint de l'Etat. (NdA)

sentiment d'occupation qui attisait la violence et alimentait l'insurrection. Pendant deux ans et demi, j'avais poursuivi l'idée de rapatrier nos forces au fur et à mesure que les Irakiens prenaient de l'autonomie ; mais dans les mois qui suivirent l'attentat à Samarra, j'avais commencé à me demander si notre approche était en accord avec la réalité sur le terrain. Les conflits religieux n'avaient pas surgi à cause de notre présence ; c'était Al-Qaïda qui les avait provoqués. Et si les Irakiens avaient du mal à se tenir debout, l'heure n'était pas encore venue pour nous de nous coucher.

Toute l'équipe de sécurité nationale partageait mes inquiétudes au sujet de cette détérioration des conditions. Mais c'est mon conseiller de sécurité, Steve Hadley, qui fut le premier à me suggérer une solution.

Steve a attiré mon attention pendant la campagne de 2000, alors qu'il faisait partie du comité consultatif de politique étrangère constitué par Condi. Il n'aimait pas apparaître en public ; mais une fois devant la caméra, ses manières d'érudit et la clarté de ses explications lui conféraient une grande crédibilité. En coulisses, il se montrait calme et réfléchi ; il écoutait, synthétisait, et méditait sans ruminer, puis exprimait clairement les différentes possibilités. Quand je parvenais à une décision, il savait comment la mettre en pratique au sein de l'équipe.

Steve est quelqu'un qui respecte les convenances. Il est capable de prendre un vol long-courrier en cravate, dormir avec, et d'émerger avec son nœud encore impeccablement en place. Un jour, il s'était porté volontaire pour travailler sur un ranch ; son travail consistait à empiler des branches de cèdre. Il a effectué sa tâche méticuleusement, efficacement, en chaussures vernies. Derrière cette apparence solennelle, Steve est un homme bon, altruiste, et plein d'humour. J'ai passé bien des week-ends à Camp David avec lui et sa femme, Ann. Il s'agit d'un des couples les mieux assortis que je connaisse. Ce sont tous deux des cérébraux, des randonneurs, et de merveilleux parents pour leurs deux adorables filles.

Au cours de mon second mandat, j'ai retrouvé Steve presque tous les matins. Après une journée particulièrement éprouvante au printemps 2006, nous examinions la feuille bleue au bureau présidentiel. J'ai levé les yeux, secouant la tête ; Steve secouait la tête, lui aussi.

« Ça ne fonctionne pas, ai-je fait remarquer. Il faut qu'on revoie toute la stratégie. J'ai besoin qu'on me propose de nouvelles options.

– Monsieur le président, a-t-il répondu, j'ai bien peur que vous n'ayez raison. »

Steve s'est mis au travail pour mener une enquête complète. Tous les soirs, l'équipe irakienne du Conseil de sécurité nationale rédigeait une note de service avec le détail des évolutions militaires et politiques des dernières vingt-quatre heures ; l'image qui en ressortait n'était guère rassurante. Un jour de fin de printemps, en fin de réunion, j'ai demandé à Meghan O'Sullivan, une doctorante qui avait passé un an à travailler pour Jerry Bremer en Irak, de rester quelques instants. Elle était en contact avec de nombreux hauts responsables du gouvernement irakien. Je lui ai demandé comment ça se passait à Bagdad. « C'est l'enfer, monsieur le président », m'a-t-elle confié.

A la mi-juin, Steve a demandé à un groupe d'experts venus de l'extérieur de venir me faire un briefing à Camp David. Fred Kagan, un chercheur militaire à l'American Enterprise Institute se demandait si nous avions suffisamment de troupes pour maîtriser les conflits. Robert Kaplan, un brillant journaliste, me conseilla d'adopter une stratégie de contre-insurrection plus agressive. Michael Vickers, un ancien agent de la CIA qui avait aidé à armer les moudjahidins afghans dans les années 1980, suggéra de laisser une plus grande part aux opérations spéciales. Eliot Cohen, auteur de *Supreme Command*, un ouvrage sur les relations entre les présidents et leurs généraux que j'avais lu sur les conseils de Steve, me soumit que je devais tenir mes commandants pour responsables de leurs résultats.

Afin d'apporter un autre point de vue, Steve m'apporta des articles écrits par des colonels et généraux une étoile qui avaient dirigé des troupes en Irak. Une dichotomie s'imposa : si les généraux Casey et Abizaid soutenaient qu'il fallait former les Irakiens puis se retirer, la plupart de ceux qui étaient au cœur de l'action pensaient qu'il nous fallait plus d'hommes.

Un compte rendu m'intrigua tout particulièrement : celui du colonel McMaster. J'avais lu son livre sur le Vietnam, *Dereliction of Duty*, dans lequel il accusait les chefs militaires de ne pas avoir suffisamment tenté de rectifier la stratégie adoptée par le président Johnson et le secrétaire à la Défense Bob McNamara. En 2005, le colonel McMaster dirigeait un régiment dans la ville nord-irakienne de Tal Afar. Il menait une stratégie de contre-insurrection, où il déployait ses troupes pour faire évacuer les rebelles, défendre les territoires gagnés depuis peu, et aider au développement des institutions économiques et politiques locales. Cette doctrine, fondée sur une démarche bien précise (évacuer, défendre et développer) avait fait de Tal Afar, cet ancien bastion d'insurgés, une ville relativement paisible et vivante.

Le général David Petraeus pratiquait aussi ce genre de méthode. C'est à Fort Campbell, en 2004, que j'ai fait sa connaissance. Il avait la réputation d'être un des jeunes généraux les plus intelligents et dynamiques de l'armée. A l'académie militaire de West Point, il avait fait partie des premiers de la classe, avant de décrocher un doctorat à l'Université de Princeton. En 1991, il reçut accidentellement une balle à la poitrine pendant un exercice d'entraînement. Il dut parcourir soixante miles en hélicoptère, jusqu'au centre médical de l'Université Vanderbilt, où le Dr Bill Frist, futur représentant républicain du Sénat, lui sauva la vie.

Au début de la guerre, le général Petraeus était à la tête de la 101ᵉ troupe aéroportée à Mossoul. Il avait demandé à ses hommes de vivre parmi les résidents irakiens et de patrouiller dans les rues à pied ; cela permettait de faire comprendre aux Irakiens qu'il s'agissait bien de protection, non d'occupation. Petraeus organisa ensuite des élections locales afin de constituer un conseil transitoire, dépensa des fonds de reconstruction pour relancer l'activité économique, et rouvrit la frontière avec la Syrie pour faciliter les échanges commerciaux. Cette approche était typique d'une stratégie de contre-insurrection. Pour vaincre l'ennemi, il s'agissait avant tout de convaincre la population.

Et ça a marché. Ailleurs en Irak, les conflits s'intensifiaient ; à Mossoul, il régnait une relative tranquillité. Mais avec la réduction de nos troupes, la violence a resurgi. A Tal Afar, le même phénomène allait avoir lieu.

Après avoir supervisé l'entraînement des forces de sécurité irakiennes, le général Petraeus fut affecté à Fort Leavenworth, dans le Kansas, pour réécrire le manuel de contre-insurrection de l'armée américaine. Les principes de cette méthode impliquent d'instaurer une sécurité de base avant de pouvoir inciter à une évolution politique. Tout l'inverse de la stratégie que nous avions adoptée. J'ai décidé de suivre de près le travail du général Petraeus – et le général lui-même.

Au milieu des mauvaises nouvelles qui nous submergeaient en 2006, une éclaircie est apparue. Au début du mois de juin, les Forces spéciales, sous l'égide du très efficace général Stanley McChrystal, pistèrent et tuèrent Zarqaoui, leader d'Al-Qaïda en Irak. Pour la première fois depuis les élections de décembre, nous étions en mesure de montrer un signe conséquent d'évolution.

Une semaine plus tard, je me suis discrètement éclipsé de Camp David à la fin d'une journée de réunions avec le NSC. Avec un petit groupe de conseillers, j'ai pris un hélicoptère militaire qui nous a emmenés dans la base aérienne d'Andrews Air Force Base, où j'ai pris place à bord d'Air Force One. Onze heures plus tard, nous atterrissions à Bagdad.

Contrairement à mon voyage de Thanksgiving 2003, lorsque mes réunions s'étaient déroulées à l'aéroport, j'avais décidé cette fois de rencontrer Maliki dans la Zone verte, une enclave hautement sécu-risée dans le centre de Bagdad. Des hélicoptères militaires nous ont fait survoler la ville, vite et bas, en lançant de temps à autres une fusée éclairante pour éviter tout missile thermoguidé. Le Premier ministre m'attendait à l'ambassade. Depuis son élection en avril, je désirais rencontrer Maliki en face à face. Au téléphone, il disait toujours ce qu'il fallait ; mais je me demandais si ses convictions étaient sincères.

« Ce sont vos décisions et vos actions qui vont déterminer la réus-site de notre combat, lui ai-je dit. Ce ne sera pas facile, mais peu importe les obstacles qui nous attendent, nous serons toujours là pour vous. »

Maliki remercia les Etats-Unis d'avoir libéré son pays, et exprima son désir d'une relation privilégiée. « Nous remporterons la victoire contre la terreur, la victoire pour la démocratie, déclara-t-il. Il y a de nombreuses personnes qui ont peur que nous réussissions. Elles ont raison de s'inquiéter, parce que notre succès les détrônera à coup sûr. »

Le Premier ministre avait des manières douces et une voix calme, mais je sentais une dureté intérieure. Saddam Hussein avait exécuté de nombreux membres de la famille de Maliki, qui avait cependant refusé de renoncer à son rôle au sein du parti d'opposition. Son courage personnel était une semence que j'espérais enrichir, afin de lui permettre de devenir ce leader solide dont les Irakiens avaient besoin.

Maliki m'a emmené dans une salle de conférence pour me faire rencontrer son cabinet, qui comprenait des chefs chiites, sunnites, et kurdes. Je l'ai présenté à mon équipe par vidéoconférence. Mes conseillers, qui ne savaient pas que j'avais quitté Camp David, avaient l'air stupéfait de me voir à Bagdad. Les Irakiens étaient ravis de converser avec leurs homologues, en cette toute première réunion commune entre les Etats-Unis et l'Irak.

J'eus une autre rencontre déterminante au cours de ce voyage : celle avec George Casey. Ce général consciencieux, qui était dans le pays depuis deux ans, avait prolongé son séjour sur ma demande. Il me révéla que 80 % des conflits interconfessionnels avaient lieu dans un périmètre de moins de cinquante kilomètres autour de Bagdad. Si nous voulions instaurer le calme dans le reste du pays, prendre le contrôle de la capitale était essentiel.

Le général Casey projetait un nouvel assaut sur Bagdad. Avec cette offensive, Operation Together Forward (opération ensemble, en avant), il allait essayer de mettre en œuvre la stratégie consis-tant à évacuer, défendre, et développer ce qui avait réussi à Tal Afar et à Mossoul.

J'ai senti une contradiction : cette tactique impliquait un rassemblement intensif des troupes. Or, nos généraux désiraient réduire notre présence. Il revint sur mes objections :

« Je vais devoir m'exprimer plus clairement, dit-il.

— Sans aucun doute », fut ma réponse.

L'été de 2006 fut la pire période de ma présidence. Je pensais à la guerre jour et nuit. Si la détermination du gouvernement de Maliki et la mort de Zarqaoui me rassuraient, les violences qui agitaient le pays m'inquiétaient. En moyenne, 120 Irakiens mouraient par jour. La guerre faisait rage depuis plus de trois ans, et nous avions perdu plus de 2 500 soldats. Un Américain sur deux affirmait être en désaccord avec ma politique en Irak.

Pour la première fois, j'ai eu peur de l'échec. Si les conflits religieux continuaient de déchirer l'Irak, notre mission était vouée à l'échec. Nous ferions face à un nouveau Vietnam – une défaite humiliante pour le pays, un coup terrible pour les militaires, et un échec cuisant pour nos intérêts. En réalité, les conséquences d'une débâcle en Irak pourraient même être plus dévastatrices que celles du Vietnam. Nous offririons à Al-Qaïda un pays riche en réserves de pétrole ; nous encouragerions l'Iran à poursuivre ses efforts pour se procurer des armes nucléaires ; nous briserions les espoirs de ceux qui prenaient des risques au nom de la liberté partout au Moyen-Orient ; enfin, nos ennemis profiteraient de leur sanctuaire pour attaquer notre patrie. Il fallait à tout prix empêcher cela.

Je me suis efforcé de me montrer ferme en public, et de masquer mes doutes : je tenais à ce que le peuple américain comprenne que je croyais de tout cœur à la cause que nous défendions. Les Irakiens devaient savoir que nous n'avions pas l'intention de les abandonner. Il nous fallait montrer à nos ennemis que nous étions résolus à les vaincre. Par-dessus tout, je pensais à nos soldats ; j'essayais de m'imaginer ce que cela impliquait d'avoir vingt ans et d'être sur le front, ou ce que pouvait ressentir une mère qui s'inquiétait pour son fils ou sa fille. Tous ces gens n'avaient aucune envie d'entendre le commandant en chef des armées s'épancher sur ses conflits intérieurs. Si je nourrissais effectivement des inquiétudes sur cette guerre, il me fallait opérer des changements dans la politique, non pas m'en ouvrir en public.

J'ai puisé ma force dans ma famille, mes amis, et ma foi. Quand nous nous rendions à Camp David, Laura et moi adorions prier avec les familles militaires dans la chapelle de la base. Le capitaine de corvette Stan Fornea, aumônier en 2006, est l'un des meilleurs prédicateurs qu'il m'ait été donné d'entendre. « Le mal est réel, biblique, et répandu, déclama-t-il lors d'un sermon. Certains disent qu'il ne faut pas y faire attention, d'autres prétendent qu'il n'existe pas. Mais le mal ne doit pas être méconnu, il doit être maîtrisé. » Il cita sir Edmund Burke, leader politique britannique du xviiie siècle : « La seule condition au triomphe du mal, c'est l'inaction des gens de bien. »

Stan était convaincu que la liberté était la seule réponse au mal. Il savait aussi que cela avait un coût. « Il n'y a jamais eu de cause noble sans sacrifice, proféra-t-il lors d'un sermon. Si nous pensons pouvoir défendre la liberté sans rien perdre, alors notre nation est perdue. »

Avant tout, Stan était un optimiste, et son sens de l'espoir me redonnait courage. « Les saintes Ecritures font grand cas de la fidélité, de la persévérance, et de la maîtrise de soi, disait-il. Nous n'abandonnons pas. Nous vivons dans la croyance qu'il n'y a pas de situation désespérée. »

J'ai aussi trouvé un certain réconfort dans l'histoire. En août, j'ai lu *Lincoln : A Life of Purpose and Power* (« Lincoln : une vie de pouvoir et de détermination »), de Richard Carwadine, une des quatorze biographies d'Abraham Lincoln que j'ai compulsées au cours de ma présidence. Ces livres décrivaient l'abattement ressenti par le président à la lecture de télégrammes qui lui apprenaient la défaite des Etats de l'Union dans des lieux comme Chancellorsville, où le nord avait perdu dix-sept mille soldats, ou Chickamauga, où seize mille furent blessés ou tués.

Pourtant ces pertes ne constituaient pas la seule inquiétude de Lincoln. Il avait eu du mal à trouver un commandant prêt à se lancer dans cette guerre ; il vit son fils Willie mourir à la Maison-Blanche, et son épouse, Mary Todd, sombrer dans la dépression. Mais grâce à sa foi en Dieu et sa certitude qu'il menait une guerre juste, Lincoln ne lâcha pas prise.

Sa qualité de chef d'Etat fut marquée par les liens affectueux qu'il établissait avec les soldats de tous rangs. Aux heures les plus sombres de la guerre, il passa de longs moments aux côtés des blessés à Washington. Sa compassion délivra une formidable leçon, et servit d'exemple aux autres présidents en temps de guerre.

Un des aspects les plus émouvants de ma présidence fut la lecture des lettres envoyées par les familles de militaires décédés. J'en ai reçu des centaines, présentant tout un éventail de réactions. Beaucoup d'entre elles exprimaient un sentiment commun : finissez le boulot. Les parents d'un soldat disparu, originaires de l'Etat de Géorgie, écrivirent : « Notre plus grande peine serait de voir cette mission en Irak interrompue. » Une grand-mère en deuil, originaire de l'Arizona, m'envoya un email : « Avant de nous retirer, nous devons finir ce que nous avons commencé. »

En décembre 2005, j'ai reçu une lettre d'un homme habitant Pensacola, en Floride :

> *Monsieur le président,*
>
> *Je m'appelle Bud Clay. Mon fils, le sergent Daniel Clay (corps des Marines américains) a été tué la semaine dernière, le 01/12/05, en Irak. Il faisait partie des dix Marines tués par des IED* à Falloujah.*
>
> *Comme Dan était chrétien – il reconnaissait Jésus comme son Seigneur et Sauveur – nous savons où il se trouve en ce moment. Dans sa dernière lettre (qu'il m'avait laissée – pour que je la lise à la famille en cas de décès) il dit : « Si vous lisez ceci, cela veut dire que la course est terminée pour moi. » Il est rentré chez lui – là où nous reposerons tous un jour, à tout jamais.*
>
> *Je vous écris pour vous dire que nous (ses parents et sa famille) sommes très fiers de vous et de ce que vous tentez de faire pour notre sécurité. C'était le deuxième séjour de Dan en Irak – il disait partir pour nous protéger. Peu de gens voient les choses sous cet angle.*
>
> *Je voudrais vous encourager. J'ai entendu dans vos discours que vous parliez de « maintenir le cap ». Je sais aussi que de nombreuses personnes sont défavorables à cette « guerre contre le terrorisme », et que vous devez parfois être las de ce combat. Mais nous sommes nombreux à prier pour vous, afin que vous alliez jusqu'au bout – comme Lincoln l'a dit, « que ces morts ne soient pas morts en vain ».*
>
> *Vous avez un lourd fardeau à porter – nous prions pour vous.*
>
> *Que Dieu vous bénisse,*
Bud Clay

Le mois suivant, j'ai invité Bud ; sa femme, Sara Jo ; et la veuve de Daniel, Lisa, à mon discours sur l'état de l'Union. Avant de commencer, j'ai accueilli les Clay dans le Bureau Ovale. Nous nous sommes serrés dans les bras, et ils m'ont de nouveau fait savoir que j'étais dans leurs prières. Leur force m'a donné du courage. Dieu, en un geste incroyable, avait transformé leur chagrin en compassion. Leur foi était si évidente et réelle qu'elle a consolidé la mienne. J'espérais réconforter les Clay ; mais c'est eux qui m'ont réconforté.

Ce n'étaient pas les seuls. Le nouvel an de 2006, Laura et moi nous sommes rendus au Brooke Army Medical Center de San Antonio, pour rendre visite à cinquante et un soldats blessés et à leurs familles. Dans une salle, nous avons rencontré le sergent-chef Christian Bagge, de la Garde nationale de l'Oregon, ainsi que son épouse, Melissa. Christian patrouillait en Irak quand son Humvee a percuté une bombe en bordure de route ; coincé dans le véhicule pendant quarante-cinq minutes, il a perdu l'usage de ses deux jambes.

---

* Improvised Explosive Device : bombe antinavale. (NdT)

Christian m'a dit qu'il aimait courir, et qu'il comptait bien s'y remettre un jour. Ce n'était pas facile à imaginer. Voulant lui regonfler le moral, je lui ai lancé : « Appelez-moi quand vous serez prêt. Je viendrai courir avec vous. »

Le 27 juin 2006, j'ai retrouvé Christian sur la pelouse Sud de la Maison-Blanche ; il avait deux jambes de prothèse en fibre de carbone. Nous avons fait quelques tours de la piste de jogging installée par Bill Clinton. La force et le moral de Christian m'ont abasourdi. J'avais du mal à croire que c'était le même homme que j'avais vu dans un lit d'hôpital moins de six mois auparavant. Il ne se considérait pas comme une victime ; il était fier de ce qu'il avait accompli en Irak, et j'espérais que son exemple serait une source de motivation pour d'autres.

J'ai beaucoup pensé à Christian cet été-là, et les années qui ont suivi. Notre pays lui devait toute sa gratitude et son soutien. Moi, je lui devais bien plus encore : je ne pouvais tolérer une défaite en Irak.

Le 17 août, j'ai convoqué l'équipe de sécurité nationale dans le Salon Roosevelt, avec le général Casey, le général Abizaid, et l'ambassadeur Khalilzad par écrans interposés. Les résultats de l'opération Together Forward n'étaient guère prometteurs. Nos troupes avaient chassé les terroristes et les brigades de la mort des quartiers de Bagdad ; mais les forces irakiennes n'arrivaient pas à garder le contrôle. Nous pouvions évacuer, mais non défendre.

« La situation semble se détériorer, ai-je commencé. J'aimerais pouvoir dire que j'ai un plan. L'Amérique peut-elle y arriver ? Si oui, comment ? Quelle sera la réponse de nos commandants ? »

Le général Casey m'assura que nous pouvions réussir en accélérant le transfert de responsabilités aux Irakiens. Il nous fallait « les aider à s'aider eux-mêmes », exprima Don Rumsfeld. C'était une autre façon de dire que nous devions commencer à lâcher la selle du vélo. J'ai voulu faire savoir à l'équipe que je n'étais pas de cet avis : « Nous devons réussir, ai-je repris. S'ils n'y arrivent pas, nous le ferons à leur place. Si la bicyclette vacille, nous remettrons notre main pour la stabiliser. Nous devons nous assurer qu'il n'y aura pas d'échec. »

Le chef d'état-major Josh Bolten, qui avait compris où je voulais en venir, apporta le point d'exclamation à mon allocution : « Si la situation empire, dit-il en fin de réunion, quelle mesures radicales est-ce que l'équipe conseillerait ? »

En partant, j'étais convaincu que nous devrions prendre ces mesures nous-mêmes. J'ai autorisé Steve Hadley à officialiser le rapport écrit par l'équipe irakienne du NSC[1]. Je voulais que cette dernière s'interroge sur chaque aspect de notre stratégie, et qu'elle nous propose de nouvelles solutions. Je la considérais comme ma légion personnelle.

Quand vint l'automne, les tableaux d'informations concernant l'Irak présentaient une moyenne de près de mille attaques par semaine. Je lisais des comptes rendus où des extrémistes torturaient des civils avec des perceuses, kidnappaient des patients dans les hôpitaux, et tuaient des fidèles par explosion pendant la prière du vendredi. Le général Casey avait lancé une seconde grande opération pour ramener la sécurité à Bagdad, cette fois avec des forces irakiennes supplémentaires. Une fois de plus, ce fut l'échec.

J'étais convaincu qu'il fallait changer de stratégie ; afin d'être crédible aux yeux des Américains, un changement de personnel s'imposait. Don Rumsfeld m'avait suggéré qu'un regard nouveau sur la situation en Irak était nécessaire ; il avait raison. Il me fallait aussi de nouveaux commandants. George Casey et John Abizaid avaient effectué des services de longue durée, et il était temps pour eux de rentrer. L'heure était venue de renouveler leurs postes.

Avec les élections de mi-mandat de 2006 qui approchaient, il fallait faire attention à ce que nous disions sur l'Irak. « L'idée que nous allons gagner cette guerre est malheureusement complètement fausse », proclama un porte-parole des démocrates. « Le problème vient de nous », fit le député de Pennsylvanie John Murtha, un des premiers démocrates à demander un rapatriement immédiat des troupes. Le sénateur Joe Biden, membre éminent de la Commission des affaires étrangères, proposa de morceler l'Irak en trois entités séparées. Les républicains étaient tout aussi inquiets ; lors d'une réunion dans le Bureau Ovale, Mitch McConnell demanda une réduction des troupes.

Il me parut plus sage d'attendre jusqu'à la fin des élections pour annoncer tout changement de politique ou de personnel. Je ne voulais pas que le peuple américain ou que nos militaires pensent que je prenais des décisions de sécurité nationale au nom de raisons politiques.

Le week-end précédant le mi-mandat, j'ai retrouvé Bob Gates à Crawford pour lui demander d'accepter le poste de secrétaire à la Défense. Bob avait servi dans la Commission Baker-Hamilton, un groupe d'étude proposé par le Congrès pour réfléchir à la situation irakienne. Il m'a révélé que, parmi les recommandations avancées

---

1. Cette équipe comprenait J. D. Crouch, adjoint de Steve et ancien ambassadeur en Roumanie ; Meghan O'Sullivan ; Bill Luti, capitaine de la marine à la retraite ; Brett McGurk, ancien juriste du président de la Cour Suprême William Rehnquist ; Peter Feaver, professeur de science politique à l'Université de Duke qui s'était mis en disponibilité pour rejoindre le gouvernement ; et Kevin Bergner, général deux étoiles. (NdA)

par le groupe, il avait soutenu un renfort militaire. Je lui ai fait savoir que je cherchais un nouveau commandant en Irak ; il serait chargé d'évaluer les candidats potentiels et de donner son avis sur la question. Mais je lui ai suggéré de s'intéresser tout particulièrement à David Petraeus.

Après deux cycles d'élections au cours desquels les républicains avaient accru leurs effectifs au Congrès, nous nous sommes fait battre à plate couture en 2006, perdant la majorité à la Chambre des Représentants et au Sénat. La nouvelle présidente de la Chambre des Représentants, Nancy Pelosi, déclara : « Le peuple américain a parlé. [...] Nous devons commencer un retrait responsable de nos troupes en Irak. »

En réexaminant notre stratégie en Irak, nous nous sommes concentrés sur trois possibilités. La première impliquait d'accélérer la formation des forces irakiennes en cours tout en retirant les nôtres. Les Irakiens prendraient alors progressivement la charge des conflits, et nous nous limiterions à des missions plus ciblées, comme celle de poursuivre Al-Qaïda.

La deuxième option consistait à retirer nos troupes de Bagdad jusqu'à ce que les affrontements religieux se soient estompés. En octobre, Condi était rentrée découragée d'un voyage en Irak, où elle avait rencontré Maliki et les autres dirigeants. S'ils tenaient absolument à mener une guerre religieuse, argumentait-elle, pourquoi devrions-nous laisser nos soldats au milieu de leur querelle sanglante ?

La troisième alternative était de doubler la mise. De déployer des dizaines de milliers de troupes supplémentaires afin de mener une grande campagne de contre-insurrection à Bagdad. Plutôt que de quitter ces villes, nos soldats s'y installeraient, vivraient parmi la population, et assureraient la sécurité des civils.

La question essentielle était la suivante : les Irakiens avaient-ils la volonté de réussir ? Il me semblait que la plupart d'entre eux soutenaient la démocratie. J'étais convaincu que les mères irakiennes, comme toutes les mères, désiraient que leurs enfants grandissent dans l'espoir. J'avais rencontré des étudiants en programme d'échange, des médecins, des militants pro-féministes et des journalistes, tous décidés à vivre libres et en paix. Un an après la libération de l'Irak, j'ai fait la connaissance d'un groupe de propriétaires de petites entreprises, spécialisées sous Saddam Hussein dans la fabrication d'articles comme des montres ou dans le textile. Afin d'acheter les matériaux, ils échangeaient leurs dinars irakiens contre des monnaies étrangères ; quand le dinar a perdu de sa valeur, Saddam, en quête de bouc émissaires, a donné l'ordre qu'on coupe la main droite de ces hommes. Le réalisateur de documentaires Don North et le journaliste de télévision Marvin Zindler, de Houston, eurent vent de cette histoire et emmenèrent les Irakiens au Texas, où chacun reçut gratuitement une main de prothèse de la part du Dr Joe Agris.

Lors de leur visite au Bureau Ovale, les Irakiens apprenaient encore à se servir de leurs mains droites. Ils remercièrent le peuple américain de les avoir libérés de Saddam ; ils étaient pleins d'espoir pour leur pays. L'un d'eux attrapa un stylo avec la main qu'il n'avait que depuis un mois, et gribouilla à grand-peine quelques mots arabes sur un bout de papier : « Une prière pour que Dieu bénisse l'Amérique. »

J'étais fasciné par ce contraste entre un régime si violent qu'il pouvait couper les mains de ses citoyens, et une société empreinte d'une telle compassion, d'une telle dignité. Je me suis dit que l'Irakien qui avait écrit ces mots parlait au nom de plusieurs millions de ses concitoyens. Ils étaient tous reconnaissants envers l'Amérique pour leur libération. Ils avaient soif de liberté. Et je refusais de les abandonner.

A la fin du mois d'octobre, j'ai demandé à Steve Hadley de se rendre à Bagdad pour rencontrer le Premier ministre Maliki en privé. Steve avait l'impression que Maliki « ignorait ce qui se passait, exprimait mal ses intentions, ou était incapable de transformer ses bonnes intentions en actions ». Avant que je puisse prendre une décision sur la suite, il me fallait d'abord décider de ce qu'il en était.

Le 29 octobre 2006, je me suis envolé pour retrouver Maliki à Amman, en Jordanie. L'attitude du Premier ministre irakien nous avait parfois frustrés. Il lui était arrivé de ne pas envoyer les troupes irakiennes qu'il nous avait promises ; certains membres de son gouvernement entretenaient des liens suspects avec l'Iran. Il n'en avait pas assez fait pour poursuivre les extrémistes chiites. Le général Casey, avec raison, était contrarié par le fait que les représentants religieux proches de Maliki avaient empêché nos troupes d'entrer dans les quartiers chiites.

Cela dit, en six mois de pouvoir, Maliki avait mûri en tant que dirigeant. Il avait subi des menaces de mort et des coups d'Etat potentiels ; de nombreuses délégations du Congrès s'étaient rendues en Irak pour le réprimander. Quelques jours avant notre sommet prévu en Jordanie, le chef chiite radical Moqtada al-Sadr avait menacé de retirer ses sympathisants du gouvernement si le Premier ministre acceptait de me voir. Mais Maliki vint malgré tout.

« Voici ce que je compte faire », a-t-il annoncé fièrement en me tendant un document frappé du nouveau sceau du gouvernement irakien. A l'intérieur de la chemise se trouvait un projet ambitieux pour reprendre Bagdad avec les forces irakiennes. Je savais que son armée et sa police n'étaient pas prêtes pour une opération de cette envergure ; mais ce qui importait, c'était que Maliki reconnaissait le problème des conflits religieux et qu'il semblait décidé à prendre les rênes.

« Les Américains veulent savoir si votre plan nous permettrait de poursuivre les tueurs sunnites et chiites, ai-je demandé.

– Nous ne faisons pas de distinctions ethniques », a-t-il répliqué.

J'ai demandé à voir le Premier ministre seul à seul. Maliki semblait prêt à affronter les conflits. J'ai voulu mettre sa volonté à l'épreuve en évoquant la possibilité d'un renforcement des troupes.

« La pression politique pour abandonner l'Irak est énorme, ai-je dit, mais je veux bien y résister si vous êtes prêt à prendre des décisions difficiles. »

J'ai poursuivi : « Je serais disposé à faire venir des dizaines de milliers de soldats américains pour vous aider à reprendre Bagdad. Mais vous devez me faire certaines promesses. »

J'ai passé la liste en revue : il faudrait renflouer les forces ira-kiennes, et celles-ci devraient être présentes quand il le fallait. Il n'y aurait pas d'interférences politiques dans nos opérations mili-taires communes – on ne nous empêcherait plus d'entrer dans les quartiers chiites. Il devrait affronter les milices chiites, y compris l'armée de Sadr. Et une fois que le pays serait plus sûr, il s'agirait de faire progresser la réconciliation politique entre chiites, sunnites et Kurdes.

Maliki me donna sa parole sur chaque point.

En revenant de Jordanie, j'ai pensé aux différentes stratégies pos-sibles à adopter. Accélérer le transfert des responsabilités aux Ira-kiens ne me paraissait pas viable ; cela ressemblait fort à notre approche actuelle, qui ne fonctionnait pas.

Retirer nos troupes des villes en attendant la fin des violences ne me semblait pas une méthode pratique. Je ne pouvais pas demander à nos soldats de regarder des innocents se faire massacrer par des extrémistes sans rien faire. J'avais peur que l'Irak, brisé, ne s'en remette jamais.

D'un autre côté, le fait de renforcer nos troupes présentait aussi des risques. D'abord, cette option se montrerait très impopulaire dans notre pays ; les combats seraient rudes, et les morts nombreuses. Si Maliki nous faisait faux bond, il nous serait peut-être impossible d'endiguer la violence.

Mais après cette entrevue avec Maliki, j'étais convaincu de pou-voir compter sur son soutien. Le renforcement des troupes était notre meilleure chance, peut-être notre dernière, d'atteindre nos objectifs en Irak.

Après des semaines de discussions intenses en novembre et en décembre, la majeure partie de l'équipe de sécurité nationale finit par se déclarer en faveur d'un renforcement des troupes. Dick Cheney, Bob Gates, Josh Bolten, Steve Hadley et ses guerriers du NSC se rangèrent du côté de cette nouvelle approche. Condi finit par faire de même, du moment que les soldats n'étaient pas envoyés là-bas au nom de l'ancienne stratégie.

Pour une décision aussi importante et controversée, il était capital de présenter un front uni. Le Congrès et la presse étaient à l'affût d'une faille dans le gouvernement ; s'ils en trouvaient, ils l'exploiteraient pour justifier leur opposition et empêcher nos projets. Afin d'atteindre ce consensus, il nous fallait rallier un autre groupe : le Comité des chefs d'états-majors interarmées.

Etabli en 1947 par la loi sur la sécurité nationale, ce comité comprend les membres les plus gradés de chaque branche de service, ainsi qu'un président et un vice-président. Comme ils ne font pas partie de la hiérarchie, ils n'ont aucune influence directe sur les opérations militaires. Leur rôle consiste essentiellement à mettre en avant la puissance et la bonne santé de nos forces armées. La loi stipule que le président de ce comité soit le principal conseiller militaire du président.

En 2006, le président du Comité des chefs d'états-majors était le général Pete Pace. Pete était le premier Marine à avoir été élu à la tête de ce comité, et un des grands officiers de sa génération. Au Vietnam, en tant que jeune lieutenant, Pete avait mené sa section dans des batailles difficiles. Jusqu'à la fin de sa carrière, il a transporté avec lui les photographies des Marines qui sacrifièrent leurs vies sous son commandement. En prenant son poste de président du comité, il a mis un point d'honneur à me donner leurs noms ; il ne les a jamais oubliés, ni le coût de la guerre.

Pete avait proposé au comité d'examiner les stratégies en cours, et j'avais demandé à Steve Hadley de s'assurer que le concept de renforcement des troupes apparaisse dans leurs discussions. J'ai résolu de me rendre au Pentagone pour entendre leurs avis en personne.

Deux jours avant la réunion, Pete est venu me voir dans le Bureau Ovale ; il m'a dit qu'il fallait m'attendre à un certain nombre d'objections de la part des chefs d'états-majors, mais qu'ils seraient prêts à soutenir des renforts militaires. Il a donné aussi à Steve une estimation du nombre de soldats nécessaires à l'opération : cinq brigades, soit environ vingt mille Américains.

Le 13 décembre 2006, je suis entré dans le Tank, la salle de conférence lambrissée et sécurisée du Comité des chefs d'états-majors au Pentagone. Pénétrer ainsi sur leur territoire était une façon pour moi de montrer le respect que je leur portais. J'ai ouvert les discussions en déclarant que j'étais là pour entendre leurs opinions et leur demander conseil.

J'ai fait le tour de la table, afin de leur parler un à un. Les chefs m'ont fait part de leurs inquiétudes. Ils avaient peur que Maliki ne tienne pas ses promesses ; ils trouvaient que d'autres organismes du gouvernement devraient jouer un rôle plus conséquent dans l'affaire irakienne. Ils se demandaient si envoyer autant de soldats en Irak ne nous laisserait pas démunis face à d'autres imprévus, comme un conflit sur la péninsule coréenne.

Mais ce qui les inquiétait par-dessus tout, c'était qu'une augmentation des troupes finisse par « briser l'armée » en mettant les soldats et leurs familles à rude épreuve. Beaucoup de nos militaires basés en Irak en étaient à leur deuxième ou troisième période de service dans le pays ; si nous voulions que notre opération réussisse, certains devraient rester douze à quinze mois de plus. Les conséquences sur le recrutement, le moral, l'entraînement, la préparation et les familles concernées seraient considérables.

Le chef d'état-major de l'armée Pete Schoomaker et le commandant des Marines James Conway conseillèrent d'allonger les périodes de service. Ils pensaient que cela permettrait d'atténuer les tensions, et de nous tenir prêts à intervenir dans des conflits survenant dans le monde. L'idée me plut ; je lui promis d'y réfléchir.

A la fin de la réunion, j'ai résumé ma pensée : « Je partage vos inquiétudes concernant l'usure des soldats. Mais le moyen le plus sûr de les briser serait de perdre notre combat en Irak. »

Ma première intention fut d'annoncer cette nouvelle stratégie une ou deux semaines avant Noël ; mais au fur et à mesure que la date approchait, j'ai compris qu'il nous faudrait plus de temps. Je voulais que Bob Gates, qui avait pris le poste de secrétaire à la Défense le 18 décembre, se rende en Irak.

Deux jours avant Noël, Bob vint me voir à Camp David. Il me raconta avoir vu Maliki, qui avait affiné son projet d'intervention similaire au nôtre : il déclarerait la loi martiale, déploierait trois brigades irakiennes supplémentaires sur Bagdad, désignerait un gouverneur militaire, et nommerait deux commandants adjoints avec carte blanche pour chasser les extrémistes de tous bords. Par ailleurs, Bob avait arrêté son choix sur un nouveau commandant : ce serait le général David Petraeus. Nous sommes convenus de proposer la promotion du général Casey au poste de chef d'état-major de l'armée ; George, avec son long passé militaire, serait d'une aide précieuse. Je voulais aussi lui faire comprendre que je ne le tenais pas pour responsable des problèmes survenus en Irak.

La dernière question à résoudre était celle du nombre de soldats à envoyer pour l'opération. Certains militaires suggéraient de commencer par deux brigades – soit dix mille soldats – avec la possibilité d'en envoyer trois par la suite. Mais Pete Pace rapporta que le général Petraeus et le général Ray Odierno, le deuxième commandant en Irak, désiraient la présence des cinq brigades sur le front.

Si nos commandants, qui étaient sur le terrain, requéraient toutes nos forces, alors ils auraient satisfaction. J'ai décidé d'envoyer cinq brigades à Bagdad, et deux bataillons de la Marine en province d'Anbar. Notre intention était d'intégrer nos soldats aux formations irakiennes, afin de pouvoir les guider sur le champ de bataille et les préparer à endosser plus de responsabilités par la suite. Enfin, j'étais disposé à suivre trois des recommandations avancées par le Comité des chefs d'états-majors. Condi apporterait des renforts civils ; j'obtiendrais du Premier ministre Maliki qu'il nous garantisse une totale liberté de manœuvre ; enfin, je demanderais au Congrès d'augmenter les effectifs de l'armée et du corps de Marine de dix-neuf mille soldats.

Le 4 janvier 2007, je me suis entretenu avec Maliki par vidéoconférence : « Beaucoup de gens ici pensent qu'on n'y arrivera pas. Moi, j'y crois. Je mouillerai ma chemise si vous le faites aussi. » Deux jours plus tard, il s'adressa au peuple irakien pour l'informer des renforts qu'il comptait mettre en place. « Le plan de sécurité de Bagdad interdira à tout hors-la-loi, quelles que soient ses croyances religieuses ou politiques, de venir se réfugier dans cette ville. »

Cette décision s'était révélée difficile à prendre, mais j'étais persuadé d'avoir adopté la bonne approche. J'avais rassemblé les faits, ainsi que les opinions d'intervenants intérieurs et extérieurs au gouvernement. J'avais remis en question des suppositions, pesé le pour et le contre des différentes possibilités. Je savais que renforcer les troupes en Irak serait impopulaire sur le court terme. Mais si à Washington beaucoup avaient perdu tout espoir de victoire, ce n'était pas mon cas.

Le 10 janvier 2007 à 21 heures, j'ai fait face aux caméras dans la Bibliothèque de la Maison-Blanche. « La situation en Irak est inacceptable pour le peuple américain – et elle l'est aussi pour moi, ai-je proféré. Nos soldats se sont battus avec courage. Ils ont fait tout ce qu'on leur a demandé de faire. S'il y a eu des erreurs, la responsabilité m'en incombe.

« Il est évident que nous devons changer notre stratégie en Irak… Alors je me suis engagé à envoyer vingt mille soldats américains supplémentaires. La grande majorité d'entre eux – cinq brigades – sera concentrée sur Bagdad. »

La réaction fut rapide et sans équivoque. « Je ne crois pas qu'envoyer vingt mille soldats en Irak va résoudre le problème », fit un sénateur. « A mon avis, détacher plus de troupes n'est pas la bonne solution », dit un autre. Un troisième parla de « la plus dangereuse bourde en affaires étrangères dans ce pays depuis le Vietnam ». Et c'était seulement l'avis des républicains.

Condi, Bob Gates et Pete Pace se rendirent au Capitole le lendemain de mon annonce. Les questions étaient agressives dans les deux camps. « C'est la stratégie la plus folle et la plus stupide que j'aie jamais vue ou entendue de toute ma vie », lança un député démocrate au général Pace. « Jusqu'à présent, j'ai toujours suivi le président, j'ai cru à son rêve, déclara un sénateur républicain à Condi. Mais à ce stade, je ne pense pas pouvoir continuer. » Condi vint me voir dans le Bureau Ovale. « Ce sera difficile à vendre, monsieur le président », me confia-t-elle.

Au milieu de cette vague quasi universelle de scepticismes, quelques âmes courageuses défendaient mon idée. Parmi elles se trouvaient le sénateur du Connecticut Joe Lieberman, un démocrate rejeté par son parti pour avoir soutenu la guerre ; le sénateur de Caroline du Sud Lindsey Graham, membre de l'Air Force Reserves ; et le sénateur de l'Arizona John McCain.

Ma relation avec McCain était complexe. Il s'était présenté contre moi en 2000, et nous étions en désaccord sur un certain nombre de points : réductions d'impôts, réforme du système de santé Medicare, interrogations terroristes. Mais il m'avait beaucoup soutenu en 2004, et je savais qu'il comptait concourir à la présidence en 2008. Cette opération aurait été l'occasion pour lui de se distinguer de ma politique, mais il n'a pas saisi cette chance. Il prônait depuis longtemps un accroissement des troupes en Irak, et soutenait fortement cette stratégie. « Je ne peux pas garantir la réussite, avoua-t-il. Mais je peux vous assurer l'échec si nous n'adoptons pas cette tactique. »

Le défenseur le plus convaincant de notre stratégie fut le général Petraeus. En tant qu'auteur d'un manuel militaire sur la contre-insurrection, c'était une référence incontestée en la matière. Son intelligence, sa compétitivité et son éthique du travail étaient bien connues de tous. Lors d'une de ses visites aux Etats-Unis, je l'ai invité à faire du vélo tout-terrain à Fort Belvoir, en Virginie. Il avait plutôt l'habitude de courir, mais il possédait suffisamment d'assurance pour relever le défi. Il s'est très bien défendu face aux cyclistes expérimentés du peloton présidentiel.

Après cette virée, je suis entré dans un bâtiment de Fort Belvoir pour prendre un appel du Premier ministre du Japon. Derrière moi, j'ai entendu du bruit ; jetant un coup d'œil par la porte, j'ai aperçu Petraeus en train d'inciter les autres à faire une série de pompes et d'exercices abdominaux.

La promotion de Petraeus avait attiré quelques ressentiments ; j'avais entendu des rumeurs de la part de plusieurs personnes, qui évoquaient son ego surdimensionné. En 2004, quand Petraeus s'occupait de la formation des forces de sécurité irakiennes, *Newsweek* avait publié une couverture avec une photo de lui en gros plan et le titre : « Cet homme peut-il sauver l'Irak ? » Quand j'ai abordé le sujet avec lui, il a souri et m'a répondu : « Mes camarades de West Point sont au courant ; je n'ai pas fini d'en entendre parler ! » Cette remarque m'a plu ; elle révélait son sens de l'autodérision, un beau complément à son dynamisme.

Les audiences de confirmation de Petraeus eurent lieu à la fin du mois de janvier. « Je pense qu'à ce stade, la population de Bagdad veut surtout être en sécurité, avança-t-il. Et à dire vrai, peu importe qui s'en occupe. » Quand John McCain lui demanda si la mission aboutirait avec plus de troupes, le général répliqua : « Non, monsieur. » Le Sénat confirma sa nomination, 81 voix à 0.

J'ai appelé le général dans le Bureau Ovale pour le féliciter de ce vote. Dick Cheney, Bob Gates, Pete Pace et d'autres membres de l'équipe de sécurité nationale étaient également présents. « J'aimerais rester un instant seul à seul avec mon commandant », ai-je dit.

Une fois l'équipe sortie, j'ai assuré le général Petraeus que j'avais toute confiance en lui et qu'il pouvait se confier à moi dès qu'il le souhaitait. A la fin de notre réunion, j'ai conclu : « Voilà, c'est parti. On double la mise. »

En sortant, il rétorqua : « Monsieur le président, je crois qu'on joue plutôt le tout pour le tout. »

Le 10 février 2007, David Petraeus prit le commandement à Bagdad. Sa tâche était l'une des plus intimidantes qu'un commandant avait dû affronter depuis des décennies. Comme il le dit lui-même à ses troupes lors de son premier jour : « La situation en Irak est des plus délicates et présente des enjeux considérables ; notre chemin sera ardu, bien des journées difficiles nous attendent. » Il poursuivit : « Cependant, difficile ne veut pas dire irréalisable. Ces tâches sont exécutables ; la mission n'est pas impossible. »

Avec l'afflux de nos forces en Irak, les généraux Petraeus et Odierno relocalisèrent nos troupes, auparavant campées dans des bases à l'orée de Bagdad, dans des petits avant-postes à l'intérieur de la ville. Nos soldats vivaient aux côtés des forces de sécurité irakiennes et patrouillaient les rues de la ville à pied, au lieu de conduire des Humvee blindés. Lorsqu'ils pénétrèrent pour la première fois dans les bastions ennemis, les extrémistes ripostèrent. Nous avons perdu 81 hommes en février, 81 en mars, 104 en avril, 126 en mai et 101 en juin – c'était la première fois dans cette guerre que nous subissions des pertes si importantes trois mois de suite. La mortalité atteignit des sommets. Mais en 2007, le vent tourna : l'Amérique était de nouveau passée à l'offensive.

Le général Petraeus attira mon attention sur une indication intéressante de notre progrès : le nombre de renseignements apportés par les habitants. Dans le passé, les Irakiens craignaient des représailles de la part des rebelles ou des brigades de la mort ; mais avec la progression de la sécurité, le nombre d'informations communiquées est passé d'environ 12 500 en février à près de 25 000 en mai. Nos troupes et nos services de renseignements se servaient de ces indications pour vider les rues des insurgés et se débarrasser de leurs armes. Notre stratégie de contre-insurrection fonctionnait. Nous étions en train d'acquérir la population à notre cause en leur apportant ce qui leur manquait le plus : la sécurité.

Après les opérations de nettoyage et de sécurisation, nous sommes passés au développement, notamment grâce aux renforts civils menés par l'ambassadeur Ryan Croker. La première fois que j'ai rencontré Ryan c'était en 2006, au Pakistan, où il tenait le poste d'ambassadeur. Il m'avait fait l'effet d'un diplomate patient et modeste. Mais sous ses apparences tranquilles, c'était un homme intrépide, considéré comme le meilleur officier du service diplomatique de sa génération. Ryan, qui parlait couramment l'arabe, avait servi partout au Moyen-Orient, dont quelque fois en Irak. Il avait survécu à l'attaque terroriste de 1983 sur notre ambassade au Liban, et échappé à une foule en colère lorsqu'elle avait assailli sa résidence en Syrie. En annonçant notre nouvelle tactique en Irak, je me suis dit qu'il serait judicieux d'adopter également un nouvel ambassadeur. J'ai donné à Zal Khalilzad, qui avait fait du beau travail à Bagdad, le poste de représentant permanent de notre pays aux Nations unies. Condi n'a pas perdu de temps pour proposer son remplaçant : selon elle, seul Ryan pourrait prendre sa place.

Ryan gagna rapidement mon respect. Il avait le chic pour détecter les problèmes et s'en débarrasser. Il évoquait les difficultés sans détours, mais il aimait rire et avait le sens de l'ironie. « Qu'est-ce que vous me réservez aujourd'hui, mon grand ? » lui ai-je demandé lors d'une séance éprouvante ; il a commencé son briefing avec un large sourire. Il travaillait sans relâche avec le général Petraeus. Et il avait gagné la confiance des Irakiens de diverses factions.

Grâce aux renforts civils, les Equipes provinciales de reconstruction, qui alliaient des experts civils à des militaires, avaient doublé d'effectifs. J'ai eu plusieurs vidéoconférences et réunions avec des chefs d'équipe déployés un peu partout en Irak. C'était un groupe impressionnant. Plusieurs d'entre eux étaient des vétérans de guerre grisonnants. Parmi eux se trouvait une femme officier du service diplomatique, dont le fils avait servi en tant que Marine en Irak. Le comité évoqua certains de ses projets : apporter son soutien à un journal local de Bagdad ; aider à l'établissement de tribunaux à Ninewa ; créer un laboratoire pour améliorer l'agriculture à Diyala. Si ces tâches semblaient modestes, elles restaient essentielles à notre stratégie de contre-insurrection.

Je discutais avec le général Petraeus et l'ambassadeur Crocker par vidéoconférence au moins une fois par semaine, parfois plus souvent. Je pensais que des relations personnelles et fréquentes étaient primordiales pour la réussite de cette nouvelle stratégie. Nos conversations me permettaient d'obtenir des informations de première main sur ce qui se passait en Irak. Elles donnaient l'occasion à Petraeus et à Crocker de faire part de leurs frustrations et d'être en contact direct avec le commandant en chef des armées.

La situation s'améliorait ; cependant, nous nourrissions tous des inquiétudes sur la possibilité d'un attentat similaire à celui de Samarra, un événement qui changerait la donne et relancerait les violences religieuses. Petraeus mit le doigt sur un autre problème : « L'horloge de Washington est beaucoup plus rapide que celle de Bagdad », dit-il.

Il avait raison. Moins d'une semaine après l'arrivée du général Petraeus en Irak, la nouvelle majorité démocrate de la Chambre des Représentants avait voté une résolution non contraignante déclarant : « Le Congrès désapprouve la décision que le président George W. Bush a annoncée le 10 janvier 2007, selon laquelle il désirait déployer plus de 20 000 soldats américains en Irak. »

Après une journée d'avril lourde en conflits, le sénateur du Nevada Harry Reid affirma : « Cette guerre est perdue, renforcer les troupes n'a rien changé. » Le chef de la majorité du Sénat américain venait d'informer 145 000 soldats américains et leurs familles qu'ils se battaient pour une cause perdue. Il avait jugé que cette stratégie était un échec avant même que toutes les troupes aient été déployées. En huit ans de présidence, je n'avais jamais vu de geste aussi irresponsable.

Le 1er mai, le Congrès me soumit un projet de loi incluant une date limite de repli des troupes un peu plus tard dans l'année. Fixer une date arbitraire permettrait à nos ennemis d'attendre notre départ tout en sapant nos efforts de rallier les chefs locaux, ce qui était indispensable à notre réussite. J'ai opposé mon veto. Menés par le chef de la minorité républicaine Mitch McConnell – qui avait été en faveur de ma stratégie, et me confia gracieusement plus tard qu'il avait eu tort de suggérer un retrait militaire – et le chef de l'opposition John Boehner, les républicains tinrent bon au Capitole. Les démocrates n'avaient pas suffisamment de votes pour outrepasser mon veto. Le 25 mai, j'ai ratifié une loi pour financer entièrement nos troupes, sans indication de repli.

Ils appelaient cela « l'Eveil ».

Anbar est la plus grande province de l'Irak, une immensité désertique qui s'étend de la limite ouest de Bagdad aux frontières de la Syrie, de la Jordanie et de l'Arabie Saoudite. Avec ses plus de cent trente-huit mille kilomètres carrés, Anbar a une superficie proche de celle de l'Etat de New York. La majeure partie de sa population est sunnite. Pendant près de quatre ans, elle a servi de bastion pour les insurgés – et de sanctuaire pour Al-Qaïda.

Les terroristes ont pris le pouvoir dans les villes importantes d'Anbar, infiltrant les forces de sécurité et imposant leur idéologie à la population. A l'instar des talibans, Al-Qaïda défendait aux femmes de sortir de chez elles sans une escorte masculine, interdisait le sport et tout loisir. Les terroristes attaquaient les troupes américaines, les forces de sécurité irakiennes, et tous ceux qui s'opposait à eux. En 2006, Anbar était devenu le foyer de quarante et une attaques par jour en moyenne.

Nos soldats découvrirent un document d'Al-Qaïda exposant une structure gouvernementale prévue pour la province d'Anbar, comportant un ministère de l'Education, un ministère des Services sociaux, et une « unité d'exécution ». Nos services de renseignements pensaient qu'Anbar était destinée à devenir la base d'Al-Qaïda, le lieu de planification d'assauts sur les Etats-Unis. En août 2006, un officier des renseignements du corps de Marine à Anbar rédigea un rapport largement médiatisé qui aboutissait à la conclusion que la province était perdue.

C'est alors que tout a changé. La population d'Anbar avait eu l'occasion de vivre sous le régime d'Al-Qaïda, et cela ne leur avait pas plu. Au milieu de 2006, des cheikhs tribaux se sont regroupés pour reprendre leur province aux extrémistes. L'Eveil attira des milliers de recrues.

Dans le cadre du renforcement des troupes, nous avons déployé à Anbar quatre mille Marines de plus, qui vinrent apporter leur soutien aux cheikhs tribaux et leur donner d'avantage d'assurance. De nombreux djihadistes d'Al-Qaïda s'enfuirent vers le désert ; dans la province, la violence baissa brusquement de plus de 90 %. En quelques mois, les courageux habitants d'Anbar – avec l'aide de nos troupes – avaient réussi à reprendre le contrôle de leur province. Le refuge d'Al-Qaïda était devenu le théâtre de sa plus grande défaite idéologique.

En septembre 2007, je me suis rendu à Anbar à l'improviste. Air Force One survola ce qui ressemblait à une gigantesque dune de sable, avant d'atterrir à la base aérienne d'Al-Asad, un carré d'asphalte noir au milieu de kilomètres d'étendues de sable. Nous avons mis pied à terre et, accueillis par une chaleur brûlante, nous sommes précipités dans une pièce climatisée. J'ai écouté quelques briefings, avant de rencontrer un groupe de cheikhs tribaux à l'origine du soulèvement d'Anbar. C'était des durs à cuire, bruts de décoffrage. Leurs manières amicales et animées me rappelaient celles des représentants politiques de l'ouest du Texas. Mais en guise de jeans et de bottes, ils arboraient de longues robes et des coiffes colorées.

Les cheikhs me racontèrent fièrement ce qu'ils avaient accompli. Les violences quotidiennes avaient largement baissé ; les bureaux des maires et des conseils municipaux étaient de nouveau ouverts ; les juges traitaient des affaires et rendaient la justice. Avec l'aide de nos renforcements civils, le conseil de province de Ramadi avait repris, avec la présence de trente-cinq membres pour la session inaugurale.

Le Premier ministre Maliki et le président Jalal Talabani prirent part à la réunion. C'était extraordinaire de voir Maliki, un chiite ; Talabani, un Kurde ; et toute une assemblée de cheikhs sunnites discuter de l'avenir de leur pays. Quand le Premier ministre demanda quels étaient leurs besoins, ils énumérèrent une longue liste de requêtes : plus d'argent, d'équipement, et d'infrastructures. Maliki fit remarquer qu'il n'y avait pas suffisamment de budget pour tout ce qu'ils demandaient. Talabani arbitra les disputes. J'observais la scène avec satisfaction. La démocratie était à l'œuvre en Irak.

J'ai remercié les cheikhs pour leur hospitalité et leur courage dans cette guerre contre la terreur. « Si jamais vous avez besoin de nous, lança joyeusement un cheikh, mes hommes et moi sommes prêts à nous rendre en Afghanistan ! »

Le 10 septembre, quand Petraeus et Crocker se présentèrent devant le Congrès pour prodiguer des conseils sur la marche à suivre en Irak, Washington était en ébullition. Pendant des mois, les démocrates avaient œuvré pour arrêter le financement de la guerre. En juillet, le *New York Times* avait décrété que l'Irak était une « cause perdue » et exigeait un retrait complet des troupes, en dépit du fait qu'un rapatriement immédiat donnerait lieu à d'autres « nettoyages ethniques, même à un génocide » ainsi qu'à « un nouveau bastion qui permettrait à l'activité terroriste de proliférer ». C'était chose édifiante que de voir le *Times*, qui défendait à raison les droits humains, prôner une politique susceptible de mener au génocide.

Le matin des audiences, le groupe démocrate MoveOne.org publia une publicité dans un journal : « Le général Petraeus nous a-t-il trahis ? A la Maison-Blanche, les comptes sont bons. » C'était là une surprenante attaque personnelle à l'encontre d'un général quatre étoiles. Mais c'était aussi une erreur politique. Au Congrès, les démocrates essayèrent d'éviter toute allusion à cette publicité, tout en soutenant la position pacifiste qu'elle véhiculait. Un sénateur new-yorkais dénonça la page de publicité, mais décréta que le compte rendu de Petraeus ne pouvait être accepté qu'à condition de « suspendre son scepticisme ».

De leur côté, Petraeus et Crocker, ne se laissant pas démonter, restaient stoïques et crédibles. Ils se cantonnèrent aux faits. Les morts de civils irakiens avaient décliné de 70 % à Bagdad, et de 45 % partout dans le pays ; celles dues aux conflits religieux avaient chuté de 80 % à Bagdad, et 55 % dans le pays. Les attaques par IED avaient baissé d'un tiers, et les voitures piégées et attentats suicide étaient tombés de presque 50 %. Le mouvement de l'Eveil auquel nous avions assisté à Anbar s'était étendu à la province de Diyala et aux quartiers sunnites de Bagdad. On ne pouvait s'y tromper : le renforcement des troupes fonctionnait.

Deux jours plus tard, je me suis adressé à la nation : « Grâce à ce succès, le général Petraeus pense avoir atteint un stade où nous pouvons maintenir le même niveau de sécurité avec moins de soldats américains. [...] Le principe qui motive mes décisions au niveau des troupes est celui d'un " retour après succès ". Mieux nous réussirons, plus nombreux seront les soldats qui rentreront chez eux. »

L'expression la plus citée de mon discours fut celle du « retour après succès ». Cette formule m'avait été soufflée par Ed Gillespie, un ami brillant qui avait accepté d'intégrer mon équipe de communication quand Dan Bartlett avait regagné le Texas. Mais dans mon esprit, le message le plus important était que nous allions garder autant de troupes en Irak que nécessaire, tant que nos commandants en auraient besoin.

Le jour de mon discours, j'avais entendu dire que l'ami du général Petraeus, le général à la retraite Jack Keane, avait rendez-vous avec Dick Cheney. J'aimais et respectais Jack. Il m'avait donné de précieux conseils quand il s'était agi de prendre une décision, et s'était déclaré publiquement en faveur de la nouvelle stratégie. Je lui avais demandé de faire passer un message personnel au général Petraeus : « J'ai attendu plus de trois ans pour qu'on me propose une tactique efficace ; je ne vais pas abandonner avant que ce soit fini. Je ne réduirai les effectifs que si vous me dites que c'est possible. »

Trois semaines après cette allocution tant attendue, je me suis rendu sur le terrain de rassemblement de Fort Myer, en Virginie, pour dire adieu à un ami.

Peu après mon annonce de la nouvelle tactique, Bob Gates m'avait déconseillé de proposer une nouvelle fois Pete Pace pour la présidence du Comité des chefs d'états-majors. Au Capitole, l'ambiance était hostile, et Bob avait entendu de la part de certains sénateurs – notamment de Carl Levin, nouveau président du Comité des services armés du Sénat – que Pete ne serait pas forcément accepté à l'unanimité. Il courait le risque de servir de punching-ball aux sénateurs frustrés.

J'admirais Pete. Cela faisait six ans que je profitais de ses conseils. Je savais que nos troupes l'adoraient. Je voulais terminer ma présidence avec mon ami à la tête du Comité. Mais je me suis imaginé le déroulement de l'audience – les hurlements des manifestants, les sénateurs qui se pavanaient devant l'œil des caméras, la séance se terminant avec un vote négatif qui serait une source d'humiliation pour Pete. A contrecœur, j'ai suivi le conseil de Bob. J'ai proposé l'amiral Mike Mullen.

Pete ne s'est jamais plaint. Il a servi jusqu'à la fin. Après avoir été démis de ses fonctions, il a ôté les quatre étoiles de son uniforme et les a épinglées à une carte, qu'il a laissée au pied du monument du Vietnam, près du nom d'un Marine décédé quatre décennies plus tôt. Il n'a convoqué ni presse, ni caméras. Plus tard, on a retrouvé la carte au pied du mur, avec l'inscription : « A Guido Farinaro, USMC. Ces étoiles sont les vôtres, pas les miennes ! Avec amour et respect, votre chef de section, Pete Pace. »

J'avais de la peine pour Pete et sa famille. En 2008, lorsque je lui ai présenté la médaille présidentielle de la Liberté bien méritée, mes regrets n'étaient qu'en partie soulagés.

Le déploiement des renforts en Irak s'est poursuivi jusqu'en 2008. Au printemps, plus de quatre-vingt-dix mille Irakiens, à la fois sunnites et chiites, avaient rejoint des groupes de citoyens comme ceux qui s'étaient créés à Anbar. Beaucoup de ces hommes, qui se faisaient appeler les Fils de l'Irak, rejoignirent les rangs de l'armée et de la police, dont les effectifs avaient dépassé la barre des 475 000. Ils expulsèrent le noyau dur des insurgés et Al-Qaïda de leurs foyers. Les terroristes se tournèrent vers les enfants et les handicapés mentaux pour faire des attentats suicide, révélant à la fois leur perversion morale et leur incapacité à recruter.

Conformément aux prédictions des experts en contre-insurrection, la sécurité que nous avions réussi à instaurer en 2007 se transforma en progrès politiques en 2008. Libérés du cauchemar des conflits religieux, les Irakiens mirent en place une rafale de dispositions législatives, dont une loi décidant du statut des anciens membres du parti Baas, un budget national, et une série de textes ouvrant la voie à des élections de province. Si le gouvernement avait encore du pain sur la planche concernant certaines mesures importantes, comme la rédaction d'une loi sur le partage des revenus pétroliers, les accomplissements politiques des Irakiens étaient remarquables considérant les épreuves qu'ils avaient dû surmonter.

La plus grande inquiétude de ce printemps 2008 portait sur les extrémistes chiites. Si la sécurité s'était améliorée dans la majeure partie de l'Irak, les intégristes chiites, dont beaucoup étaient liés à l'Iran, avaient pris le contrôle de certaines parties de Basra, la deuxième ville d'Irak.

Le 25 mars 2008, les forces irakiennes les attaquèrent à Basra. Le Premier ministre Maliki s'est rendu dans le sud pour superviser les opérations. Mon équipe de sécurité nationale hésitait entre l'anxiété et la terreur ; les soldats craignaient que Maliki ne sache pas vraiment ce qu'il faisait. A l'ambassade, on se demandait s'il avait suffisamment de soutien au sein du gouvernement irakien. Le pronostic de la CIA n'était guère optimiste.

Mais je ne le voyais pas sous cet angle. Maliki avait pris les commandes. Pendant près de deux ans, je l'avais exhorté à montrer son impartialité. « Un meurtrier chiite est aussi coupable qu'un meurtrier sunnite », lui avais-je dit plus d'une fois. Et le voilà qui mettait cette pensée à exécution. Quand Steve Hadley et Brett McGurk s'étaient rendus dans le Bureau Ovale le lendemain de l'assaut de Maliki, j'avais lancé : « Ne me dites pas que c'est une mauvaise nouvelle. Maliki avait dit qu'il le ferait, et il tient promesse. Cet instant est déterminant. Nous devons l'aider à réussir. »

L'attaque était loin d'être parfaite, mais elle fut efficace. Les forces irakiennes ramenèrent la sérénité dans les rues de Basra. Leur succès stupéfia les extrémistes chiites, comme Moqtada al-Sadr et leurs partisans en Iran. Par-dessus tout, l'opération de Basra établit Maliki comme un puissant dirigeant. Le Premier ministre avait pris une décision capitale, et il avait fait le bon choix.

Au mois d'avril, quelques semaines après l'offensive du gouvernement irakien à Basra, Petraeus et Crocker sont revenus rendre compte de la situation à Washington. Cette fois, il n'y avait ni publicité antiguerre dans les journaux, ni d'objection au financement. La chaîne d'information NBC News qui, en novembre 2006, avait officiellement déclaré l'Irak déchiré par une guerre civile, cessa d'employer ce terme. Il n'y eut pas de grande annonce de rétractation.

En décrivant nos victoires en Irak comme « fragiles et réversibles », le général Petraeus recommanda de poursuivre le repli de nos troupes jusqu'à atteindre nos effectifs d'avant l'opération, puis d'effectuer une nouvelle estimation. Comme Ryan Crocker l'a exprimé lui-même : « Au bout du compte, la façon dont nous quitterons l'Irak et ce que nous laisserons derrière nous sera plus important que la manière dont nous y sommes arrivés. Notre stratégie actuelle est difficile, mais elle fonctionne… Il faut continuer. » J'étais on ne peut plus d'accord.

Grâce à la réussite du renforcement des troupes, une des plus importantes controverses militaires de 2008 ne concerna pas l'Irak. En mars, l'amiral Fox Fallon – qui avait succédé à John Abizaid au commandement du CENTCOM – donna une interview pour un magazine dans laquelle il affirmait que je désirais faire la guerre en Iran, et qu'il était le seul à pouvoir m'en empêcher. C'était ridicule. J'ai demandé au président du Comité des chefs d'états-majors, Mike Mullen, et à son vice-président Hoss Cartwright ce qu'ils feraient s'ils étaient à la place de Fallon ; tous deux affirmèrent qu'ils se retireraient. Peu après, Fox donna sa démission. Il n'évoqua jamais plus cet incident, ce qui fut tout à son honneur. Lors de notre dernière réunion, je l'ai remercié pour son travail et je lui ai déclaré que j'étais fier de sa belle carrière.

Il me fallait un nouveau commandant pour diriger le CENTCOM. Une seule personne ferait l'affaire : David Petraeus. Sur les quatre dernières années, il en avait passé trois en Irak, et je savais qu'il espérait décrocher le poste tant convoité de commandant de l'OTAN en Europe. Mais nous avions trop besoin de lui. « Si des gamins de vingt-deux ans peuvent continuer à se battre, a-t-il décrété, alors moi aussi. »

J'ai demandé au général Petraeus qui, selon lui, devrait le remplacer en Irak. Sans hésiter une seconde, il a donné le nom de son ancien commandant adjoint, le général Ray Odierno. J'avais rencontré Ray quelques années plus tôt, alors que je visitais Fort Hood en tant que gouverneur du Texas ; avec son mètre quatre-vingt-dix-huit et son crâne rasé, c'était véritablement un homme imposant. Dès le début, il s'était montré en faveur d'un renforcement des troupes, et il avait aidé à la réussite de la tactique en positionnant judicieusement les forces supplémentaires à travers Bagdad.

Pour le général Odierno, la victoire en Irak allait au-delà de son devoir de soldat. C'était une affaire personnelle. En décembre 2004, quand Ray était en permission chez lui, j'avais accueilli sa famille dans le Bureau Ovale, ainsi que son fils, le lieutenant Anthony Odierno, un diplômé de l'école militaire de West Point qui avait perdu son bras gauche en Irak. Son père sourit fièrement lorsque Anthony leva son bras droit pour me saluer. Même si Ray venait d'obtenir une place intéressante au Pentagone, il accepta de repartir à Bagdad en tant que commandant.

Cela me réconfortait de me dire que mon successeur pourrait compter sur les conseils de ces deux généraux rompus aux batailles. A notre façon, nous avions perpétué une des grandes traditions de l'histoire américaine. Lincoln était secondé par les généraux Grant et Sherman. Roosevelt avait Eisenhower et Bradley. Moi, j'avais trouvé David Petraeus et Ray Odierno.

En été 2008, à la fin du renforcement des troupes en Irak, les violences dans le pays avaient chuté à leur niveau le plus bas depuis la première année de la guerre. Les meurtres religieux qui déchiraient la nation en 2006 avaient baissé de plus de 95 %. Le Premier ministre Maliki, autrefois objet quasiment universel de mépris et de reproches, était désormais un dirigeant sûr de lui. En Irak, Al-Qaïda était sérieusement affaibli et marginalisé. L'influence néfaste de l'Iran avait diminué. Les forces irakiennes se préparaient à assurer elles-mêmes la sécurité dans une majorité de provinces. Les morts américaines, qui avaient régulièrement atteint la centaine par mois au plus fort de la guerre, ne dépassèrent plus jamais vingt-cinq, et descendirent même à moins de dix à la fin de ma présidence. Néanmoins, chaque décès nous rappelait le lourd tribut de la guerre.

Mon dernier objectif était de stabiliser la politique irakienne pour mes successeurs. A la fin de 2007, nous avons commencé à rédiger deux accords. Le premier, intitulé le Status of Forces Agreement (SOFA), posait les bases légales d'un maintien des troupes américaines en Irak après l'expiration du mandat des Nations unies, en 2008. L'autre, le Strategic Framework Agreement (SFA), assurait une coopération diplomatique, économique et sécuritaire à long terme entre nos deux pays.

Il fallut des mois pour parvenir à ces accords. Maliki dut faire face à de sérieuses oppositions de la part des différentes factions de son gouvernement, notamment celles dont on soupçonnait des liens avec l'Iran. En pleine campagne présidentielle, les candidats démocrates accusèrent le SOFA d'être un complot visant à garder nos troupes en Irak à tout jamais ; la CIA ne pensait pas que Maliki signerait l'accord. Alors j'ai posé directement la question au Premier ministre, qui m'a assuré qu'il était en faveur du SOFA. Il avait tenu parole dans le passé ; nulle raison pour qu'il n'honore pas ses promesses à l'avenir.

Maliki se montra un rude négociateur. S'il obtenait une concession de notre part [1], il en demandait encore plus. D'un côté, ces discussions incessantes étaient frustrantes ; mais de l'autre, j'étais ravi de voir les Irakiens se comporter comme les représentants d'une démocratie.

---

1. C'est-à-dire Condi, Ryan Crocker, Brett McGruk, et le conseiller du département d'Etat David Satterfield. (NdA)

Le temps passait, et toujours pas d'accord final ; je commençais à devenir anxieux. Dans une de nos vidéoconférences hebdomadaires, j'ai affirmé : « Monsieur le Premier ministre, dans quelques mois je quitterai mes fonctions. J'aimerais savoir si ces accords vous intéressent. Si la réponse est non, alors j'ai mieux à faire. » Il avait l'air décontenancé ; c'était ma façon de lui annoncer qu'il devait cesser d'en demander plus. « Nous mènerons ces accords à leur terme, a-t-il répondu. Je vous en donne ma parole. »

En novembre, les accords étaient presque conclus. Le dernier point de litige concernait le rapatriement des troupes américaines. Maliki nous fit comprendre que les choses seraient plus faciles pour lui si on y précisait une date de retrait militaire. Nos négociateurs acceptèrent un repli pour la fin de 2011.

Pendant des années, j'avais refusé de fixer une échéance pour quitter l'Irak. J'hésitais encore à m'y plier, mais cette date n'avait pas été choisie arbitrairement. C'était le fruit d'une négociation entre deux États souverains, et elle avait été approuvée par les généraux Petraeus et Odierno, qui veilleraient à la suite des opérations. Dans le cas où les conditions changeraient et où les Irakiens auraient besoin d'une présence américaine, alors nous amenderions le SOFA et garderions nos soldats dans le pays.

Les instincts politiques de Maliki furent confirmés. Le SOFA et le SFA, tout d'abord considérés comme des documents censés maintenir notre présence en Irak, finirent par être les instigateurs de notre départ. Le retour de bâton que nous craignions de la part du Capitole et du Parlement irakien n'eut jamais lieu. Aujourd'hui, en 2010, le SOFA continue de guider notre présence en Irak.

Le 13 décembre 2008, je suis monté à bord d'Air Force One pour mon quatrième voyage en Irak, où j'allais signer le SOFA et le SFA avec le Premier ministre Maliki. Pendant le vol, j'ai repensé à mes visites précédentes dans le pays. Celles-ci décrivaient l'arc de la guerre. Je me suis souvenu de l'enthousiasme lors de notre première venue en 2003, le jour de Thanksgiving, quelques mois après la libération et une poignée de semaines avant la capture de Saddam. Il y avait eu l'incertitude du voyage pour rencontrer Maliki en 2006, alors que les violences religieuses prenaient de l'importance et que notre stratégie était en échec. En septembre 2007, c'est avec un prudent optimisme que nous nous étions rendus à Anbar, où le renforcement semblait fonctionner, tout en rencontrant de franches oppositions. Et puis, il y avait ce dernier trajet. Même si la plupart des Américains semblaient s'être désintéressés de la guerre, nos troupes et les Irakiens avaient créé les circonstances d'une réussite durable.

Ayant atterri à Bagdad, nous avons pris un hélicoptère jusqu'au palais de Salam, l'antre de Saddam et de son régime brutal six ans plus tôt. En tant que président, j'avais assisté à de nombreuses cérémonies d'arrivée. Mais aucune ne fut aussi émouvante que celle dans la cour de ce palais, où je me trouvais à côté du président Jalal Talabani, les drapeaux américain et irakien flottant côte à côte, pendant qu'une fanfare militaire jouait les hymnes de nos pays.

De là, nous nous sommes rendus dans la résidence du Premier ministre, où Maliki et moi avons signé le SOFA et le SFA avant de donner une ultime conférence de presse. Dans la salle bondée, le public se tenait plus près que d'habitude. Quelques journalistes irakiens étaient assis en face de moi, à gauche. Sur ma droite se tenaient l'équipe de presse internationale, ainsi que quelques reporters basés en Irak. Alors que Maliki appelait à une première question, un homme de la presse irakienne s'est levé abruptement. Les paroles qu'il a laissé échapper ressemblaient à un aboiement, une phrase en arabe qui ne pouvait pas être une question. C'est alors qu'il lança quelque chose dans ma direction. Qu'est-ce que c'était ? Une chaussure ?

La scène s'est déroulée au ralenti. Je me suis souvenu de Ted Williams, le joueur de baseball qui avait affirmé pouvoir distinguer les coutures de la balle fonçant sur lui. L'extrémité de l'objet a fondu sur moi comme un hélicoptère. Je me suis baissé. Ce type avait un bon lancer. Une seconde plus tard, il a recommencé ; moins vite, cette fois-ci. J'ai eu un petit mouvement de tête, laissant la chaussure me survoler. J'aurais dû l'attraper.

Ce fut le chaos. Les gens hurlaient, des agents de sécurité se précipitaient. J'ai eu la même pensée que dans cette salle de classe de Floride, le 11 Septembre ; je savais que ma réaction serait retransmise sur les écrans du monde entier. Plus il y aurait d'affolement, plus l'agresseur serait satisfait.

J'ai fait signe à Don White, mon agent des Services secrets, de ne pas approcher. Je ne voulais pas qu'on me voie poussé hors de la pièce. J'ai jeté un coup d'œil à Maliki, qui avait l'air saisi de panique. Les reporters irakiens étaient humiliés, furieux. Un homme secouait tristement la tête, balbutiant des excuses. J'ai levé les mains, demandant à tout le monde de s'asseoir.

« Si vous voulez savoir, c'était du quarante-quatre », ai-je lancé. J'espérais qu'en banalisant l'instant, j'empêcherais le lanceur de chaussure de gâcher l'événement.

Après la conférence de presse, Maliki et moi sommes montés dîner avec nos délégations ; encore secoué, le Premier ministre s'est répandu en excuses. Je l'ai pris à part, avec Gamal Helal, notre interprète arabe, pour lui dire de ne pas s'inquiéter. Se reprenant,

Maliki demanda à parler avant le dîner. Il délivra un discours ému, expliquant que le lanceur de chaussure ne représentait pas son peuple, et que sa nation était des plus reconnaissantes envers l'Amérique. Il évoqua le fait que nous leur avions offert la liberté par deux fois, d'abord en les libérant de Saddam Hussein, et puis en les aidant à se libérer des conflits et des terroristes.

Cette chaussure lancée par un journaliste fit partie des expériences les plus incongrues de mon mandat. Mais qui aurait cru, huit ans plus tôt, que le président des Etats-Unis dînerait à Bagdad avec le Premier ministre d'un Irak libre ? Rien – pas même une chaussure volante dans une conférence de presse – n'aurait paru plus improbable.

Dans quelques années, les historiens considéreront peut-être rétrospectivement le renforcement des troupes en Irak comme une conclusion inévitable, un pont obligé entre les années de violences suivant la libération, et la démocratie qui en avait émergé. Mais à l'époque, rien n'avait semblé aller de soi. L'opinion publique y était très opposée. Le Congrès avait tenté de l'empêcher. L'ennemi luttait sans relâche pour briser notre volonté.

Et pourtant aujourd'hui, grâce au talent et au courage de nos troupes, à notre nouvelle stratégie de contre-insurrection, à la superbe coordination entre nos efforts civils et militaires et au soutien que nous avons apporté aux dirigeants irakiens, une guerre considérée comme perdue d'avance a désormais la possibilité d'être remportée. Quand j'ai quitté mes fonctions, les brutalités quotidiennes avaient connu une chute spectaculaire ; l'activité politique et économique avait repris ; Al-Qaïda avait dû essuyer une importante défaite militaire et idéologique. En mars 2010, les Irakiens se rendirent encore aux urnes. Chose inimaginable trois ans plus tôt, le magazine *Newsweek* publia un grand reportage intitulé : « Enfin la victoire : l'émergence d'un Irak démocratique ».

L'Irak a encore des défis à relever, et personne ne peut savoir avec certitude quelle sera sa destinée. Mais nous savons ceci : grâce aux Etats-Unis, qui ont libéré l'Irak et ont refusé de l'abandonner par la suite, le peuple de ce pays a la liberté à portée de main. Maintenant que nous avons fait tout ce chemin, j'espère que l'Amérique continuera de soutenir la jeune démocratie irakienne. Si jamais les Irakiens demandent une présence militaire, nous devrions l'apporter. Un Irak libre et paisible est dans notre propre intérêt. Ce pays peut se révéler un puissant allié au cœur du Moyen-Orient, une source de stabilité dans la région, et une lumière d'espoir pour les réformateurs politiques partout dans le monde. A l'instar des démocraties que nous avons contribué à construire en Allemagne, au

Japon et en Corée du Sud, un Irak libre assurera la tranquillité de nos générations futures.

Je me suis souvent demandé si j'aurais dû renforcer les troupes plus tôt. Pendant trois ans, notre philosophie en Irak avait été de mesurer notre réussite aux évolutions politiques du pays. Les Irakiens avaient franchi toutes les étapes au bon moment ; on aurait dit que notre stratégie fonctionnait. Mais après la vague d'attentats en 2006, il est clairement apparu qu'il fallait apporter plus de sécurité si nous voulions que les progrès politiques se poursuivent. J'ai donc obtenu du gouvernement l'accord de renforcer les troupes. Si j'avais agi plus tôt, cette démarche aurait créé un schisme que les opposants à la guerre auraient exploité pour interrompre les financements et empêcher nos soldats de se déployer.

Dès le début de la guerre en Irak, j'étais convaincu que la liberté était une valeur universelle – et qu'apporter la démocratie au Moyen-Orient rendrait la région plus paisible. Il y eut un temps où cela sembla peu probable ; mais je n'ai jamais cessé d'y croire.

Et puis, j'ai toujours eu foi en mes soldats. Je ne cessais d'être stupéfait par leur détermination face au danger. En août 2007, je me suis rendu à Reno, dans le Nevada, pour m'adresser à l'American Legion. Là, j'ai fait la connaissance de Bill et Christine Krissoff, originaires de Truckee, en Californie. Leur fils, le Marine de vingt-cinq ans Nathan Krissoff, avait donné sa vie pour l'Irak. Son frère, Austin, lui aussi un Marine, était également présent. Austin et Christine m'ont raconté à quel point Nathan aimait son travail. Et Bill a pris la parole.

« Monsieur le président, je suis chirurgien orthopédiste. Je désirerais intégrer le corps médical de la Marine en l'honneur de Nathan. »

Surpris et ému, j'ai répondu : « Quel âge avez-vous ? »

– J'ai soixante ans, monsieur. »

Ayant moi-même soixante et un ans, cela ne me semblait pas particulièrement âgé. J'ai jeté un coup d'œil à sa femme. Elle hocha la tête. Bill m'expliqua qu'il était prêt à fermer son cabinet en Californie, mais qu'à cause de son âge il lui fallait une dérogation pour pouvoir postuler à la Marine.

« Je vais voir ce que je peux faire », ai-je répliqué.

En rentrant à Washington, à la fin d'un briefing matinal, j'ai raconté cette histoire à Pete Pace. Le Dr Krissoff ne tarda pas à obtenir sa dérogation. Il suivit une formation complète en médecine de combat militaire. Peu après la fin de mon mandat, il fut envoyé en Irak, où il servit aux côtés d'Austin et soigna des Marines blessés.

« J'aimerais me dire qu'Austin et moi sommes en train d'achever la tâche de Nate en Irak, écrivit-il. Nous rendons hommage à son souvenir. » En 2010, j'ai appris que le Dr Krissoff était rentré chez lui – avant d'être envoyé en Afghanistan.

   Nathan Krissoff fait partie des 4 229 soldats américains qui
ont donné leur vie en Irak sous ma présidence. Plus de 30 000 ont
souffert de blessures de guerre. Je porterai toujours en moi le chagrin de leurs familles. Je n'oublierai jamais la fierté avec laquelle ils
ont accompli leur travail, la source d'inspiration qu'ils ont été pour
les autres, et le changement qu'ils ont apporté au monde. Tout Américain ayant servi en Irak a contribué à rendre notre nation plus sûre,
a donné la chance à vingt-cinq millions de personnes de vivre libres,
et a modifié le futur du Moyen-Orient pour des générations à venir.
Il nous est arrivé de nous tromper en Irak ; mais cette cause-là sera
toujours justifiée.

13

La campagne pour la liberté

Le 20 janvier 2005, juste avant midi, je suis monté sur la plate-forme d'investiture. De la façade ouest du Capitole, j'ai parcouru du regard la foule de quatre cent mille personnes massées jusqu'au parc du National Mall. Derrière eux, je distinguais le Washington Monument, le Lincoln Memorial et le cimetière national d'Arlington, sur l'autre rive du Potomac.

En ce jour d'investiture, j'admirais cette vue pour la troisième fois. En 1989, j'étais ce fils qui observait son père avec fierté ; en 2001, j'avais prêté le serment présidentiel sous une pluie glaciale et les nuages d'une élection contestée. J'avais dû me concentrer en descendant chaque marche du Capitole, bien plus étroites que je ne me les étais imaginées. Il m'avait fallu du temps pour que mes sens s'adaptent à la surcharge d'images et de sons. J'avais contemplé l'immense masse d'imperméables noirs et gris blottis les uns contre les autres. Je m'étais demandé si la neige fondue me rendrait difficile la lecture du téléprompteur lorsque je devrais délivrer mon discours d'investiture.

Quatre ans plus tard, le ciel était dégagé, ensoleillé. Les couleurs me parurent plus vives. Et les résultats de l'élection étaient sans appel. En descendant les marches tapissées de bleu qui menaient vers l'estrade, j'étais capable de discerner des visages dans la foule. J'ai aperçu Joe et Dan O'Neill, ainsi qu'un important contingent venu de Midland. J'ai souri à des amis chers qui m'avaient présenté la merveilleuse femme marchant à mes côtés. Une chose était sûre :

ce fameux soir de 1977 où nous avions mangé nos hamburgers, aucun d'entre nous n'aurait imaginé cela.

J'ai pris place dans la rangée devant celle de Laura, Barbara et Jenna. Mes parents, la mère de Laura, ma sœur et mes frères étaient assis un peu plus loin. Le sénateur Trent Lott, président du Comité d'investiture, appela le président de la Cour Suprême, William Rehnquist. Je me suis avancé avec Laura, Barbara et Jenna. Laura tenait une bible, sur laquelle mon père et moi avions tous deux prêté serment. Elle était ouverte à la page d'Isaïe 40, 31 « Mais ceux qui espèrent en Yahvé renouvellent leur force, ils déploient leurs ailes comme des aigles, ils courent sans s'épuiser, ils marchent sans se fatiguer. »

J'ai posé la main gauche sur la bible, levant la droite tandis que le président de la Cour Suprême prononçait le serment de trente-cinq mots. Quand j'ai conclu en proférant : « Je le jure devant Dieu », les obusiers on tiré vingt et un coups de canon en guise de salut. J'ai pris Laura et les filles dans mes bras ; faisant un pas en arrière, je me suis imprégné du moment.

Puis vint l'heure du discours :

> *En ce deuxième rassemblement, nos devoirs ne sont pas définis par les paroles que j'énonce, mais par l'histoire que nous avons vécue ensemble. Pendant un demi-siècle, l'Amérique a défendu sa liberté en veillant sur les frontières éloignées. Après l'effondrement du communisme sont venues des années d'une relative tranquillité, des années de repos, des années sabbatiques – puis est arrivé ce jour de flammes.*
>
> *Nous avons constaté notre propre vulnérabilité – et nous avons vu sa source profonde. Aussi longtemps que des régions entières du monde baigneront dans le ressentiment et la tyrannie – propres aux idéologies qui nourrissent la haine et excusent le meurtre – la violence naîtra, se multipliera avec une puissance destructrice, traversera les frontières les mieux gardées, et représentera une menace mortelle. Il n'existe dans l'histoire qu'une seule force qui puisse briser ce règne de haine et de rancœur, révéler les prétentions des tyrans et récompenser les espoirs des gens honnêtes et tolérants, et cette force, c'est la liberté humaine.*
>
> *En nous fiant aux faits et au bon sens, nous ne pouvons aboutir qu'à une seule conclusion : la survie de la liberté dans notre pays dépend de plus en plus de celle des autres nations. Une paix mondiale ne pourra survenir que si la liberté se propage partout. [...] La politique des Etats-Unis sera donc de chercher et de soutenir la montée des mouvements et des institutions démocratiques dans chaque nation et culture, dans le but ultime d'en finir avec la tyrannie dans le monde.*

Après le 11 Septembre, la stratégie que j'ai développée pour protéger le pays s'est fait connaître sous le nom de « doctrine Bush » :

d'abord, ne faites aucune distinction entre les terroristes et les nations qui les abritent – tenez-les tous pour responsables. Ensuite, battez-vous à l'étranger pour éviter qu'ils ne frappent de nouveau chez vous. Troisièmement, défiez les menaces avant qu'elles ne puissent se matérialiser. Enfin, proposez la liberté et l'espoir comme alternative à l'idéologie de la peur et de la répression.

La campagne pour la liberté, comme j'avais appelé la quatrième étape, était à la fois idéaliste et réaliste. Idéaliste, car la liberté est un cadeau universel de la part de notre Dieu tout-puissant. Et réaliste, parce que la liberté est la façon la plus concrète de protéger notre pays sur le long terme. Comme je l'ai dit dans mon second discours d'investiture : « Les intérêts vitaux de l'Amérique et nos croyances les plus profondes ne font plus qu'un. »

Le pouvoir transformateur de la liberté s'est vérifié en Corée du Sud, en Allemagne et en Europe de l'Est. En ce qui me concerne, l'exemple le plus frappant de sa puissance a été ma relation avec le Premier ministre japonais Junichiro Koizumi, l'un des premiers chefs d'Etat à m'avoir apporté son soutien après le 11 Septembre. Quelle ironie. Soixante ans plus tôt, mon père avait combattu les Japonais en tant que pilote de l'US Navy ; le père de Koizumi avait servi sous le gouvernement du Japon impérial. Maintenant, leurs fils travaillaient ensemble pour maintenir la paix. Depuis la Seconde Guerre mondiale, un grand bouleversement avait eu lieu : en adoptant une démocratie de style japonais, un ennemi s'était transformé en allié.

Annoncer la campagne pour la liberté était une chose ; la mettre en pratique en était une autre. En certains endroits, comme l'Afghanistan et l'Irak, nous avions la responsabilité toute particulière d'offrir aux peuples affranchis une chance de construire une société libre ; mais ces exemples constituaient l'exception, non la règle. J'ai clairement exprimé que la campagne pour la liberté n'était « pas essentiellement une affaire militaire ». Il nous incombait d'implanter la liberté en apportant notre soutien à des gouvernements qui prenaient leur envol vers la démocratie, comme dans les territoires palestiniens, le Liban, la Géorgie et l'Ukraine. Nous encouragerions les rebelles et les réformateurs démocratiques qui subissaient des régimes répressifs en Iran, en Syrie, en Corée du Nord et au Venezuela. Et nous nous ferions les défenseurs de la liberté tout en maintenant des relations stratégiques avec des nations comme l'Arabie Saoudite, l'Egypte, la Russie et la Chine.

Les détracteurs avancèrent que ce programme était une façon pour l'Amérique d'imposer ses valeurs aux autres. Mais la liberté n'est pas une valeur américaine ; elle est universelle. Nul ne peut imposer la liberté ; elle doit être choisie. Et quand on laisse le choix à un peuple, il opte pour la liberté. A la fin de la Seconde Guerre mondiale, le monde comportait une vingtaine de démocraties. Quand j'ai pris mes fonctions en janvier 2001, il y en avait 120.

Peu après l'élection de 2004, j'ai lu *Défense de la démocratie* de Natan Sharansky, un dissident qui a passé neuf ans dans les goulags soviétiques. Dans ce livre, Sharansky raconte comment lui et ses camarades prisonniers se sont inspirés des discours de dirigeants comme Ronald Reagan, qui prônait la clarté morale et la liberté.

Dans un passage particulièrement marquant, un rebelle soviétique compare un gouvernement tyrannique à un soldat qui ne cesse de pointer son arme sur un prisonnier ; inévitablement, son bras fatigue et le prisonnier peut s'échapper. J'ai jugé qu'il était de la responsabilité des Etats-Unis d'exercer une pression sur les bras des tyrans du monde. L'une de mes décisions en tant que président fut de faire de cet objectif une partie centrale de notre politique étrangère.

L'immense vague de liberté qui déferla sur une grande partie du monde pendant la seconde partie du xxe siècle avait négligé un endroit : le Moyen-Orient.

Le *Rapport arabe sur le développement humain*, publié en 2002 par les Nations unies, révéla son état alarmant : une personne sur trois était analphabète. Le chômage atteignait une moyenne de 15 %. Moins de 1 % de la population avait accès à Internet. Les taux de mortalité maternelle rivalisaient avec ceux des pays les moins développés au monde. Le rendement économique par personne était minuscule.

Les auteurs du rapport, un groupe de chercheurs arabes respectés, attribuaient ces tristes résultats à trois carences : un manque de savoir, des femmes insuffisamment responsabilisées, et, surtout, une absence de liberté.

Pendant la majeure partie de la guerre froide, notre priorité au Moyen-Orient avait été d'y maintenir la stabilité. Nos alliances se basaient sur l'anticommunisme, une stratégie qui avait un sens à l'époque. Mais sous la surface bouillonnaient la colère et le ressentiment. De nombreuses personnes se sont tournées vers des imams et des mosquées extrémistes en guise d'exutoires ; c'était là un terreau fertile pour le terrorisme. Puis, des avions américains ont été détournés par dix-neuf terroristes nés au Moyen-Orient. Après le 11 Septembre, j'ai décidé que la stabilité que nous cherchions n'était qu'une illusion. Notre campagne pour la liberté se focaliserait sur le Moyen-Orient.

Six mois avant mon arrivée au pouvoir, les discussions de paix à Camp David entre Israéliens et Palestiniens s'écroulèrent. Le président Clinton avait travaillé sans relâche pour provoquer la rencontre entre le Premier ministre israélien Ehud Barak et le dirigeant palestinien Yasser Arafat. Barak fit une offre généreuse : rendre la majeure partie de la Cisjordanie et de la bande de Gaza, deux territoires majoritairement peuplés de Palestiniens quoique occupés par les forces israéliennes et parsemés de colonies juives. Arafat refusa.

Deux mois plus tard, en septembre 2000, la frustration générée par l'accord de paix avorté – ainsi que la provocante visite du leader israélien Ariel Sharon au Mont du Temple à Jérusalem – donna lieu à la seconde Intifada. Des extrémistes palestiniens, dont beaucoup sont affiliés au mouvement du Hamas, lancèrent une vague d'attaques terroristes contre des civils en Israël.

Je ne tiens pas le président Clinton pour responsable de l'échec à Camp David ni des violences qui ont suivi. A mon sens, la faute en incombe à Arafat. L'Amérique, l'Europe et les Nations unies avaient apporté tout leur soutien aux territoires palestiniens ; une bonne part est partie renflouer le compte en banque d'Arafat. Il a fait partie du classement *Forbes* des « rois, reines et despotes » les plus riches au monde ; pendant ce temps, son peuple vivait dans la misère, le désespoir et l'extrémisme. Pour un homme qui a reçu le prix Nobel de la paix, il ne semblait guère s'intéresser à cette dernière.

Face aux violentes attaques, le peuple israélien riposta de la même manière que n'importe quelle démocratie au monde l'aurait fait : il élut un dirigeant qui lui promettait la protection, Ariel Sharon. J'ai rencontré Sharon en 1998, quand Laura et moi nous sommes rendus en Israël avec trois gouverneurs[1], lors d'un voyage organisé par la Coalition juive républicaine.

C'était la première fois que je me rendais en Terre sainte. Mon souvenir le plus marquant fut quand Ariel Sharon, alors en poste au cabinet du Premier ministre Benjamin Netanyahu, nous fit profiter d'une visite guidée du pays en hélicoptère. Sharon, un ancien commandant de soixante-dix ans qui avait servi dans toutes les guerres israéliennes, avait une carrure impressionnante. Peu après notre envol, il montra du doigt un carré au sol. « Je me suis battu là », annonça-t-il fièrement de sa voix bourrue. Quand l'hélicoptère vira vers la Cisjordanie, il fit un geste vers un groupe de maisons isolées : « C'est moi qui ai construit ça. » Sharon, qui croyait en un Grand Israël, rejetait donc toute concession territoriale. Il connaissait

---

1. Le gouverneur de l'Utah Mike Leavitt, qui est devenu mon directeur de l'Agence de protection de l'environnement et mon secrétaire à la Santé et aux Services sociaux ; le gouverneur du Massachussetts Paul Celucci, qui a servi comme ambassadeur au Canada ; et le gouverneur du Montana Marc Racicot, qui a dirigé le Comité républicain national de 2002 à 2003. (NdA)

le moindre recoin de cette terre, et semblait n'avoir aucune intention de la rendre.

« Ici, notre pays ne faisait que quatorze kilomètres de large », raconta Sharon un peu plus loin, en référence à la distance séparant les frontières de 1967 et la mer. « Au Texas, nous avons des entrées de garage qui sont plus longues que ça », ai-je lancé en plaisantant. Je fus frappé par la vulnérabilité d'Israël, enclavé dans un environnement hostile. En 1948, le président Harry Truman défia son secrétaire d'Etat en reconnaissant l'Etat d'Israël ; depuis, les Etats-Unis sont devenus les meilleurs amis de la nation juive. Je suis rentré persuadé qu'il était de notre responsabilité de maintenir ces relations.

Un peu plus de deux ans plus tard, j'ai appelé Ariel Sharon du Bureau Ovale pour le féliciter de son élection au poste de Premier ministre. « Peut-être qu'après tant d'années et toutes ces guerres auxquelles j'ai participé, énonça-t-il, nous aurons enfin la paix. »

Le 1er juin 2001, vingt et un Israéliens périrent dans un attentat-suicide à l'entrée de la discothèque du Dolphinarium, à Tel-Aviv. D'autres attaques eurent lieu dans des bus, des gares et des centres commerciaux israéliens. Les forces défensives israéliennes avaient lancé des assauts contre les bastions du Hamas, mais d'innocents Palestiniens – dont cinq garçons qui se rendaient à l'école – furent tués en cours d'opération.

J'étais horrifié par la violence et les pertes humaines des deux camps. Mais je refusais d'accepter qu'il existait une équivalence morale entre les attentats-suicide palestiniens perpétrés contre d'innocents civils, et des actions militaires israéliennes destinées à protéger leur peuple. Après le 11 Septembre, mon opinion s'affina ; si les Etats-Unis avaient le droit de se défendre et de vouloir empêcher d'autres attentats, alors c'était aussi valable pour d'autres démocraties.

Dans ma première année de présidence, j'ai discuté avec Yasser Arafat à trois occasions. Il était courtois, et moi je restais poli ; mais je lui ai fait comprendre que nous attendions de lui qu'il mette un terme à l'extrémisme. « Je sais que ce sont des questions difficiles pour vous et votre peuple, lui ai-je dit en février 2001, mais la meilleure façon de résoudre la situation est de mettre fin aux violences dans vos régions. »

En janvier 2002, la marine israélienne intercepta en mer Rouge un navire du nom de *Karine A* ; à bord se trouvait tout un arsenal d'armes. Les Israéliens pensaient que le bateau avait quitté l'Iran pour la ville palestinienne de Gaza. Arafat envoya une lettre plaidant son innocence : « La contrebande d'armes est en totale contradiction avec le désir de paix des autorités palestiniennes », écrivit-il. Mais nous avions des preuves du contraire, et les Israéliens aussi. Arafat m'avait menti. Jamais plus je ne me fierais à lui ; d'ailleurs, je ne lui ai plus adressé la parole. Au printemps 2002, j'en avais conclu que tant qu'Arafat serait à la tête de l'Etat palestinien, la paix serait impossible.

« Quand est-ce que ce porc finira par quitter Ramallah ? » me demanda le prince héritier Abdullah[1]. C'était le 25 avril 2002. Apparemment, le souverain saoudien n'était guère satisfait d'Ariel Sharon.

Depuis qu'en 1945 le président Franklin Roosevelt avait rencontré à bord de l'*USS Quincy* le roi Abdul Aziz, fondateur de l'Arabie Saoudite, nous avions entretenu avec le royaume des relations privilégiées. La nation arabe sunnite renferme un cinquième du pétrole mondial, et exerce une formidable influence sur le monde musulman en tant que gardienne des saintes mosquées à La Mecque et à Médine.

J'avais invité le prince héritier Abdullah – un des trente-six fils d'Abdul Aziz – dans notre ranch à Crawford afin de renforcer nos liens. En prévision du sommet de la Ligue arabe en mars 2002, il avait montré ses qualités de meneur en proposant un nouveau plan de paix ; de son point de vue, Israël rendrait les territoires aux Palestiniens, qui créeraient un Etat indépendant rejetant le terrorisme et reconnaissant le droit d'Israël à exister. Il restait de nombreux détails à négocier, mais j'étais d'accord sur le principe.

Le soir du sommet de la Ligue arabe, un kamikaze du Hamas entra dans la salle à manger d'un hôtel rempli de clients fêtant Pâques dans la ville israélienne de Netanya. « Soudain, ce fut l'enfer, s'est rappelée une des personnes présentes. Je sentais l'odeur de la fumée, le goût de la poussière dans ma bouche, un bourdonnement dans mes oreilles. » Cet attentat, un des plus dévastateurs de la deuxième Intifada, provoqua 30 morts et 140 blessés.

En riposte, le Premier ministre Sharon donna l'ordre de lancer une grande offensive en Cisjordanie. Les forces israéliennes arrêtèrent rapidement des centaines de suspects, et cernèrent Yasser Arafat dans son bureau de Ramallah. Sharon annonça qu'il comptait construire une barrière de sécurité séparant les communautés israéliennes des Palestiniens en Cisjordanie ; cette clôture empêcherait quiconque de passer. J'espérais qu'elle apporterait aux Israéliens la paix dont ils avaient besoin pour prendre de dures décisions en faveur de la paix.

En privé, j'ai poussé Sharon à mettre fin à son offensive, qui était devenue contreproductive. Arafat donna une interview télévisée à la

---

1. Abdullah régnait sur l'Arabie Saoudite en tant que régent depuis que son demi-frère, le roi Fahd, avait été victime d'une attaque en 1995. (NdA)

lumière d'une bougie, prenant l'air d'un martyr ; Sharon continua de foncer. J'ai donné un discours dans la Roseraie de la Maison-Blanche pour lui demander publiquement de commencer à replier ses troupes. « Il faut savoir quand s'arrêter », ai-je dit. Mais Sharon refusait de bouger.

A l'arrivée du prince Abdullah dans notre ranch, son projet de paix avait été mis en suspens. Il était furieux de constater ces violences, furieux du comportement de Sharon, et – je l'appris plus tard – insatisfait de notre rencontre.

Le prince héritier est un homme doux, modeste, presque timide. Il n'élève jamais la voix, ne boit pas d'alcool, et prie cinq fois par jour. En huit ans, je ne l'ai jamais vu sans sa robe traditionnelle.

Après une brève discussion, Abdullah demanda à rester seul à seul avec son ministre des Affaires étrangères et son ambassadeur. Quelques minutes plus tard, l'interprète attaché au ministère des Affaires étrangères Gamal Helal vint me voir, l'air affligé : « Monsieur le président, je crois que les Saoudiens s'apprêtent à partir. »

J'étais surpris. Je pensais que la rencontre se passait bien. Mais Gamal m'expliqua que les Saoudiens s'attendaient que j'aie persuadé Sharon de quitter Ramallah avant l'arrivée du prince héritier. Et ils insistaient pour que j'appelle le Premier ministre israélien sur-le-champ. Mais cela ne correspondait pas à ma vision de la diplomatie. J'ai envoyé Colin voir ce qui se passait dans le salon ; il confirma que nos invités se dirigeaient vers la porte. Notre relation avec l'Arabie Saoudite était au bord de la rupture.

Je suis entré dans le salon avec Gamal, et j'ai demandé à rester un instant seul avec le prince. Dans des notes qu'on m'avait fait parvenir, j'avais découvert deux facettes intéressantes de sa personnalité : la première, c'était qu'il était très croyant. La deuxième, qu'il adorait sa ferme.

« Votre Altesse, ai-je commencé. J'aimerais discuter religion avec vous. » J'ai évoqué mes croyances chrétiennes et leur place dans ma vie. J'espérais qu'en retour il parlerait de sa foi ; mais il n'était pas d'humeur partageuse.

En un dernier effort, j'ai lancé : « Avant votre départ, puis-je vous montrer mon ranch ? » Il a acquiescé. Quelques minutes plus tard, le prince héritier, sa robe volant au vent, grimpait dans un pick-up Ford F-250 ; je l'ai emmené faire le tour du propriétaire. Je lui ai fait remarquer les différentes sortes d'arbres feuillus, les herbes de prairie plantées par Laura, et le bétail qui broutait. Le prince ne disait mot. Je ne semblais pas faire beaucoup de progrès.

Puis nous sommes arrivés dans un endroit isolé de la propriété. Une dinde solitaire se tenait au milieu de la route. J'ai freiné ; l'oiseau ne bougeait pas.

« Qu'est-ce que c'est ? » a demandé le prince.

Je lui ai répondu qu'il s'agissait d'un dindon. « Benjamin Franklin l'aimait tellement qu'il voulait en faire l'oiseau national. »

Soudain, j'ai senti la main du prince agripper mon bras : « Mon frère, c'est un signe d'Allah. Un bon présage. »

Je n'ai jamais vraiment compris ce que cet oiseau signifiait pour lui, mais je sentais que la tension commençait à retomber. A notre retour, nos conseillers, étonnés, nous ont entendus demander si le déjeuner était prêt. Le lendemain, j'ai reçu un appel de mes parents ; le prince avait fait une halte à Houston pour les voir. Mère me confia qu'il avait évoqué, les larmes aux yeux, son séjour à Crawford et ce que nous pourrions accomplir ensemble. Jusqu'à la fin de ma présidence, ma relation avec le prince – bientôt roi – fut extrêmement amicale. C'était la première fois que je croisais une dinde de ce côté-ci de la propriété, et je n'en ai jamais revu depuis.

Plus je pensais aux troubles qui agitaient le Moyen-Orient, plus je me disais que le problème fondamental résidait dans le manque de liberté des Territoires palestiniens. Sans Etat, les Palestiniens ne pouvaient trouver leur place dans le monde ; tant qu'ils n'avaient pas leur mot à dire sur l'avenir, ils étaient mûrs pour l'extrémisme. De plus, sans dirigeant palestinien élu légitimement et consacré à la lutte contre le terrorisme, la paix avec Israël était compromise. J'étais persuadé que la solution reposait dans un Etat démocratique palestinien, dirigé par un élu qui écouterait son peuple, repousserait le terrorisme, et poursuivrait la paix avec Israël.

Au printemps 2002, avec l'escalade de la violence en Terre sainte, j'ai décidé qu'il fallait changer la donne. Je comptais prononcer un discours déterminant dans la Roseraie, annonçant mon désir d'une démocratie palestinienne. Je serais le premier président à demander la mise en place d'un Etat palestinien dans le cadre d'un programme politique. J'espérais que l'évocation d'une telle vision de l'avenir aiderait les deux camps à faire les choix difficiles qui les mèneraient vers la paix.

L'idée fut sujette à polémiques, d'abord au sein-même de mon gouvernement. Si Condi et Steve Hadley étaient en faveur de mon discours, Dick Cheney, Don Rumsfeld et Colin Powell tentèrent de m'en dissuader. Dick et Don avaient peur que le fait de prôner un Etat palestinien en pleine Intifada laisserait présager que nous voulions récompenser le terrorisme. Colin craignait que cet appel à un nouveau dirigeant palestinien ne gêne Arafat et diminue les chances de parvenir à un accord.

Je comprenais les risques évoqués, mais demeurais convaincu qu'un Etat démocratique palestinien et l'élection d'un nouveau chef étaient la seule façon de forger une paix durable. « J'imagine deux Etats, vivant côte à côte dans la paix et la sécurité », ai-je proclamé dans la Roseraie le 24 juin 2002. « Il sera tout simplement impossible d'y parvenir avant d'avoir vaincu le terrorisme. J'appelle le peuple palestinien à élire de nouveaux dirigeants, des dirigeants qui ne seront pas compromis par le terrorisme. Je les incite à construire une démocratie, basée sur la tolérance et la liberté. Si le peuple palestinien poursuit activement ces buts, l'Amérique et le monde lui viendront en aide. »

L'appui que je proposais à un nouvel Etat palestinien fut éclipsé par mon appel à un nouveau chef d'Etat. « Bush exige l'éviction d'Arafat », titrait un journal. Peu après ce discours, je reçus un coup de fil de Mère : « Comment va notre premier président juif ? » demanda-t-elle. J'avais comme l'impression qu'elle désapprouvait ma politique. Ce qui signifiait que mon père pensait de même. Je n'étais pas surpris. Si je ne portais pas Arafat dans mon cœur, de nombreuses personnes dans le monde voyaient en lui un espoir de paix. J'ai ri de la plaisanterie de Mère, tout en prenant son message au sérieux : j'allais au-devant de sérieuses oppositions.

Le lendemain du discours, je me suis envolé pour Kananaskis, au Canada, afin de participer à la réunion annuelle du G8. Le sommet était censé se concentrer sur l'aide aux pays étrangers, mais mon allocution au sujet du Moyen-Orient était trop présente aux esprits. Le matin de la première réunion, j'ai croisé Tony Blair à la salle de sport : « Tu as mis une belle pagaille, George », a-t-il dit avec un sourire.

Les autres furent moins tolérants. Jacques Chirac, le président de la Commission européenne Romano Prodi et le Premier ministre Jean Chrétien ne cachèrent pas leur désapprobation. En rejetant Arafat, lauréat du prix Nobel de la paix, j'avais bouleversé leur vision du monde. Mais je restais convaincu qu'Arafat ne serait jamais un partenaire fiable pour la paix, et je leur fis savoir.

Colin prit l'initiative d'élaborer un programme détaillé, s'inspirant de mon discours pour aboutir à un Etat palestinien. Dénommé la « Feuille de route », ce document comportait trois étapes : d'abord, les Palestiniens devaient cesser les attaques terroristes, combattre la corruption, réformer leur système politique et organiser des élections démocratiques ; en retour, Israël retirerait ses colonies non autorisées. Dans un second temps, les deux camps entameraient des négociations directes, qui mèneraient à la création d'un Etat palestinien provisoire. Enfin, Palestiniens et Israéliens s'attelleraient aux questions les plus complexes, dont le statut de Jérusalem, les droits des réfugiés palestiniens, et les frontières permanentes. Les nations arabes apporteraient leur soutien aux négociations et établiraient des relations normales avec Israël.

Encouragé par Blair, je me suis décidé à annoncer cette « Feuille de route » au printemps 2003, peu après le renversement de Saddam Hussein. Israéliens comme Palestiniens étaient en faveur du projet. Au début du mois de juin, j'ai rencontré les dirigeants arabes à Charm el-Cheikh, en Egypte, pour affirmer mon désir de paix et les convaincre de maintenir le processus. Puis je me suis rendu à Aqaba, en Jordanie, pour une session avec les représentants palestiniens et israéliens.

Compte tenu du sang qui venait d'être versé, je m'attendais à une certaine tension de leur part ; à ma grande surprise, l'ambiance était plutôt amicale et décontractée. De toute évidence, plusieurs d'entre eux avaient participé à bien des efforts de paix et se connaissaient déjà. Mais je savais qu'il y avait beaucoup d'antécédents. Mohammad Dahlan, le chef de la sécurité palestinienne, aimait rappeler à ses interlocuteurs où il avait appris à parler couramment l'hébreu : en prison israélienne.

Les Palestiniens avaient franchi un seuil décisif en désignant un Premier ministre pour les représenter au sommet, Mahmoud Abbas. Abbas était un homme affable, qui semblait animé d'un réel désir de paix. Il était un peu mal assuré, en partie parce qu'il n'avait pas été élu, et en partie parce qu'il tentait d'émerger de l'ombre d'Arafat. Il se déclara prêt à affronter les terroristes ; mais pour passer à l'action, il avait besoin d'argent et de forces de sécurité fiables.

A la fin de ces rencontres officielles, j'ai invité Sharon et Abbas à faire quelques pas sur la pelouse. Sous les palmiers, je leur ai fait remarquer que nous étions face à une chance historique de paix. Ariel Sharon certifia – à Aqaba, puis dans son discours à Herzliya – qu'il avait délaissé la politique d'un Grand Israël, ce qui constituait une grande avancée. « Il est dans l'intérêt d'Israël de ne pas diriger les Palestiniens, mais dans celui des Palestiniens de se gouverner eux-mêmes, au sein de leur propre Etat », énonça-t-il à Aqaba. Abbas déclara : « L'Intifada armée doit cesser ; il faut recourir à des moyens pacifiques pour mettre fin à l'occupation et à la souffrance des Palestiniens et des Israéliens. » La route était encore longue, mais cet instant était plein d'espoir pour le Moyen-Orient.

En avril 2004, Ariel Sharon vint à Washington pour me tenir au courant d'une décision historique : il comptait retirer les colonies israéliennes dans la Bande de Gaza et au nord de la Cisjordanie. En tant que père du mouvement des colonies juives, demander à des familles israéliennes de quitter leur foyer devait le tourmenter au plus haut point. Mais ce geste audacieux satisfaisait deux objectifs : extraire Israël d'une occupation coûteuse à Gaza ; et d'une certaine façon, rendre ce territoire aux Palestiniens faisait figure d'acompte dans l'attente d'un futur Etat.

J'espérais qu'Abbas répondrait à cette démarche difficile avec un geste positif. Mais en septembre 2003, le Premier ministre donna sa démission après qu'Arafat eut sapé chacune de ses décisions ; une année plus tard, ce dernier décédait. En janvier 2005, les Palestiniens se rendirent aux urnes pour la première fois en dix ans. Abbas fit campagne, prônant la fin des violences et une évolution vers un Etat palestinien ; sa victoire électorale fut écrasante. Il se mit immédiatement au travail pour développer les institutions d'un Etat démocratique et l'organisation d'élections législatives.

Le Fatah, le parti d'Abbas, véhiculait encore une image de corruption, héritée de l'ère d'Arafat. La principale alternative était le Hamas, une organisation terroriste également dotée d'un appareil politique des plus organisés. La perspective d'une victoire du Hamas inquiétait, à raison, les Israéliens.

J'ai apporté mon soutien aux élections. L'Amérique ne pouvait se contenter de donner son aval uniquement quand l'issue du vote lui plaisait. Je savais qu'il ne s'agissait que d'une première étape vers la démocratie. Quel que soit le vainqueur, il hériterait des responsabilités inhérentes à un gouvernement – la construction de routes et d'écoles, l'application de la loi, et le développement des institutions propres à une société civile. Si les résultats étaient satisfaisants, il serait réélu ; dans le cas contraire, le peuple aurait une chance de changer d'avis. Quelle qu'en soit l'issue, une élection libre et juste révélerait la vérité.

Le 25 janvier 2006, la vérité était que les Palestiniens en avaient assez de la corruption du Fatah. Le Hamas remporta 74 sièges sur 132. Certains interprétèrent ces résultats comme une menace pour le processus de paix ; mais je n'en étais pas si sûr. Le Hamas avait fait miroiter la possibilité d'un gouvernement non corrompu et de services publics efficaces, pas la guerre avec Israël.

Le parti avait aussi bénéficié du fait que la campagne du Fatah n'avait pas été menée très efficacement : à cause de ses multiples candidats pour un même siège, le nombre de votes était divisé. Ces élections révélèrent que le Fatah devait se moderniser. Elles firent aussi naître une question quant au Hamas : saurait-il honorer sa promesse de gouverner en tant que parti légitime, ou sombrerait-il à nouveau dans la violence ?

En mars 2006, les électeurs se rendirent aux urnes pour une nouvelle élection, cette fois en Israël. Deux mois plus tôt, Ariel Sharon avait subi une grave attaque cérébrale. Je me suis toujours demandé ce qui aurait pu se passer si Ariel avait continué son mandat ; ayant établi sa crédibilité sur la sécurité et s'étant acquis la confiance du peuple israélien, il aurait certainement eu sa part de responsabilité dans une paix historique.

L'élection du nouveau Premier ministre révélerait si les Israéliens penchaient pour la solution à deux Etats ; le vice-Premier ministre Ehud Olmert mena une rude campagne en faveur de cette idée. Je l'avais rencontré quand je m'étais rendu en Israël en 1998, alors qu'il était maire de Jérusalem. C'était un homme sympathique et sûr de lui, avec des manières affables et le rire facile. « Aujourd'hui, la seule solution est de fonder deux Etats – un juif, un palestinien », affirma-t-il en campagne. Il suggéra même de créer unilatéralement un Etat palestinien si nécessaire. Aux urnes, les électeurs israéliens lui en surent gré.

Olmert et Abbas, encore président malgré la victoire du Hamas aux élections législatives, développèrent rapidement des relations de travail. Ils s'entendaient sur de nombreux points, comme les postes de contrôle et la libération des prisonniers. Puis, en juin 2007, l'aile militante du Hamas intervint. Dans une démarche rappelant celle de leur lutte idéologique, les extrémistes ripostèrent à l'avancée de la liberté par des actes de violence. Les terroristes du Hamas, appuyés par l'Iran et la Syrie, montèrent un coup d'Etat et prirent le contrôle de Gaza. Des combattants masqués de noir saccagèrent le siège du Fatah, jetèrent du toit certains chefs du parti, et menacèrent les membres modérés de l'aile politique du Hamas.

Le président Abbas répliqua en expulsant le Hamas de son gouvernement et en renforçant son autorité en Cisjordanie. « Il s'agit essentiellement d'un coup d'Etat contre la démocratie, me dit-il au téléphone. La Syrie et l'Iran cherchent à mettre le Moyen-Orient à feu et à sang. » Nous avons ciblé notre soutien financier et militaire en Cisjordanie, et avons plaidé en faveur d'un blocus naval israélien à Gaza. En envoyant une aide humanitaire pour prévenir la famine, nous offririons au peuple de Gaza un fort contraste entre leurs conditions de vie sous l'égide du Hamas et celles sous Abbas, un chef démocratique. J'étais convaincu qu'avec le temps ce peuple exigerait de lui-même un changement.

Avec Condi, nous avons tenté de trouver un moyen de relancer la naissance d'un Etat démocratique en Palestine. Elle suggéra d'organiser une conférence internationale afin de jeter les bases des négociations entre le gouvernement d'Abbas et les Israéliens. Au début, j'étais sceptique ; les retombées d'un coup d'Etat ne me semblaient pas être le moment idéal pour un sommet de la paix. Mais j'ai fini par en adopter l'idée. Si des Palestiniens indécis se rendaient compte qu'un Etat représentait une option réaliste, cela leur donnerait la motivation nécessaire pour repousser la violence et appuyer la réforme.

Nous avons fixé la conférence au mois de novembre 2007, à l'Ecole navale américaine d'Annapolis, dans le Maryland. Condi et moi avons persuadé quinze nations arabes d'envoyer des délégations, y compris l'Arabie Saoudite ; intégrer des partenaires arabes tôt dans le processus donnerait plus d'assurance aux Palestiniens et leur rendrait plus difficile de rejeter un accord de paix, comme Arafat l'avait fait à Camp David.

Le succès de la conférence dépendait essentiellement d'une chose : qu'Abbas et Olmert s'entendent sur une déclaration commune, ouvrant la porte aux négociations. En montant à bord de l'hélicoptère qui nous emmenait à Annapolis, j'ai demandé la déclaration à Condi ; elle m'a répondu qu'ils avaient beaucoup avancé dessus, mais qu'elle n'était pas encore terminée. « Vous allez devoir la prononcer vous-même », conclut-elle.

J'ai pris individuellement Abbas et Olmert à part, pour leur faire comprendre que le sommet pouvait être vu comme un échec et renforcer le terrorisme si nous ne parvenions pas à un accord. Ils chargèrent leurs négociateurs de collaborer avec Condi. Quelques minutes avant d'apparaître devant les caméras, elle m'apporta les documents. Il manquait du temps pour agrandir la police du texte, alors j'ai sorti mes lunettes de vue pour lire les premières lignes : « Nous acceptons de lancer immédiatement des négociations bilatérales en tout bonne foi afin d'aboutir à un traité de paix [...] et ferons tous les efforts nécessaires pour signer un accord avant la fin 2008. »

Les applaudissements emplirent la salle. Abbas et Olmert prononcèrent leurs propres discours. « La liberté, ce mot unique qui renferme l'avenir des Palestiniens », commença le président Abbas. « Je suis persuadé que la paix est la seule voie possible. [...] Je pense que l'heure est venue. Nous sommes prêts », fit le Premier ministre Olmert.

C'était un instant historique que de voir le ministre des Affaires étrangères d'Arabie Saoudite écouter avec respect le Premier ministre israélien et applaudir ses paroles. La conférence d'Annapolis fut saluée comme une surprenante réussite. « Le cynisme qui a entouré ces pourparlers ne devrait pas éclipser l'espoir qu'ils ont généré », écrivit un journaliste du *Los Angeles Times*.

Peu après Annapolis, les deux camps entamèrent des négociations pour un accord de paix, Ahmed Qurei représentant les Palestiniens et la ministre des Affaires étrangères Tzipi Livni parlant au nom des Israéliens. Le Premier ministre palestinien Salam Fayyad, un économiste avec un doctorat de l'Université du Texas, commença à mettre en place des réformes économiques et militaires dont l'Etat palestinien avait grand besoin. Nous avons envoyé des aides financières et délégué un général de haut rang pour aider à l'entraînement des forces palestiniennes. Le jour de son départ de Downing Street, Tony

Blair accepta un poste d'envoyé spécial pour aider les Palestiniens à mettre en place les institutions d'un Etat démocratique. Ce n'était pas une tâche très prestigieuse, mais elle était indispensable. « Si jamais on me décerne le prix Nobel de la paix, dit Tony en plaisantant, alors vous saurez que j'ai échoué. »

Les pourparlers résolurent quelques problèmes importants, mais la signature d'un accord demanderait plus d'implication de la part des dirigeants concernés. Avec mon aval, Condi supervisa discrètement une autre voie de négociations entre Abbas et Olmert. Le dialogue aboutit à une offre secrète de la part d'Olmert : il proposait de restituer aux Palestiniens la plus grande partie du territoire en Cisjordanie et à Gaza, d'accepter la construction d'un tunnel reliant les deux territoires palestiniens, de permettre à un nombre limité de réfugiés palestiniens de regagner Israël, d'établir Jérusalem comme capitale commune d'Israël et de la Palestine, et de confier le contrôle des Lieux saints à un comité apolitique.

Nous sommes convenus d'une procédure pour faire de cette offre privée un accord public. Olmert se rendrait à Washington, où il me laisserait sa proposition ; Abbas annoncerait que le projet correspondait aux intérêts palestiniens ; enfin, je réunirais les chefs d'Etat pour finaliser l'accord.

Cette avancée représentait un réel espoir pour la paix. Mais une fois de plus, un événement extérieur intervint. Olmert avait été soumis à une enquête pour ses agissements financiers à l'époque où il était maire de Jérusalem ; à la fin de l'été, ses adversaires politiques avaient suffisamment de preuves pour le faire chuter. En septembre, il fut contraint d'annoncer sa démission.

Abbas ne voulait pas signer un accord avec un Premier ministre qui s'apprêtait à quitter ses fonctions. Les discussions prirent fin au cours de mes dernières semaines de présidence, après que les forces israéliennes eurent lancé une offensive à Gaza en réponse aux attaques de roquettes perpétrées par le Hamas.

Si j'étais déçu que les Israéliens et les Palestiniens n'aient pas réussi à s'entendre, j'étais heureux des progrès que nous avions accomplis. Huit ans plus tôt, quand j'étais arrivé au pouvoir, une Intifada faisait rage, Yasser Arafat était à la tête de l'Autorité palestinienne, les dirigeants israéliens cherchaient à instaurer le Grand Israël, et les nations arabes se plaignaient en coulisses. A mon départ, les Palestiniens étaient gouvernés par un président et un Premier ministre, qui luttaient contre le terrorisme. Les Israéliens s'étaient retirés de quelques colonies et étaient en faveur d'une solution à deux Etats. Enfin, les nations arabes tenaient un rôle actif dans le processus de paix.

La lutte au Moyen-Orient ne se résume plus à un affrontement entre Palestiniens et Israéliens, ou entre juifs et musulmans : il s'agit d'un face-à-face entre ceux qui cherchent la paix et les extrémistes qui sèment la terreur. Il est de l'avis général que la démocratie est le socle sur lequel construire une paix durable. Concrétiser cette vision requerra l'intervention de chefs courageux dans les deux camps, ainsi que les efforts d'un président américain résolu.

La plupart du temps, Jacques Chirac et moi n'étions pas d'accord. Le président français s'était opposé au renversement de Saddam Hussein; il appelait Yasser Arafat un « homme de courage ». Lors d'une réunion, il déclara : « L'Ukraine fait partie de la Russie. »

Quelle ne fut donc ma surprise de trouver un terrain d'entente lors de notre réunion parisienne au début de juin 2004. Lorsque Chirac a évoqué la démocratie au Moyen-Orient, je me suis attendu à un nouveau sermon. Mais il a poursuivi : « Dans cette région, il n'y a que deux démocraties. L'une est puissante, Israël. L'autre est fragile, le Liban. » Je ne lui ai pas signalé qu'il en avait oublié une, celle de l'Irak.

Il décrivit les souffrances du Liban sous l'occupation syrienne, qui avait disséminé des dizaines de soldats dans le pays, détourné de l'argent de l'économie nationale, et étouffé des tentatives de développer la démocratie. Quand il m'a suggéré de travailler ensemble pour empêcher la Syrie de dominer le Liban, j'ai accepté sans hésiter. Nous sommes convenus de chercher à proposer une résolution aux Nations unies.

En août 2004, le président libanais Emile Lahoud, une marionnette des Syriens, nous offrit une occasion : il annonça vouloir prolonger son mandat, ce qui constituait une violation de la constitution du Liban. Chirac et moi avons proposé la résolution 1559 des Nations unies, qui condamnait la décision de Lahoud et exigeait le retrait des forces syriennes. Elle fut adoptée le 2 septembre 2004.

Pendant six mois, la Syrie refusa d'obtempérer. Puis, le 14 février 2005 à Beyrouth, un immense attentat à la voiture piégée détruisit le cortège de voitures de Rafiq Hariri, l'ancien Premier ministre en faveur de l'indépendance libanaise. Toutes les preuves indiquaient un complot syrien. Nous avons rappelé notre ambassadeur de Damas avant de demander une enquête aux Nations unies.

Une semaine après le meurtre de Hariri, Chirac et moi avons dîné à Bruxelles. Nous avons rédigé une déclaration commune en désignant cet attentat comme un « acte de terrorisme », et avons réitéré notre soutien à un « Liban souverain, indépendant et démocratique ». Nous avons rallié les nations arabes pour faire pression sur le président syrien Bashar al-Assad afin qu'il se plie à la résolution des Nations unies. Un mois jour pour jour après l'assassinat d'Hariri, près d'un million de Libanais – soit un quart de la population nationale – se sont retrouvés sur la place des Martyrs à Beyrouth pour manifester contre l'occupation syrienne. On parla d'une Révolution du Cèdre, en hommage à l'arbre central du drapeau libanais.

Les Syriens reçurent le message cinq sur cinq. Fin mars, sous la pression de la communauté internationale et du peuple libanais, les soldats syriens commencèrent à se replier ; vers la fin avril, ils étaient tous partis. « Avant, on avait peur d'élever la voix, confia un citoyen libanais à un reporter. Mais aujourd'hui on est plus en confiance, plus à l'aise pour dire ce qu'on pense. »

Ce printemps-là, l'Alliance antisyrienne du 14 mars remporta une majorité de sièges au Parlement. Fouad Siniora, un proche conseiller du défunt Hariri, fut nommé Premier ministre.

La Révolution du Cèdre marqua une des plus grandes réussites de la campagne pour la liberté. Elle eut lieu dans un pays multi-religieux majoritairement musulman, grâce à une forte pression diplomatique exercée par le monde libre et sans intervention militaire américaine. Le peuple libanais accomplit son indépendance pour la plus simple des raisons : il désirait être libre.

Le triomphe de la démocratie au Liban survint deux mois après les élections libres en Irak et l'élection du président Abbas dans les Territoires palestiniens. C'était la première fois que trois sociétés arabes faisaient une telle avancée vers la démocratie. Le Liban, l'Irak et la Palestine avaient le potentiel pour constituer les fondements d'une région libre et paisible.

« Cela peut paraître étrange venant de moi, mais ce processus de transformation a commencé avec l'invasion des Américains en Irak », affirma le chef politique libanais Walid Jumblatt. Je parlais de l'Irak avec cynisme. Mais quand j'ai vu le peuple irakien voter il y a trois semaines de cela, huit millions de personnes, j'ai compris que c'était le début d'un nouveau monde arabe. Les Syriens, les Egyptiens, tous disent que quelque chose est en train de changer. Le Mur de Berlin s'est effondré. C'est flagrant. »

Ce n'était pas le seul à avoir remarqué cette tendance ou reconnu ses conséquences. En 2005, la montée de la démocratie au Moyen-Orient avait secoué les extrémistes ; en 2006, ils ripostèrent.

Le 12 juillet 2006, Laura et moi avons fait une halte en Allemagne sur le chemin du G8 à Saint-Pétersbourg, en Russie. La chancelière allemande Angela Merkel et son mari, le professeur Joachim Sauer, nous avaient invités dans la ville de Stralsund, dans le district natal d'Angela. Laura et moi étions fascinés par la description que nous fit Angela de l'Allemagne de l'Est communiste. Elle nous a raconté que son enfance avait été heureuse, mais que sa mère lui interdisait de mentionner les discussions familiales en public : la Stasi, la police politique, était partout. Laura et moi y avons repensé à Camp David en regardant *La Vie des autres*, un film qui dépeint la vie quotidienne sous la Stasi. Difficile de croire que, moins de vingt ans auparavant, des dizaines de millions d'Européens vivaient ainsi. C'est là un rappel du pouvoir transformateur de la liberté.

En plus d'être une ardente avocate des valeurs de la liberté, Angela est une femme digne de confiance, aimable et chaleureuse. Elle a rapidement fait partie de mes amis les plus proches sur la scène politique mondiale.

Pendant que nous nous acheminions vers l'Allemagne, au sud du Liban les terroristes du Hezbollah traversèrent la frontière israélienne, kidnappèrent deux soldats israéliens, et déclenchèrent une nouvelle crise politique. Israël répliqua en attaquant des cibles du Hezbollah dans le sud du Liban et en bombardant l'aéroport de Beyrouth, point de transit pour le trafic d'armes. La riposte du Hezbollah fut de lâcher des roquettes sur des villes israéliennes, tuant ou blessant des centaines de civils.

A l'instar du Hamas, le Hezbollah possédait un parti politique légitime ainsi qu'une aile terroriste armée et financée par l'Iran, et soutenue par la Syrie. Le Hezbollah était responsable de plusieurs agressions : l'attaque des casernes des Marines américains au Liban en 1983, le meurtre d'un plongeur de l'US Navy à bord d'un vol TWA en 1985, les attentats sur l'ambassade israélienne et d'un centre communautaire juif en Argentine en 1992 et 1994, et l'explosion des tours de Khobar en Arabie Saoudite en 1996.

Maintenant, le Hezbollah s'attaquait directement à Israël. Au sommet du G8, tous les chefs d'Etat présents eurent la même réaction : comme le Hezbollah était à l'initiative du conflit, Israël avait le droit de se défendre. Nous avons rédigé une déclaration commune qui affirmait : « On ne peut permettre à ces éléments extrémistes et à leurs partisans de plonger le Moyen-Orient dans le chaos et de provoquer un conflit plus important. »

Les Israéliens avaient l'opportunité d'asséner un grand coup au Hezbollah et à ses sympathisants iraniens et syriens ; malheureusement, ils ne surent pas la saisir. La riposte israélienne frappa des cibles de valeur militaire discutable, y compris des sites dans le nord du Liban, loin de la base du Hezbollah ; les dégâts furent médiatisés à la télévision. Pour compliquer les affaires, le Premier ministre Olmert annonça que la Syrie ne serait pas prise pour cible ; à mon sens, c'était une erreur. Effacer ainsi la menace de représailles permettait de dédouaner la Syrie, qui se sentirait d'autant plus libre de soutenir les efforts du Hezbollah.

Avec la deuxième semaine de violences, de nombreux dirigeants du G8 qui s'étaient tout d'abord déclarés en faveur d'Israël réclamèrent une trêve. Je ne me suis pas joint à eux. Un cessez-le-feu apporterait peut-être un soulagement de courte durée, mais ne s'attaquerait pas à la racine du problème. Tant qu'un Hezbollah bien armé continuerait de menacer Israël dans le sud du Liban, les conflits reprendraient. Je voulais gagner du temps pour permettre à Israël d'affaiblir les forces du Hezbollah. Je désirais aussi envoyer un message à l'Iran et à la Syrie : on ne laisserait pas des organisations terroristes attaquer les démocraties en toute impunité.

Malheureusement, Israël ne fit qu'empirer les choses. Dans la troisième semaine du conflit, des bombardiers israéliens détruisirent un ensemble de résidences dans la ville libanaise de Cana. Vingt-huit civils périrent, dont plus de la moitié étaient des enfants. Le Premier ministre Siniora était furieux. Des chefs arabes condamnèrent violemment l'attentat, dont le carnage passait en boucle à la télévision locale. J'avais peur que l'offensive israélienne ne finisse par renverser le gouvernement démocratique du Premier ministre Siniora.

J'ai convoqué une réunion du Conseil de sécurité nationale afin de discuter de notre stratégie. Le débat au sein de l'équipe fut houleux. « Nous devons laisser les Israéliens en finir avec le Hezbollah, lança Dick Cheney. Si vous faites cela, répliqua Condi, c'en sera fini de l'Amérique au Moyen-Orient. » Elle recommanda de proposer une résolution aux Nations unies appelant au cessez-le-feu et au déploiement d'une force multinationale de maintien de la paix.

Aucune de ces solutions ne me parut idéale. Sur le court terme, je voulais enrayer l'avancée du Hezbollah et de ses partisans ; sur le long terme, notre stratégie serait d'isoler l'Iran et la Syrie afin de réduire leur influence et d'encourager un changement de l'intérieur. Si les Etats-Unis continuaient de soutenir l'offensive israélienne, nous serions réduits à opposer notre veto à toutes les résolutions des Nations unies. En fin de compte, au lieu d'isoler l'Iran et la Syrie, c'est nous-mêmes qui serions isolés.

Il me semblait que, sur le long terme, les avantages que nous retirerions à exercer une pression sur la Syrie et l'Iran dépasseraient les bénéfices plus immédiats d'ébranler le Hezbollah. J'ai envoyé Condi aux Nations unies, où elle négocia la Résolution 1701, prônant une cessation immédiate des violences, le désarmement du Hezbollah et d'autres milices au Liban, un embargo sur des livraisons d'armes, et le déploiement d'une robuste force de sécurité internationale dans le sud du Liban. Le gouvernement libanais, le Hezbollah et Israël acceptèrent tous la résolution. La trêve prit effet le matin du 14 août.

La guerre d'Israël contre le Hezbollah au Liban est apparue comme un autre moment décisif dans la lutte idéologique. Malgré sa fragilité et le fait qu'elle subit encore beaucoup de pression de la part de la Syrie, la jeune démocratie du Liban est ressortie plus forte de ce conflit. Dans le cas d'Israël, les résultats ont été plus hétérogènes. Sa campagne militaire avait affaibli le Hezbollah et contribué à affirmer les frontières du pays ; cependant, sa démarche approximative lui a coûté sa crédibilité sur le plan international.

En tant qu'instigateur du conflit, le Hezbollah – ainsi que la Syrie et le Liban – était responsable du sang versé. Le peuple libanais le savait. En une des analyses les plus pertinentes de cette guerre, le chef du Hezbollah Hassan Nasrallah présenta ses excuses au peuple libanais deux semaines après le cessez-le-feu : « Si nous avions su que la capture des soldats mènerait à ceci, dit-il, nous ne l'aurions certainement pas fait. »

Au début de 2005, lorsque Condi s'est rendue pour la première fois en Europe en tant que secrétaire d'Etat, elle m'a confié qu'elle s'attendait que nos désaccords sur l'Irak soit le sujet de toutes les discussions. Une semaine plus tard, elle m'a rapporté un message surprenant de nos alliés : « Ils ne parlent pas de l'Irak. C'est l'Iran qui les inquiète. »

Quand je suis entré en fonctions, le régime théocratique iranien posait problème aux présidents américains depuis plus de vingt ans. Dirigé par des religieux fanatiques qui avaient saisi le pouvoir lors de la révolution de 1979, l'Iran était devenu une des principales sources de terrorisme au monde. Parallèlement à cela, il s'agissait d'une société relativement moderne, où naissait un mouvement de liberté.

En août 2002, un groupe de dissidents iraniens avança la preuve que le régime construisait une installation clandestine d'enrichissement de l'uranium à Natanz, ainsi qu'une secrète usine de production d'eau lourde à Arak – deux signes révélateurs d'un programme d'armement nucléaire. Les Iraniens avouèrent l'enrichissement, mais prétendirent qu'il s'agissait uniquement de production d'électricité. Si c'était vrai, alors pourquoi le régime dissimulait-il l'installation ? Et pourquoi l'Iran éprouvait-il le besoin d'enrichir de l'uranium alors qu'il ne possédait pas de centrale nucléaire en fonctionnement ? Tout à coup, il y eut beaucoup moins d'objections à inclure l'Iran dans l'axe du mal.

En octobre 2003, sept mois après avoir renversé Saddam Hussein, l'Iran s'engagea à suspendre tout programme d'enrichissement et de traitement d'uranium. En compensation, le Royaume-Uni, l'Allemagne et la France acceptèrent d'offrir un soutien financier et diplomatique, ainsi qu'une coopération économique et technologique. Les Européens avaient apporté leur contribution, et nous la nôtre. Cet accord fut un premier pas vers notre but ultime de stopper l'enrichissement iranien et de prévenir une course à l'armement nucléaire au Moyen-Orient.

En juin 2005, tout changea. Des élections présidentielles eurent lieu en Iran. La procédure avait l'air suspect, c'était le moins qu'on puisse dire. Le Conseil des Gardiens, une poignée de religieux islamiques, désigna les candidats ; les clercs eurent recours au Basij, une branche paramilitaire des Gardiens de la révolution islamique, pour contrôler le taux de participation et influencer les votes. Le maire de Téhéran Mahmoud Ahmadinejad fut déclaré vainqueur. Fait peu surprenant, il avait l'appui du Basij.

Ahmadinejad mena l'Iran dans une nouvelle direction offensive. Le régime se fit plus répressif sur le plan national, plus belliqueux en Irak, et plus agressif dans sa volonté de déstabiliser le Liban, les territoires palestiniens et l'Afghanistan. Ahmadinejad appela Israël « un cadavre puant » qui devait être « rayé de la carte », et décréta que l'Holocauste n'était qu'un « mythe ». Il profita d'un discours aux Nations unies pour prédire que l'imam caché réapparaîtrait pour sauver le monde. Je commençais à prendre peur : il s'agissait peut-être bien plus que d'un dangereux chef d'Etat. Ce type était sans doute complètement fou.

Une fois au pouvoir, une des premières actions d'Ahmadinejad fut d'annoncer que l'Iran reprendrait son programme de conversion d'uranium. Il eut beau déclarer que cela entrait dans le programme nucléaire civil de l'Iran, le reste du monde reconnut dans cette démarche une avancée vers l'armement. Vladimir Poutine – avec mon soutien – proposa de fournir du combustible enrichi en Russie pour les réacteurs civils iraniens une fois que ces derniers seraient construits, cela afin que l'Iran puisse se passer d'installations. Ahmadinejad refusa. L'Europe offrit également d'apporter son soutien à un programme nucléaire civil iranien si le pays cessait ses activités nucléaires suspectes ; une fois de plus, Ahmadinejad déclina. Il n'y avait qu'une seule explication logique à cela : l'Iran enrichissait de l'uranium pour construire une bombe.

J'étais face à une décision cruciale. L'Amérique ne pouvait permettre à l'Iran de détenir une arme nucléaire. Ce régime théocratique serait capable de dominer le Moyen-Orient, de faire du chantage au monde entier, de fournir la technologie nucléaire à ses sympathisants terroristes, ou de lâcher une bombe sur Israël. J'ai abordé le problème en m'imaginant le tic-tac de deux horloges. L'une mesurait l'avancée de l'Iran vers la bombe ; l'autre suivait l'aptitude des réformateurs à apporter le changement. Mon but était de ralentir la première horloge, et d'accélérer la deuxième.

Trois options s'offraient à moi. A Washington, certains suggérèrent que l'Amérique négocie directement avec l'Iran ; mais je pensais qu'ouvrir la discussion avec Ahmadinejad légitimerait et justifierait ses points de vue, tout en sapant le mouvement de liberté iranien, et en ralentissant l'horloge du changement. Je doutais aussi que l'Amérique puisse faire beaucoup de progrès en se cantonnant à des conversations privées avec le régime : des négociations bilatérales avec un tyran mènent rarement à une démocratie. Les régimes totalitaires, qui ne doivent rendre de comptes à personne, ne se sentent pas contraints de tenir leur parole. Ils sont libres de rompre des accords, d'avancer de nouvelles exigences. Une démocratie a le choix : capituler, ou provoquer l'affrontement.

La deuxième option était d'entamer une diplomatie multilatérale, alternant carottes et bâtons. Nous pourrions nous joindre à l'Europe pour offrir à l'Iran un certain nombre d'incitations en échange d'un abandon de ses activités nucléaires suspectes. Si le régime refusait de coopérer, la coalition imposerait alors à l'Iran de lourdes sanctions appliquées par les Nations unies, lui rendant plus difficile d'obtenir la technologie nécessaire à l'armement, et ralentissant l'horloge de la bombe. De plus, Ahmadinejad aurait plus de mal à honorer ses promesses économiques, alimentant ainsi les mouvements réformateurs du pays.

La dernière possibilité était de lancer un assaut militaire sur les installations nucléaires iraniennes. Le but serait d'arrêter l'horloge de la bombe, du moins temporairement ; l'effet sur celle de la réforme demeurait incertain. Certains pensaient que détruire le projet-phare du régime consoliderait l'opposition ; d'autres avaient peur qu'une intervention militaire étrangère ne stimule le nationalisme iranien et n'unisse le peuple contre nous. J'ai donné l'ordre au Pentagone d'étudier les conditions nécessaires à une telle opération ; l'action militaire resterait toujours possible, mais je ne la lancerais qu'en dernier recours.

J'ai longuement discuté des options avec l'équipe de sécurité nationale au printemps 2006. J'ai consulté Vladimir Poutine, Angela Merkel et Tony Blair ; ils m'ont tous assuré qu'ils seraient en faveur de lourdes sanctions si l'Iran ne changeait pas de comportement. En mai, Condi annonça que nous nous joindrions à l'Europe dans ses négociations avec l'Iran, mais seulement si le régime suspendait son programme d'enrichissement. Elle travailla avec le Conseil de sécurité des Nations unies afin de fixer une date limite à l'Iran pour sa réponse : le 31 août. L'été passa ; la réponse ne vint jamais.

Il s'agissait donc de développer des sanctions efficaces. Nous ne pouvions pas faire grand-chose tout seuls ; nous réprimandions lourdement l'Iran depuis des décennies. J'ai donné des instructions au département du Trésor de coopérer avec l'Europe afin de rendre les transferts d'argent plus difficiles pour les banques et entreprises iraniennes. Nous avons également classé les Forces Quods des Gardiens de la révolution islamique parmi les organisations terroristes, ce qui nous a permis de geler leurs biens. Nos partenaires dans la coalition diplomatique ont imposé des sanctions de leur côté. Et nous avons œuvré avec le Conseil de sécurité des Nations unies pour adopter les résolutions 1737 et 1747, interdisant l'exportation d'armes iraniennes, bloquant les capitaux iraniens et empêchant tout pays de fournir à l'Iran l'équipement nécessaire pour construire une arme nucléaire.

Persuader l'Europe, la Russie et la Chine de s'entendre sur ces sanctions était en soi un accomplissement diplomatique ; chaque membre devait céder à la tentation de se détacher et de profiter des avantages commerciaux. J'ai fréquemment rappelé aux autres pays les dangers que représenterait un Iran possédant l'arme atomique. En octobre 2007, un reporter me posa des questions sur l'Iran lors d'une conférence de presse. « J'ai dit à ceux qui voulaient l'entendre que si on désirait éviter une troisième guerre mondiale, alors mieux valait empêcher ce pays d'obtenir les connaissances nécessaires pour fabriquer une arme nucléaire », ai-je répondu.

Ma référence à une troisième guerre mondiale provoqua des réactions proches de l'hystérie. Des manifestants se rendaient à la sortie de mes discours avec des panneaux portant l'inscription : « Ne mettons pas les pieds en Iran. » Les journalistes écrivirent des articles fébriles et colporteurs de ragots, dressant le portrait d'une Amérique sur le point d'entrer en guerre. Ils n'avaient rien compris. Je ne cherchais pas le conflit ; je tentais de maintenir notre coalition diplomatique afin d'en éviter un.

En novembre 2007, la communauté du renseignement émit un rapport d'évaluation du renseignement national (National Intelligence Estimate, NIE) concernant le programme nucléaire iranien ; ce document confirma que, comme nous l'avions suspecté, l'Iran avait lancé un programme secret d'armes atomiques, défiant ses obligations dans le cadre du traité. Il indiquait aussi que, en 2003, l'Iran avait suspendu ses efforts clandestins de concevoir une tête nucléaire – ce que certains considèrent comme l'aspect le moins compliqué dans la construction d'une arme. L'Iran effectuait des essais de missiles susceptibles d'être utilisés comme méthode d'attaque, et avait annoncé sa reprise d'enrichissement d'uranium ; malgré cela, le NIE livra une déclaration époustouflante : « Nous affirmons avec grande certitude qu'à l'automne 2003 Téhéran a interrompu son programme d'armement nucléaire. »

La conclusion du NIE était si surprenante que j'étais certain qu'elle filtrerait immédiatement dans la presse. L'idée ne me plaisait pas, mais j'ai décidé de déclassifier les découvertes essentielles afin de présenter les faits bruts aux journalistes. La réaction ne se laissa pas attendre. Ahmadinejad salua le NIE comme « une grande victoire ». Les Européens, les Russes et les Chinois cessèrent de discuter d'éventuelles sanctions. Comme le journaliste du *New York Times* David Sanger l'énonça si justement : « La nouvelle estimation du renseignement national a interrompu toute pression exercée sur l'Iran – cette même pression qui, selon le document lui-même, a contraint le pays à suspendre ses ambitions militaires. »

En janvier 2008, je me suis rendu au Moyen-Orient pour tenter de rassurer les dirigeants auprès desquels nous nous étions engagés à résoudre les problèmes en Iran. Fait historique, Israël et nos alliés arabes s'unirent dans leurs protestations. Tous s'inquiétaient au sujet de l'Iran, et en voulaient aux Etats-Unis pour le NIE. En Arabie Saoudite, j'ai rencontré le prince Abdullah et les membres du clan des Sudairi, les frères influents du défunt roi Fahd.

« Votre Majesté, puis-je commencer la réunion ? ai-je demandé. Je suis certain que vous croyez tous que j'ai écrit le NIE pour éviter d'agir en Iran. »

Personne ne pipa mot. Les Saoudiens étaient trop polis pour confirmer leurs suspicions à voix haute.

« Il faut que vous compreniez notre système, ai-je poursuivi. Le NIE a été élaboré indépendamment par notre communauté du renseignement. Je suis aussi furieux que vous. »

Le NIE ne se contenta par d'ébranler nos relations diplomatiques ; il nous lia aussi les mains sur le plan militaire. Je nourrissais un certain nombre d'inquiétudes au sujet d'un éventuel assaut militaire en Iran, en particulier son efficacité incertaine et les sérieux problèmes qu'il engendrerait pour la fragile jeune démocratie iranienne. Mais après le NIE, comment pourrais-je expliquer une intervention pour détruire les installations nucléaires d'un pays qui, selon la communauté du renseignement, n'avait aucun programme de ce genre ?

Je ne sais pas pour quelle raison le NIE a été rédigé ainsi. Je me suis demandé si, à force de vouloir éviter de commettre la même erreur qu'en Irak, la communauté du renseignement n'avait pas fini par sous-estimer la menace iranienne ; j'espérais sincèrement que les analystes du renseignement ne cherchaient pas à influencer la politique. Quelle qu'en soit l'explication, le NIE a eu un impact décisif – mais pas forcément positif.

J'ai passé la majeure partie de 2008 à tenter de reformer la coalition diplomatique contre l'Iran. En mars, les Nations unies ont appliqué une nouvelle salve de sanctions, interdisant toute relation commerciale avec l'Iran dans le but de fournir des technologies à double usage susceptibles d'être employées dans un programme d'armement nucléaire. Nous avons également étendu notre bouclier antimissile, en intégrant un nouveau système implanté en Pologne et en République tchèque pour protéger l'Europe d'une attaque iranienne.

A la même période, j'œuvrais pour accélérer l'horloge des réformes : j'ai rencontré des dissidents iraniens, demandé la libération des prisonniers politiques, financé les activistes iraniens en faveur d'une société civile, et j'ai eu recours à la radio et Internet pour véhiculer des messages de liberté en Iran. Nous nous sommes également penchés sur divers programmes d'espionnage et mesures financières qui pourraient ralentir le rythme ou accroître le coût de l'armement nucléaire en Iran.

Je regrette d'avoir quitté la présidence en laissant le problème iranien en suspens. J'ai malgré tout légué à mon successeur un régime iranien moins isolé du reste du monde et plus sanctionné qu'il ne l'a jamais été. J'étais convaincu que la réussite du renforcement de nos troupes et l'émergence d'un Irak libre près de la frontière iranienne stimuleraient les dissidents iraniens et contribueraient à amener un changement. Je fus heureux de voir le mouvement de liberté iranien s'exprimer dans des manifestations nationales après la réélection frauduleuse d'Ahmadinejad en juin 2009. Dans le visage de ces courageux manifestants, j'ai cru voir l'avenir de l'Iran. Si l'Amérique et le monde continuent de les soutenir et d'exercer une pression sur le régime iranien, j'ai espoir que le gouvernement et ses politiques finiront par changer. Mais une chose est certaine : les Etats-Unis ne devraient jamais permettre à l'Iran de menacer le reste du monde avec une bombe nucléaire.

L'Iran n'était pas la seule nation mettant en danger la campagne pour la liberté avec une menace nucléaire. Au printemps 2007, j'ai reçu un rapport classé secret d'un partenaire de renseignements étranger. Nous avons étudié de près des photographies d'un bâtiment suspect caché dans le désert oriental de la Syrie.

La structure affichait une ressemblance frappante avec une installation nucléaire située à Yongbyon, en Corée du Nord. Nous avons conclu que l'édifice contenait un réacteur refroidi au gaz et modéré au graphite capable de produire du plutonium de qualité militaire. Puisque la Corée du Nord était le seul pays à avoir construit un réacteur de ce modèle au cours des trente-cinq dernières années, nous soupçonnions fortement la Syrie de développer un arsenal nucléaire avec l'aide de la Corée du Nord.

Ce fut en tout cas la conclusion du Premier ministre Olmert.

« George, je vous demande de bombarder l'installation, me lança-t-il lors d'une conversation téléphonique peu après que j'eus reçu le rapport.

– Merci de soulever le problème, ai-je répliqué. Laissez-moi un peu de temps pour compulser les renseignements qu'on nous a fournis, et je vous donne ma réponse. »

J'ai convoqué l'équipe de sécurité nationale, qui s'est lancée dans une suite de discussions intenses. Sur le plan militaire, cette mission de bombardement était ce qu'il y avait de plus simple ; l'Armée de l'Air détruirait la cible, point. Mais bombarder un pays souverain sans avertissement ni justification ne serait pas sans conséquences.

Une deuxième possibilité serait de recourir à des raids secrets. Nous avons sérieusement étudié l'idée, mais la CIA et les militaires ont conclu qu'il serait trop risqué de faire entrer et sortir de la Syrie une équipe bardée de suffisamment d'explosifs pour faire sauter une centrale nucléaire.

La troisième option était de mettre nos alliés au courant de la situation, de la faire connaître publiquement, et d'exiger de la Syrie qu'elle démantèle la centrale sous la supervision de l'AIEA. Une fois la duplicité du régime dévoilée, nous pourrions user de notre influence pour contraindre la Syrie à mettre un terme à son soutien au terrorisme et à ses interventions au Liban et en Irak. Si la Syrie refusait d'interrompre ses agissements nucléaires clandestins, une action militaire serait amplement justifiée.

Avant de prendre une décision, j'ai demandé au directeur de la CIA Mike Hayden de mener une évaluation du renseignement.

Il m'a expliqué que les analystes étaient quasiment certains que l'usine abritait un réacteur nucléaire. Mais comme ils n'avaient pu confirmer l'emplacement des installations nécessaires à la transformation de plutonium en arme, ils ne pouvaient affirmer que la Syrie avait lancé un programme d'armement nucléaire.

En entendant le rapport de Mike, j'ai su quelle décision prendre. « Je ne pourrais pas justifier une intervention militaire à moins que mes services de renseignements ne certifient qu'il s'agit d'un programme d'armement », ai-je répondu à Olmert. Je lui ai expliqué que j'avais opté pour la solution diplomatique, appuyée par une menace militaire. « Je pense que cette stratégie protégera vos intérêts et votre Etat, tout en nous permettant d'atteindre nos propres objectifs. »

Le Premier ministre était déçu. « Cette situation frappe notre pays là où il est le plus fragile », déclara-t-il. Il me raconta que la menace d'un programme d'armement nucléaire en Syrie était un problème « essentiel » pour Israël, et il avait peur que la diplomatie ne finisse par s'enliser et échouer. « Je serai franc et sincère avec vous. Votre stratégie m'inquiète énormément. » La ligne fut coupée.

Le 6 septembre 2007, les installations furent détruites.

L'expérience avait été révélatrice à plusieurs niveaux. Elle avait confirmé l'intention syrienne de développer des armes nucléaires ; elle avait aussi montré que la collecte de renseignements n'était pas une science exacte. Nos analystes n'avaient que peu de certitudes concernant l'existence d'un programme d'armement nucléaire, mais des contrôles effectués après le bombardement montrèrent des responsables syriens en train de recouvrir méticuleusement les restes du bâtiment. Si l'installation n'était vraiment qu'un innocent laboratoire de recherches, le président syrien Assad se serait rué aux Nations unies pour se plaindre d'Israël. Sur ce point-là, j'avais confiance en mon jugement.

L'assaut mené par le Premier ministre Olmert compensa la foi que j'avais perdue en les Israéliens pendant la guerre au Liban. J'ai suggéré à Ehud de laisser passer un peu de temps avant de révéler l'opération comme un moyen d'isoler le régime syrien. Olmert désirait garder une discrétion totale ; il voulait éviter tout ce qui pourrait acculer la Syrie et forcer Assad aux représailles. C'était son opération, et je me suis senti obligé de respecter ses souhaits. J'ai gardé le silence, même si je pensais que nous laissions passer une opportunité.

Enfin, ce bombardement a montré la volonté d'Israël d'agir seul. Le Premier ministre Olmert n'avait pas demandé le feu vert, et je ne le lui avais pas donné. Il avait fait ce qu'il jugeait nécessaire pour la protection de son pays.

Un des livres les plus déterminants que j'aie lus pendant ma présidence fut *Les Aquariums de Pyongyang*, du dissident nord-coréen Kang Chol-hwan. Ce témoignage, recommandé par mon ami Henry Kissinger, raconte l'histoire de dix années d'emprisonnement et de sévices dans un goulag en Corée du Nord. J'ai invité Kang dans le Bureau Ovale, où il a évoqué les violentes souffrances qu'il a subies dans son pays natal, sans compter les terribles famines et les persécutions.

L'histoire de Kang éveilla en moi un profond dégoût pour le tyran qui avait détruit tant de vies, Kim Jong-il. Au début de mon mandat, Don Rumsfeld m'avait montré des photos satellites de la péninsule coréenne la nuit. Le Sud brillait de mille feux ; le Nord était plongé dans l'obscurité. J'ai lu des rapports qui relataient qu'en raison de la malnutrition un Coréen du Nord faisait en moyenne sept centimètres de moins qu'un Coréen du Sud. Quand j'ai pris mes fonctions en 2001, environ un million de Coréens du Nord étaient morts d'inanition au cours des six années précédentes.

Pendant ce temps, Kim Jong-il cultivait son goût du bon cognac, des Mercedes de luxe, et des films étrangers. Il avait érigé un culte de la personnalité requérant des Coréens du Nord qu'ils le vénèrent comme un dieu. Sa propagande divulguait qu'il contrôlait les conditions météorologiques, qu'il avait composé six opéras de renom, et qu'il avait fait cinq trous du premier coup dès sa première partie de golf.

Kim suivait aussi un programme d'armement nucléaire et possédait une capacité de missile balistique susceptible de menacer deux alliés des Américains – la Corée du Sud et le Japon – et d'atteindre éventuellement la Côte Ouest des Etats-Unis. La prolifération des armes nucléaires était une réelle inquiétude, comme l'incident du réacteur syrien l'avait suggéré. Dans un pays désespérément en quête d'apports financiers, les matériaux nucléaires et les systèmes d'armes représentaient de séduisantes exportations.

La Corée du Nord fut l'objet d'une de mes premières réunions avec le Conseil de sécurité nationale, la veille d'une visite du président sud-coréen Kim Dae-jung. Le gouvernement précédent avait négocié un accord-cadre qui donnait des avantages économiques à Kim Jong-il à condition qu'il mette fin à son programme d'armement nucléaire ; évidemment, cette condition n'était pas remplie. En 1998, le régime lança un missile Taepodong sur le Japon. En 1999, ses navires tirèrent sur des vaisseaux sud-coréens dans la mer Jaune. Un mois après mon élection, le régime menaça de reprendre des essais de missiles à longue portée si nous ne poursuivions pas des négociations pour normaliser nos relations.

J'ai dit à mon équipe de sécurité nationale que nos relations avec Kim Jong-il me rappelaient l'éducation de mes enfants. Lorsque Barbara et Jenna étaient petites et qu'elles voulaient attirer l'attention, elles lançaient leur assiette par terre ; Laura et moi nous précipitions pour la ramasser. La fois d'après, elles recommençaient. « Les Etats-Unis en ont assez de ramasser les assiettes tombées », ai-je observé.

L'année suivante, les rapports de renseignements indiquèrent que la Corée du Nord était certainement en train de mettre en place un programme secret d'uranium hautement enrichi – une deuxième voie vers la bombe nucléaire. Cette révélation fut surprenante. Kim avait outrepassé les termes de l'accord-cadre. Je pris une décision : les Etats-Unis n'allaient plus négocier avec la Corée du Nord de façon bilatérale. Nous tenterions plutôt de rallier la Chine, la Corée du Sud, la Russie et le Japon pour présenter un front uni contre le régime.

La clé d'une diplomatie multilatérale avec la Corée du Nord était la Chine, qui était étroitement liée à cette autre nation communiste. Le problème était que la Chine et les Etats-Unis nourrissaient des intérêts différents sur la péninsule coréenne. Les Chinois désiraient de la stabilité ; nous voulions la liberté. Ils s'inquiétaient des réfugiés qui passaient la frontière ; nous nous préoccupions de la famine et des droits de l'homme. Mais il y avait un point sur lequel nous nous entendions : aucun de nous ne voulait que Kim Jong-il possède une arme nucléaire.

En octobre 2002, j'ai invité le président chinois Jiang Zemin dans mon ranch à Crawford. J'ai abordé le sujet de la Corée du Nord : « Ce pays représente une menace non seulement pour les Etats-Unis, mais aussi pour la Chine. » Je l'ai encouragé à se joindre à nous pour affronter Kim diplomatiquement : « Les Etats-Unis et la Chine ont différentes sortes d'influences sur la Corée du Nord. La nôtre est plutôt négative, la vôtre est positive. En combinant les deux, nous pourrions constituer une belle équipe. »

Le président Jiang respectait mon point de vue, mais il m'a fait savoir que la Corée du Nord était mon problème, pas le sien. « Exercer son influence sur la Corée du Nord n'est pas chose facile », dit-il.

Au bout de quelques mois sans progrès, j'ai avancé un nouvel argument. En janvier 2003, j'ai dit au président Jiang que si le programme d'armement nucléaire nord-coréen se poursuivait, je ne pourrais pas empêcher le Japon – rival historique de la Chine en Asie – de développer ses propres armes atomiques. « Vous et moi sommes en position de travailler ensemble pour s'assurer que la course à l'armement nucléaire ne commence pas », ai-je suggéré. En février, je suis allé un peu plus loin. J'ai décrété au président Jiang que si nous ne parvenions pas à résoudre ce problème diplomatiquement, je devrais considérer la possibilité d'une intervention militaire en Corée du Nord.

La première rencontre des pourparlers à six eut lieu six mois après à Pékin. Pour la première fois, des porte-parole nord-coréens se sont assis face à des représentants chinois, japonais, russes, sud-coréens et américains. Petit à petit, nous avons fait des progrès. J'ai passé des heures au téléphone avec nos partenaires, leur rappelant les enjeux et la nécessité de rester unis.

En septembre 2005, notre patience se vit récompensée. Les Coréens du Nord acceptèrent d'abandonner toute arme nucléaire et d'obéir de nouveau aux termes du Traité sur la non-prolifération des armes nucléaires. Je restais sceptique. Kim Jong-il avait brisé ses promesses dans le passé. S'il recommençait, il manquerait à sa parole face aux Etats-Unis, mais aussi à tous ses voisins, dont la Chine.

Le 4 juillet 2006, Kim Jong-il balança son assiette par terre. Il tira un barrage de missiles sur la mer du Japon. Ce fut peut-être un échec sur le plan militaire, mais la provocation était réelle. Ma théorie était que Kim, voyant le monde focalisé sur l'Iran, avait voulu attirer l'attention. Il désirait aussi mettre la coalition à l'épreuve pour savoir ce qu'il pouvait se permettre.

J'ai appelé le président chinois Hu Jintao pour lui faire comprendre que Kim Jong-il avait insulté la Chine, et l'exhorter à condamner le tir publiquement. Il fit une déclaration réitérant son désir de « paix et de stabilité » et s'opposant à « toute action susceptible d'aggraver la situation ». Ses paroles restaient modérées, mais constituaient une avancée dans la bonne direction.

Trois mois plus tard, la Corée du Nord défia une nouvelle fois le monde en effectuant son premier essai nucléaire à part entière. La réaction du président Hu fut plus ferme : « Le gouvernement chinois s'oppose fortement. Nous avons demandé aux Coréens du Nord de se limiter ; malgré cela, nos voisins font la sourde oreille. »

Avec le soutien des pays ayant participé aux pourparlers à six, le Conseil de sécurité des Nations unies adopta la résolution 1718 à l'unanimité. Cette résolution infligeait les sanctions les plus sévères que la Corée du Nord ait connues depuis la fin de la guerre de Corée. Les Etats-Unis renforcèrent également leurs sanctions sur le système bancaire coréen et cherchèrent à priver Kim Jong-il de ses précieux produits de luxe.

Ces mesures fonctionnèrent. En février 2007, la Corée du Nord accepta d'arrêter son réacteur nucléaire principal et de laisser entrer des inspecteurs des Nations unies dans le pays. En contrepartie, nous et nos partenaires des pourparlers à six avons apporté des aides en énergie, et les Etats-Unis sont convenus de rayer la Corée du Nord de notre liste d'Etats favorisant le terrorisme. En juin 2008, la Corée du Nord fit exploser la tour de refroidissement de Yongbyon sur les chaînes télévisées internationales. Dans ce cas, nul besoin de vérifier.

Cependant, le problème n'était pas résolu. Le peuple de Corée du Nord souffrait encore de la famine. Des rapports de renseignements apportaient régulièrement des preuves attestant du fait que le pays poursuivait son programme d'uranium hautement enrichi, alors même qu'il prétendait arrêter son traitement de plutonium.

Sur le court terme, je pense que les pourparlers à six étaient la meilleure façon de maintenir une influence sur Kim Jong-il et de débarrasser la péninsule coréenne de ses armes nucléaires. Sur le long terme, je suis convaincu que la seule voie vers un changement durable reste que le peuple nord-coréen accède à la liberté.

La campagne pour la liberté était un sujet sensible avec la Chine. J'avais pour politique de convenir de certains points avec les Chinois, et de nous servir de cette coopération pour instaurer la confiance et la crédibilité nécessaires pour évoquer nos différences.

J'ai œuvré pour tisser des relations proches avec les dirigeants chinois, Jiang Zemin et Hu Jintao. Le président Jiang et moi avons mal commencé. Le 1er avril 2001, un avion de surveillance américain connu sous le nom d'EP-3 heurta un appareil chinois et dut se poser en urgence sur l'île de Hainan ; le pilote chinois, éjecté de son cockpit, mourut. Notre équipage de vingt-quatre personnes fut interrogé dans une caserne militaire sur l'île. Gardant à l'esprit la crise iranienne des otages, je n'avais aucune envie de commencer ainsi mes relations avec la Chine.

Après quelques jours pénibles où nous n'arrivions pas à joindre la Chine, je finis par être mis en relation avec le président Jiang, qui se trouvait au Chili. Les Chinois acceptèrent rapidement de relâcher l'équipage ; en échange de quoi, j'ai écrit une lettre exprimant mes regrets pour la mort de leur pilote et notre atterrissage à Hainan sans avertissement. Plus tard, j'ai appris pourquoi le gouvernement chinois avait agi ainsi : depuis qu'en 1999 les Etats-Unis avaient accidentellement bombardé l'ambassade chinoise à Belgrade, les dirigeants désiraient renvoyer une image forte à leur peuple. Après cet incident, la Chine nous a envoyé une facture d'un million de dollars pour le gîte et le couvert de l'équipage ; nous leur avons offert 34 000.

En février 2002, Laura et moi nous sommes rendus pour la première fois à Pékin. Le président Jiang s'est montré un hôte chaleureux et accueillant. Après un banquet en notre honneur dans le palais de l'Assemblée du Peuple, il a diverti la foule en interprétant « O Sole Mio », accompagné de deux magnifiques Chinoises habillées de vêtements militaires. Sa sérénade tranchait avec l'année précédente, où je n'arrivais pas à l'avoir au téléphone. C'était le signe qu'une certaine confiance s'instaurait entre nous.

Celle-ci fut renforcée par une entente sur Taïwan, cette démocratie insulaire indépendante du continent depuis que Tchang Kaïchek avait eu un conflit avec Mao Zedong pendant la guerre civile chinoise de 1949. Chaque fois que je rencontrais des dirigeants chinois, je confirmais que les Américains continueraient de prôner une « Chine unique ». J'ai aussi précisé que je m'opposais à tout changement unilatéral du statu quo, qu'il s'agisse d'une déclaration d'indépendance de la part de Taiwan ou d'une intervention militaire chinoise.

Lorsque Hu Jintao est arrivé à la présidence, j'étais déterminé à me rapprocher également de lui. De seize ans plus jeune que son prédécesseur, le président Hu avait l'allure tranquille, l'esprit vif et logique. Comme de nombreux autres chefs d'Etat chinois de cette nouvelle génération, il possédait une formation d'ingénieur. Lors d'un déjeuner dans le Salon Est, je me suis tourné vers lui avec une question que j'aimais poser aux dirigeants d'autres pays : « Qu'est-ce qui vous empêche de dormir la nuit ? »

Je lui ai révélé que je restais éveillé à l'idée d'une nouvelle attaque terroriste en Amérique. Il a rapidement répondu que sa plus grande inquiétude était de créer vingt-cinq millions de nouveaux emplois par an. J'ai trouvé sa réponse fascinante. Elle était sincère ; elle montrait qu'il se souciait des conséquences des foules mécontentes et sans emploi ; elle expliquait les stratégies de son gouvernement en des endroits riches en ressources comme l'Iran et l'Afrique ; et elle signalait qu'il s'agissait d'un dirigeant pragmatique focalisé sur son pays, pas d'un idéologue capable de semer le trouble à l'étranger.

Avec le président Hu, j'ai tenté de trouver un terrain d'entente concernant des problèmes comme la Corée du Nord, le changement climatique ou le commerce. Faciliter l'accès des Américains au milliard de consommateurs potentiels en Chine était pour moi une priorité, tout comme l'ouverture au marché américain était essentiel pour les Chinois. Je considérais aussi le commerce comme un outil de promotion favorable à la campagne pour la liberté. Je pensais qu'avec le temps, la liberté inhérente au marché mènerait les peuples à l'exiger dans la rue. Une de mes premières décisions fut de marcher dans les pas du président Clinton, qui désirait faire entrer la Chine dans l'Organisation mondiale du commerce. Afin de renforcer nos relations économiques, j'ai demandé au secrétaire au Trésor Paulson et à Condi de créer le Dialogue économique stratégique.

Un point de désaccord avec les Chinois était celui des droits de l'homme. Je me concentrais sur la liberté religieuse, parce que je suis persuadé que permettre aux gens de vénérer qui leur plaît est une des pierres angulaires de la campagne pour la liberté. Lors d'une de nos premières réunions, j'ai expliqué au président Jiang que la foi faisait partie intégrante de ma vie et que j'étudiais la Bible tous les jours ; je l'ai averti que je comptais évoquer la liberté de religion dans nos conversations. « Je lis la Bible, a-t-il répondu, mais je ne m'y fie pas. »

J'ai tenté de convaincre Jiang et Hu que des citoyens croyants seraient paisibles et productifs, et rendraient leur pays plus fort. Je leur ai expliqué que si la Chine voulait réaliser tout son potentiel, il lui fallait laisser plus de liberté à son peuple. Je ne les ai pas harcelés, ni sermonnés ; j'ai laissé mes actions parler d'elles-mêmes. Laura et moi nous sommes rendus à l'église de Pékin, où nous avons rencontré des chefs religieux comme le cardinal Joseph Zen de Hong Kong, et je me suis fait le défenseur des droits des prêtres et des croyants clandestins, des bloggeurs, des dissidents et des prisonniers politiques.

Au sommet de l'APEC de 2007 à Sydney, j'ai annoncé au président Hu que je comptais me rendre à une cérémonie où le Dalaï-Lama recevrait la médaille d'Or du Congrès. Le chef bouddhiste était source d'angoisse pour le gouvernement chinois, qui l'accusait d'encourager les séparatistes au Tibet. En tant que président, j'ai rencontré cinq fois le Dalaï-Lama, que j'ai toujours trouvé charmant et paisible. J'ai assuré les dirigeants chinois qu'ils n'avaient aucune raison de le craindre. « Ma présence à cette cérémonie n'est pas une gifle infligée à la Chine, ai-je précisé, mais une marque de respect envers le Dalaï-Lama et le Congrès américain. Vous connaissez mon attachement à la liberté religieuse.

– C'est là une question sensible sur le plan politique dans mon pays, a répliqué le président Hu. […] le peuple chinois réagira très violemment. »

Il voulait dire que cette forte réaction émanerait du gouvernement, qui ne souhaitait pas que je sois le premier président américain à apparaître en public avec le Dalaï-Lama.

« J'ai bien peur de devoir me rendre à cette cérémonie », ai-je insisté.

J'avais aussi de bonnes nouvelles à annoncer. « Comment se passent vos préparatifs olympiques ? » ai-je demandé, en référence aux JO de 2008, pour lesquels la Chine avait été choisie en tant que pays d'accueil.

Il m'a mis au courant des constructions en cours ; je lui ai fait savoir que je serais présent aux Jeux olympiques. Je savais qu'on essaierait de m'en empêcher, et que nombreux seraient ceux qui tenteraient de politiser ces jeux, mais je lui ai promis qu'il pouvait compter sur ma présence. « J'ai déjà réservé les chambres d'hôtel », ai-je ajouté en plaisantant. Il avait l'air soulagé.

Les Jeux olympiques de Pékin constituèrent un des temps forts de ma dernière année de mandat. J'ai voyagé à bord d'Air Force One avec Laura et Barbara, mon frère Marvin, ma belle-sœur Margaret, ainsi que nos amis Roland, Lois Betts et Brad Freeman. Ma mère, mon père et Doro nous ont retrouvés en Chine. Mon père et moi avons rejoint l'ambassadrice Sandy Randt, qui avait servi à Pékin pendant les huit dernières années, pour l'ouverture d'une nouvelle ambassade américaine. Celle-ci était immense et ne ressemblait en rien à la petite ambassade où mon père avait exercé son premier poste de diplomate, trente-trois ans auparavant. En un extraordinaire geste de générosité, le président Hu donna un déjeuner en notre honneur dans le complexe de Zhongnanhai, une réunion de la famille Bush comme jamais il n'y en avait eu avant ni depuis.

Les JO de Pékin furent une belle réussite – en plus d'être très amusants. Nous étions au Water Cube quand l'équipe de natation hommes a fait son come-back, éjectant la France et remportant la médaille d'or pour le relais nage libre. Je suis passé voir l'équipe impressionnante de Misty May-Treanor et de Kerri Walsh s'entraîner pour son match de beach-volley. Les chaînes du monde entier m'ont montré en train d'administrer une claque amicale sur le dos de Misty – un peu au nord de la cible traditionnelle. Nous avons visité les vestiaires avant que les équipes américaine et chinoise s'affrontent dans le match de basketball le plus suivi de toute l'histoire. Les joueurs n'auraient pu être plus gracieux ou impressionnants. « Hé, papa ! » cria LeBron James quand mon père apparut.

Les Jeux olympiques offrirent au monde un aperçu des beautés et de la créativité de la Chine. J'espérais que ces Jeux donneraient aussi aux Chinois une idée du reste du monde, y compris la possibilité d'une presse indépendante, d'un accès Internet sans restrictions, et de la liberté d'expression. Le temps nous dira ce qu'auront été les conséquences des Jeux olympiques de Pékin. Mais l'histoire nous a montré qu'une fois qu'on a goûté à la liberté, on finit fatalement par en redemander.

Le 23 novembre 2002 était une journée grise et pluvieuse à Bucarest. Pourtant, des dizaines de milliers de personnes étaient présentes sur la place de la Révolution pour marquer l'entrée de la Roumanie dans l'OTAN, un événement historique pour ce pays qui, quinze ans plus tôt, n'était qu'un Etat-satellite soviétique et soumis au Pacte de Varsovie. En m'approchant de l'estrade, j'ai remarqué un balcon fortement illuminé. « Qu'est-ce que c'est ? » ai-je demandé à l'éclaireur. Il m'a répondu que c'était là que Nicolai Ceausescu, le dictateur communiste de la Roumanie, avait donné son dernier discours avant d'être renversé en 1989.

Quand le président Ion Iliescu m'annonça, la pluie cessa et un immense arc-en-ciel apparut. Il s'étira de toute la longueur du ciel et tomba juste en dessous du balcon, comme en symbole de liberté. L'instant était magique. J'ai improvisé : « Aujourd'hui, Dieu nous sourit. »

La Roumanie n'était pas la seule jeune démocratie en fête ce jour-là. J'avais voté en faveur de l'entrée à l'OTAN de la Bulgarie, de l'Estonie, de la Lettonie, de la Lituanie, de la Slovaquie et de la Slovénie. Je considérais l'expansion de l'OTAN comme un puissant outil dans l'avancée de la campagne pour la liberté ; parce que cette organisation exigeait de ses nations-membres qu'elles atteignent un haut niveau d'ouverture économique et politique, la perspective d'y entrer encouragerait les réformes.

Un an après mon discours à Bucarest, un jeune démocrate charismatique du nom de Mikheil Saakashvili fit irruption dans la session d'ouverture du Parlement de l'ancienne république soviétique de Géorgie. Au nom de milliers de manifestants géorgiens, il accusa l'assemblée d'être le résultat illégitime d'une élection corrompue. Le président Edouard Chevardnadze, sentant la lame de fond arriver, donna sa démission. Ce coup d'Etat, survenu sans effusion de sang, fut connu comme la Révolution des Roses. Six semaines plus tard, le peuple géorgien élut Mikheil Saakashvili président.

En novembre 2004, une vague de protestations similaires éclata après une élection présidentielle frauduleuse en Ukraine. Des centaines de milliers de personnes bravèrent les températures glaciales pour manifester en faveur du candidat adverse, Viktor Iouchtchenko. Au cours de la campagne, Yushchenko subit un mystérieux empoisonnement qui le défigura ; il refusa cependant d'abandonner. Ses partisans apparurent tous les jours vêtus d'écharpes et de rubans orange, jusqu'à ce que la Cour Suprême ukrainienne réorganise les élections. Yushchenko les remporta et prêta serment le 23 janvier 2005, mettant fin à la Révolution orange.

En 2008, au sommet de l'OTAN qui eut lieu à Bucarest, la Géorgie et l'Ukraine formulèrent des demandes de Plans d'action pour l'adhésion, ou MAP, dernière étape avant de pouvoir être considérés comme membres à part entière. Je penchais fortement en leur faveur. Mais leur entrée requérait l'unanimité, et Angela Merkel et Nicolas Sarkozy, le nouveau président de la France, restaient sceptiques. Ils savaient que la Géorgie et l'Ukraine entretenaient des relations tendues avec Moscou, et ils avaient peur que l'OTAN ne se retrouve dans une guerre avec la Russie. Ils s'inquiétaient également des problèmes de corruption.

A mon sens, la menace russe n'était qu'une raison de plus pour accorder le MAP à la Géorgie et à l'Ukraine ; la Russie serait moins prompte à lancer une agression si ces pays étaient en voie d'entrer à l'OTAN. Quant aux problèmes de gouvernement, la perspective de devenir membre pourrait les encourager à se débarrasser de la corruption. Nous nous sommes arrêtés sur un compromis : nous n'accorderions pas de MAP à la Géorgie et à l'Ukraine, mais nous annoncerions que ces deux pays étaient destinés à entrer dans l'OTAN. A la fin du débat, le Premier ministre britannique Gordon Brown se pencha vers moi : « On ne leur a pas donné de MAP, mais c'est comme s'ils faisaient déjà partie de l'OTAN ! »

Ce débat sur l'entrée de la Géorgie et de l'Ukraine dans l'OTAN révéla l'influence de la Russie. Lors de ma première rencontre avec Vladimir Poutine en printemps 2001, il s'était plaint du fait que la Russie était accablée d'une dette remontant à l'ère soviétique. A l'époque, le baril de pétrole coûtait 26 dollars ; quand j'ai vu Poutine au sommet de l'APEC à Sydney en septembre 2007, il était grimpé à 71 dollars – et allait atteindre 137 dollars à l'été 2008. Le président russe s'est calé le dos dans son fauteuil et a demandé où en étaient les titres hypothécaires de son pays.

Ce commentaire était du Poutine tout craché. Il se montrait parfois charmeur, souvent effronté, toujours inflexible. En huit ans de présidence, j'ai vu Vladimir plus de quarante fois en face à face. Laura et moi avons passé de merveilleux séjours avec lui et sa femme, Lyudmilla, dans notre maison de Crawford et dans sa Datcha à l'extérieur de Moscou, où il nous a montré sa chapelle privée et m'a laissé conduire sa Volga de 1956. Il nous a emmenés faire une magnifique croisière à travers Saint-Pétersbourg pendant le festival des nuits blanches ; je l'ai invité à Kennebunkport, pour aller pêcher avec Papa. Je n'oublierai jamais la réaction de Poutine la première fois qu'il est entré dans le Bureau Ovale ; c'était de bon matin, et la lumière filtrait à travers les fenêtres côté sud. En traversant le seuil, il s'est exclamé : « Mon Dieu… C'est magnifique ! » Belle réaction de la part d'un ancien agent du KGB de l'Union soviétique.

Malgré des hauts et des bas, Poutine et moi avons toujours été francs l'un envers l'autre. Nous avons coopéré sur de nombreux points décisifs, comme la guerre contre le terrorisme, la lutte contre les talibans en Afghanistan, et la sécurisation de l'équipement nucléaire.

Un de nos plus grands accomplissements émergea de notre première rencontre en Slovénie, en 2001. J'ai dit à Vladimir que j'avais l'intention de lui donner les six mois de préavis requis pour que l'Amérique se retire du Traité pour antimissiles balistiques, ce qui permettrait à nos deux pays de développer des systèmes de défense antimissiles efficaces. Il m'a fait comprendre que cela ne me rendrait pas populaire en Europe ; mais je lui ai expliqué que ce point avait fait partie de ma campagne présidentielle, et que le peuple américain s'attendait que j'aille jusqu'au bout. « La guerre froide est terminée, lui ai-je fait remarquer. Nous ne sommes plus ennemis. »

Je l'ai également informé que l'Amérique allait réduire son arsenal de têtes nucléaires stratégiques de deux tiers ; Poutine accepta de nous suivre. Moins d'un an plus tard, nous avons signé le Traité de Moscou, stipulant que nos nations diminueraient leur nombre d'ogives nucléaires : de 6 600, nous n'en posséderions plus que 1 700 à 2 200 d'ici 2012. Le traité représentait une des plus grandes réductions d'armes atomiques de toute l'histoire, et ce sans les négociations interminables qui accompagnent généralement ce genre d'accord.

En huit ans, la nouvelle prospérité de la Russie a affecté Poutine. Il s'est montré agressif à l'étranger, et sur la défensive dans son pays. Lors de notre première réunion de mon second mandat, à Bratislava, j'ai évoqué mes inquiétudes quant au manque de démocratie en Russie ; je m'interrogeais notamment sur ses arrestations d'hommes d'affaires russes et ses mesures de répression contre la presse libre. « Ne me sermonnez pas sur la presse libre, est-il intervenu, pas quand vous avez renvoyé ce reporter. »

J'ai cru comprendre la référence. « Vladimir, vous voulez parler de Dan Rather ? » ai-je demandé. Il a répondu par l'affirmative. J'ai enchaîné : « Je vous conseille vivement de ne pas évoquer cela en public. Le peuple américain penserait que vous ne comprenez pas notre système. »

Après la réunion, lors d'une conférence de presse, j'ai appelé deux reporters américains, et Poutine, deux journalistes russes. La dernière question fut posée par Alexei Meshkov, de l'agence de presse Interfax ; elle était adressée à Poutine. « Le président Bush a récemment affirmé qu'en Russie la presse n'est pas libre, avançat-il. Qu'est-ce que c'est que cette histoire de manque de liberté ?… Pourquoi vous ne parlez pas des violations des droits journalistiques aux Etats-Unis, où vous avez renvoyé certains reporters ? » Quelle coïncidence. Cette presse russe, si libre, répétait comme un perroquet les paroles de Vladimir.

Poutine et moi aimions tous les deux les activités physiques. Vladimir faisait de la musculation, nageait régulièrement, et pratiquait le judo ; nous étions tous deux des esprits compétitifs. Lors de sa visite à Camp David, j'ai présenté Poutine à notre terrier écossais, Barney ; il n'avait pas l'air très impressionné. Quand je me suis rendu en Russie, Vladimir m'a demandé si je voulais voir son chien, Koni. Bien sûr, ai-je répondu. Alors que nous traversions la pelouse bordée de bouleaux de sa Datcha, un grand labrador noir fonça sur nous. Vladimir, un pétillement dans ses yeux, lâcha : « Plus grand, plus fort et plus rapide que Barney. » Plus tard j'ai raconté l'histoire à mon ami, le Premier ministre canadien Stephen Harper, qui a eu ce commentaire : « Tu as de la chance qu'il ne t'ait montré que son chien. »

L'histoire de Barney en disait long sur l'homme. Poutine était une personnalité fière, et il aimait son pays. Il voulait que la Russie regagne son statut de grande puissance, et était résolu à étendre ses sphères d'influence. Il intimidait les démocraties à ses frontières et se servait de l'énergie comme d'une arme économique, en refusant de fournir du gaz naturel à certains pays d'Europe de l'Est.

Poutine était rusé. Il avait apporté son soutien à Jacques Chirac et à Gerhard Schroeder dans leurs efforts pour contrebalancer l'influence américaine ; en retour, il attendait d'eux qu'ils l'aident à consolider son pouvoir en Russie. Lors d'un dîner du G8 à Saint-

Pétersbourg, la plupart des chefs d'Etat contestèrent les progrès démocratiques de Poutine ; Jacques Chirac s'abstint. Il annonça que Poutine gouvernait très bien la Russie, et que la manière dont il s'y prenait ne nous regardait pas. Mais ce n'était rien en comparaison de ce que fit Gerhard Schroeder. Peu après que le chancelier allemand eut quitté ses fonctions, il prit la tête d'une société appartenant à Gazprom, le géant énergétique russe.

Poutine aimait le pouvoir, et le peuple russe l'aimait, lui. Avoir d'immenses excédents budgétaires pétroliers ne pouvait pas faire de mal. Il profita de son envergure pour choisir son successeur, Dmitriy Medvedev ; ensuite, il s'octroya le poste de Premier ministre.

Nos relations connurent une certaine tension en août 2008, quand des tanks venus de Russie traversèrent la frontière géorgienne pour occuper l'Ossétie du Sud et l'Abkhazie, deux provinces qui faisaient partie de la Géorgie mais maintenaient des liens étroits avec la Russie. J'étais alors à Pékin, pour la cérémonie d'ouverture des Jeux olympiques. Laura et moi attendions notre tour pour saluer le président Hu Jintao lorsque Jim Jeffrey, mon vice-conseiller à la sécurité nationale, me souffla la nouvelle de l'offensive russe. J'ai regardé les personnes qui se trouvaient devant moi ; Vladimir était présent. Je me suis dit qu'une file d'attente pour la réception des invités n'était pas l'endroit approprié pour un échange diplomatique crispé.

Il me semblait également important de faire part de mes inquiétudes au président Medvedev. Je ne le connaissais pas très bien. En avril 2008, juste avant la passation de pouvoir, Vladimir avait invité Medvedev à venir nous voir à Sochi, l'équivalent russe de Camp David. L'humeur était à la fête. Poutine avait donné un délicieux dîner, suivi d'un spectacle de danse folklorique. Des membres de la délégation, moi compris, avions été tirés de nos chaises pour monter sur scène. La danse ressemblait à un croisement entre le square dance et le swing ; je suis sûr que je me serais montré plus à l'aise avec quelques verres de vodka. Etrangement, j'ai rarement vu de bouteilles de vodka lors de mes visites en Russie, contrairement au temps du communisme.

J'étais heureux de pouvoir passer un peu de temps avec Medvedev, le premier dirigeant russe non communiste depuis la révolution bolchévique de 1917. Il avait donné un discours impressionnant soulignant sa volonté de suivre la loi, de libéraliser l'économie de son pays, et de réduire la corruption. Je lui avais dit que j'avais hâte de traiter avec lui de président à président ; la grande question restait, bien sûr, de savoir si c'était lui qui dirigerait vraiment le pays. En guise d'épreuve, j'avais demandé à Vladimir s'il comptait encore se rendre à Sochi après que Medvedev eut pris ses fonctions. « Non, avait-il répondu sans hésiter, c'est le palais d'été du président. »

De retour dans mon hôtel pékinois, j'ai appelé Medvedev. Il était énervé. Moi aussi. « Je vous conseille vivement de vous mettre à désamorcer la situation dès à présent, ai-je lancé. La disproportion de vos actions va vous mettre le monde entier à dos. Et nous serons de son côté. »

Medvedev m'a déclaré que Saakashvili ressemblait à Saddam Hussein. Il a prétendu que Saakashvili avait lancé une attaque « barbare » en toute gratuité, provoquant la mort de plus de mille cinq cents civils.

« J'espère que vous ne comptez pas tuer mille cinq cents innocents à votre tour, ai-je rétorqué. Vous vous êtes déjà bien fait comprendre. Je vous souhaite de prendre très au sérieux ce que je viens de vous dire. »

Ma plus grande inquiétude était que les Russes prennent Tbilisi d'assaut et renversent Saakashvili, qui avait été élu démocratiquement. De toute évidence, les Russes avaient du mal à supporter une Géorgie démocratique dotée d'un président pro-occidental. Je me suis demandé s'ils auraient montré autant d'agressivité si l'OTAN avait ratifié la demande de MAP de la Géorgie.

Ensuite, j'ai appelé Saakashvili. Il avait l'air bouleversé, ce qui était compréhensible. Il m'a décrit l'assaut russe, en me suppliant de ne pas abandonner la Géorgie. « Je vous ai entendu, ai-je répondu. Nous ne voulons pas que la Géorgie s'effondre. » Dans les jours qui suivirent, je me suis exprimé en faveur de l'intégrité territoriale géorgienne, travaillant main dans la main avec le président Sarkozy – alors à la tête de l'Union européenne – pour rallier les nations et exiger le retrait des troupes russes ; j'ai envoyé des ravitaillements à la Géorgie dans des avions militaires américains, et j'ai promis d'aider à la reconstruction des forces militaires géorgiennes.

A la cérémonie d'ouverture des Jeux olympiques, Laura et moi étions assis dans la même rangée que Vladimir et son interprète. C'était là ma chance d'engager la conversation que j'avais remise à plus tard au palais de l'Assemblée du Peuple. Laura et son voisin, le roi du Cambodge, se sont déplacés de quelques sièges ; Poutine s'est glissé à côté de moi.

Je savais que les caméras de télévision seraient braquées sur nous, alors j'ai fait de mon mieux pour avoir l'air de rien. Je lui ai dit qu'il avait fait une terrible erreur et que la Russie s'isolerait si elle ne quittait pas la Géorgie. Il a rétorqué que Saakashvili était un criminel de guerre – le même terme que Medvedev avait employé – qui avait provoqué la Russie.

« Je vous avais averti que Saakashvili avait le sang chaud, ai-je lancé à Poutine.

– Moi aussi, j'ai le sang chaud. »

Je l'ai fixé du regard. « Non, Vladimir, ai-je repris. Vous, vous agissez de sang-froid. »

Au bout de quelques semaines de diplomatie intense, la Russie avait retiré une grande partie de ses troupes, tout en maintenant une présence militaire illégitime en Ossétie du Sud et en Abkhazie. Vladimir Poutine m'appela pendant ma dernière semaine de mandat pour me souhaiter bonne chance, ce qui était gentil de sa part. Néanmoins, compte tenu des espoirs que j'avais fondés sur ce que nous aurions pu accomplir une fois la guerre froide derrière nous, la Russie représente encore pour moi un réel point de déception dans la campagne pour la liberté.

Et ce n'est pas le seul. J'avais espéré que l'Egypte constituerait un exemple de liberté et de réforme dans le monde arabe, de la même façon qu'elle avait ouvert la voie vers la paix sous Anouar el-Sadate au cours de la génération précédente. Malheureusement, après une élection présidentielle prometteuse en 2005 qui avait inclus des candidats de l'opposition, le gouvernement sévit plus tard dans l'année pendant les élections législatives, emprisonnant les dissidents et blogueurs qui militaient en faveur d'une alternative démocratique.

Le Venezuela a aussi abandonné la démocratie. Le président Hugo Chavez a pollué les ondes de ses sermons antiaméricains, disséminant un populisme de toc qu'il a appelé la Révolution bolivarienne. Il est triste de constater qu'il a dilapidé l'argent de son peuple et qu'il est en train de détruire son pays, se faisant l'égal d'un Robert Mugabe. Par malheur, les dirigeants du Nicaragua, de la Bolivie et de l'Equateur ont suivi son exemple.

Il existe d'autres avant-postes isolés de la tyrannie – des pays comme la Biélorussie, la Birmanie, Cuba et le Soudan. J'ai dans l'espoir que l'Amérique continuera de se tenir aux côtés des dissidents et des défenseurs de la liberté. J'ai rencontré plus d'une centaine de rebelles au cours de ma présidence ; leur situation peut paraître sombre, mais elle est loin d'être désespérée. Comme je l'ai dit dans mon second discours d'investiture, la campagne pour la liberté exige « les efforts concentrés des générations ». Une fois le changement survenu, il évolue rapidement en général, comme on l'a vu dans les révolutions européennes de 1989 et la rapide transformation de l'Asie orientale après la Seconde Guerre mondiale. Lorsque la liberté arrive enfin au peuple, ce sont souvent les dissidents et les prisonniers – des gens comme Vaclav Havel et Nelson Mandela – qui prennent la tête de leur nation libérée.

Si la campagne pour la liberté a essuyé quelques revers, elle a aussi engendré bon nombre d'espoirs et de progrès. Les Géorgiens et les Ukrainiens ont rejoint les rangs des nations libres, le Kosovo est devenu un pays indépendant, et l'OTAN est passée de dix-neuf membres à vingt-six. Grâce au courage du président Alvaro Uribe, la démocratie colombienne a arraché son territoire aux mains des narcoterroristes. Avec l'aide des Etats-Unis, les démocraties multiethniques – l'Inde, l'Indonésie, le Brésil et le Chili – sont devenues des exemples à suivre dans leurs parties du globe, et pour les jeunes sociétés libres partout dans le monde.

Les plus grandes avancées se sont produites au Moyen-Orient. En 2001, ces pays ont subi la montée du terrorisme, les conflits entre Palestiniens et Israéliens, l'influence déstabilisante de Saddam Hussein, le développement d'armes de destruction massive en Libye, l'occupation du Liban par des dizaines de milliers de troupes syriennes, un programme iranien d'armement nucléaire, une stagnation économique, et peu de progrès politiques.

En 2009, partout au Moyen-Orient les pays luttaient activement contre le terrorisme. L'Irak était une démocratie multireligieuse, multiethnique, et un allié des Etats-Unis. La Libye avait renoncé à ses armes de destruction massive et repris des relations normales avec le reste du monde. Le peuple libanais s'était débarrassé des troupes syriennes et avait restauré la démocratie. Les Palestiniens possédaient un gouvernement incroyablement pacifiste en Cisjordanie et étaient en route vers un Etat démocratique susceptible de cohabiter en paix avec Israël. Enfin, le mouvement de liberté iranien était encore en activité après les élections présidentielles de l'été 2009.

Partout dans la région, les réformes économiques et les ouvertures politiques commençaient à avancer. Le Koweït a organisé sa première élection où les femmes avaient le droit de voter et de se présenter ; en 2009, elles ont remporté quelques sièges. Les femmes ont aussi accédé à des positions gouvernementales en Oman, à Qatar, aux Emirats arabes, et au Yémen. Le Bahreïn a nommé une ambassadrice juive aux Etats-Unis. La Jordanie, le Maroc et le Bahreïn ont organisé des élections parlementaires ouvertes. Si l'Arabie Saoudite demeure une monarchie bien ordonnée, des élections municipales ont eu lieu pour la première fois, et le roi Abdullah a fondé la première université du royaume ouverte aux hommes comme aux femmes. Partout dans la région, le commerce et l'investissement ont progressé. L'Internet a connu une brusque hausse. Et les conversations sur la démocratie et les réformes se sont faites plus affirmées – notamment parmi les femmes qui, j'en suis certain, mèneront le mouvement de liberté au Moyen-Orient.

En janvier 2008, je me suis rendu à Abou Dhabi et à Dubaï, deux émirats arabes qui avaient embrassé le libre-échange et les sociétés ouvertes. Leurs centres-villes étaient dotés de gratte-ciel flamboyants, remplis d'entrepreneurs et d'hommes et de femmes d'affaires. A Dubaï, j'ai rendu visite à des étudiants spécialisés dans des domaines aussi variés que le commerce, les sciences et l'histoire.

Le dernier soir de ma visite, le prince héritier progressiste d'Abou Dhabi, mon ami le Cheikh Mohammed ben Zayed, m'a invité chez lui dans le désert pour un dîner traditionnel. Il m'avait prévenu qu'un certain nombre de représentants du gouvernement se joindraient à nous. Je m'attendais à des hommes d'âge mûr; j'avais tort. Son gouvernement était constitué de jeunes et intelligentes femmes musulmanes. Elles ont évoqué leur détermination à imposer des réformes et des progrès – et à renforcer les liens avec les Etats-Unis.

Les sables d'Abou Dhabi étaient bien loin de la plate-forme d'investiture sur laquelle je m'étais tenu en janvier 2005. Mais cette nuit-là, dans le désert, j'ai aperçu l'avenir du Moyen-Orient – une région qui rend hommage à son ancienne culture tout en embrassant le monde moderne. Il faudra des décennies avant que les changements de ces dernières années soient pleinement instaurés; les contretemps seront nombreux. Mais j'ai foi en la destination finale : les peuples du Moyen-Orient connaîtront la liberté, et l'Amérique n'en sera que plus sûre.

14

Crise financière

« Monsieur le président, nous assistons à une panique financière. »

Ces paroles troublantes venaient d'être prononcées par Ben Bernanke, le président de la Réserve fédérale, assis en face de moi dans le Salon Roosevelt. Au cours des deux semaines précédentes, le gouvernement avait mis sous tutelle Fannie Mae et Freddie Mac, les deux piliers du refinancement immobilier. La banque Lehman Brothers avait été victime d'une des plus grandes faillites de l'histoire des Etats-Unis ; on avait dû vendre Merrill Lynch sous la contrainte. La Fed avait accordé un prêt de 85 milliards de dollars pour sauver AIG. A présent, Wachovia et Washington Mutual s'apprêtaient à sombrer.

Avec toutes ces turbulences dans les institutions financières, les marchés de financement s'étaient paralysés. Les consommateurs ne pouvaient plus obtenir de prêts pour leurs maisons ou leurs voitures ; les petites entreprises n'arrivaient plus à emprunter pour financer leurs opérations. La Bourse avait connu sa plus grosse chute depuis le lendemain du 11 Septembre.

Assis sous le tableau à l'huile de Teddy Roosevelt chargeant sur sa monture, nous savions tous que l'Amérique était face à la situation économique la plus désastreuse depuis des décennies.

Je me suis tourné vers le fer de lance de mon équipe financière, Hank Paulson, secrétaire au Trésor et meneur-né avec des dizaines d'années d'expérience en finance internationale.

« La situation est extrêmement sérieuse », fit Hank. Lui et son équipe m'exposèrent trois mesures possibles pour endiguer la crise. D'abord, le département du Trésor garantirait 3,5 billions de dollars en fonds communs de placement, qui risquaient des retraits paniques ; ensuite, la Fed lancerait un programme visant à dégeler le marché des billets de trésorerie, source principale de financement pour les entreprises partout dans le pays. En troisième lieu, la Commission des opérations de Bourse appliquerait une loi interdisant temporairement la vente à découvert des actions. « Ces mesures sont extrêmes, précisa Hank, mais le système financier de l'Amérique est en jeu. »

Il avança une proposition encore plus poussée. « Il nous faut obtenir carte blanche pour acheter des titres hypothécaires. » Ces actifs financiers complexes avaient perdu de leur valeur lorsque la bulle immobilière avait éclaté, mettant en péril les bilans des entreprises financières partout dans le monde. Hank nous recommanda de demander au Congrès des centaines de milliards pour racheter ces actifs toxiques et ramener le calme dans le système bancaire.

« Est-ce que c'est notre pire crise depuis le krach de 1929 ? ai-je demandé.

– Oui, répliqua Ben. En termes de système financier, nous n'avons rien vu de ce genre depuis les années 30, et la situation peut encore empirer. »

Sa réponse clarifia la décision à laquelle j'étais confronté : est-ce que je voulais assister à un désastre économique pouvant se montrer plus dévastateur que la Grande Dépression ?

J'étais furieux que la situation ait pu se détériorer à ce point. Un groupe relativement restreint de personnes – la plupart travaillant à Wall Street, mais pas seulement – avait compté sur le fait que le marché immobilier serait en essor perpétuel. Cela n'avait pas été le cas. En conditions normales, l'économie de marché aurait tranché, et peut-être auraient-ils échoué ; cela ne m'aurait pas dérangé.

Mais les conditions étaient loin d'être normales. Le marché avait cessé de fonctionner. Et comme Ben l'avait expliqué, les effets d'une non-intervention pourraient se révéler catastrophiques. S'il semblait abusif d'utiliser l'argent du peuple américain pour empêcher un effondrement dont il n'était pas responsable, il serait encore plus injuste de ne rien faire et de le laisser subir les conséquences.

« Mettez-vous au travail, ai-je énoncé, accordant mon aval au projet échafaudé par Hank. Nous allons résoudre ce problème. »

J'ai ajourné la réunion avant de traverser le couloir pour entrer dans le Bureau Ovale, suivi de Josh Bolten, de mon conseiller Ed Gillespie et de Dana Perino, ma talentueuse porte-parole. La comparaison historique de Ben me trottait dans la tête.

« Si c'est vraiment une nouvelle crise de 29 qui nous menace, ai-je commencé, vous pouvez être certains que je marcherai dans les pas de Roosevelt, pas de Hoover. »

Presque vingt-cinq ans plus tôt, en octobre 1983, je buvais un café à Midland avec un ami de la Harvard Business School, Tom Kaneb. Nous avons entendu quelqu'un dire qu'une queue se formait devant les portes de la First National Bank, la plus grande banque indépendante du Texas. Avec ses quatre-vingt-trois ans d'existence, la First National faisait presque partie des meubles.

Récemment, les rumeurs avaient circulé comme quoi la banque était en position financière précaire. First National avait accordé de nombreux prêts lorsque les prix du pétrole avaient flambé ; puis, au début des années 80, le prix du brut avait chuté, de presque quarante dollars le baril à moins de trente dollars. Le rythme du forage s'était ralenti. Les prêts n'étaient plus remboursés ; les déposants reprenaient leur argent. J'avais moi-même transféré le compte de notre société d'exploration dans une grosse banque new-yorkaise ; je n'étais pas prêt à parier sur la solvabilité de la First National.

Tom et moi nous sommes précipités vers la banque. Du balcon du deuxième étage, nous avons observé les clients faire la queue dans l'entrée pour s'approcher des guichetiers. Certains s'étaient munis de sacs en papier. Au milieu de la foule se trouvait un vieux propriétaire de ranch bien connu, Frank Cowden. Comme d'autres propriétaires de l'ouest du Texas, M. Cowden avait la chance de posséder une terre qui recouvrait beaucoup de pétrole ; c'était un actionnaire important de la First National. Il descendait la file, expliquant aux clients que le gouvernement fédéral avait assuré chaque dépôt jusqu'à 100 000 dollars. Les gens se contentaient de le dévisager. Ils voulaient qu'on leur rende leur argent.

Le 14 octobre 1983, le FDIC saisit la First National pour la revendre à la First Republic de Dallas. Si les déposants étaient protégés, les actionnaires avaient tout perdu, et une institution de Midland avait disparu. Le maire Thane Atkins parla au nom d'un grand nombre lorsqu'il affirma : « J'aurais presque envie d'accrocher une gerbe de chrysanthèmes sur ma porte. »

J'avais lu des comptes rendus des paniques financières en 1893 et en 1929 ; désormais, j'avais pu assister directement à l'éclatement d'une bulle spéculative. First National, comme toutes les institutions financières, dépendait de la confiance de ses clients ; une fois cette confiance perdue, la banque n'avait plus aucune chance de survie.

Seize ans plus tard, j'étais candidat aux présidentielles. Sur presque tous les plans, l'économie était florissante. Le PIB des Etats-Unis avait augmenté de plus de 2,5 billions depuis la récession qui avait coûté à mon père son élection, même si elle s'était terminée avant la fin de son mandat. Boosté par le nouveau marché de l'Internet, l'indice NASDAQ avait grimpé en flèche, de moins de 500 à plus de 4 000. Certains spécialistes avançaient que l'ère d'Internet avait redéfini le cycle économique.

Je n'en étais pas si sûr. « Parfois les économistes ont tort, ai-je déclaré dans un discours annonçant ma politique économique en décembre 1999. Je me souviens de relances qui auraient dû s'interrompre mais qui ont continué, et de récessions qui n'étaient pas censées se produire mais qui ont eu lieu malgré tout. J'espère que la croissance se poursuivra – mais rien ne peut nous le garantir. Un président doit s'efforcer de maintenir le meilleur, tout en se préparant au pire. »

La pièce maîtresse de mon plan était une baisse d'impôt généralisée. Je trouvais que le gouvernement prélevait trop d'argent au peuple. A la fin de 1999, les impôts représentaient le plus gros pourcentage du PIB depuis la Seconde Guerre mondiale. Le gouvernement était censé dégager un large excédent budgétaire. Je savais où irait cet argent : l'Etat trouverait toujours un moyen de le dépenser. Après tout, le Congrès et le président Clinton étaient convenus d'augmenter les dépenses discrétionnaires non sécuritaires de plus de 16 % lors de l'année fiscale 2001.

J'avais une autre raison de plaider en faveur d'une baisse d'impôts. J'avais peur que nous ne soyons en train d'assister à l'éclatement d'une autre bulle, cette fois dans le secteur de la technologie. Larry Lyndsey, mon conseiller en économie, pensait que notre pays était en route pour une récession. S'il avait raison, alors cette réduction d'impôts agirait comme un stimulus nécessaire.

Effectivement, une récession commença officiellement en mars 2001. Le *New York Times* jugea qu'il s'agissait là d'une aubaine pour moi. Un de ses articles portait le titre : « Pour le président, la récession vient à point nommé ». Moi, en tout cas, je ne l'ai pas vécu comme cela. Je n'ai pas pu m'empêcher de constater une étrange ironie de l'histoire. En 1993, mon père avait laissé derrière lui une économie en bien meilleure santé que les Américains ne le pensaient ; celle dont j'avais hérité était dans un état bien pire qu'on ne l'avait imaginé.

Avec l'économie qui déclinait, la baisse d'impôts semblait d'autant plus urgente. J'ai supplié le Congrès d'agir rapidement. En juin 2001, j'ai adopté une réduction d'impôts de 1,35 billion de dollars, la plus importante depuis celle instaurée par Ronald Reagan lors de son premier mandat. Le projet de loi diminuait les taux marginaux d'imposition pour chaque contribuable, touchant également des millions de propriétaires de petites entreprises[1]; doublait le crédit d'impôts pour enfants, passant de 500 à 1 000 dollars; réduisait la taxe conjugale; et éliminait la première tranche d'imposition, rendant cinq millions de familles à faibles revenus non imposables. Le projet de loi supprimait aussi graduellement les frais de droits de succession, un fardeau qui était injuste envers les propriétaires de petites entreprises, les fermiers et les détenteurs de ranchs. Je me suis dit que les Américains avaient suffisamment payé d'impôts de leur vivant; ils ne devraient pas avoir à débourser de nouveau après leur mort.

Je pensais, optimiste, que les consommateurs et les petites sociétés dépenseraient cet argent, tirant ainsi l'économie hors de la récession. Mais nous allions au-devant d'un nouveau choc financier auquel personne ne s'attendait.

Le bilan du 11 Septembre se mesurera toujours aux 2 973 vies volées et à tant d'autres détruites. Mais le coût économique était tout aussi dévastateur. La Bourse de New York ferma ses portes pendant quatre jours, soit la plus longue interruption depuis le krach de 29. Quand la Bourse rouvrit, l'indice Dow Jones plongea de 684 points, la chute la plus vertigineuse à avoir eu lieu en une seule journée – jusque-là.

Les conséquences des attentats traversèrent toute l'économie. Le tourisme baissa brusquement. Plusieurs lignes aériennes déclarèrent faillite. De nombreux restaurants étaient vides. La clientèle de certains hôtels baissa de 90 %. Les fabricants et petites entreprises renvoyèrent des employés à cause des annulations d'acheteurs nerveux. A la fin de l'année, plus d'un million d'Américains avaient perdu leur emploi. « Les Etats-Unis et le reste du monde vont certainement subir une récession généralisée », avertit un économiste.

C'était ce que les terroristes attendaient. « Al-Qaïda a dépensé 500 000 dollars dans l'attentat, se vanta Oussama ben Laden, alors que l'Amérique [...] a perdu – au bas mot – 500 milliards de dollars. » Il évoqua ce qu'il appelait une stratégie de « saignement jusqu'à la ruine » et ajouta : « Il est très important de s'appliquer à terrasser l'économie américaine par tous les moyens possibles. »

J'ai considéré qu'il m'incombait d'encourager les Américains à défier Al-Qaïda en continuant de faire fructifier l'économie. Fin septembre 2001, je me suis envolé à l'aéroport O'Hare de Chicago

---

1. De nombreux patrons de petites entreprises possèdent des sociétés à propriétaires uniques, des sociétés à responsabilité limitée, ou des Subchapter S corporations, ce qui signifie que leurs taxes professionnelles sont liées aux impôts sur le revenu. (NdA)

pour promouvoir la reprise de l'industrie aérienne. Je suis monté sur une contremarche devant des 737s appartenant à des compagnies aériennes American et United Airlines. Face à six mille de leurs employés, j'ai affirmé : « Un des objectifs principaux de la guerre de cette nation est de restaurer la confiance dans l'industrie aérienne. C'est de dire aux voyageurs : Montez à bord. N'hésitez pas à voyager. »

Plus tard, on se moquerait de moi en m'accusant d'avoir conseillé aux Américains d'aller « faire du shopping » après le 11 Septembre. Je n'ai jamais vraiment prononcé cette phrase, mais là n'est pas le problème. Dans les mois chargés de menaces qui ont suivi les attentats, prendre l'avion, se rendre dans des destinations touristiques et, oui, faire du shopping, constituaient des gestes de défi et de patriotisme. Ils aidaient les entreprises à rebondir et les Américains à conserver leurs emplois.

J'étais surpris qu'on me reproche de ne pas avoir exigé plus de sacrifices après le 11 Septembre. J'imagine que c'est chose aisée à oublier pour certains, mais à l'époque tout le monde faisait des sacrifices. Un nombre record de bénévoles ont proposé leurs services pour aider leurs voisins. Même nos plus jeunes citoyens ont mis du leur. Partout dans le pays, des étudiants ont fait don de 10 millions de dollars – souvent un dollar à la fois – pour une caisse que nous avions créée afin de venir en aide aux enfants afghans. En 2002, dans mon discours sur l'état de l'Union, j'ai lancé une nouvelle initiative de service national, USA Freedom Corps, en demandant à chaque Américain de consacrer quatre mille heures de son existence au service des autres.

Parmi les bénévoles les plus courageux, certains ont risqué leur vie en rejoignant l'armée, le FBI ou la CIA. Des centaines de milliers ont fait ce noble choix dans les années suivant les attaques du 11 Septembre. Beaucoup d'entre eux ont effectué plusieurs tours de service loin de leurs familles ; des milliers de nos meilleurs citoyens ont donné leur vie. Laisser sous-entendre que ce pays n'a pas fait de sacrifices serait faux et insultant.

Exception faite d'un appel sous les drapeaux – une mesure à laquelle j'étais fermement opposé – je ne vois pas vraiment ce que j'aurais pu faire de plus pour encourager au sacrifice. Cette guerre n'était pas comme les autres. Elle ne nécessitait ni riveteurs ni jardiniers, comme pour la Seconde Guerre mondiale. Il fallait que le peuple refuse de céder à cette panique que l'ennemi cherchait à semer.

J'ai toujours pensé que les détracteurs qui prétendaient que je n'exigeais pas suffisamment de sacrifices de la part de mes citoyens se plaignaient en vérité du fait que je n'avais pas augmenté les impôts. « Les impôts ne sont pas seulement un moyen d'accroître les recettes de l'Etat, écrivit un journaliste du *Washington Post*. Il s'agit d'une déclaration de consensus sur l'objectif national. » Je ne pense pas que des impôts plus élevés auraient renforcé l'objectif national ; j'étais persuadé qu'après la dévastation du 11 Septembre, une telle augmentation aurait endommagé notre économie et entraîné l'effet contraire.

Les attentats du 11 septembre 2001 ont changé le quotidien des Américains ; ils ont aussi transformé le budget fédéral. L'excédent budgétaire prévu pour début 2001 avait été calculé d'après des pronostics haussiers dans le cas d'une forte croissance économique ; l'effondrement du secteur technologique et l'arrivée de la récession ont fortement diminué ces prévisions. Les dommages économiques entraînés par les attentats les ont tirées encore plus vers le bas. Puis, nous avons dû affronter les coûts liés à la sécurité du pays et à la guerre contre le terrorisme. En novembre 2001, Mitch Daniels, un as de la finance originaire de l'Indiana qui dirigeait mon Bureau de la gestion et du budget avec grande compétence, délivra le rapport suivant : le prétendu excédent budgétaire avait disparu en l'espace de dix mois.

Pendant des années, j'ai écouté les hommes politiques des deux camps m'accuser d'avoir dilapidé le formidable excédent budgétaire dont j'avais hérité. Cela ne m'a jamais paru logique. Une grande partie de cet excédent n'était qu'une illusion, basée sur la fausse hypothèse que le boom financier des années 1990 se poursuivrait. Après le 11 Septembre et la récession, il n'en restait pas grand-chose.

A la fin de 2002, si la récession était techniquement finie, l'économie restait stagnante. Au début de janvier 2003, j'ai demandé au Congrès d'accélérer les baisses d'impôts de 2001 qui n'avaient pas encore été appliquées, et d'en instaurer de nouvelles afin d'encourager les investisseurs et les créateurs d'emplois.

Si les réductions d'impôts de 2001 avaient été adoptées à l'unanimité – ainsi qu'une modeste baisse en 2002 visant les petites entreprises – la version de 2003 rencontra de sérieuses oppositions. La gauche l'accusa de représenter « une diminution fiscale pour les riches ». Ce reproche était injustifié. Les baisses d'impôts de l'administration Bush, une fois mises en place, augmentèrent en réalité la portion de l'impôt sur le revenu prélevée aux Américains les plus fortunés [1].

D'autres se sont opposés aux baisses d'impôts parce que ceux-ci creuseraient le déficit ; sur le court terme, ce fut effectivement le

---

1. Sur la totalité des impôts, le pourcentage prélevé aux plus fortunés – soit 1 % des contribuables – est passé de 38,4 % à 39,1 % ; les plus pauvres – soit 50 % des contribuables – ont connu une diminution d'impôts, passant de 3,4 à 3,1 %. (NdA)

cas. Mais j'étais persuadé que ces réductions, surtout celles appliquées aux plus-values et aux dividendes, finiraient par stimuler la croissance économique. Les recettes fiscales de cet essor, ajoutées à une restriction des dépenses, contribueraient à l'allègement du déficit.

Le projet de loi sur la baisse des impôts fut adopté à la Chambre des Représentants par 231 voix à 200 ; au Sénat, le vote fut figé à 50 pour et 50 contre. Dick Cheney se rendit au Capitole pour débloquer la situation en son rôle constitutionnel de président du Sénat. Heureusement, il vota en faveur de la loi ; il raconta en plaisantant qu'il n'avait pas eu à effectuer beaucoup de votes en tant que vice-président, mais qu'il gagnait à tous les coups.

J'ai promulgué la loi sur les baisses d'impôts fin mai 2003. En septembre, la création d'emplois avait repris, et s'est poursuivie pendant quarante-six mois consécutifs. Après avoir atteint un pic de 6,3 % en juin, le taux de chômage baissa pendant cinq des six mois qui suivirent, atteignant une moyenne de 5,3 % au cours de ma présidence, soit moins que celles des années 1970, 1980 ou 1990. Certains avancèrent que la relance de l'économie à la suite des baisses d'impôts n'était que pure coïncidence. J'étais persuadé du contraire.

Malgré la reprise économique, je restais conscient du fait que le pays était en proie à des déficits. J'ai pris très au sérieux ma responsabilité d'intendant fiscal. Mes quatre directeurs du budget – Mitch Daniels, Josh Bolten, Rob Portman et Jim Nussle – ont fait de même. Le temps étant à la guerre, j'avais deux priorités : protéger la patrie, et soutenir nos soldats, qu'ils soient au combat ou vétérans. Une fois ces points établis, nous avons soumis des budgets ralentissant la croissance des dépenses discrétionnaires annuelles jusqu'à la fin de ma présidence. Pendant les cinq années restantes, nous avons réussi à maintenir les dépenses en dessous du seuil d'inflation – en d'autres termes, nous avons opéré une réduction.

J'ai travaillé avec le Congrès pour atteindre mes objectifs de dépenses – ou, comme je me plaisais à le dire, la totalité du gâteau. Je n'étais pas toujours d'accord avec la façon dont le Congrès divisait les parts ; je m'opposais aux gaspillages insérés dans les projets de loi. Mais je n'avais aucun moyen de supprimer les portions allouées à des frais de campagne personnelle. Mon choix était limité : les accepter entièrement, ou les rejeter en bloc. Du moment que le Congrès atteignait le bilan escompté, ce qui fut le cas année après année, je me suis contenté de jouer mon rôle et de promulguer les lois.

Les résultats avaient fait l'objet de débats enflammés. A gauche, certains se plaignaient du fait que les réductions d'impôts augmentaient les déficits ; à droite, on arguait que je n'aurais pas dû signer la loi Medicare sur les médicaments d'ordonnance. S'il paraît justifié de débattre de ces choix politiques, voici les faits : grâce aux budgets serrés et à la hausse des recettes fiscales résultant de la croissance économique, le déficit du PIB, qui était de 3,5 % en 2004, est passé à 2,6 % en 2005, 1,9 % en 2006, et 1,2 % en 2007.

Pendant ma présidence, le ratio de déficit par rapport au PIB était de 2,0 %, soit plus faible que la moyenne des cinquante dernières années, qui était de 3,0 %. Sous mon gouvernement, les ratios de dépenses, d'impôts, de déficits et de dettes relativement au PIB ont tous été en dessous des moyennes des trois dernières décennies – et, dans la plupart des cas, inférieures à celles mes récents prédécesseurs. Malgré les frais encourus par deux récessions, le désastre naturel le plus coûteux de toute l'histoire, et une guerre menée sur deux fronts, notre bilan fiscal était bon.

TABLEAU COMPARATIF DE BUDGETS [1]

	Dépenses par rapport au PIB	Impôts par rapport au PIB	Déficit par rapport au PIB	Dettes par rapport au PIB
Reagan (1981-1988)	22,4 %	18,2 %	4,2 %	34,9 %
Bush 41 (1989-1992)	21,9 %	17,9 %	4,0 %	44,0 %
Clinton (1993-2000)	19,8 %	19,0 %	0,8 %	44,9 %
Bush 43 (2001-2008)	19,6 %	17,6 %	2,0 %	36,0 %

En même temps, je savais que je laissais derrière moi un problème fiscal qui allait se révéler sérieux sur le long terme : la croissance temporaire des dépenses sociales, qui représentent la majeure partie de la future dette fédérale. Je me suis efforcé de réformer les formules de financement pour la sécurité sociale et Medicare, mais

---

1. Les dettes par rapport au PIB correspondent à la moyenne calculée à la fin de chaque année. Les moyennes des dépenses, des impôts et des déficits sont calculées par année fiscale, qui se termine le 30 septembre. Ainsi, la moyenne de quatre ou huit années fiscales exclut les effets des politiques mises en place au cours des derniers trois mois et vingt jours d'un mandat présidentiel. Si les chiffres de l'année civile complète étaient inclus dans ces moyennes, celles-ci seraient de : dépenses = 20,2 % ; impôts = 17,5 % ; déficits : 2,7 %. Ces moyennes comprendraient les dépenses dans le cadre du TARP, ainsi que les prêts automobiles prévus par le Bureau du budget du Congrès américain en janvier 2009. Les chiffres présentés ici surestiment les dépenses supplémentaires, puisque le financement du TARP sera remboursé en majeure partie. (NdA)

les démocrates ont contré mes tentatives, et mon propre parti s'est montré tiède.

Une partie du problème relevait du fait que la crise fiscale ne faisait pas partie de nos priorités à l'époque où j'étais président. Au début de 2008, le Bureau du budget du Congrès estima que la dette n'excéderait pas 60 % du PIB jusqu'en 2023. Mais à cause de la crise financière – et des choix de dépenses effectués après ma présidence – la dette aura dépassé ce cap d'ici fin 2010. Une crise fiscale que tout le monde pensait éloignée est désormais à nos portes.

« Wall Street s'est soûlée, et c'est nous qui avons la gueule de bois. »

Il faut reconnaître que c'était là une façon simpliste de présenter les origines de la plus grande panique financière depuis le krach de 1929. Une explication plus complexe remonterait au boom des années 1990. Alors que l'économie américaine connaissait une croissance annuelle de 3,8 %, les pays asiatiques émergeants comme la Chine, l'Inde et la Corée du Sud affichaient une moyenne presque double. Beaucoup de ces économies accumulaient de grands stocks de billets ; c'était aussi le cas de nations productrices d'énergie, qui ont profité d'une hausse décuplée des prix du pétrole entre 1993 et 2008. Ben Bernanke appelait ce phénomène un « excès d'épargne mondiale ». D'autres parlaient d'une immense cagnotte.

Une bonne portion de ce capital étranger refluait vers les Etats-Unis, considérés comme le lieu idéal d'investissement grâce à nos puissants marchés financiers, à la fiabilité de notre système légal, et à l'efficacité de notre main-d'œuvre. Les investisseurs étrangers achetaient un grand nombre de bons du Trésor américains, qui permettaient de minimiser leurs taux effectifs ; évidemment, les investisseurs se sont mis à chercher une meilleure rentabilité.

Le marché immobilier américain, en plein essor, attirait tous les espoirs. Entre 1993 et 2007, le prix moyen d'une maison américaine doubla. Les maçons construisaient les bâtiments à un rythme soutenu. Les taux d'intérêt étaient bas, le crédit facile. Les prêteurs accordaient des emprunts immobiliers à tout le monde, ou presque – y compris des emprunteurs de « subprimes » qui, avec leurs maigres références, représentaient de plus grands risques.

Wall Street repéra une opportunité. Les banques d'affaires achetaient un grand nombre d'emprunts immobiliers à des prêteurs, les divisaient, les reformulaient et les convertissaient en complexes valeurs financières. Les agences de notation financière, qui percevaient des sommes intéressantes de la part des banques d'affaires, accordaient à bon nombre de ces actifs la note AAA. Les entreprises financières vendaient d'innombrables produits dérivés qui étaient en fait des paris sur le remboursement ou non des crédits liés aux titres. Avec des noms compliqués comme « obligations adossées à des actifs », les nouveaux produits représentatifs de prêts hypothécaires rapportaient les bénéfices recherchés par les investisseurs. Wall Street vendait à tout-va.

Fannie May et Freddie Mac, des sociétés privées avec des chartes du Congrès et des réglementations souples, fournissaient le marché en titres hypothécaires. Les deux sociétés subventionnées par le gouvernement achetaient la moitié des prêts immobiliers des Etats-Unis et convertissaient la plupart des emprunts pour les revendre ailleurs dans le monde. Les investisseurs achetaient voracement, persuadés que Fannie et Freddie étaient officiellement garanties par le gouvernement.

Mais les investisseurs étrangers n'étaient pas les seuls à s'être laissé séduire par cette forte rentabilité. Les banques américaines empruntaient d'importantes sommes d'argent en échange de leur capital, une pratique connue sous le nom d'effet de levier, et accumulaient les titres hypothécaires. Certains des investisseurs les plus puissants étaient d'immenses nouvelles sociétés de services financiers. Beaucoup d'entre eux avaient bénéficié de l'abrogation, en 1999, du Glass-Steagal Act de 1932, qui interdisait aux banques d'affaires de prendre part à des opérations d'investissement.

Au plus fort du boom immobilier, l'accession à la propriété atteignit le pic record de presque 70 %. J'avais plaidé en faveur de politiques d'expansion de la propriété, qui comprenaient des aides à la mise de fonds pour les foyers à faible revenu et les premiers acheteurs. J'étais ravi de constater que le nombre de propriétaires augmentait ; mais l'enthousiasme de l'instant masqua le risque sous-jacent. Au bout du compte, la réserve mondiale d'argent, la flexibilité de la politique monétaire, l'essor du marché de l'immobilier, l'insatiable appétit pour les titres hypothécaires, la complexité des spéculations financières et l'effet de levier des institutions financières avaient fini par ériger un château de cartes. Cette structure précaire était vouée à s'effondrer dès que la carte du dessous – la croissance ininterrompue des prix de l'immobilier – serait retirée. Rétrospectivement, cela paraît évident. Mais peu s'en sont rendu compte à l'époque, et je n'étais certes pas une exception.

En mai 2006, Josh Bolten entra dans le Salon des Traités accompagné d'un invité qu'il essayait de recruter, le P-DG de Goldman Sachs Henry « Hank » Paulson. J'espérais persuader Hank de succéder au secrétaire au Trésor John Snow. John avait défendu efficacement mon programme économique, soutenant les baisses d'impôts, le libre-échange et la réforme de la sécurité sociale. Il avait très bien dirigé le ministère, qu'il laissait en meilleur état qu'il ne l'avait trouvé. Cela faisait plus de trois ans qu'il officiait à ce poste, et John et moi trouvions qu'il était temps d'injecter du sang neuf.

Josh m'avait dit que Hank avait ce qui nous fallait – c'était un homme intelligent, et crédible sur les marchés financiers. Hank a mis du temps avant de se plaire à l'idée de rejoindre mon gouvernement. Il avait un métier passionnant à Wall Street et doutait pouvoir beaucoup accomplir d'ici la fin de mon mandat. Il s'était forgé une solide réputation, et ne tenait pas à traîner son nom dans la boue des affaires politiques. C'était un écologiste convaincu qui aimait pêcher le tarpon à la mouche et observer les oiseaux avec sa femme, Wendy – des passions qu'il ne pourrait peut-être pas conserver. Si Hank avait été républicain toute sa vie, il était le seul de sa famille. Wendy était une amie d'université et sympathisante d'Hillary Clinton ; leurs deux enfants avaient été déçus par le parti républicain. Plus tard, j'ai appris que la mère de Hank avait pleuré en entendant qu'il intégrerait mon gouvernement.

Avec les manières calmes et discrètes qui le caractérisaient, Josh finit par persuader Hank de venir me voir à la Maison-Blanche. Hank débordait d'énergie et d'assurance. Ses mains bougeaient comme s'il dirigeait son propre orchestre. Avec sa façon bien particulière de s'exprimer, il pouvait parfois être difficile à suivre. Certains disaient que son cerveau allait trop vite pour sa bouche. Cela ne me dérangeait pas. On m'accusait parfois du même problème.

Hank comprenait la mondialisation de la finance, et son nom inspirait le respect chez nous comme à l'étranger. Quand je lui ai certifié qu'il serait mon premier conseiller en économie et que je lui donnerais carte blanche, il accepta mon offre. J'étais reconnaissant envers la famille de Hank et de Wendy pour l'avoir soutenu. A l'époque, aucun de nous ne nous rendions compte que ses épreuves rivaliseraient avec celles d'Henry Morgenthau, à l'époque de Franklin D. Roosevelt, ou d'Alexander Hamilton lors de la fondation du pays.

En prenant mes fonctions, je suis devenu le quatrième président à collaborer avec Alan Greenspan, directeur de la Réserve fédérale (ou Fed). Créée sous la présidence de Woodrow Wilson en 1913, la Fed décide de la politique monétaire des Etats-Unis et coordonne les actions d'autres banques centrales dans le monde. Ses décisions ont un impact important, allant de la force du dollar au taux d'intérêt d'un prêt local. Si son directeur et le bureau des gouverneurs sont nommés par le président et confirmés par le Sénat, la Fed décide de la politique monétaire indépendamment de la Maison-Blanche et du

Congrès. Et c'est bien comme cela. Une Fed indépendante est un signe de stabilité pour les marchés financiers et les investisseurs partout dans le monde.

J'invitais régulièrement Greenspan à la Maison-Blanche pour déjeuner. Dick Cheney, Andy Card et moi mangions ensemble. Alan ne pouvait pas. Il passait son temps à répondre à nos questions. Sa maîtrise des données était impressionnante. Je lui demandais où il pensait que l'économie en serait dans les mois à venir ; il me citait les chiffres des stocks de pétrole, les évolutions en frais de transport dans l'industrie du chemin de fer, et d'autres statistiques intéressantes. Pendant qu'il débitait ces chiffres à toute allure, il claquait sa main gauche sur son poing droit, comme pour faire sortir encore plus d'informations. En 2004, quand son poste fut renouvelable, il ne m'est même pas venu à l'esprit de chercher quelqu'un d'autre.

Lorsque Alan a fait courir le bruit qu'il prendrait sa retraite début 2006, nous nous sommes mis en quête d'un successeur. Un nom ne cessait de revenir : Ben Bernanke. Ben avait fait partie du bureau de la Fed pendant trois ans, et avait rejoint mon gouvernement en tant que président du Conseil des conseillers économiques en juin 2005. Il avait gagné mon respect, et celui de mon équipe. Ayant grandi dans une petite ville de Caroline du Sud, c'était un homme humble, pragmatique et direct. Comme moi, il adorait le base-ball ; contrairement à moi, son équipe préférée était les Boston Red Sox. Il était capable de parler de sujets complexes en des termes compréhensibles. A l'inverse de certains à Washington, ce professeur à la barbe poivre et sel n'était pas charmé par le son de sa propre voix.

J'aimais asticoter Ben, en signe d'affection. « Vous êtes un économiste, alors chaque phrase commence avec " D'une part… d'autre part ", disais-je. Heureusement que vous ne prenez jamais de troisième part. » Un jour, dans le Bureau Ovale, j'ai taquiné Ben, qui portait des chaussettes claires avec un costume sombre. Lors de notre réunion suivante, toute l'équipe est arrivée avec des chaussettes claires, en preuve de solidarité. « Regardez ce qu'ils ont fait », me suis-je plaint à Dick Cheney. Lentement, le vice-président a relevé le bas de son pantalon. « Oh non, vous aussi ! »

Ce qu'il y avait de frappant chez Ben, c'était son sens de l'histoire. Il s'agissait d'un universitaire renommé, spécialiste de la Grande Dépression. Sous ses manières douces se cachait une féroce détermination à ne pas répéter les erreurs des années 30. J'espérais que l'Amérique n'aurait jamais plus à affronter un scénario de ce genre. Mais si on en venait là, je voulais que Ben tienne la barre de la Réserve fédérale.

En tant que directeur de la Fed, Ben a développé des relations proches avec les autres membres de l'équipe, notamment Hank Paulson. Ben et Hank étaient on ne peut plus différents. Hank avait une personnalité passionnée ; Ben affichait un calme à toute épreuve. Hank était un entrepreneur décidé ; Ben, un analyste réfléchi qui avait passé la majeure partie de son existence dans des universités. Hank adorait bavarder ; Ben aimait écouter.

La disparité de leurs personnalités aurait pu produire une certaine tension ; mais Hank et Ben se complétaient parfaitement. Avec du recul, avoir confié ces deux postes décisifs à un banquier d'affaires de carrure internationale et à un spécialiste du krach de 1929 a constitué une des meilleures décisions de toute ma présidence.

J'ai commencé la dernière année de mon mandat de la même manière que la première, inquiet au sujet d'une bulle sur le point d'éclater et plaidant en faveur d'une baisse d'impôts.

Au milieu de 2007, la valeur de l'immobilier avait décliné pour la première fois en treize ans. De plus en plus de propriétaires n'arrivaient plus à rembourser leurs prêts, et des sociétés financières devaient dévaluer des titres d'hypothèques valant des milliards de dollars. Le président du Comité des conseillers économiques, Eddie Lazear, un professeur doué et respecté de l'Université de Stanford, constata que l'économie ralentissait. Avec l'équipe économique, il pensait que nous serions peut-être en mesure de mitiger les effets grâce à une baisse d'impôts bien calculée.

En janvier 2008, j'ai envoyé Hank Paulson négocier un projet de loi avec la présidente de la Chambre des Représentants Nancy Pelosi et le chef du parti minoritaire John Boehner. Ils ont élaboré un projet offrant des incitations fiscales aux entreprises créatrices d'emplois, ainsi que des dégrèvements fiscaux immédiats pour les familles afin de booster les dépenses des consommateurs. En l'espace d'un mois, la législation fut adoptée par une grande majorité bipartite. En mai, les familles recevaient dans leur boîte aux lettres des chèques pouvant aller jusqu'à 1 200 dollars.

L'économie indiquait quelques signes de reprise. Les rapports de croissance économique se montraient encourageants, le chômage était de 4,9 %, les exportations atteignaient des sommets records, et l'inflation était maîtrisée. J'avais bon espoir d'éviter la récession.

J'avais tort. La base s'affaiblissait, et le château de cartes était sur le point de s'effondrer.

Le jeudi 13 mars en début d'après-midi, nous avons appris que Bear Stearns, une des banques d'affaires les plus importantes des Etats-Unis, allait affronter une crise de liquidité. Comme d'autres institutions de Wall Street, Bear avait souvent eu recours à l'effet de levier. Pour chaque dollar de son capital, la société en avait emprunté 33 pour investir, souvent dans des titres hypothécaires. Quand la bulle immobilière a éclaté, Bear a fait partie des premières victimes, et les investisseurs ont changé de banque. Contrairement à la précipitation dans la First National Bank de Midland, il n'y a pas eu de sacs en papier.

Cette crise soudaine m'a pris par surprise. Je m'étais concentré sur des problèmes économiques quotidiens comme l'emploi et l'inflation ; je m'étais attendu que d'éventuels problèmes de crédit soient signalés par des régulateurs bancaires ou des agences de notation. Après tout, en réaction à la fraude comptable d'Enron et à d'autres scandales dans le monde de l'entreprise, j'avais renforcé la réglementation financière en signant le Sarbanes-Oxley Act. Malgré cela, les mauvais choix d'investissement dont avait fait preuve Bear Stearns avaient laissé la société au bord de la faillite. Dans ce cas particulier, le problème ne provenait pas d'un manque de régulations gouvernementales ; il découlait d'une erreur de jugement effectuée par les responsables de Bear.

Ma première volonté fut de ne pas sauver Bear. Dans une économie de libre-échange, les entreprises qui échouent devraient se ranger des affaires. Si le gouvernement intervenait, nous serions responsables de ce qu'on appelle un précédent dangereux : d'autres sociétés se diraient qu'on les repêcherait en cas de coup dur, et elles prendraient plus de risques.

Hank partageait mon aversion pour l'intervention gouvernementale. Mais il expliqua qu'un effondrement de Bear Stearns aurait d'importantes répercussions sur le système bancaire mondial, qui était mis à rude épreuve depuis le début de la crise immobilière en 2007. Bear entretenait des relations financières avec des centaines d'autres banques, d'investisseurs et de gouvernements ; si la société s'écroulait brusquement, la confiance en d'autres institutions financières s'émousserait. Bear pourrait être le premier domino d'une série d'entreprises défaillantes. Malgré ma volonté d'éviter un précédent, l'idée d'un effondrement financier m'angoissait encore plus.

« Y aurait-il un acheteur pour Bear ? » ai-je demandé à Hank.

Tôt le matin suivant, la réponse nous parvint. Des cadres chez JPMorgan Chase étaient intéressés par l'acquisition de Bear Stearns, mais restaient inquiets à l'idée d'hériter du portefeuille de Bear, qui consistait en des titres hypothécaires risqués. Avec l'aval de Ben, Hank et Tim Geithner, le président de la Fed à New York, conçurent un plan innovant pour répondre aux inquiétudes de JPMorgan : la Fed prêterait 30 milliards de dollars en échange des titres indésirables de Bear, ce qui permettrait à JPMorgan d'acheter Bear Stearns pour deux dollars l'action [1].

A Washington, de nombreuses personnes parlèrent de prêt de sauvetage. Ce n'est certainement pas ce qu'ont dû penser les employés qui se sont fait renvoyer de chez Bear, ou les actionnaires qui ont vu leurs actions chuter de 97 % en moins de deux semaines. Notre but n'était pas de récompenser les mauvaises décisions prises par Bear Stearns, mais de protéger les citoyens américains d'une catastrophe économique. Pendant l'espace de cinq mois, tout prêtait à croire que nous y étions parvenus.

« Ils savent ce qui va leur arriver, Hank ?

– Monsieur le président, nous allons agir rapidement et les prendre par surprise. Ils auront à peine le temps de dire ouf. »

C'était la première semaine de septembre 2008, et Hank Paulson venait d'exposer un plan d'attaque pour placer Fannie Mae et Freddie Mac, les deux immenses entreprises parrainées par le gouvernement, sous tutelle gouvernementale.

De toutes les actions d'urgence que le gouvernement a dû entreprendre en 2008, aucune ne fut aussi frustrante que le sauvetage de Fannie et Freddie. Les problèmes de ces deux sociétés étaient flagrants depuis des années. Fannie et Freddie avaient étendu leurs activités au-delà de leur rôle initial, qui était de promouvoir la propriété. Elles avaient fonctionné comme des fonds spéculatifs, brassant d'énormes sommes d'argent et prenant des risques conséquents. Dans mon premier budget, j'avais prévenu que Fannie et Freddie avaient pris de telles proportions qu'elles représentaient un « problème potentiel » susceptible d'« entraîner des répercussions sur les marchés financiers ».

En 2003, j'ai avancé un projet de loi visant à renforcer les réglementations des entreprises financées par le gouvernement ; malheureusement, il a été empêché par leurs amis à Washington. De nombreux cadres de Fannie et Freddie étaient d'anciens représentants du gouvernement. Ils avaient des liens étroits avec le Congrès, notamment des démocrates influents comme le représentant du Massachussetts Barney Frank, et le sénateur du Connecticut Chris Dodd. « Fannie Mae et Freddie Mac ne sont menacés d'aucune crise financière », avait déclaré Barney Frank à l'époque.

Avec les années, cette affirmation a perdu en plausibilité. Dans mon budget de 2005, j'ai lancé un avertissement plus frappant. « Les sociétés financées par le gouvernement sont des entreprises à fort levier, qui détiennent beaucoup moins de capitaux par rapport à leurs actifs que des institutions financières à taille égale, énonçait la

---

1. Plus tard, on renégocia le prix à dix dollars l'action. (NdA)

prévision budgétaire. [...] Considérant l'importance considérable de chaque entreprise, la moindre petite erreur pourrait avoir des conséquences sur toute l'économie du pays. »

Cet été-là, nous nous sommes penchés sur une nouvelle législation. John Snow a travaillé en étroite collaboration avec le président du Comité bancaire du Sénat Richard Selby sur un projet de réforme ; celui-ci visait à créer un nouveau régulateur qui serait autorisé à réduire les portefeuilles des sociétés financées par le gouvernement. Le sénateur Shelby, un législateur intelligent et coriace de l'Alabama, a imposé le projet de loi au sein de son comité, malgré les oppositions unanimes des démocrates ; au final, ces derniers ont voté contre le projet de loi au Sénat. Je suis toujours surpris quand j'entends les démocrates décréter que la crise financière est survenue parce que les républicains ont poussé au dérèglement du marché.

Quand vint l'été 2008, j'avais demandé cette réforme dix-sept fois. La dix-huitième fut la bonne. Il avait suffi d'une promesse d'effondrement financier à l'échelle mondiale. En juillet, le Congrès adopta une réforme établissant une des clés de voûte du projet que nous avions proposé cinq ans plus tôt : une forte réglementation pour les sociétés à financement gouvernemental. Le projet de loi donnait aussi le pouvoir au secrétaire au Trésor d'injecter des capitaux si jamais la solvabilité de Fannie et Freddie était remise en question.

Peu après que cette loi fut entrée en vigueur, le nouvel organisme de réglementation, dirigé par mon ami et homme d'affaires Jim Lockhart, se pencha une nouvelle fois sur les livres de comptes de Fannie et Freddie. Avec l'aide du département du Trésor, les analystes conclurent que ces sociétés manquaient de capitaux. Au début du mois d'août, Freddie et Fannie annoncèrent d'immenses pertes trimestrielles.

Les enjeux qui en découlaient étaient surprenants. Presque tous ceux qui traitaient avec ces sociétés, qu'il s'agisse de petites banques ou de gros investisseurs internationaux comme la Chine et la Russie, supposaient que ces relations étaient garanties par le gouvernement. Si jamais ces entreprises tombaient, elles entraîneraient un effet domino à échelle planétaire, mettant en jeu la crédibilité de notre pays.

Sur les conseils de Hank, j'ai décrété que le seul moyen d'éviter une catastrophe était de mettre Fannie et Freddie sous tutelle gouvernementale. Il appartenait à Hank et à Jim de persuader les deux entreprises d'avaler la pilule ; je voyais mal comment ils y arriveraient sans provoquer une série de procès. Mais le dimanche 7 septembre, Hank m'appela à la Maison-Blanche pour m'annoncer qu'ils avaient réussi. Les marchés asiatiques reprirent des forces dès le dimanche soir, et l'indice Dow Jones grimpa de 289 points le lundi.

J'ai passé le week-end suivant, les 13 et 14 septembre, à gérer la réaction du gouvernement face à l'ouragan Ike. Ce dernier s'était abattu sur la côte texane du golfe du Mexique, tôt le samedi matin. Des vents de 177 km/h et des vagues de plus de six mètres avaient inondé Galveston et brisé des vitres à Houston, tuant plus de cent personnes. Ike, le pire ouragan à avoir frappé le Texas depuis Galveston en 1900, infligea des dégâts de plus de 24 milliards de dollars.

Ce même week-end, une tempête différente s'abattit sur la ville de New York. Comme de nombreuses autres institutions de Wall Street, Lehman Brothers était une société à fort levier financier, donc très exposée aux faiblesses du marché immobilier. Le 10 septembre, l'entreprise avait annoncé sa perte financière la plus conséquente depuis ses débuts, soit 3,9 milliards de dollars en un seul trimestre. On perdit confiance en Lehman. Les vendeurs à découvert, des traders qui cherchaient à tirer profit des marchés de valeurs déclinants, avaient contribué à faire baisser les actions de Lehman de 16,20 dollars à 3,65 dollars chacune. A moins d'un miracle, l'entreprise ne passerait pas le week-end.

La question était de savoir quel rôle le gouvernement devrait endosser dans le sauvetage de Lehman. La meilleure solution possible restait de trouver un acheteur, comme nous l'avions fait pour *Bear Stearns*. Il fallait agir dans les deux jours.

Hank s'envola pour New York afin de superviser les négociations. Il m'indiqua deux acheteurs possibles : Bank of America et Barclays, une banque britannique. Aucune de ces deux entreprises n'était prête à hériter des actifs problématiques de Lehman. Hank et Tim Geithner conçurent un moyen de proposer un marché sans puiser dans l'argent des contribuables : ils persuadèrent les principaux P-DG de Wall Street de participer à un fonds qui absorberait les actifs toxiques de Lehman. D'une certaine façon, on demandait aux rivaux de Lehman de sauver la société de la faillite. Hank espérait qu'un des acheteurs conclurait le marché.

Il apparut rapidement que Bank of America avait des vues sur un autre achat, Merrill Lynch ; Barclays était donc le dernier espoir de Lehman. Mais dimanche, moins de douze heures avant l'ouverture des marchés asiatiques le lundi matin, des régulateurs financiers à Londres informèrent la Fed et le SEC qu'ils ne laisseraient pas la banque britannique faire cet achat.

« Mais qu'est-ce qui se passe ? ai-je demandé à Hank. Je croyais qu'on allait conclure un marché.

– Les Britanniques ne sont pas prêts à donner leur aval », répondit-il.

Si Hank et moi parlions fréquemment ensemble, ces coups de fil du dimanche – censé être jour de repos – étaient certainement les pires de tous. J'avais l'impression que nous tournions en rond sur la même conversation. Seuls les noms des sociétés en péril changeaient. Mais cette fois-ci, nous ne parviendrions pas à empêcher le domino de chuter sur le prochain.

« Saurons-nous expliquer pour quelle raison le cas de Lehman est différent de celui de Bear Stearns ? ai-je interrogé Hank.

– Si JPMorgan n'avait pas racheté Bear, l'entreprise aurait sombré. Nous n'avons pas réussi à trouver d'acheteur pour Lehman, c'est tout. »

Il me semblait que nous avions fait tout ce qui était en notre pouvoir ; mais la dernière heure de Lehman était venue. Le lundi 15 septembre, peu après minuit, cette banque d'investissement vieille de cent cinquante-huit ans fut déclarée en faillite.

Le matin, ce fut la panique. Les législateurs louèrent notre décision de ne pas intervenir. Le *Washington Post* énonça : « Le gouvernement américain a eu raison de laisser Lehman couler. » La Bourse ne fut pas si optimiste. L'indice Dow Jones subit une chute de plus de cinq cents points.

Une vague de panique s'instaura. Les investisseurs se mirent à liquider leurs titres et à acheter des bons du Trésor et de l'or. Les clients fermaient leurs comptes dans les banques d'affaires. Comme les prêteurs préféraient garder leur argent, les marchés du crédit s'essoufflèrent. Les rouages du système financier, dont les liquidités sont les lubrifiants, étaient en phase d'immobilisation.

Et si cela n'était pas suffisant, l'American International Group, une grosse compagnie d'assurances, était aussi au bord de la crise. AIG avait des polices d'assurance vie et de propriété, et assurait des municipalités, des fonds de retraite, des épargnes retraite et d'autres supports d'investissement affectant les Américains au quotidien. Tous ces commerces étaient en bonne santé ; néanmoins, l'entreprise était à deux doigts de l'implosion.

« Comment est-ce arrivé ? » ai-je demandé à Hank.

La réponse était qu'une branche de la société, AIG Financial Products, avait assuré un grand nombre d'obligations hypothécaires – dans lesquelles elle avait aussi beaucoup investi. Avec un nombre record de prêts non remboursés, la société se retrouvait face à des appels de fonds d'au moins 85 milliards de dollars qu'elle n'était pas en mesure de payer. Si l'entreprise ne trouvait pas cet argent immédiatement, non seulement elle s'effondrerait, mais elle entraînerait avec elle d'importantes institutions financières et des investisseurs internationaux.

La Fed de New York avait essayé de trouver une solution dans le secteur privé ; mais aucune banque ne pouvait avancer la somme nécessitée par AIG en si peu de temps. Il n'y avait qu'une seule façon d'empêcher la société de sombrer : le gouvernement fédéral allait devoir intervenir. Ben Bernanke annonça que, contrairement à Lehman, les contrats d'assurances d'AIG lui conféraient une stabilité financière grâce à laquelle elle remplissait les conditions d'un prêt d'urgence auprès de la Fed. Il exposa les termes : la Fed de New York prêterait à AIG 85 milliard de dollars, garantis par les filiales stables et prospères de la société. En échange, le gouvernement recevrait un bon lui promettant 79,9 % des parts de AIG.

Ce marché n'avait rien de séduisant ; il s'agissait en vérité de nationaliser une des plus grandes sociétés d'assurances du pays. Moins de quarante-huit heures après la faillite de Lehman, ce sauvetage représenterait une contradiction flagrante. Mais à choisir, c'était sacrément préférable à un effondrement financier.

Avec le sauvetage de AIG, nous avions subi trois semaines d'agonie financière. Jour après jour, les nouvelles se faisaient de plus en plus atroces. Quand j'entrais en réunion, l'indice Dow Jones avait grimpé de deux cents points ; en sortant trente minutes plus tard, il avait chuté de trois cents points. Les marchés étaient tendus, et moi aussi. Je me sentais comme le capitaine d'un navire en perdition. Le département du Trésor, la Fed et mon équipe à la Maison-Blanche travaillaient tous jour et nuit, mais nous ne faisions qu'écoper des seaux d'eau. J'ai décidé que nous ne pouvions plus continuer ainsi. Il allait falloir retaper le bateau.

Jeudi 18 septembre – trois jours après que Lehman eut fait faillite – l'équipe économique se rassembla dans le Salon Roosevelt. Ben évoqua la possibilité d'une nouvelle Grande Dépression. Puis Hank et le président de la SEC (Securities and Exchange Commission) Chris Cox dévoilèrent leur plan : garantir tout dépôt sur le marché monétaire, lancer un nouveau support de prêt pour relancer le marché de billets de trésorerie, interdire provisoirement la vente à découvert des principaux stocks financiers, et acheter des centaines de milliards de dollars en titres hypothécaires – initiative bientôt connue sous le nom de Troubled Asset Relief Program, ou TARP.

La stratégie consistait en une époustouflante intervention sur le marché de libre-échange. Elle allait à l'encontre de tous mes instincts ; mais tirer le pays de son état de panique était devenu indispensable. La seule façon de préserver l'économie de marché durablement était d'intervenir rapidement.

« Vous avez mon soutien, à 100 %, ai-je assuré mon équipe. Il ne s'agit plus de faire du cas-par-cas. Nous avons tenté de couper le mal à sa source, mais le problème est plus profond que nous ne l'imaginions. C'est le système tout entier qui est à remettre en cause. »

La conversation évolua vers les difficultés qu'on rencontrerait au Capitole. « Nous n'avons pas le temps de penser à la politique, ai-je protesté. Trouvons la bonne solution et appliquons-la. »

J'avais pris ma décision : le gouvernement américain serait de notre côté.

J'ai songé à tout ce qui s'était imposé à nous. Au cours des semaines précédentes, nous avions assisté à l'échec de deux des plus importantes sociétés de crédit immobilier d'Amérique, à la faillite d'une des principales banques d'affaires, à la vente d'une autre, à la nationalisation de la société d'assurances la plus grande au monde, et maintenant à l'intervention financière la plus radicale depuis la présidence de Franklin Roosevelt. Pendant ce temps, la Russie avait envahi et occupé la Géorgie, l'ouragan Ike s'était abattu sur le Texas, et l'Amérique menait une guerre sur deux fronts en Irak et en Afghanistan. Pas la meilleure façon de quitter une présidence.

Mais je ne me plaignais pas. Je savais qu'il y aurait des jours difficiles. L'apitoiement est un défaut pathétique chez un dirigeant ; cela contribue à saper le moral du gouvernement et du pays. Et puis, je reprenais courage dans ma conviction que le Seigneur ne saurait confier à un croyant un fardeau qu'il ne pouvait gérer.

Après la réunion, j'ai fait le tour du Salon Roosevelt pour remercier chacun individuellement. Je leur ai fait part de ma reconnaissance envers leur travail, en affirmant que l'Amérique avait de la chance qu'ils soient là. Dans la présidence, comme dans la vie, il faut faire avec le jeu qu'on a. Ce n'était pas celui que j'avais espéré, mais je tenais à m'assurer que la partie serait belle.

Hank et son équipe du département du Trésor firent un beau battage au Congrès pour faire adopter le plan de sauvetage financier. Nous avons proposé une affectation de 700 milliards de dollars – soit environ 5 % du marché hypothécaire, ce qui nous paraissait suffisant pour faire pencher la balance. De nombreux législateurs reconnurent la nécessité de prendre des mesures décisives, mais cela ne diminua en rien leur indignation ou leur colère. Les démocrates se plaignaient du fait que l'exécutif s'appropriait trop de pouvoir ; un sénateur républicain décréta que notre plan de sauvetage « ferait disparaître l'économie de libre-échange et amènerait le socialisme aux Etats-Unis ».

D'une certaine façon, je sympathisais avec ces critiques. La dernière chose que je voulais c'était d'intervenir à Wall Street. Comme je l'ai dit à Josh Bolten : « Mes amis de Midland vont demander ce qui est arrivé au fana d'économie de marché qu'ils connaissaient si bien. Ils vont vouloir savoir pourquoi nous dépensons leur argent pour sauver les entreprises qui ont engendré la crise. »

J'aurais aimé trouver un moyen de placer les sociétés devant leurs responsabilités tout en épargnant le reste du pays ; mais tous les économistes en qui j'avais confiance m'avaient assuré que c'était impossible. Le bien-être des citoyens dépendait de celui de Wall Street.

Si les marchés du crédit restaient gelés, ce seraient les familles américaines qui en pâtiraient le plus : les plans d'épargne retraite chuteraient brusquement, de nombreuses personnes perdraient leurs emplois, et les valeurs immobilières continueraient de baisser. Le 24 septembre, je me suis adressé à la nation lors d'une heure de grande écoute afin d'expliquer la nécessité de ce plan de sauvetage : « Je [comprends] la frustration des Américains responsables qui remboursent leurs emprunts en temps et en heure, paient leurs impôts avant le 15 avril, et n'ont pas envie de débourser pour les excès de Wall Street. Mais au vu de la situation, ne pas adopter cette loi aujourd'hui finirait par coûter beaucoup plus au peuple américain. »

Quelques heures avant mon discours, mon conseiller personnel, Jared Weinstein, m'a fait savoir que John McCain désirait me voir immédiatement. J'ai demandé à John comment il vivait sa campagne électorale, mais il est allé droit au but : il voulait que je convoque une réunion à la Maison-Blanche pour ce plan de sauvetage.

« Laissez-moi en toucher deux mots à Hank », ai-je répondu. Je voulais m'assurer que ce genre de réunion ne nuirait pas aux efforts de mon secrétaire au Trésor pour faire adopter la loi au Congrès. John désirait s'exprimer face au peuple américain. Quelques minutes plus tard, il apparaissait à la télévision pour réclamer l'organisation de cette réunion et annoncer qu'il suspendait sa campagne pour travailler à temps plein sur la législation.

Je savais que John était en mauvaise posture. Les sondages le disaient à la traîne du sénateur de l'Illinois Barack Obama, qui avait stupéfait Hillary Clinton aux élections primaires des démocrates. Bien entendu, les troubles économiques desservaient John ; comme notre parti contrôlait la Maison-Blanche, nous étions inévitablement la cible des accusations. Malgré cela, je pensais que la crise financière lui offrirait une chance inespérée de revenir sur le devant de la scène. En période de crise, les électeurs préfèrent l'expérience et la pondération à la jeunesse et au charisme. En relevant le défi comme un homme d'Etat, John montrerait qu'il était le meilleur candidat pour l'époque.

Je me suis rendu dans le Bureau Ovale, où Josh Bolten attendait avec son adjoint, Joel Kaplan, et le conseiller Ed Gillespie. Personne n'avait envie de cette réunion ; Josh a déclaré que Hank s'y opposait. Mais comment pouvais-je refuser la requête de John ? Je voyais les gros titres d'ici : « Même Bush pense que l'idée de McCain est mauvaise. »

Nous avons signalé à la présidente de la Chambre des Représentants Nancy Pelosi et au chef de la majorité au Sénat Harry Reid que la réunion aurait lieu l'après-midi suivant, jeudi 25 septembre. J'ai appelé le sénateur Obama, en le remerciant d'avoir interrompu sa campagne. « Si le président m'appelle, je réponds », a-t-il dit gracieusement. Je l'ai également invité à la réunion, en précisant qu'il ne s'agissait pas d'un piège politique. Il a accepté.

Aux alentours de 15 h 30 le lendemain, les participants ont commencé à arriver. Je ne me suis pas aventuré dans l'étroit parking entre la Maison-Blanche et le bâtiment du bureau exécutif Eisenhower, mais on m'a relaté qu'on se serait cru dans une publicité pour SUV. Avant le début de la réunion, j'ai eu une rapide discussion avec le chef de la minorité au Sénat Mitch McConnell et le chef de la minorité à la Chambre des Représentants John Boehner. Nous avons surtout évoqué le fait qu'il serait difficile de décrocher les votes des républicains à la Chambre des Représentants. Je leur ai confié que si les républicains empêchaient le TARP, l'économie s'effondrerait.

Avant de m'asseoir dans la Cabinet Room de la Maison-Blanche, j'ai eu un face-à-face avec Nancy Pelosi. Je lui ai révélé que je comptais faire appel à elle après que Hank et moi aurions lancé la réunion. Apparemment, elle me soupçonnait de vouloir saboter les démocrates ; tel un volcan prêt à entrer en éruption, elle a lancé : « Barack Obama sera notre porte-parole. »

J'ai pris place au centre de la grande table en bois dont Richard Nixon avait fait don à la Maison-Blanche. Hank Paulson, Dick Cheney, Josh Bolten et moi-même avons présenté le gouvernement. Les chefs de partis et les présidents de comités représentaient le Congrès ; les candidats présidentiels McCain et Obama se sont assis aux extrémités opposées de la table. Les membres de nos équipes se serraient comme des sardines dans la pièce. Personne ne voulait manquer une miette de cet événement phare dans le théâtre politique de Washington.

J'ai débuté la réunion en insistant sur l'urgence à appliquer des lois le plus vite possible. Le monde entier nous observait, dans l'attente que nous agissions, et les deux partis allaient devoir relever le défi. Hank nous a mis au courant de l'instabilité des marchés, faisant écho à ma recommandation d'une action rapide.

Je me suis tourné vers la présidente de la Chambre ; fidèle à sa parole, elle s'en est déférée au sénateur Obama. Avec le calme qui le caractérisait, il a évoqué les grandes lignes du plan. J'ai trouvé intelligent de sa part d'informer l'assemblée qu'il était en contact constant avec Hank. Son but était de montrer qu'il était conscient du problème, qu'il avait le sens des réalités et qu'il était prêt à mettre ce plan en action.

A la fin de son intervention, je me suis tourné vers John McCain. Il passa son tour. J'étais perplexe. Il était à l'origine de la réunion ; je m'attendais qu'il ait préparé un plan d'action pour faire adopter la loi.

Ce qui avait commencé sous la forme d'un drame sombra rapidement dans la farce. On perdit patience ; on éleva la voix. Quelques piques furent lancées. J'assistais désormais à une bagarre de cantine, qui aurait pu être comique si les enjeux avaient été autres.

Vers la fin de la réunion, John finit par intervenir. Il évoqua, en termes généraux, la difficulté qu'il y aurait à obtenir le vote des républicains, et son espoir que nous parviendrions à un consensus.

Après que tout le monde eut donné libre cours à sa colère, j'ai décidé que nous ne pourrions plus rien accomplir d'autre. J'ai demandé aux candidats de ne pas faire de déclaration politique avec la Maison-Blanche à l'arrière-plan. J'ai demandé aux membres du Congrès de se souvenir que nous devions nous montrer unis pour éviter d'effrayer les marchés. Puis je me suis levé, et j'ai quitté la salle.

Le lundi 29 septembre, en début d'après-midi, la Chambre des Représentants organisa un vote sur le plan de sauvetage bancaire. Au cours des deux journées précédentes, notre cinquième week-end d'affilée consacré à la crise financière, nous avions livré bon nombre de négociations. Hank et son équipe du département du Trésor – rejoints par Dan Meyer, mon chef des affaires législatives qui gardait toujours la tête froide, et Keith Hennessey, mon infatigable directeur du Conseil économique national – n'avaient cessé de faire la navette entre la Maison-Blanche et le Capitole, s'efforçant de résoudre les problèmes restants du TARP. Tard le samedi soir, Nancy Pelosi et John Boehner m'avaient confié qu'ils étaient parvenus à un accord sur les grandes lignes ; lundi matin, je me suis avancé sur la pelouse Sud pour féliciter le Congrès et prôner une adoption rapide du plan.

De retour dans le Bureau Ovale, je me suis mis à appeler les membres républicains de la Chambre pour m'assurer leurs votes.

« Nous avons vraiment besoin de ce plan de sauvetage », ai-je insisté auprès de chaque député. Ils avaient tous des raisons pour ne pas voter en faveur du projet de loi. Le prix était trop élevé. Leurs électeurs n'en voulaient pas.

« Je refuse d'intervenir à Wall Street, m'a affirmé l'un d'eux. Je ne veux pas contribuer à la destruction de l'économie de marché.

– Vous croyez que l'idée me plaît ? ai-je rétorqué, du tac au tac. Croyez-moi, la faillite de ces compagnies ne m'empêcherait pas de dormir la nuit. Mais c'est l'économie toute entière qui est en jeu. Ce foutu marché va s'écrouler si nous n'intervenons pas. »

14 h 07 sonna la fin du vote. Le projet de loi fut rejeté, 228 voix contre 205. Les démocrates avaient voté en faveur de la législation, 140 à 95. Les républicains avaient opposé leur refus, 135 voix à 65.

Je savais que ce vote serait un désastre. Mon parti avait joué le rôle principal dans le meurtre du TARP. Désormais, on accuserait les républicains des conséquences.

En quelques minutes, la Bourse tomba en chute libre. L'indice Dow Jones perdit 777 points, la baisse journalière la plus considérable en cent douze ans d'existence. Le S & P 500 baissa de 8,8 %, sa plus grosse perte en pourcentage depuis le lundi noir de 1987. « La panique […] et l'effroi n'ont plus de limite, décréta un spécialiste à la chaîne CNBC. Nous sommes en plein effondrement financier. »

Peu après le vote, j'ai retrouvé Hank, Ben et le reste de l'équipe économique dans le Salon Roosevelt pour convenir de notre action suivante. En réalité, nous n'avions qu'une seule option : retenter de faire passer la législation.

J'avais dans l'espoir que la réaction extrême du marché jouerait le rôle d'un électrochoc sur les membres du Congrès. Beaucoup de ceux qui s'étaient opposés au plan de sauvetage l'avaient fait en raison des 700 milliards de dollars nécessaires à sa mise en place ; puis, en moins de trois heures, les marchés avaient connu une hémorragie financière de 1,2 billion de dollars. Tout électeur doté d'un plan d'épargne retraite ou d'un compte E-trade serait furieux.

Nous avons mis sur pied une stratégie, menée par Josh Bolten, pour présenter le projet de loi au Sénat avant de le resoumettre au vote à la Chambre des Représentants. Harry Reid et Mitch McConnell proposèrent rapidement de nouvelles clauses destinées à séduire un plus grand nombre, en augmentant temporairement les garanties du FDIC* pour les dépôts bancaires et en instaurant des mesures de protection contre l'impôt minimum de remplacement pour les familles de classe moyenne. L'essentiel de la législation – les 700 milliards de dollars requis pour consolider les banques et dégeler les marchés du crédit – restait le même.

Le mercredi soir, le Sénat adopta le plan à 74 voix contre 25. La Chambre vota deux jours plus tard, le vendredi 3 octobre. J'ai encore

---

* Federal Deposit Insurance Corporation (FDIC) : agence fédérale chargée de garantir les dépôts bancaires. (NdT)

passé quelques coups de fil aux membres hésitants ; cette fois, mes avertissements sur l'effondrement du système eurent plus de poids. Grâce au chef de file des républicains Roy Blunt et au chef de la majorité démocrate Steny Hoyer, le projet de loi fut approuvé par 263 voix à 171. « Lundi j'ai voté pour la couleur de mon parti, affirma un des membres qui était revenu sur sa décision. Aujourd'hui, je vais voter aux couleurs du drapeau américain. »

Le lendemain de ma signature du TARP, Hank me conseilla de dépenser différemment les 700 milliards de dollars prévus. Au lieu d'acheter des titres hypothécaires, il proposa d'injecter directement des capitaux dans les banques en difficulté, en achetant des actions de préférence sans droit de vote.

Je détestais l'idée de banques possédées en partie par le gouvernement. J'avais peur que le Congrès ne considère qu'il s'agissait là d'un leurre pour dépenser de l'argent ailleurs que dans l'achat des actifs toxiques. Mais c'était un risque que nous devions prendre. La situation se dégradant rapidement, nous n'avions d'autre choix que d'amender le TARP. Concevoir un système pour acheter des titres hypothécaires représenterait une perte de temps que nous ne pouvions nous permettre. Acheter des actions aux banques serait plus rapide et efficace ; l'acquisition de ces titres permettrait d'injecter des capitaux – moteurs de la finance – directement dans le système bancaire, qui en manquait cruellement. Cela réduirait le risque d'un échec soudain et libérerait plus d'argent, permettant aux banques d'accorder des prêts.

Ces transfusions de capitaux offriraient aussi des conditions plus intéressantes aux contribuables américains. Les banques paieraient un dividende de 5 % pendant les cinq premières années ; ensuite celui-ci passerait à 9 % avec le temps, incitant les institutions financières à lever des capitaux privés moins onéreux et à racheter les actions de préférence. Le gouvernement percevrait des bons de souscription d'actions, qui nous permettraient d'acheter plus tard des parts à bas prix. Les contribuables auraient ainsi de meilleures chances d'être remboursés.

Le 13 octobre, Christophe Colomb Day, Hank, Tim Geithner et Ben révélèrent le plan d'achat des capitaux. Ils convoquèrent au département du Trésor les P-DG de neuf grandes sociétés financières afin de leur annoncer que, pour le bien du pays, nous voulions qu'ils repartent avec quelques milliards de dollars en poche. Nous avions peur que des banques en meilleure santé ne refusent les capitaux et ne stigmatisent celles qui les acceptaient ; mais Hank sut se montrer persuasif, et ils prirent tous la somme proposée.

La mise en œuvre du TARP eut l'effet psychologique escompté. Combiné à une nouvelle garantie du FDIC pour les dettes bancaires, le TARP faisait comprendre clairement que nous ne laisserions pas le système financier américain sombrer. L'indice Dow Jones monta en flèche de 936 points, soit la hausse journalière la plus impressionnante de toute l'histoire boursière.

En dépit du TARP, les problèmes financiers n'avaient pas disparu pour autant. Au cours des trois mois suivants, Citigroup et Bank of America requirent des fonds gouvernementaux supplémentaires. AIG continua de se dégrader, et nécessita 100 milliards de dollars supplémentaires. La Bourse restait extrêmement instable.

Mais grâce au TARP, les banques se remirent progressivement à accorder des emprunts. Les sociétés commencèrent à trouver les liquidités nécessaires au financement de leurs opérations ; la panique qui avait frappé les marchés s'estompa. Si nous étions conscients de la récession qui s'annonçait, les tensions se faisaient moins sentir. Pour la première fois depuis des mois, j'ai passé un week-end sans coups de fil affolés. La confiance, fondement d'une économie forte, revenait petit à petit.

La crise financière étant à l'échelle planétaire, il était nécessaire de s'entendre sur la marche à suivre au niveau international. Les ennuis étaient survenus pendant que la France était à la tête de l'Union européenne. Nicolas Sarkozy, le nouveau président français qui avait mené une campagne proaméricaine, me poussa à organiser un sommet international. L'idée ne me déplaisait pas ; restait à savoir quels pays convier. J'avais entendu dire que certains dirigeants européens préféraient s'en tenir au G7[1]. Mais ce sommet ne concernait que les deux tiers environ de l'économie mondiale ; j'ai donc préféré opter pour une réunion du G20, qui comprenait la Chine, la Russie, le Brésil, le Mexique, l'Inde, l'Australie, la Corée du Sud, l'Arabie Saoudite et d'autres économies dynamiques.

Je savais qu'il ne serait pas facile d'aboutir à un accord satisfaisant les vingt chefs d'Etat. Mais avec beaucoup d'efforts et quelques pressions amicales, nous y sommes parvenus[2]. Le 15 novembre, chaque dirigeant présent signa une déclaration commune affirmant : « Nos efforts seront guidés par une croyance commune que les principes du marché, du libre-échange et des régimes d'investissement, ainsi que des marchés financiers efficacement réglementés, engendrent le dynamisme, l'innovation et l'esprit d'entreprise indispensables à la croissance économique, à l'emploi et à la diminution de la pauvreté. »

---

1. Les Etats-Unis, le Japon, l'Allemagne, la Grande-Bretagne, la France, l'Italie et le Canada. (NdA)

2. L'accord a été mis en forme par Dan Price, un avocat persévérant de l'équipe du NSC, et Dave McCormick, le compétent sous-secrétaire au Trésor pour les affaires internationales. (NdA)

Il était symboliquement fort que des pays représentant presque 90 % de l'économie mondiale parviennent à s'entendre sur des principes communs pour endiguer la crise. Contrairement à ce qui s'était passé lors de la Grande Dépression, les nations du monde entier n'allaient pas se recroqueviller sur elles-mêmes. Les règles que nous avons établies au sommet de Washington continuent aujourd'hui d'orienter les coopérations économiques internationales.

Le sommet économique ne fut pas l'événement le plus marquant du mois de novembre ; celui-ci eut lieu le mardi 4 novembre, lors de l'élection du sénateur Barack Obama à la présidence des Etats-Unis.

Ma préférence allait vers John McCain. J'étais convaincu qu'il était plus apte à endosser son rôle au Bureau Ovale face à une guerre globale et à une crise financière. Je n'ai pas mené de campagne en sa faveur, d'abord parce que la situation économique me prenait tout mon temps, mais surtout parce qu'il ne me l'a jamais demandé. Je comprenais qu'il ressentait le besoin d'établir son indépendance ; je le soupçonnais aussi de s'inquiéter des sondages. Je trouvais que sa façon de se distancer de moi lui donnait l'air d'être sur la défensive ; je reste persuadé que j'aurais pu l'aider. Mais la décision était la sienne. J'étais déçu de ne pas pouvoir en faire plus pour lui.

L'économie n'était pas le seul élément jouant en défaveur du candidat républicain. Comme mon père en 1992 et Bob Dole en 1996, John McCain arrivait au mauvais moment. Avec ses soixante-douze ans, il avait une dizaine d'années de plus que moi et était un des candidats les plus âgés à s'être présentés à la présidence. Voter pour lui aurait équivalu à reculer d'une génération. Par contraste, les quarante-sept ans de Barack Obama représentaient une avancée sur ce point ; il séduisait les électeurs de moins de cinquante ans et menait une campagne intelligente, disciplinée et moderne pour faire venir aux urnes ses jeunes sympathisants.

Comme la victoire d'Obama semblait de plus en plus probable, je me mis à imaginer ce que cela signifiait d'avoir un Afro-Américain pour président. J'en ai eu un aperçu quelques jours avant les élections. Un employé afro-américain de la Maison-Blanche a emmené ses fils jumeaux de six ans dans le Bureau Ovale pour une photographie d'adieu ; l'un d'eux, parcourant la salle du regard, a laissé échapper : « Il est où, Barack Obama ? »

– Il n'est pas encore là », ai-je répondu sans sourciller.

Le soir des élections, j'ai été ému par les images de femmes et d'hommes noirs pleurant à chaudes larmes. Plus d'un exprima : « Je ne pensais jamais voir ça de mon vivant. »

J'ai appelé le nouveau président élu pour le féliciter. J'ai aussi passé un coup de fil à John McCain pour lui assurer qu'il avait bien mené sa campagne, et qu'il avait fait de son mieux. Tous deux m'ont répondu avec affabilité ; j'ai dit au président désigné que j'avais hâte de l'accueillir à la Maison-Blanche.

En raccrochant, j'ai murmuré une prière pour que tout se passe bien pour mon successeur. Il m'est venu à l'esprit une de mes citations présidentielles préférées, extraite d'une lettre adressée par John Adams à sa femme, Abigail : « Je prie le ciel pour qu'il accorde sa bénédiction à cette maison et à tous ceux qui y habiteront. Que seuls des hommes honnêtes et sages dirigent sous ce toit. » Ces paroles sont gravées au-dessus de la cheminée de la Salle à manger d'Etat.

Quelques mois avant l'élection de 2008, j'avais décidé de me consacrer à la mise en place d'une transition méthodique et bien organisée. La première passation de pouvoir depuis le 11 Septembre serait une période vulnérable, et il me semblait qu'il relevait de ma responsabilité de faciliter l'entrée du prochain président à la Maison-Blanche. La transition était supervisée par John Bolten et un de ses adjoints, mon talentueux ancien conseiller personnel Blake Gottesman. Ils se sont assurés que le président élu et son équipe bénéficiaient des conseils éclairés des membres expérimentés de l'administration, et qu'ils avaient accès aux bureaux des ministères.

La politique économique faisait partie intégrante de cette période de transition. La crise financière amena une dernière décision : que faire au sujet de l'industrie automobile américaine ? Les « Big Three », Ford, Chrysler et General Motors, étaient en mauvaise posture depuis plusieurs années. Des décennies de mauvais choix en management avaient infligé aux fabricants d'automobiles des frais conséquents en soins médicaux et en pensions de retraite. Ils avaient mis du temps avant de reconnaître les nouvelles évolutions du marché. Sautant sur l'occasion, des constructeurs étrangers s'étaient montrés plus compétitifs en matière de production et de prix.

Quand l'économie tressaillit, les ventes de voitures chutèrent ; le gel des marchés du crédit interrompit presque tous les prêts automobiles. Les actions du secteur automobile furent maltraitées lors de l'effondrement du marché en septembre et en octobre. Leurs soldes de trésorerie fondaient comme neige au soleil. Ils avaient peu d'espoir de lever de nouveaux fonds sur les marchés privés.

A l'automne 2008, le P-DG de GM Rick Wagoner réclama une aide fédérale, signalant que GM était au bord de la faillite, et que les autres constructeurs la suivraient dans sa chute. Je ne pense pas que ce soit une coïncidence que ces appels à l'aide aient surgi juste avant les élections ; j'ai refusé de prendre une décision avant les résultats.

Six jours après l'élection, j'ai rencontré le président élu Obama dans le Bureau Ovale. Barack, agréable et sûr de lui, paraissait éprouver le même émerveillement que j'avais ressenti huit ans plus tôt quand Bill Clinton m'avait accueilli dans le Bureau Ovale. Le même sens des responsabilités semblait l'assaillir. Il m'a posé des questions sur la façon dont je structurais ma journée et ce que j'exigeais de mon personnel. Nous avons discuté de politique étrangère, y compris des relations que notre pays entretenait avec la Chine, l'Arabie Saoudite, et d'autres grandes puissances. Nous avons aussi évoqué l'économie, et les soucis des constructeurs automobiles.

Plus tard dans la semaine, j'ai convoqué mon équipe économique à une réunion. « J'ai dit à Barack Obama que je ne laisserais pas les constructeurs automobiles sombrer, ai-je lancé. Je refuse de lui laisser ce gâchis. »

Je m'étais opposé à la volonté de Jimmy Carter de sauver Chrysler en 1979, et restais convaincu que le gouvernement ne devait pas intervenir dans les affaires automobiles. Cependant l'économie était très fragile, et mes conseillers m'avaient averti qu'une faillite immédiate des « Big Three » entraînerait la perte de plus de un million d'emplois, diminuerait les recettes fiscales de 150 milliards de dollars, et ferait baisser le PIB des Etats-Unis de quelques centaines de milliards de dollars.

Le Congrès avait adopté un projet de loi offrant des prêts de 25 milliards de dollars aux entreprises du marché automobile si celles-ci construisaient des véhicules plus économiques. J'espérais pouvoir convaincre le Congrès d'accorder ces prêts sans tarder, afin que les sociétés puissent survivre assez longtemps pour permettre au nouveau président et à son équipe de se retourner.

L'homme de la situation était le ministre du commerce Carlos Gutierrez. Né à Cuba, Carlos avait immigré en Floride alors qu'il n'était qu'un petit garçon. Puis ses parents s'étaient installés au Mexique, où Carlos avait décroché un job de conducteur de camions chez Kellogg's. Vingt-quatre ans plus tard, Carlos était devenu le plus jeune P-DG dans l'histoire de cette société, et le seul homme d'origine latine à la tête d'une entreprise figurant dans la liste *Fortune 500*. Il a intégré mon gouvernement en 2005, où il a réalisé un travail remarquable, encourageant le commerce, défendant les baisses d'impôts et plaidant pour la liberté à Cuba.

Carlos et l'équipe ont insisté lourdement auprès du Congrès pour autoriser les prêts automobiles ; mais si nous faisions des progrès au sein de la Chambre des Représentants, le Sénat restait inflexible. La seule solution était donc de puiser dans l'argent du TARP. J'ai déclaré à l'équipe que je considérais ces prêts comme une opportunité pour convaincre les fabricants de voitures de développer de solides plans stratégiques. Selon les conditions strictes de ces emprunts, les sociétés auraient jusqu'en avril 2009 pour devenir fiscalement viables et autonomes : elles devraient restructurer leurs opérations, renégocier leurs contrats de travail, et conclure de nouveaux accords avec les porteurs d'obligations. Si elles ne remplissaient pas toutes ces conditions, les prêts seraient immédiatement annulés, et leur faillite assurée.

Ces modalités attirèrent des critiques dans les deux camps. Le chef du syndicat des constructeurs automobiles trouvait les conditions trop dures ; Grover Norquist, partisan influent du conservatisme fiscal, m'écrivit une lettre publique : « Cher président Bush : non. »

Mais personne n'était aussi frustré que moi. Si les emprunts restrictifs et à court terme étaient préférables à un sauvetage pur et simple, je trouvais décevant que mon ultime décision économique se réduise à sauver les constructeurs automobiles. Néanmoins, tant que le marché n'avait pas repris, il était de mon devoir de protéger les travailleurs américains et leurs familles d'un effondrement mondial. Je pensais aussi à mon successeur. Je tenais à me comporter avec lui comme j'aurais aimé qu'on me traite si j'avais été dans sa position.

Un des meilleurs livres que j'aie lus pendant ma présidence est *Theodore Rex*, la biographie de Teddy Roosevelt écrite par Edmund Morris. Vers la fin de son mandat agité, Roosevelt se serait exclamé : « Je savais qu'il y aurait une tempête quand je partirais. »

Je voyais ce qu'il voulait dire. Les mois de septembre à décembre 2008 ont constitué la période la plus intense et la plus turbulente de ma présidence depuis les événements du 11 septembre 2001. Parce que la crise était survenue si tard dans mon mandat, je ne pourrais apprécier les conséquences de mes choix avant d'avoir quitté la Maison-Blanche. Heureusement, lors de mon départ en janvier 2009, les mesures que nous avions prises avaient stabilisé le marché financier ; la menace d'un effondrement du système tout entier s'était estompée ; les marchés du crédit, auparavant gelés, s'étaient remis en marche. Si le monde faisait encore face à de sérieux risques économiques, il n'était plus en proie à la panique.

L'année suivante présenta un tableau mitigé. La Bourse chuta pendant les deux premiers mois de 2009, mais acheva l'année avec une hausse de plus de 19 %. En redressant leur bilan, les banques purent racheter les actions détenues par le gouvernement. A l'automne 2010, la grande majorité des capitaux injectés dans les banques par le département du Trésor avaient été remboursés. Au fur et à mesure que l'économie reprendra des forces, les sociétés s'acquitteront de leurs dettes, distribueront les dividendes. Un programme dont on s'était moqué parce qu'il coûtait trop cher pourrait bien finir par rapporter de l'argent aux contribuables américains.

Je me suis souvent demandé si nous aurions pu prévoir cette crise financière ; d'une certaine façon, ce fut le cas. Nous avons reconnu le danger que représentaient Fannie et Freddie, et nous avons demandé plus d'une fois au Congrès d'autoriser une meilleure surveillance, de réduire les portefeuilles. Nous avons aussi compris la nécessité d'une nouvelle approche des réglementations. Au début de 2008, Hank a proposé un projet pour une structure réglementaire modernisée renforçant la surveillance du secteur financier et donnant plus de pouvoir au gouvernement pour démanteler les sociétés en perte de vitesse ; mais mon administration et les régulateurs avaient sous-estimé l'ampleur des risques pris par Wall Street. Les agences de notation avaient créé une fausse impression de sécurité en approuvant des actifs chancelants. Les entreprises financières dépendaient trop de l'effet de levier et dissimulaient une part de leur fragilité avec des activités hors bilan. Beaucoup des nouveaux produits étaient si complexes que leurs créateurs eux-mêmes ne les cernaient pas tout à fait. Pour toutes ces raisons, nous n'avons pas vu venir une crise financière qui s'était développée sur plus d'une décennie.

Une des questions qu'on me pose souvent porte sur la manière d'éviter une nouvelle crise économique. Tout d'abord, je répondrais qu'on n'est peut-être pas encore tirés d'affaire. Partout dans le monde, les institutions financières tentent de diminuer leur effet de levier, et les gouvernements croulent sous les dettes. Pour une récupération complète, le gouvernement fédéral devrait améliorer sa position fiscale sur le long terme en réduisant les dépenses, en se préoccupant des dettes non provisionnées dans la sécurité sociale et Medicare, et en fixant les conditions du secteur privé – notamment celles de petites entreprises – afin de générer de nouveaux emplois.

Une fois l'économie solidement implantée, Fannie et Freddie devrait être converties en compagnies privées, qui rivaliseraient sur le marché immobilier avec d'autres sociétés. Il faudrait exiger des banques qu'elles satisfassent des exigences raisonnables de capitaux pour éviter trop d'effet de levier ; les agences de notation devraient réévaluer leur technique d'analyse des actifs financiers complexes ; et les conseils d'administration devraient mettre fin aux plans de compensation qui génèrent de mauvaises incitations et récompensent les cadres qui ont échoué.

En même temps, nous devons veiller à ne pas faire de surcorrection. Trop de réglementations ralentit l'investissement, empêche l'innovation et décourage l'esprit d'entreprise. Il serait bon que le gouvernement se fasse moins présent dans les secteurs de la banque, de l'automobile et des assurances. Tout en instaurant des réglementations financières, il demeure important que le Congrès respecte l'indépendance de la Fed dans sa gestion des politiques monétaires. Et la crise économique ne doit pas servir d'excuse pour augmenter les impôts, ce qui ne ferait que saper la croissance requise pour se régénérer.

Par-dessus tout, notre pays doit garder foi en l'économie de marché, la liberté d'entreprise et le libre-échange. C'est grâce à l'économie libérale que l'Amérique est devenue une terre d'opportunité, et qu'avec le temps elle a réussi à élever le niveau de vie au fil des générations. A l'étranger, l'économie de marché a transformé des nations émergeantes en des puissances économiques, et tiré des centaines de millions de personnes de la misère. Le capitalisme démocratique, malgré ses imperfections et la nécessité d'opérer une surveillance rationnelle, reste de loin le modèle économique le plus efficace jamais conçu.

La nature de la présidence est telle que nous n'avons pas toujours le contrôle sur les défis qui nous sont adressés ; nous pouvons néanmoins choisir quelle sera notre réaction. Dans les derniers jours de mon mandat, j'ai convoqué mes conseillers économiques à une dernière réunion dans le Bureau Ovale. J'avais assemblé une équipe puissante et expérimentée, capable de s'adapter aux situations les plus inattendues et de proférer des recommandations avisées. Nous avions fait ce que nous avions jugé nécessaire, tout en sachant pertinemment que nos décisions ne seraient pas toujours populaires. Pour certains de nos compatriotes, le TARP était synonyme d'insulte. Je restais convaincu que ce plan de sauvetage contribuerait à protéger le peuple américain d'un désastre économique aux proportions historiques. Le gouvernement avait clairement exprimé le fait qu'il ne permettrait pas à l'économie de sombrer, et la seconde Grande Dépression contre laquelle Ben Bernanke nous avait mis en garde n'avait pas eu lieu.

En scrutant les traits fatigués des hommes et des femmes de mon équipe, j'ai repensé à tous les obstacles auxquels mon administration avait dû faire face. Tous les jours, pendant huit ans, nous avons agi de notre mieux. Nous avons tout donné. Et dans chaque épreuve, nous avons eu l'honneur de servir la nation que nous aimons.

Epilogue

Le mardi 20 janvier 2009, je n'ai pas dérogé à la tradition quotidienne qui était la mienne depuis huit ans : j'ai commencé ma journée en lisant la Bible. Un des passages concernés était le Psaume 18, 2 – « Yahvé est mon roc et ma forteresse, mon libérateur, c'est mon Dieu ; Je m'abrite en lui, mon rocher. » *Amen.*

Peu avant 7 heures du matin, j'ai pris l'ascenseur jusqu'au rez-de-chaussée de la Maison-Blanche et j'ai traversé la colonnade, avant d'ouvrir la porte vitrée du Bureau Ovale une toute dernière fois. Josh Bolten m'attendait à l'intérieur. Il m'a accueilli avec les mêmes paroles qu'il proférait tous les jours en tant que chef de mon cabinet : « Monsieur le président, je vous remercie de m'accorder le privilège de servir mon pays. »

Un matin ordinaire, l'aile Ouest grouillerait de conseillers. Mais en ce dernier jour, le bâtiment semblait étrangement calme. Aucune sonnerie de téléphone, pas de postes de télévision diffusant les dernières informations, pas de réunion dans les couloirs. Le seul bruit que j'entendais était celui de la perceuse d'un ouvrier qui remettait les bureaux en état pour la nouvelle équipe.

J'ai laissé une lettre sur le bureau présidentiel. Poursuivant une longue tradition, j'avais rédigé un message de félicitations à mon successeur en lui souhaitant bonne chance. La lettre était dans une enveloppe en papier kraft adressée à « 44 ».

« Cela a été un véritable honneur de venir travailler dans ce bureau tous les jours », ai-je dit à Josh. Puis j'ai enfilé mon manteau pour sortir faire un dernier tour de piste sur la pelouse Sud, où Spot et moi nous étions promenés le matin où j'avais donné l'ordre de libérer l'Irak.

Mon arrêt suivant fut dans le Salon Est, où s'était rassemblé le personnel de la Maison-Blanche. La pièce bondée contrastait vivement avec le vide de l'aile Ouest. Presque tous les membres du personnel étaient là : les fleuristes qui disposaient chaque matin dans le Bureau Ovale des bouquets cueillis le jour même, les majordomes et valets qui se préoccupaient de notre confort, les menuisiers et réparateurs qui maintenaient la Maison-Blanche en bonne condition, les cuisiniers qui nous concoctaient des plats fabuleux et, bien sûr, le pâtissier qui comblait mon penchant pour les sucreries.

De nombreux membres du personnel n'avaient pas seulement travaillé à mon service au cours des huit dernières années, mais aussi pendant le séjour de Papa et de Mère. « Vous faites presque partie de la famille, ai-je lancé, avec Laura, Barbara et Jenna à mes côtés. S'il y a certains aspects de Washington qui ne me manqueront pas, ce ne sera pas votre cas. Nous vous remercions du fond du cœur. »

Barack et Michelle Obama sont arrivés au portique nord peu avant 10 heures du matin ; Laura et moi les avions invités à prendre un café dans le Salon Bleu, tout comme Bill et Hillary Clinton l'avaient fait pour nous huit ans plus tôt. Les Obama étaient de bonne humeur, et se montraient enthousiastes face à l'aventure qui les attendait. Pendant ce temps, dans la Situation Room, les conseillers en sécurité intérieure de nos deux équipes compulsaient des informations au sujet d'une menace terroriste susceptible de se produire à la cérémonie d'investiture. C'était là un cruel rappel du fait que des malfaiteurs désiraient encore porter atteinte à notre pays, quel que soit le président.

Après notre visite, nous avons pris place dans le convoi qui remontait Pennsylvania Avenue. Je me suis remémoré le trajet effectué avec Bill Clinton huit années auparavant ; en cette journée de janvier 2001, je n'aurais jamais pu imaginer les événements qui allaient se dérouler au cours de mon mandat. Je savais que certaines des décisions que j'avais prises restaient impopulaires chez certains de mes concitoyens. Mais je puisais satisfaction dans la pensée que je n'avais pas reculé devant des décisions difficiles, et que j'avais toujours agi en mon âme et conscience.

Au Capitole, Laura et moi nous sommes assis pour la cérémonie d'investiture. Je m'émerveillais devant cette pacifique passation de pouvoir, un des aspects fondamentaux de notre démocratie. Le public était captivé, attendant la cérémonie avec impatience. Barack Obama avait mené une campagne où l'espoir était le maître mot, et c'était un sentiment qu'il avait insufflé à de nombreux Américains.

Pour notre nouveau président, la cérémonie d'investiture représentait un nouveau commencement ; pour Laura et moi, il s'agissait de la fin d'une période. L'heure d'un nouveau président était venue, et j'étais prêt à rentrer chez moi. Après une émouvante cérémonie d'adieux à la Andrews Air Force Base, Laura et moi sommes monté à bord d'Air Force One – désormais désigné sous le nom de Special Air Mission 28000. Ayant atterri à Midland en fin d'après-midi, une magnifique journée d'hiver, nous nous sommes rendus à un meeting au Centennial Plaza, où nous avions assisté à une cérémonie d'adieux huit ans plus tôt. De nombreux visages dans le public étaient les mêmes, nous rappelant l'existence de nos véritables amis d'avant la présidence, ceux qui l'étaient encore aujourd'hui.

« Il est bon de rentrer chez soi, ai-je déclaré. Laura et moi avons peut-être quitté le Texas, mais le Texas, lui, ne nous a jamais quittés. [...] Quand je suis parti de la Maison-Blanche ce matin, j'avais encore les mêmes valeurs que j'y avais apportées huit ans auparavant. Et ce soir, lorsque je me regarderai dans le miroir, je ne regretterai rien de ce que j'y verrai – à part peut-être ces cheveux gris. »

Ce soir-là, nous nous sommes envolés pour Crawford ; le lendemain, nous nous sommes levés à l'aube pour affronter le premier jour de ce que Laura appelait « l'après-vie ». J'étais frappé par la tranquillité ambiante. Il n'y avait aucun briefing de la CIA auquel se rendre, pas de feuille bleue rédigée par la Situation Room. J'avais l'impression d'être passé d'une vitesse de cent à dix miles à l'heure. Je devais me forcer à me détendre. En lisant les nouvelles du jour, d'instinct je me mettais à imaginer la meilleure attitude à adopter. Puis je me rappelais que cette décision n'était plus la mienne.

Mais j'avais de quoi occuper mon temps libre. Je me rendais régulièrement sur le chantier de construction du Bush Presidential Center, au campus de la Southern Methodist University, qui abritera des archives gouvernementales officielles, un musée et un institut politique consacré à la défense des réformes pédagogiques, des programmes de santé mondiaux, de la croissance économique et des libertés humaines, avec un accent particulier sur la création de nouvelles opportunités pour les femmes partout dans le monde. En quittant mes fonctions, j'étais le seul président à avoir mes deux parents en vie ; j'ai la chance de pouvoir passer plus de temps avec eux. En juin 2009, Laura et moi avons rejoint nos familles à Kennenbunkport, en l'honneur des quatre-vingt-cinq ans de Papa, anniversaire qu'il a fêté en effectuant un nouveau saut en parachute. Mère a fait remarquer avec ironie que son choix d'atterrissage, l'église épiscopale de St. Ann, était stratégique : si le saut tournait mal, au moins il serait proche d'un cimetière.

De temps à autre, certains événements nous rappellent que la situation a évolué. Peu après avoir déménagé à Dallas, j'ai promené Barney de bon matin dans le quartier. C'était la première fois que je faisais cela en dix ans ; pour Barney, c'était la toute première fois de son existence – il avait passé sa vie entière entre la Maison-Blanche, Camp David et Crawford. Ayant repéré la pelouse de notre voisin, il s'est mis aussitôt à ses affaires. Et me voilà, l'ancien président des Etats-Unis, un sac plastique dans la main, en train de ramasser ce que j'avais tenté d'esquiver depuis huit ans.

Le lendemain de mon départ, je me suis mis à l'écriture de ce livre. Sa conception m'a permis de réfléchir, et j'espère que vous avez apprécié de lire ces pensées autant que j'ai pris plaisir à les rédiger.

En choisissant d'agencer l'ouvrage autour de mes principaux axes de décisions, je savais que cela impliquerait de passer sous silence certains aspects de ma présidence. Je ne traite pas en profondeur de certains accomplissements en politique étrangère, comme l'accord historique sur la coopération nucléaire civile avec l'Inde, ou l'Initiative Merida pour combattre la drogue au Mexique. Je n'évoque que très rapidement mes actes en matière d'énergie et d'environnement, et je ne mentionne pas ma volonté de créer les plus grandes zones de conservation marine au monde. J'omets également un compte rendu de nos efforts, qui se sont vus couronnés de succès, pour venir en aide aux vétérans, diminuer l'usage de la drogue chez les adolescents et réduire les problèmes chroniques des sans-abris. Toutes ces réussites sont pour moi sources de fierté, et je suis reconnaissant envers ceux qui m'ont aidé dans ces démarches.

Plutôt que de tout relater, j'ai préféré offrir à mes lecteurs un échantillon des décisions les plus importantes de ma présidence. Comme j'espère l'avoir clairement exprimé, je pense avoir bien agi parfois, tout en ayant fait quelques erreurs. Mais j'ai toujours œuvré pour le bien de notre pays.

Il est encore trop tôt pour savoir quelles seront les retombées de la plupart de ces décisions. En tant que président, j'ai eu l'honneur de faire l'éloge de Gerald Ford et de Ronald Reagan. Le pardon accordé par le président Ford à Richard Nixon, autrefois considéré comme une des pires erreurs de l'histoire de la présidence, est aujourd'hui regardé comme un acte d'altruisme, révélateur de l'étoffe d'un chef. Et il était fascinant d'entendre les commentateurs, qui accusaient jadis Ronald Reagan d'être un idiot et un va-t-en-guerre, s'émerveiller devant la façon dont ce grand communicateur avait remporté la guerre froide.

Dans quelques dizaines d'années, j'espère qu'on me verra comme un président qui a su reconnaître les défis de notre temps et a tenu sa

promesse de protéger le pays ; qui a suivi ses convictions sans fai-
blir, tout en changeant de voie quand cela était nécessaire ; qui a eu
suffisamment confiance en ses compatriotes pour les laisser faire
leurs propres choix ; et qui a profité de l'influence de l'Amérique
pour propager la liberté. J'espère qu'on en conclura que j'ai su
maintenir l'honneur et la dignité du poste que j'ai eu le grand privilège d'occuper.

Quel que soit le verdict prononcé sur ma présidence, l'idée que je
ne serai peut-être plus là pour l'entendre ne m'effraie pas. Cette
décision-là appartiendra à l'histoire.

Remerciements

J'ai la chance d'être issu d'une famille d'auteurs de best-sellers. Ma mère et mon père ont publié de très beaux livres, ainsi que ma sœur Doro ; plus près de moi, Laura et Jenna ont écrit des ouvrages à succès et ont collaboré à un autre. Même les chiens de mes parents, C. Fred et Millie, sont les auteurs de leurs propres œuvres.

C'est grâce à la réussite des membres de ma famille et, surtout, l'amour qu'ils m'ont apporté, que j'ai eu le courage de poursuivre. Je remercie Laura pour son amour constant et pour avoir partagé les expériences qui ont rendu ce livre possible. Je rends grâce à nos filles, Barbara et Jenna, pour leurs rires et leurs embrassades ; je suis ravi d'avoir Henry Hager pour gendre. J'apprécie le soutien iné-branlable de Mère et de Papa. Et je remercie Jeb, Neil, Marvin et Doro d'avoir su réconforter leur frère.

Quand j'ai eu l'idée de ce livre, je savais que la tâche serait ardue. Je ne me rendais pourtant pas encore compte du plaisir que j'allais en retirer, notamment grâce à ma collaboration avec Chris Michel. A la fin de mon mandat, Chris rédigeait mes discours ; il connaissait ma façon de m'exprimer et a assisté à la plupart de mes décisions. Ses nombreux talents, qui vont de la recherche à la correction, ont contribué à faciliter la fabrication de cet ouvrage. Son optimisme était une réelle source de joie. Il me manquera quand il sera à l'école de droit de Yale.

Ce livre a fait son premier pas vers la publication lorsque j'ai employé Bob Barnett. Bob est un brillant avocat au jugement des plus sûrs, doté d'une expérience inégalée et d'une grande patience – dont il a fait preuve face à mes nombreuses taquineries au sujet de ses tarifs horaire. La vérité, c'est que Bob est le meilleur sur le marché, et qu'il a mérité chaque *penny* gagné.

Je ne pourrais imaginer meilleur éditeur que Sean Desmond, originaire de Dallas, au Texas, et éduqué à Harvard. Sean savait où ajouter des détails, quand couper des passages, et comment donner vie à mes décisions. Tout cela en montrant une grande patience, un professionnalisme et un solide sens de l'humour.

Je suis reconnaissant envers la superbe équipe chez Crown Publishing. Steve Rubin et Jenny Frost ont cru en ce projet depuis le début ; Maya Mavjee et Tina Constable l'ont suivi de bout en bout, jusqu'à sa conclusion. Je remercie la directrice de rédaction Amy Boorstein, la relectrice Jenna Dolan, le concepteur graphique de la couverture Whitney Cookman, l'assistante de rédaction Stephanie Chan, le directeur de publicité David Drake, la directrice de production Linnea Knollmueller, la directrice de conception graphique Elizabeth Rendfleisch, et les nombreuses autres personnes qui ont contribué à faire de ce livre une réalité.

Une grande partie des recherches effectuées pour cet ouvrage ont été menées par le brillant et inépuisable Peter Rough. Peter a passé ces derniers dix-huit mois à se plonger dans les archives, à chercher sur Internet et à compulser des rames entières de papier. Sa perspicacité et son ingéniosité ont amélioré ce livre de plus d'une façon. Il a également vérifié toutes les données, avec l'aide de quatre anciens membres de mon équipe de rédacteurs de discours : Staci Wheeler, Mike Robins, Mike Hasson et Matt Larkin. Gabriel Gillett, Paul Langdale, Chris Papagianis, Sarah Catherine Perot, Kerrie Rushton, Sara Sendek, Josh Silverstein et d'autres ont apporté de précieuses informations.

J'ai une dette envers les professionnels de la National Archives and Records Administration pour leur assistance. Je suis reconnaissant envers Alan Lowe, directeur de la George W. Bush Presidential Library, et l'archiviste en chef Shannon Jarrett pour avoir considéré ce projet comme une priorité. Les archivistes Brooke Clement, Matthew Lane et Jodie Steck ont mis la main sur des milliers de documents et de photographies qui ont permis de raviver mes souvenirs et de confirmer quelques détails. Sarah Barca, Tally Fugate, Peter Haligas, Neelie Holm, Bobby Holt, Elizabeth Lanier, David Sabo et Ketina Taylor ont également apporté leur aide. Je remercie aussi le personnel du département des Documents présidentiels aux Archives nationales de Washington – notamment Nancy Smith, John Laster et Stephannie Oriabure – qui m'ont facilité l'accès à de nombreux documents importants et hautement confidentiels.

Beaucoup d'amis fidèles ont contribué à ce livre. Je suis particulièrement reconnaissant envers ceux qui ont relu le manuscrit dans sa totalité : Steve Hadley, Josh Bolten, Andy Card, Blake Gottesman, Karen Hughes, Condi Rice et Dana Perino, qui a également apporté de précieux conseils en matière de publicité. Pete Wehner a lu de grandes sections de cet ouvrage à ses débuts, et a prodigué des commentaires éclairants. Brent McIntosh et Raul Yones ont soigneusement revu le dernier jet. Beaucoup d'autres ont émis des suggestions sur des chapitres importants, dont Dan Bartlett, Ryan Crocker, Mark Dybul, Gary Edson, Peter Feaver, Joe Hagin, Mike Hayden, Keith Hennessey, Joel Kaplan, Eddie Lazear, Jay Lefkowitz, Brett McGurk et Hank Paulson. Nombre des qualités de ce livre leur incombent, et aucun de ses défauts.

Lorsqu'un ancien président publie un livre, il est soumis à une enquête visant à déclassifier tous les documents le concernant. J'ai eu la chance d'être secondé par trois avocats compétents : Bill Burck, Mike Scudder et Tobi Young. Je sais gré à Bill Leary et à son équipe professionnelle au Conseil de sécurité nationale de m'avoir aidé à accélérer ce processus. Je remercie également les hommes et les femmes de la CIA qui ont aidé à vérifier les faits.

Ceux qui ont apprécié les photographies présentes dans cet ouvrage pourront remercier Emily Kropp Michel, qui – avec l'équipe de la NARA – a fait le tri parmi les quatre millions de photos archivées numériquement à la Bush Presidential Library. Ils ont reçu les précieux conseils d'Eric Draper, mon photographe principal depuis huit ans, et l'ancien photographe de la Maison-Blanche Paul Morse.

Les décisions que j'évoque dans ce livre n'auraient pas été possibles sans le travail et le soutien de nombreuses personnes dévouées au cours de mes quinze ans de service. Je remercie Dick et Lynne Cheney pour nos huit ans d'amitié. Je rends grâce aux hommes et aux femmes remarquables et désintéressés qui ont servi dans mon cabinet et à la Maison-Blanche, ainsi que dans mes campagnes et au bureau de gouverneur du Texas. Laura et moi seront toujours reconnaissants envers les agents des Services secrets, les conseillers militaires qui ne m'ont jamais abandonné, le personnel incroyablement bienveillant de la Maison-Blanche, les médecins et infirmières de l'unité médicale de la Maison-Blanche, les équipages d'Air Force One et de Marine One, et la superbe équipe de Camp David. Au nom de Barney, de Spot et de Miss Beazley, j'adresse mes remerciements tout particuliers à Dale Haney, Sam Sutton, Robert Favela, Cindy Wright, Robert Blossman et Maria Galvan.

J'ai la chance d'être entouré d'une formidable équipe à Dallas, sous l'égide de mon talentueux et compétent chef de cabinet Mike

Meece. Je remercie Blake Gottesman et Jared Weinstein, deux anciens conseillers qui ont sacrifié des mois entiers de leur existence pour m'aider à prendre mes fonctions. Toutes les personnes de l'administration Bush ont contribué à l'élaboration de ce livre. Mike Meece, Brian Cossiboom, Logan Dryden, Freddy Ford, Ashley Hickey, Caroline Hickey, Caroline Nugent, David Sherzer et Justine Sterling. Je remercie aussi Charity Wallace, Molly Soper et Katie Harper pour s'être aussi bien occupés de Laura.

En dehors de la rédaction de cet ouvrage, j'ai consacré les derniers dix-huit mois à la construction de mon centre présidentiel à la Southern Methodic University (SMU) de Dallas. Je sais gré à Mark Langdale d'avoir supervisé les efforts, au président de la SMU Gerald Turner pour son partenariat, à Jim Glassman et à Stacy Cinatl pour sa direction du George W. Bush Institute. Je suis particulièrement reconnaissant envers Don Evans, Ray Hunt et Jeanne Johnson Phillips pour leurs efforts qui ont permis de faire de ce projet une réussite.

Je dis souvent que la politique ne me manque pas ; mais les gens, eux, me manquent. Je suis reconnaissant envers mes nombreux amis au Congrès, les autres chefs d'Etat de ce monde, et même certains journalistes.

Enfin, je remercie les hommes et les femmes de l'armée américaine. Si j'ai dédié ce livre à Laura, à Barbara et à Jenna, personne ne m'a plus inspiré que ceux qui portent l'uniforme de ce pays, ainsi que leurs familles. Leurs exploits figureront aux côtés de ceux des générations les plus marquantes de l'histoire, et le plus grand honneur de mon existence restera celui d'avoir été leur commandant en chef.

Cet ouvrage a été composé par
CPI Firmin Didot à Mesnil-sur-l'Estrée
pour le compte des Éditions Plon
76, rue Bonaparte
Paris 6^e
en octobre 2010

Dépôt légal : novembre 2010
N° d'édition : 14648 – N° d'impression : 102283